3. 哲学原典精读系列

主编 ┃ 吴晓明 孙向晨

《圣经》精读

王新生·著

复旦大学出版社

总　序

吴晓明

　　阅读并研习经典,亦即与经典作品的持续"对话",是人文学术的真正基础。人文学术的基本样式与其他学科不同,它只是在很小的程度上构成所谓"规范的"或现成的知识体系;就其实质而言,它是一种唯有在多重的对话中方能保持其生机的"思想奠基活动"。这意味着,作为某种先行的思想奠基活动,人文学术及其成果毋宁应当被更恰当地理解为诸知识体系孕育其中并植根其上的思想-定向和精神-根据。

　　对于哲学学术来说,情形尤其如此。因为哲学在根本上就是——并且完全就是——"思想的事情"。而此种思想之事的大端之一,便是为既与的规范知识筹划并准备必要的思想前提和经验法则——规定其活动的领域并为其活动制定基本方向。此间的差别可以较为便捷地提示哲学学术的独特性:真正说来,那构成既与知识体系之思想前提的东西,本身不是现成的知识。事实上,我们在学习过程中有可能观察到这样的情形:既与的知识体系仿佛是展开在一个平面上,你可以通过一定的程序逐步地扩张至整个领域;而思想的事情则仿佛是在垂直于平面的纵向上活动,你往往只有通过占据不同高度的上升运动才能不断地扩展自己的视野。大体说来,这就意味着哲学与知性科学在学科性质上的一种差别。

　　正是这种性质上的差别决定了哲学研习的基本方式。它只是在极其有限的范围内才能依赖于"教程"或"教科书"之类的形式体系,而由此让渡出来的巨大区域正应当为经典的研习所占据,并成为研习者与之积极对话的广阔空间。在某种提示性的意义上可以说,比较起沃尔夫空洞的教材式"体系",康德的"批判"会重要得多;对于真正的哲学研习来说,这两者的价值几乎是难以比拟的。

我们在这里之所以特别强调这一点，是为了突出地表明哲学学术的特点，而决不意味着知识的获取和积累因此是无关紧要的。"学而不思则罔，思而不学则殆"——这向来是对此一问题之最为正当的领会方式。但是，既然哲学依其本质来说就是思想的事情，那么，这里的一切"所学"总已先行地从属于"能思"了。也就是说，哲学之本己的任务——开启并守护思想，乃是一切可称之为哲学"知识"的东西始终围绕着旋转的枢轴；离开了这个枢轴，固然知识的东西还可以保留下来，但已不再是——或很少是——真正"哲学的"了。因此之故，我们几乎可以说，哲学学术的唯一正途，便是阅读并研习经典，即与真正的"思者"保持对话，以便使开启并守护思想之事能够不间断地付诸实行。一切既与的知识体系固然无疑是思想的成果，但哲学所关注的那一度是：思想的开展本身以及这种开展所需要的前提和条件。

然而，哲学作为思想的事情，却并不仅仅是思想的"内部自身"。它从根本上来说关乎时代，关乎时代的精神状况与经验样式，关乎时代的根本问题与未来命运。正如黑格尔所说，哲学无非是被把握在思想中的时代。那些被称为"哲学经典"的著作之所以成为经典，不仅在于其生动活跃的原创性思想，而且在于这些思想深深植根其中的那个时代被决定性地道说出来了。真正的哲学家，无论他自己是否清楚地意识到这一点，总已使思想的锋芒最关本质地涵泳于时代的风云中了。即使是那些最为孤寂、看起来只是一味沉思冥想的哲学家，即使是那些最为深奥、读起来总是一派晦涩玄远的哲学著作，无一例外地总是时代的产儿，并且总是依循其揭示并切中时代的深度来获得其品题和权衡的。常常伫立在雪地里沉思的苏格拉底是如此，往往奔波劳苦的孔夫子也是如此；笛卡尔的"我思"是如此，王阳明的"良知"也是如此。至于说到黑格尔，那么海德格尔曾这样评论道：新时代的劳动的形而上学本质，在《精神现象学》中是被深刻地道说出来了。

如果说，在那些几经翻拓的知识读本中，哲学思想和时代境况已经被渐次分离开来并从而变得难以识别的话，那么，经典著作的优越性恰恰在于：上述联系能够以一种有机的生命体的形式显现出来；而这就意味着，在我们能够从中真正读懂思想的地方，我们同时也真正读懂了那个时代，读懂了在时代的根本问题及其应答中开展出来的实际思想进程。指出这一点是重要的，因为对于哲学来说，体现在其经典源头中的思想本身又是依时代的性质来定向的;依此定向我们便能积极地寻绎并领会哲学思想的本质来历。而只有当这种本质来历被牢牢地把握住的时候,思想的航船才能够避开各种无内容的抽象——"外部反思"以及由之而来的疏阔散宕的"意见"——而重新扬帆起航。

当哲学思想的本质来历能够被较为切近地领会到的时候,思想的开展过程以及这种开展所需要的前提和条件就开始显现出来了。因此之故,就像哲学本身要力求体现为批判的思想一样,对经典著作的阅读和研习也应当成为批判的思想。"批判"一词之原初和简要的含义是:澄清前提并划定界限。康德的"纯粹理性批判"意味着,澄清人类知识的先验前提,并通过对这种知识的划界来为信仰留出地盘。而马克思的"政治经济学批判"所做的工作无非是:澄清现代经济生活——政治经济学只是其理论表现——之现实的历史前提,并依循对这种经济生活的批判性分析而揭示其历史的限度。如果说,当今的哲学只有通过真正批判的思想才能深入到社会现实之中,那么同样,哲学的研习也只有通过批判性的阅读——真正的"对话"——才能以思想之本己的形式深入到经典著作的思想之中。黑格尔曾这样说过,什么叫自由的思想? 自由的思想就是不接受未经审查其前提的思想。

当我们把批判的思想理解为澄清前提和划定界限,又把批判的阅读理解为真正的对话时,这里所要强调的无非是:正像一切历史现象都有其前提和界限一样,任何一种经典的哲学思想同样有其前提和界限;唯其如此并且因为如此,我们才可能由某种思想而开始自己去思想。因此,批判性阅读的要义就在于,经由一种名副其实的"对话"而开始自己的思想——这才意味着真正自由的思想。

此外,也许还应当提一下的是,尽管哲学经典的决定性根基在于"思想之事",但它们也和其他学科的经典作品一样,是真正意义上的"学术典范"。这一点对于我们的研习者来说当然也是十分重要的。深入地阅读、研习经典作品并与之亲熟,是在学术上能够根深蒂固、并从而能够厚积薄发的不二法门。开展出广大学术空间的奠基之事,唯在"入门以正"、"取法乎上"而已。因此,凡志于学术或乐于求索者,必以经典作品为师。这正合严羽在《沧浪诗话》中所说,"此乃是从顶轻上做来,谓之向上一路,谓之直截根源,谓之顿门,谓之单刀直入也。"

　　我们在这里奉献给大家的"哲学原典精读系列",是由哲学学院的诸多教师精心撰著的。其主旨便是开辟出一些小径,以便我们的研习者能够较为便捷地通达并深入于哲学经典的堂奥。这个系列的作品真正说来乃是一种"阶梯"或"导引",是一种唯独对于探索者来说具有提示作用的"路标"。因此,它绝对不能代替对原典本身的研读,而只是期望把研习者唤入到一种批判性阅读-对话的境域中去。只要能够真正被唤入到这个境域,思想之切近开启的真实可能性便已然出现了,而我们这个教材系列的主要目的也就达到了。

　　哲学是思想的事情,而思想的事情是我们这个时代的当务之急。如果说,当下的历史性实践已经开始逐步表明了这一点,那么,但愿有朝一日,当真正重大的思想任务急切地前来同我们照面的时候,我们已做好了充分的准备。诸位年轻的哲学研习者,勉乎哉,勉乎哉。

目　　录

绪　论

第一节　《圣经》的形成

一、《圣经》的概况

《圣经》(Biblia / Βίβλος)是全世界版本最多、印数最高、传播最广和影响最大的典籍。自 1456 年谷登堡把印刷术用于《通俗拉丁文本》的第一个印本《谷登堡圣经》以来,《圣经》这部"世界畅销书"已经印刷六十亿册以上[①]。研究表明,"地球上估计有 6500 种语言。部分或者全本圣经已经被翻译成了 2300 种语言。但是这些已经翻译成的语言是地球上主要的语言,其余大部分语言是相对人数较少的人讲说的地区性方言。大约 10 个人中至少有 1 个人有了自己母语的部分圣经。即使如此,很多基督徒还是不满意。估计还有 700 多项圣经翻译工作正在进行中"[②]。

我们中国的情况虽然有些特殊,但是倘若《大秦景教流行中国碑》所载景教主教阿罗本于唐贞观九年(635 年)到达长安传教、译出景教经典若干卷的纪事不虚,那么《圣经》传入中国已有 1370 年以上的历史,迄今有据可查的汉语和民族语言《圣经》中译本已达百余种。1985 年以来,中国基督教新教通过"爱德印刷厂"印刷的《圣经》已经接近五千万册。再算上 1985 年之前中国基督教新教印行的《圣经》和中国天主教单独印行的"思高"本《圣经》,中国《圣经》印刷数字已经相当可观。

---

① 参见 John F. A. Sawyer (ed.), *The Blackwell Companion to the Bible*, Blackwell Publishing Ltd, 2006, p. 1.
② 米勒、休伯:《圣经的历史:〈圣经〉成书过程及历史影响》,黄剑波、艾菊红译,中央编译出版社 2005 年版,第408 页。

《圣经》最初并没有现在清楚区分的章与节,只是后来教会为了使用上的便利,1236 年罗马红衣主教卡罗(Cardinal Caro)才给《圣经》分章。及至 1660 年,犹太教拉比才给《旧约》分节;1557 年,法国印刷匠斯提芬努再给《新约》分节。以基督教新教"新标点和合本"中文《圣经》为准计算,《旧约》共 39 卷、929 章、23144 节;《新约》共 27 卷、260 章、7957 节;《旧约》和《新约》合计,《圣经》共有 66 卷、1189 章、31101 节、1409312(汉)字。

学术研究表明,《圣经》是在不同的地理和历史背景下酝酿而成的。若想真正了解《圣经》,无论是出于丰富自己的文化底蕴还是加深已有的理解,都离不开对于《圣经》史地背景的把握。为此,必须透视《圣经》得以展开的那幅广阔的地理、心理和社会背景,熟悉《圣经》中的民族和人物所了解的世界,以及他们以这样那样的方式与之发生关联的世界。这个意义上的《圣经》世界从地理上说,西起西班牙,东至波斯湾;北起黑海和里海,南抵红海南端。而在这个地域内,"无论从神学上说还是从地理上说,巴勒斯坦是《圣经》人物所知道的世界的中心,也是《圣经》故事的焦点"①。

《旧约》中的事件发生在所谓的"肥沃新月"这样一个地理范围之内。"肥沃新月"这个地理名称,狭义上指从巴比伦南端溯两河流域而上,经亚述向西,越过叙利亚草原,沿着地中海东岸抵达巴勒斯坦南部的辽阔新月形地带。广义上,指上述地带以及埃及的尼罗河流域所构成的一个更大的新月形地域,即整个《旧约》世界。此名由美国著名埃及学家詹姆斯·亨利·布雷斯特德(James H. Breasted)首倡。

这片新月形地域之"肥沃"不是按照通常的标准判定的,而是相对于周边贫瘠的山地以及荒凉的沙漠而言。其实,其地形地貌也是多种多样的。在埃及,沙漠爬行到了尼罗河畔,年复一年的尼罗河水的泛滥才得以阻遏沙漠的脚步。沿着新月的亚洲部分的北缘和东缘,一系列的山脉和高原形成了一个半圆形。在巴勒斯坦,肥沃的区域被横贯南北的崎岖山陵所分割。新月的亚洲部分的内缘则是荒漠。这片新月形的广袤地区,部分是人类无法居住的沙漠,部分是仅够零星游牧部落生活的半荒地。在冬季,荒原得到足够的雨水滋润,游牧部落可以自由地逐水草而居。在夏季,人们则被局限在环绕绿洲的一些地区。真正的沙漠地区没有冬季雨水的滋润,对于人类而言几乎总是不可进入的。一些《圣经》研究表明,亚伯拉罕的迁徙就是从这个新月的一端的迦勒底的吾珥,途径叙利亚和巴勒斯坦走到另一端的埃及。古代希伯来人的历史舞台大致就处于这个略呈新月形的地域之内,而巴勒斯坦则是这整个参照系

① Henry Jackson Flanders, Jr. and Buce C. Cresson, *Introduction to the Bible*, New York: John Wiley & Sons, 1973, p. 13.

的枢纽。尽管《新约》事件发生地点和人物活动范围是在耶路撒冷和罗马之间，但是根基同样在巴勒斯坦。所以学者一般咸认，无论是《旧约》还是《新约》，它们展开的中心舞台是巴勒斯坦——整个《圣经》世界的轴心。

"巴勒斯坦"这个地名在犹太人的历史上最初只指公元前 12 世纪非利士人居住的迦南地的沿海地区，《旧约》中称非利士（《出埃及记》15：14；《以赛亚书》14：29、31；《约珥书》3：4），意为"非利士人的土地"。后来"非利士"一词的希腊语形式"巴勒斯坦"渐渐被用来泛指"希伯来人之地"（《创世记》40：15），即整个地区。这个地区也被称作"圣地"（《撒迦利亚书》2：12）、"耶和华的地"（《何西阿书》9：3；《诗篇》85：1）、"所应许之地"（《希伯来书》11：9）和"迦南地"（《创世记》12：5）等。

巴勒斯坦最著名的古称迦南这个地名源于含的第四个儿子迦南（《创世记》10：6），即迦南人的祖先。因冒犯父亲，迦南及其后裔受到诅咒（《创世记》9：22—27）。迦南的长子西顿是西顿人和腓尼基人的祖先。最初腓尼基人用迦南作为地名指称西顿城所在的海岸平原。但是到摩西和约书亚时代，迦南这一地名开始指整个巴勒斯坦地区。迦南被称作"美好宽阔流奶与蜜之地"①（《出埃及记》3：8），上帝赐予希伯来人为业（《创世记》12：1—5）。古代迦南人在宗教上信奉以自然神巴力为代表的异神，巴力崇拜对征服迦南后的以色列人影响极大。以色列人的先知运动就是针对定居迦南后所出现的耶巍（耶和华）崇拜的巴力化和崇拜异神现象应运而生的。

研究表明，公元前第三个千年纪到公元前第二个千年纪上半叶此地已是闪族迦南部落的定居地。公元前第二个千年纪后半叶，此地为出埃及的希伯来人所征服。公元前 1200 年前后，非利士人侵入迦南。以色列人与非利士人的艰苦较量催生了希伯来统一王国的形成；公元前 11 世纪后半叶由扫罗、大卫和所罗门相继称王，定都耶路撒冷。公元前 922 年随着所罗门王驾崩，统一王国分裂为最后以撒玛利亚为国都的北国以色列和以耶路撒冷为国都的南国犹大。北国公元前 722 年亡于亚述，南国公元前 586 年亡于新巴比伦。波斯帝国兴起后，沦为巴比伦囚掳的犹太人重返家园。公元前 331 年，迦南地区进入希腊化时期。公元前 63 年，又成为罗马帝国的一个行省。公元 66—70 年和公元 135 年的犹太人大起义相继失败后，以色列人被驱离迦南，流落到世界各地。

总体而言，巴勒斯坦是一个具有地理多样性和分段性的区域。在这个地区的群山中，古代以色列人度过了他们的绝大多数历史时光。从战略位置上说，巴勒斯坦处于古代争胜的列强之间：东有亚述和巴比伦虎视，西南有埃及雄踞。这意味着以色列人的

---

① 这种表达中的"奶与蜜"指该地拥有大量产奶的羊群和产椰枣的枣林。从椰枣榨取的甜蜜物质即《圣经》中所提到的最为常见的"蜜"。

国度是它们之间的一个缓冲地区,列强为了攫取更大的利益总是迫不及待地要占领这一地区。这就决定了《圣经》时代的以色列人命运多舛,决定了《圣经》时代出埃及后征服巴勒斯坦的以色列人的政治历史是一部诉诸武力、外交和纳贡来维持独立的历史。

在历史进程中,巴勒斯坦除由出埃及回来的以色列人建立的以色列王国控制之外,还先后被埃及、亚述、巴比伦、波斯、马其顿、古罗马、拜占庭、十字军和奥斯曼土耳其帝国所占领或主导。第一次世界大战后为英国所托管。1947 年联合国大会通过在巴勒斯坦地区分别建立阿拉伯国家和以色列国的决议。但是由于众所周知的种种原因,这一决议迄今没有得到彻底贯彻。

二、《圣经》的名称

《圣经》的名称源于意谓"一组书卷"的希腊复数词,为 *Biβλoς*;在拉丁文中衍变为单数专有名词,为 *Biblia*。在历史上中译的时候,译者依照中国传统上把权威典籍称为"经"的做法,赋予作为基督教权威典籍的这"一组书卷"以《圣经》这个专名。《圣经》由基督教承自犹太教《希伯来圣经》的《旧约》和基督教自身特有的《新约》连缀而成,故其全称为《新旧约全书》。

《新旧约全书》所记之"约"林林总总,有夫妻盟约(《玛拉基书》2：14)、私人誓约(《创世记》21：22—32;26：28—31)、君王立约(《列王纪上》20：34)和民族之约(《出埃及记》34：12;士 2：2;《撒母耳记上》11：1)等等。值得注意的是,立约双方地位不一定对等。缔约双方地位不对等的"约"有君民之约(《列王纪下》11：4;《历代志下》23：3)和神人之约。《旧约》强调上帝通过与特选子民以色列人立约而自愿与人订立圣约,《新约》强调上帝藉其独生子耶稣基督与信徒另立圣约。

学者们根据《以西结书》20：37"被约束缚"推断,希伯来文的"约"字(berith)源于意为"锁链"的亚兰文 beritu。鉴于希伯来文谈及"立约"的动词皆为带有"切割"和"劈开"含义的 Kārath,故可认定"约"不仅与献祭密切相关(《诗篇》50：5;《出埃及记》24：5—8),而且含有倘若爽约将像立约祭品那样"劈开分成两半"(《创世记》15：8—18)的意思。质而言之,"约"是一种盟誓和约束。

立约通常有证据为凭。人与人立约的凭据可以是礼物(《创世记》21：27)、筵席(《创世记》26：28—30)或石堆(《创世记》31：48),但更为重要的凭据则是指着上帝起誓为证(《撒母耳记上》23：18;《撒母耳记下》5：3;《列王纪下》11：4;《耶利米书》34：15,18;《以西结书》17：19)。上帝与人立约也有凭有据。上帝与亚当立约以伊甸园中分别善恶树上的果子为证（《创世记》2：17），与诺亚立约以彩虹为记（《创世记》9：13），与亚伯拉罕立约以割礼为凭（《创世记》17：9—14），藉摩西在西奈山与以色列人所立之约则以刻有"十诫"的两块法版为据（《出埃及记》34：10，28）。上帝与以色列人所立之约的核心在于"你们要作我的子民，我要作你们的上帝"（《出埃及记》19：5—6）①。

就以色列人而言，与上帝所立具体之"约"最初指的是刻在两块法版上的"十诫"之约。后来，加上一些敬拜礼仪和民事管理方面的律例而被称为"约书"（《出埃及记》24：7）。再后来，《申命记》的律法和《利未记》的圣洁律法（《利未记》17—26）都被认为出自摩西，而且逐渐把约等同于律法，约与律法书含义趋同（《约书亚记》1：7—8）。

就上帝与以色列人各自履约的情况而言，上帝始终信实，而以色列人方面则是"断断续续"。无论是应许给大卫的（《撒母耳记下》7：11—16）那个约（《撒母耳记下》25：3），还是耶何耶大使王和民众与上帝立约（《列王纪下》11：17），约西亚王和民众站在上帝面前立约（《列王纪下》23：3），以斯拉（《以斯拉记》10：3）和尼希米（《尼希米记》10：29）要求民众起誓立约，都是在以色列人出现背信这种"断"约的情况下，坚定原来在西奈山所立之约的"续"约之举。而先知召唤背道而驰的以色列人回转（《耶利米书》7：21—26；《以西结书》16：1—62；《何西阿书》2：15，11：1—7；《阿摩司书》3：1—2），无非是要求以色列人信守与上帝所立之约。况且，一切被接受的经卷都是直接或间接地与西奈山的圣约有关。渐渐地，"约"就成为全部被接受的经卷的代名词。

在基督教历史上的耶稣和使徒时代，《圣经·新约》还没有写成，尚无《旧约》和《新约》之别，耶稣和使徒都把现在从基督教角度而言的《圣经·旧约》称为"经"（《马太福音》21：42；《马可福音》14：49；《路加福音》4：21）或者"圣经"（《约翰福音》5：39；《提摩太后书》3：15—16）。《圣经·新约》在提到全部《圣经·旧约》的时候，称之为"摩西的律法、先知的书、诗篇上所记的"（《路加福音》24：44），有时简称为"律法和先知"（《马太福音》7：12）。"律法"不仅指"十诫"和后加的各项律例的"约书"，而且被用来指称《圣经·旧约》的第一部分——"五经"。进而言之，就《约翰福音》10：34 和《哥林多前书》14：21 使用"律法"这个词的方式来看，"律法"实际上已经成为全部《旧约》的代名词。

从基督教的角度而言，尽管《圣经·新约》作为经卷是后来的事情，但是"新约"的名称和概念在《新约》成书之前早已有之。在基督教看来，犹太人（特别是在犹太教兴起之后）过度看重律法，乃至把"约"归结为律法，以至于忽略了"约"中的应许，玩忽了他们领受上帝的应许本来是要使万国万民得福的职守。其实，正是因为先知们早就

---

①　参见《申命记》29：13；《耶利米书》30：22，31：33；《以西结书》11：20，36：28。

看出把"约"归结为律法的弊端,及其潜在的律法主义的危险(《申命记》4：13;《创世记》17：1—21),所以才盼望有一个"新约"或者"永约",借此将律法写在人的心上、更新人的心意(《耶利米书》31：31—34;《以西结书》16：60—63;《以赛亚书》61：8;《何西阿书》2：18—20)。可见,"新约"(《耶利米书》31：31)和"前约"(《以西结书》16：61)的词语和概念早就见诸先知们的口头和笔端。

从基督教的角度看来,"约"中的应许核心是弥赛亚。例如,上帝应许亚伯拉罕地上的万族万国都要从他和他的后裔得福(《创世记》12：1—3,18：18,22：18),并不是指亚伯拉罕的子子孙孙,而是指耶稣基督这一个人(《加拉太书》3：16)。再如,应许大卫有后裔接续其位、坚定他的国直到永远(《撒母耳记下》7：11—16),也是应验在耶稣身上。在基督教看来,这正是何以《新约》开头的一节便提到耶稣是"亚伯拉罕的后裔,大卫的子孙"(《马太福音》1：1)的原因。

就《新约》"四大福音"所载而言,耶稣非常清楚自己到世上来的使命,就是应验律法和先知的预言。所以他在"最后的晚餐"上说,"这杯是用我的血所立的新约"(《路加福音》20：20;《哥林多前书》11：25)。在基督教看来,正是有了这个"新约",保罗才指出不是凭着刻在石版上的字句,而是凭着圣灵,上帝"他叫我们能承当这新约的执事"(《哥林多后书》3：3—18;《罗马书》2：29)。既然有了"新约",保罗自然便把诵读摩西的书称为"诵读旧约"(《哥林多后书》3：14、15)。

《希伯来书》也指出耶稣到世上来是"作更美之约的中保",而且"这约是凭更美之应许而立的"(《希伯来书》8：6)。《希伯来书》不仅使用"新约"和"旧约"这些名词(《希伯来书》8：7),而且援引耶利米的话(《耶利米书》31：31—34)印证耶稣作为大祭司将自己作为祭品献上、"用自己的血"一劳永逸地成就救赎之工为"新约"(《希伯来书》9：11—15)。"既说新约,就以前约为旧了。"(《希伯来书》8：13)

至于称《圣经·旧约》为《旧约》,则是迟至《新约·圣经》的那些经卷完成,并且被一些教会收集成册之后的事情。迄今所知,最早使用《旧约》一词来指称《圣经·旧约》的是公元2世纪后半叶的古代教父德尔图良(Tertullian,160—220年)。最终《旧约》和《新约》连缀而称《圣经》。

三、《圣经》的源流

1.《旧约》的形成

基督教角度所称的《旧约》在犹太教角度称作《希伯来圣经》。基督教从犹太教内部诞生,自然接受《希伯来圣经》为自己的经典。只是与基督教自身新有的《新约》相比,《希伯来圣经》自然成了《旧约》。

《希伯来圣经》是一种共同体的产物。它是从以色列人或曰犹太人共同体中发展出来的,包含着希伯来人认为对于理解上帝而言重要的故事和传统。这些传统中的一些传统先是口头流传了几个世纪,然后才书写下来,逐渐成形,并最终被信仰共同体赋予权威地位。另一方面,当信仰共同体的人民寻求这些经卷在信仰上和生活上的指导的时候,这些著作也帮助塑造和滋养了信仰共同体。

希伯来语

《旧约》的绝大部分经文以《圣经》希伯来文写成,只有部分经段是亚兰文。具体而言,《旧约》中有以下五处经文是亚兰文:《创世记》1:47;《以斯拉记》4:8—6:18;《以斯拉记》7:12—26;《耶利米书》10:11;《但以理书》2:4(下)—7:28。

希伯来语言的起源无从确切稽考。但是有人认为《创世记》(10:24)提到的希伯应该是希伯来始祖和希伯来语言的源头。"希伯"的希伯来词根含有"横过、过来、跨越或逾越"之意,因此希伯来人可能是指那些"从大河(幼发拉底河)那边过来的人",希伯来语就是指这些游牧民族的语言。尽管由于这些人在迦南天长日久地居住下来,他们的语言被当作一种迦南方言(《以赛亚书》19:18),但是希伯来人为了使其语言与当地语文区分开来,认定自己的希伯来语才是神圣的语言、清洁的语言(番3:9)。

在"巴比伦囚掳"之前,尽管希伯来官员能够听说亚兰语,但是百姓大多不通,只将希伯来语认作犹大言语(《列王纪下》18:26;《以赛亚书》36:11)。但是在"巴比伦囚掳"之后,因为被掳的以色列人习惯了当地的亚兰语,百姓反而生疏了本身的母语希伯来语。《尼希米记》8:2—8 的经文甚至透露出这样的事实,就是当以斯拉在回国的以色列男女会众面前宣读上帝的律法书的时候,只有通过翻译和讲解才能使百姓明白。至于"两约之间"时期,希伯来语明显不再是以色列人的日用语言,只是祭司和拉比这些受过专门训练的人的专属语言(正如拉丁文在当今西方的情况一样)。到耶稣生活的时代,拉比念诵《希伯来圣经》的时候,必须用亚兰语作口头解释。《新约》原文中所提到的"希伯来话"(《约翰福音》5:2,19:13)、"希伯来方言"(《使徒行传》21:40,22:2,26:14)和"希伯来文"(《约翰福音》19:20)其实已经是犹太本地人所使用的亚兰语[1]。

亚兰语和希伯来语同属闪族语系。"闪族"是 1781 年叔劳采尔(A. L. Schlözer)

---

[1]　丘恩处:《旧约概论》,香港基督教文艺出版社 1990 年版,第 15 页。

用来概括诺亚的儿子闪的后代(《创世记》10：22—31)的一个术语。按照《创世记》10：22 的经文,亚兰是闪的第五个儿子。使用亚兰语的地域相当广阔,学者分为东西两个部分。东部亚兰语区又划分为南北两个地区：《圣经》亚兰语,后来叙利亚东部出现的聂斯托利派文献所使用的语言,叙利亚西部出现的雅各派文献所使用的语言,均属于北区亚兰方言;南区亚兰方言文献主要有巴比伦的《塔木德》。西部亚兰方言区主要在巴勒斯坦,其中犹太人的《塔古姆》和耶路撒冷《塔木德》,以及耶稣基督和该地区基督徒、撒马利亚人的文献,连同古阿拉伯人,均使用这种亚兰方言。

从历史角度来说,上述亚兰语属于"官式亚兰语",就是亚述帝国所使用的语言文字。凭借亚述帝国在军事、政治、外交和商业等方面的影响,亚兰语远播至巴比伦、波斯和埃及等地。亚述王西拿基立公元前 701 年攻打耶路撒冷时(《列王纪下》18：13—37),犹大的官长陈明他们能懂亚兰语,其原因就是在此。

口传阶段

就像绝大多数古代文化中的情况一样,古代以色列人的文化最初也是一种口传文化。借助故事,他们记忆历史、反思生活的意义和思辨世界的起源。以色列人讲述和歌唱部落英雄的赫赫战功和部落领袖的丰功伟绩。他们使用箴言和谚语传达社会观念、宗教价值和共同体的规范。历经无数世纪,这些传统在希伯来文化中口口相传、代代相沿,并且不断得到修改和提炼。及至《圣经》首批经卷书写下来的时候,以色列人已经积累和形成可供使用的庞大口传传统资源。

尽管并非《希伯来圣经》中的所有材料都源于口传传统,但是其中的相当部分的确如此。例如,《创世记》第 12—50 章这一大块有关以色列先祖的传奇几乎肯定是口头编纂,然后经过多少代人的传讲,最后才书写下来。同样,《箴言》中的那些名言警句、《诗篇》中的那些材料、《约伯记》的故事和《士师记》第 5 章中的"底波拉之歌"都是《圣经》材料广泛口传先史的例证。随着这些传统在不同的场合、为了不同的目的一再重述,它们帮助塑造了以色列人对自身和对上帝的理解,而这些传统本身反过来也在重讲中得到塑造和修正。

书面阶段

《希伯来圣经》中几乎没有哪一卷是某个单一作者的作品,绝大多数都是各种各样口传和书面来源的混成之作。现在包含在《希伯来圣经》中的那些最早书面材料并非原初各自的完整形式,而是包埋在现有作品中的那些文字传统的"采样"。例如,《士师记》第 5 章中的"底波拉之歌"很可能开始是口传传统,然后作为独立的书面形式流传,最后被整合进《士师记》经卷之中。尽管学者们在底波拉之歌的日期认定方面意见不一,但是一些权威观点认为它很可能早在公元前 12 世纪已经具有书面形式。同样,被视为希伯来诗歌最早例证之一的《出埃及记》15：21 中的"米利暗之歌",也是源于公元前 12 世纪,在被纳入"妥拉"之前很有可能也有其单独书面流传的历史。根据绝大多数学者的看法,以书面形式保留传统的最早努力出现在公元前 10 世纪大卫和所罗门时期。不过,即便是在书面文献变得普遍以后,口头传统也没有停止。相反,在以色列人的大部分历史中,口头传统和书面传统是彼此平行保留下来的。

《希伯来圣经》又称为《塔纳克》。"塔纳克"是分别意为"律法书、先知书、圣文集"的"妥拉、纳毕、纪土宾"的希伯来文首字母组合的音译。"妥拉"(律法书)的绝大部分属于《希伯来圣经》中最早的文字集成。但是,也有"纳毕"(先知书)和"纪土宾"(圣文集)的某些材料早于"妥拉"中的一些材料的情况。这些书卷从它们最小的文字单位汇成《希伯来圣经》中的经卷形式,有一个漫长而复杂的过程。通过稽考最终形成《希伯来圣经》三大构成部分的那些经卷的书写、结集和编辑过程,可以揭示其成书历史的概貌。

"妥拉"(律法书)。"妥拉"是《圣经》的前 5 卷,传统上认为是摩西所作,所以又称"摩西五经",即《创世记》、《出埃及记》、《利未记》、《民数记》和《申命记》。不过,学术研究表明,这些经卷的目前形式出自摩西一人之手似无可能。事实上这些经卷是共同体在大量的口传和书面来源基础上加工而成。这种来源多样性的证据有："妥拉"的不同部分使用了各自特有的上帝称呼,同一事件经常出现多重描述,还有语汇的差异、风格的突变,以及某些叙事连续性出现中断等。《圣经》学者提出了著名的"底本假说",解释"妥拉"在四种底本(J 典、E 典、D 典、P 典)基础上的形成过程。这些底本中最早的 J 典很可能写于公元前 1000—前 900 年之间,最晚的底本 P 典很可能创作于公元前 6 世纪或前 5 世纪期间。所有这些底本材料在公元前 5 世纪的某个时候结合成为"妥拉"这一最终形式。

"妥拉"中的《创世记》记载希伯来人有关宇宙生成、万物起源、人类诞生和希伯来人族长时期的历史风貌和人物事迹。随后四卷则展现了希伯来人在民族英雄摩西带领下出埃及、经旷野、迈向应许之地、最终抵达约旦河东的非凡业绩和历史画卷,其中交织出现了大量宗教教义、信条、仪规,以及伦理规范和民事律例等等。

"纳毕"(先知书)。在"妥拉"的大量文献书写下来的同时,构成《希伯来圣经》第二大部分的"纳毕"也在成形。"纳毕"有前后两个部分构成,即四卷"前先知书"和四卷"后先知书"。"前先知书"为《约书亚记》、《士师记》、《撒母耳记》、《列王纪》;历史上从只记辅音的《希伯来圣经》译成既记辅音又记元音的《七十子希腊文本》的时候,文本长度约增长一倍,其中的《撒母耳记》和《列王纪》遂各分为上下两卷,基督教《旧约》

相沿至今。"后先知书"为《以赛亚书》、《耶利米书》、《以西结书》和《十二小先知书》，其中的《十二小先知书》译为《七十子希腊文本》的时候，被拆分成《何西阿书》、《约珥书》、《阿摩司书》等十二卷，基督教《旧约》相沿至今。

"前先知书"经卷的早期书面形式出现在公元前 7 世纪，然后在公元前 6 世纪作为学者所称的"申命历史"的主要部分得到修订。"前先知书"不仅讲述了某些"述而不作"的先知(诸如以利亚和以利沙等)，而且为"后先知书"提供了历史和政治背景。"前先知书"叙述以色列人在约书亚带领下攻占迦南、在大卫和所罗门治下建立统一王国、在所罗门身后分裂为北国以色列和南国犹大、最后分别亡于亚述和巴比伦、直到"巴比伦囚掳"后的若干史事，所以又称为"历史书"。

"后先知书"是公元前 8 世纪至前 5 世纪之间的十几位先知以"受神所感、代上帝言"为名，在各自名下的经卷中对以色列和犹大两国现实政治和宗教问题所发表的各种针砭时弊的议论和重回信仰的呼吁。有证据表明，"后先知书"的许多经卷都经历了几个作者或编者的各种修改、扩写和修订的复杂过程。例如，《阿摩司书》的绝大部分都是写于公元前 8 世纪中叶，即阿摩司时代。然而，该卷的最后五节经文通常被认为是某个人或某些人后加的，试图以一种盼望语言调节阿摩司的悲观信息。因此，为这些经卷确定的任何日期都只是一个近似值。

根据各个经卷主要部分成书的日期，"后先知书"可以分为三个历史时期。《阿摩司书》、《何西阿书》、《以赛亚书》1—39 章、《弥迦书》、《西番雅书》、《那鸿书》、《哈巴谷书》出现于公元前 750—前 587 年之间，在巴比伦囚掳之前。《耶利米书》、《以西结书》和《以赛亚书》40—55 章成书于巴比伦囚掳期间(公元前 587—前 538 年)。《以赛亚书》56—66 章、《哈该书》、《撒迦利亚书》、《约珥书》、《俄巴底亚书》、《约拿书》和《玛拉基书》形成于后巴比伦囚掳期间(公元前 538—前 400 年)。

"纪土宾"(圣文集)。"纪土宾"是《希伯来圣经》的第三大部分，共 11 卷，分别是《诗篇》、《箴言》、《约伯记》、《雅歌》、《路得记》、《耶利米哀歌》、《传道书》、《以斯帖记》、《但以理书》、《历代志》和《以斯拉-尼希米记》。在《七十子希腊文本》中，《历代志》被分成《历代志上》和《历代志下》，《以斯拉-尼希米记》被拆分为《以斯拉记》和《尼希米记》，基督教《旧约》相沿至今。"纪土宾"体现了古代以色列人的多种文学创作成果，其中有宗教祷文、智慧文学、哲理诗剧、民间故事、启示文学、情爱诗歌、英雄传奇和历史纪事等。

这些经卷在获得基于一些传统或故事的目前书面形式之前长久以口头形式流传，包括《诗篇》中的许多诗篇，约伯的故事(很可能源于某个常见的民间传说，然后加以改编，以适合后巴比伦囚掳时期的神学难题)，《箴言》和《传道书》中的智慧警句，

《雅歌》、《耶利米哀歌》和《但以理书》的部分内容等。尽管这些经卷中的某些内容可能写于巴比伦囚掳之前,但是其中的一些经卷具有现在这种形式则是直到在巴比伦囚掳时期的事情,而且绝大多数经卷是在巴比伦囚掳之后。《希伯来圣经》最后成书的一卷很可能是《但以理书》,大概成书于公元前165年。

2.《希伯来圣经》的正典化

译为中文"正典"的希腊原词意为"量杆",因此具有"标尺"或"标准"的意思。正典《圣经》是教会承认为上帝圣言的那些权威经卷。至于何时一部经卷成为正典的一部分,终极答案是受圣灵启发的作者或诸位作者完成经卷之时(《提摩太前书》3:16—17;《彼得后书》1:21)。没有任何会议或委员会决定某部经卷属于正典,而是历经一些世纪,被圣灵充满和引导的上帝的子民承认的那些展现圣灵的大能和临在的经卷(《约翰一书》2:20、27)。正典是一个收集、承认和印证的渐进过程的结果。

在犹太教内,正典的发展是一个漫长的过程,并非一个单一事件。随着各种各样的作品在犹太人共同体中被反复使用,这些作品渐渐被承认对于犹太人的信仰和实践具有权威地位。《希伯来圣经》中最早获得权威地位的是"妥拉"。"妥拉"中的部分内容可能在公元前621年约西亚宗教改革的时候就被认作权威。不过,只是到了巴比伦囚掳之后,以斯拉和尼希米改革期间,才出现承认一些神圣经卷的运动。及至公元前400年,"妥拉"作为权威在所有犹太人共同体中得到普遍承认。

第二组获得权威地位的经卷是"先知书"。及至"妥拉"得到承认的时候,后来以"前先知书"为人所知的四部经卷和后来以"后先知书"为人所知的那些经卷中的相当部分正在逐渐获得承认,但是尚未被普遍当作权威经籍。对于这些经籍渐增的兴趣很可能是因为与"妥拉"具有某些共同的关切点,诸如服从圣约等等。及至大约公元前200年,犹太人共同体已经把这些先知著作接受为规范性的经卷。

希伯来正典的第三部分"圣文集"在"妥拉"和"先知书"获得权威地位之后数个世纪,仍然没有界定。目前构成希伯来正典第三部分"圣文集"的一些经卷,就像其使用和流行所表明的,很早就几乎毫无争议地获得接受。另一些经卷的权威性,诸如《传道书》、《以西结书》、《以斯帖记》、《雅歌》,尽管最终被接受,但是最初有过一番争议。另外,一些后来没有跻身正典的经卷被某些犹太人群体作为神圣经籍接受和使用。包括在这个范畴中的经卷有一些属于所谓的"次经"和"伪经"。鉴于犹太教领袖并没有发表有关犹太教正典界限的官方声明,《希伯来圣经》第三部分的截止日期无法确定。尽管随后的几个世纪仍然有不同的声音,但是接近1世纪末叶的时候,犹太教好像已经在正典的一般界限方面达成共识。

大约公元90年,一群犹太领袖会聚詹尼亚城(Jamnia),讨论在公元70年圣殿被毁和没有相关祭祀制度的情况下犹太教信仰如何存在下去的问题。在詹尼亚所讨论的事项中就有某些"圣文集"经卷的权威性问题。尽管一些学者称之为詹尼亚"大公会议",经常宣称詹尼亚举行的这次会议一劳永逸地确定了犹太教的正典,但这实际上有些夸大其词。首先,这次会议并非那些对所有犹太教拥有权威的官方代表团体参会意义上的"大公会议",而是来自巴勒斯坦的犹太领袖和学者的聚会,所要寻求的是重构和保护犹太教的途径。这次会议对于犹太人的生活没有权威性,对于巴勒斯坦之外的犹太人尤其如此。其次,被视为对犹太信仰表达欠当的那些经目直到公元4世纪末仍然变动不定。更加仔细地稽考那次大会的证据表明,犹太教宗教领袖在詹尼亚没有做出有关犹太教正典的约束性决定。詹尼亚会议所显示的是,"正典"或权威经卷问题在1世纪末就在讨论,而且可能当时仍然存在争议的经卷数目已经很少。

犹太教共同体在1世纪末叶之前就开始就正典的限度达成共识的证据还有两个来源,就是约瑟福斯的著作和《以斯拉续篇下卷》(也称作《以斯拉四书》)。1世纪末叶写作的犹太历史学家约瑟福斯的著作表明,犹太人有地位特殊的二十二卷经卷。他所描述的很可能就是今本《希伯来圣经》中的"二十四书",因为就像《士师记》和《路得记》有时被视作一本经卷那样,有时《耶利米书》和《耶利米哀歌》也被视作一本经卷。写于大约公元100年的犹太人著作《以斯拉续篇下卷》的作者在第14章提及两组经卷:一组是人人阅读的二十四卷书(《希伯来圣经》经卷),另一组是保留给"智者"的七十卷书(犹太人的其他经卷)。

学者们对于犹太人当年使用什么标准筛选正典经卷并不明确。古代著作中的一些注疏提示四种可能标准:符合度、启示性、希伯来语和广泛使用度。首先,被接受为权威的那些经卷要符合"妥拉"和已经被接受为犹太人信仰和实践规范的其他经卷的教导。其次,被接受的经卷必得是出于获得上帝启示的先知们之手。在一些犹太教群体之中,认为神对先知的启示在以斯拉时代(公元前5世纪)之后停止。被认为成书于那个时代之后的著作可能基于这个标准被排除出正典之列。当然,实际上一些被接受的经卷的成书时间远远晚于公元前5世纪。第三,原初不是以希伯来文写成的经卷被排除在正典之外。犹太人相信,用希腊文写成的经卷很可能受到希腊化的影响而出现问题,而且基于希伯来文是先知们写作的语言,认定希腊文经卷不可能是上帝启示的著作。第四,也是最为重要的标准是,经卷的广泛使用度。那些作为犹太教中的权威经卷最终接受下来的大多是那些已经在人民中间基于其内容得到普遍接受的经卷。

有关《希伯来圣经》设限或闭结的恰切原因并不清楚。一个可能的因素是基督教早期教会的成长。教会、特别是公元 70 年圣殿被毁之后的教会强调重新审视犹太人对于自身作为上帝选民的理解,这对传统的犹太教形成挑战。既然犹太人就像基督徒一样基于经典捍卫信仰,那么界定哪些经卷属于正典,哪些经卷不属于正典就重要起来。还有一个可能的因素是,犹太人经历公元 132—135 年反抗罗马起义的失败命运之后,弥赛亚文学和启示文学出现衰落。这种衰落的一个结果就是正典拒斥了绝大多数启示文学经卷,只有《但以理书》和《以赛亚书》24—26 章保留下来。大约公元 170 年前后著书护教的撒狄主教梅利都(Melito of Sardis)开列过已知的第一个几近完备的《旧约》经卷的经目,其中仅缺《以斯帖记》[①]。

特别需要说明的是,以《七十子希腊文本》为蓝本的天主教和东正教《旧约》正典还包括一些所谓"次经",经卷多于犹太教传统上以马所拉本为底本的《希伯来圣经》。《七十子希腊文本》是保罗等使徒和早期教会的"古经"(《圣经》),用希腊文写成的《新约》在引用《旧约》的地方多取自这个版本。一般认为"次经"共十五卷:《多比传》、《犹滴传》、《马加比传上》、《马加比传下》、《所罗门智训》、《便西拉智训》、《巴录书》、《以斯帖补篇》、《耶利米书信》、《三童歌》、《苏撒拿传》、《彼勒与大龙》、《以斯拉续篇上卷》、《以斯拉续篇下卷》、《玛拿西祷词》。这些经卷由《七十子希腊文本》译者根据与马所拉文本传统不同的其他希伯来文本传统编入正典,广泛流传于纪元前后数百年间讲希腊语的犹太人和初期基督徒之中,后又连同整部《七十子希腊文本》被译成古拉丁文本。4 世纪末拉丁教父哲罗姆比照他所使用的《希伯来圣经》校订古拉丁文本的时候,发现这批经卷不见于《希伯来圣经》,便单独列为所谓的"次经",置于他的修译成果《通俗拉丁文本》的中部,即他的译本里经卷与《希伯来圣经》相同的《旧约》正典和基督教《新约》正典之间。

《通俗拉丁文本》在 1546 年的特兰托公会议上被天主教定为权威《圣经》版本,"次经"中除《以斯拉续篇上卷》、《以斯拉续篇下卷》和《玛拿西祷词》之外的其他十二卷明确获得"神圣经卷"的地位。其中《多比传》、《犹滴传》、《马加比传上》、《马加比传下》、《所罗门智训》、《便西拉智训》和《巴录书》七卷独立成卷,另外五卷补入《但以理书》和《以斯帖记》等经卷。鉴于《通俗拉丁文本》沿袭了《七十子希腊文本》把《希伯来圣经》"二十四书"拆分为三十九卷的做法,再加上独立成卷的七卷"次经",天主教《旧约》正典共四十六卷。罗马天主教公开宣布十二卷"次经"为"神圣经卷",在某种意义上是面对从天主教分离出去的新教在《旧约》正典认定方面的挑战,重申教会传统上的立场。马丁·路德以降的新教传统只承认罗马天主教《旧约》中与《希伯来圣经》相

---

① Philip S. Johnson (ed.), *The IVP Introduction to the Bible*, Inter-Varsity Press, 2006, p. 11.

应的三十九卷经卷为《旧约》正典，否认"次经"为"神圣经卷"，只当做"有益读物"。结果，新教在《旧约》正典认定上重回犹太教《希伯来圣经》的正典标准，其《旧约》只有三十九卷。

由于《七十子希腊文本》迄今仍然是希腊正教会的通行本，且其他地区正教所用《旧约》均直接译自《七十子希腊文本》，故东正教《旧约》正典包括所有"次经"经卷。就是说，1546年天主教所排斥的《以斯拉续篇上卷》、《以斯拉续篇下卷》和《玛拿西祷词》三卷经卷也在东正教的正典之列。

3.《新约》的形成

因为基督教从犹太教内部兴起，所以早期基督教徒自然接受希伯来"古经"作为权威。但是在基督教从犹太教分化出来之时，犹太教《希伯来圣经》正典尚未闭结，因而基督徒继承了比今天的犹太教《希伯来圣经》更庞大的《旧约》正典，在某种意义上这也反映了最初作为犹太教一个派别的基督教对于《希伯来圣经》正典的理解。《新约》作者在《新约》中多达150处指涉现在所谓的"次经"甚至"伪经"经卷就是明证[①]。绝大多数《新约》作者和早期教会的其他绝大多数作者所使用的希伯来"古经"译本是《七十子希腊文本》。这个译本不仅包含目前《希伯来圣经》中的经卷，而且还包含后来所谓的"次经"经卷。尽管早期教会对于这些"附加"经卷的地位有过争议，但是主流观点是"次经"经卷也是希伯来"古经"。

正如上文所述，接受"次经"一直是基督教会的规范性做法。直到16世纪新教宗教改革，基督教新教才选择把这些经卷剔除，只使用《希伯来圣经》中的那些经卷作为正典《旧约》。作为对新教改革派的一种回应，罗马天主教宣布"次经"经卷（或第二经目）与《旧约》中的其他经卷具有同样权威性。迄今，罗马天主教和东正教仍然接受这些"附加"经卷为正典经卷，新教则排除这些经卷的正典地位。不过，天主教、新教和东正教在《新约》正典二十七卷的认定上是一致的。

在使用希伯来"古经"的同时，早期基督教徒也产生了自己的宗教经卷。通过类似于产生《希伯来圣经》的一个过程，早期基督教共同体逐步承认这些经卷中许多是神圣的经籍。这些权威性的基督教经籍最后结集称为《新约》。

口传阶段

形成《新约》内容的一些材料，特别是整合进"福音书"中的那些材料，先是口头流传了几十年。耶稣的教导本身和有关他的故事受到早期教会的重视，用来布道说教、

---

① Clyde E. Fant, Donald W. Musser, Mitchell G. Reddish, *An Introduction to the Bible*, *Revised Edition*, Nashville: Abingdon Press, 2001, p. 62.

解决纷争、答疑解惑、判定正信和捍卫信仰。在对一个新时代黎明的激动期待中,早期基督徒并没有立刻将耶稣的教导和故事诉诸笔端,而是以口头形式把有关耶稣的传统保留下来。早期基督教对于口传传统的信心进一步延宕了有关口传传统书写形式产生的过程。事实上,在书面形式的"福音书"开始在教会中流传以后,一些教会领袖仍然把口传传统作为比书面"福音书"更可靠的传统加以珍视。

　　书面阶段

　　有几个因素形成了把早期教会的一些传统记载下来的需要。首先,教会意识到需要保留那些见证耶稣生活的人们的记录。当耶稣的首批使徒开始亡故的时候,基督教共同体迫切感到要以书面形式保留对于耶稣生活和教导的记忆。其次,"终末"并未像一些早期基督徒所期待的那样迅速到来,这就需要某种机制来诠释当下和未来。第三,随着基督教运动的传播,各地教会中出现了需要有学识的教会领袖加以关注的问题,这些领袖于是著书立说解决问题。第四,随着皈依者的增加,需要一些书面文献就基督教的基本信仰给予新皈依者以指导。

　　在《新约》的二十七卷经卷中,"四大福音"置于《新约》之首,却并非最早成书的经卷。《新约》中最早成书的经卷是"保罗书信",始于大约公元 50 年。尽管传统上归于"保罗书信"名下的书信有十三卷,但是《新约》中目前形成定论的保罗真实书信包括下述七卷:《帖撒罗尼迦前书》、《罗马书》、《哥林多前书》、《哥林多后书》、《腓立比书》、《腓利门书》和《加拉太书》。至于其他归于保罗名下的六部经卷的作者身份则仍有争议,往往被归于"伪托保罗书信"。

　　紧接着成书的是"四大福音",即《马太福音》、《马可福音》、《路加福音》和《约翰福音》。其中成书最早的是《马可福音》写成于大约公元 70 年。紧接着成书的是公元 80—90 年的《马太福音》和《路加福音》。《使徒行传》与《路加福音》本为一卷,所以理应成书于这个时期。《约翰福音》成书于公元 90—100 年,是正典福音中成书最晚的。前三部福音因为在内容、思想、角度和叙述方法上大同小异,可以相互参照故称为"同观福音"或"符类福音"。尽管"第四福音"《约翰福音》包含与前三部"同观福音"相同的一些材料,却是独立于它们而完成的。《约翰福音》着重揭示耶稣事迹的宗教寓意,有"神学福音"之称。至于"四大福音"各自的侧重,一般认为:《马太福音》是向犹太人解释耶稣基督就是《旧约》中所应许的犹太人的君王;《马可福音》是向罗马人讲明耶稣基督是神的仆人,来完成神的救赎计划;《路加福音》是向希腊人证明耶稣基督是神的儿子道成肉身成为人,来拯救罪人;《约翰福音》是向全人类证明耶稣基督是神的儿子、人类的救主。

　　公元 1 世纪早期和 2 世纪晚期成书的几部经卷被学者归为"伪托保罗经卷"。保罗作为这些经卷的直接作者身份受到怀疑。它们被归于保罗,是因为分享了保罗的某些观念。这些经卷在场景、语汇、风格和神学重点方面与没有争议的保罗书信之间的差异表明,这些经卷的目前形式很可能并非出于保罗之手。属于"伪托保罗书信"范畴的有传统上归于保罗的六卷书信:《帖撒罗尼迦后书》、《歌罗西书》、《提摩太前书》、《提摩太后书》、《提多书》和《以弗所书》。

《新约》中的其他经卷还有《希伯来书》、《启示录》和"公普书信"。尽管后期教会把《希伯来书》归于保罗,但一般认为很可能是1世纪的一位匿名基督徒所作。《启示录》由小亚细亚的一位叫做约翰的教会领袖所作,日期在1世纪的最后十年。至于"公普书信"之所以如此得名,正如名字所提示的,是因为这些书信是写给普天下教会的,意在广为流传。它们包括《约翰一书》、《约翰二书》、《约翰三书》、《犹大书》、《彼得前书》和《彼得后书》。据认为,《彼得后书》可能是《新约》中最晚成书的经卷,约迟至公元125—150年。

除了上述《新约》正典经卷之外,在1世纪末叶和2世纪末叶之间还形成了其他一些经籍。它们包括《革利勉一书》、《革利勉二书》、《巴拿巴书信》、《十二使徒遗训》、《黑马牧人书》、《彼得福音》、《彼得启示录》、《多马福音》和《保罗行传》等。尽管其中的一些在某些圈子里获得神圣经籍的地位,而且某些位列一些早期正典经目之中,但是没有哪一部跻身最后形成的《新约》正典之列。

4.《新约》的正典化

就像《希伯来圣经》的情况一样,《新约》正典的形成也是一个长期的过程,不是一个单一的事件。据信对于基督教教会具有权威性的经卷是那些在整个基督教的教会中证明其广泛使用价值的经卷。

正如上文所述,有关耶稣的口传传统,连同《希伯来圣经》,充当基督教共同体的最早正典。及至1世纪末叶,保罗书信可能已经结集流传,在某些教会中被视为权威(《彼得后书》3:15—16可能反映了这个事实)。在接近2世纪中叶的某个时候,《路加福音》与《使徒行传》分离,"四福音书"结集。"福音书"中的段落被作为"经"的证据来自大约公元150年的《革利勉二书》。

及至2世纪末叶,保罗书信和四大福音对于基督教信仰的权威性得到广泛承认。不过,《新约》中其他经卷获得正典地位的情况因书而异。《使徒行传》获得水到渠成的接受,是因为教会认定写作《路加福音》的同一个人也写作了《使徒行传》。同样,《约翰一书》和《彼得前书》没有多大困难就得到接受,因为它们据信是使徒约翰和彼得所作。不过,一些经卷在获得正典地位之前有过不少周折。例如,《启示录》在罗马帝国西部的那些教会得到广泛使用和接纳,但是一度遭到东部教会的拒斥。至于《罗马书》的情况则正好相反,就是得到东部教会的接受,却一度遭到西部教会的拒斥。此外,其正典地位后来遭到否定的一些基督教文献在最初的那些世纪却被某些基督教群体阅读和尊为"经"。《黑马牧人书》《革利勉一书》和《巴拿巴书信》只是在进入《新约》正典方面早期得到强烈支持的那些经卷中的三个例子。在基督教教会最初的两三个世纪中,认定为权威的那些经卷的数目和地位在整个基督教世界的教会之间存在某种程度的差异。

人们所知的第一位试图确立《新约》正典的人物是 2 世纪的一位基督教徒马西昂(Marcion),不过其正典观最终遭到拒斥。他认为,十二使徒把基督的教导与他自己所拒斥的《希伯来圣经》联系起来,已经败坏了基督教导的纯粹性。马西昂只接受《路加福音》的部分内容和十封保罗书信作为正典,肢解了保罗和路加。他完全拒斥《希伯来圣经》的立场与教会的主导观点相敌对。为了回应马西昂擅自开列正典书目的做法,以及诺斯底主义、孟太奴主义等异端的威胁,并与犹太教相区别,教会需要权威,在这种情况下教会开始仔细研判哪些经卷应该视为正典。

大约公元 170 年的穆拉托利经目残篇所列的经目与现今正典经目只是略有区别。在 4 世纪的时候,尤西比乌把经卷分为四个范畴:已接受的、有争议的、遭拒斥的和判为异端的。那些"已经接受的"经卷中包含了现今正典中的大部分经卷,只是《雅各书》《犹大书》《彼得后书》《约翰二书》和《约翰三书》被列为"有争议的"经卷。尤西比乌还提到《启示录》被一些人接受,被另一些人拒斥。尽管教会就构成《新约》的二十七卷经卷达成最早共识的日期无法确考,但明确的是,公元 367 年亚历山大主教亚他那修(Athanasius)开列了这些经卷的最早经目。在后来公元 393 年的希坡会议(Council of Hippo)和公元 937 年的迦太基会议上,相同的经目得到北非教会的认可。不过,这些会议并不代表整个教会的正式权威。就像犹太教正典一样,基督教正典不是由一个操控体的正式活动所决定的,而是通过宗教共同体的逐渐使用和承认才确立起来的。最终,基督教同意把《新约》正典设定在共同接受的二十七卷经卷。

有几条标准影响到早期教会接受或拒斥某个经卷的权威地位。首先是使徒性,就是说,保留了耶稣使徒们的传统的那些经卷被认为是权威性的,尤其是那些被认为出自某位早期使徒之手的经卷。第二条标准是正统性或"纯正的教训"。如果经卷的教训与使徒时期教会的信仰一脉相承,则被视为具有权威性。第三条标准是古老性,就是说经卷写于使徒时代,作者有可能与使徒有所接触。鉴于一些被拒斥的经卷早于被接受的经卷,所以这条标准不能独立使用。第四条标准是启示性或神的影响。早期教会中所有那些开列正典经目的个人都认为他们的经目是神启发的。尽管一些早期经目有许多经卷交集,但是各有不同。另外,那些最终包括在正典中的经卷并非所有据信是上帝启示的经卷。可见,相信某个经卷是上帝启示的,是接受为正典的必要条件,本身不是某个经卷被视为权威的充分条件。第五条,也是最为重要的一条标准,是接纳性或早期教会的广泛使用度。那些得到广泛使用并且满足基督徒共同体需要的经卷文本最终赢得跻身正典的地位。教会宣称,在这些经卷中神人会遇得到最为清晰和有力的表达。

5.《圣经》版本

对《圣经》版本进行研究十分重要。对于《旧约》而言,需要研究的材料是:绝大多数经卷的希伯来文原文和亚兰文原文的文本证据("死海古卷"、"撒玛利亚五经"和"马所拉"等)、《七十子希腊文本》的文本证据,以及其他各种各样的古代译本的文本证据,诸如叙利亚文本、《通俗拉丁文本》、科普特文本和犹太教的亚兰文本等。后一类文本的文本价值主要在于它们印证了早期希伯来文本或者希腊文本的基底形式。对于希腊文的《新约》而言,人们对这些经卷保存和传递方式的了解在 19 世纪末叶已经成为一种真正的科学知识,这比人们对《旧约》进行科学的了解要早。但是在《新约》领域中,同样在 20 世纪有了重大的发现,特别是早期《新约》经卷的一些莎草纸抄本的发现,意义更是重大。同样,这些早期译本增添了有助于决定它们所译自的那些希腊文本的类型的重要证据[①]。限于篇幅,本书舍弃了相关的源流梳理,仅就对国内读者有实际使用价值的英文译本和中文译本的情况加以简介。

(1) 新教《圣经》英译本

最初的英译努力

在新教译本中,古登堡印刷机发明之前的英文全译本是旨在以《圣经》的权威对抗罗马天主教的主教权威的《威克立夫圣经》(1382 年初版,1397 年修订)。16 世纪的印本英译有:仿效路德从伊拉斯莫(Erasmus)新编的同一《希腊文新约》翻译而来的《丁道尔圣经》(1526 年);作为第一部完整的英文印刷版《圣经》的《科威戴尔圣经》(1535 年);第一部英王(亨利八世)钦定的英译本《大圣经》(1539 年);逃避血腥玛丽镇压的清教徒在日内瓦出版的首部以章节形式问世的《日内瓦圣经》(1560 年);英国新主教们意在制衡《日内瓦圣经》而推出的专供英国圣公会使用的《主教圣经》(1568 年)。

詹姆斯王译本传统

因为教会中使用的权威本《主教圣经》不如《日内瓦圣经》精确,所以《主教圣经》

---

① 参见 Raymond E. Brown, D. W. Johnson, Kevin G. O'Connell, *Texts and Versions*, in *JBC*, pp. 1083 - 1112; D. E., B. M. M., *Texts*, *Versions*, *Manuscripts*, *Editions*, in Paul J. Achtemeier (ed.), *HarperCollins Bible Dictionary*, HarperOne, 1996, pp. 1113 - 1130.

未能在流行方面取代《日内瓦圣经》，得知此点的英王詹姆斯一世(King James I)于 1640 年谕令四十七位学者校订《主教圣经》，成果就是 1611 年初版的《英王钦定本》(*King James' Version*，简称 *KJV*)，这个版本四百年来已经成为英语世界中最重要的家用《圣经》版本。属于这个文本传统的有：(a)《英国修订本》(*English Revised Version*)，这是英国 19 世纪对 1611 年出版的《钦定本》所做的修订，《新约》出版于 1881 年，《旧约》出版于 1885 年，《次经》出版于 1894 年；(b) 1901 年出版的《美国标准本》(*American Standard Version*)，这是体现应邀参与《英国修订本》的美国学者团队修订建议和成果的美国《钦定本》修订本；(c)《修订标准本》(*Revised Standard Version of the Bible*，简称 *RSV*)，这是对《美国标准本》的权威修订本，实际上形成对《钦定本》、《英国修订本》和《美国标准本》的全面修订，《新约》部分初版于 1946 年，《旧约》(从而这个版本的整部《圣经》新教版)初版于 1952 年，《次经》初版于 1957 年；(d)《新美国标准本》(*New American Standard Bible*，简称 *NASB*)，这是洛克曼基金会(Lockman Foundation)主持编修的《圣经》译本，顾名思义是对《美国标准本》的一种修订，旨在提供替代《修订标准本》的一种选择；(e) 1982 年出版的《新钦定本》(*NKJV*)，这个版本的目的是更新《钦定本》的词汇和语法，同时保留其古典风格与优美；(f)《新修订标准本》(*NRSV*，1989 年)，这个版本承继了"丁道尔本"、"钦定本"、"标准本"和"修订标准本"的传统，是对《修订标准本》的一种彻底修订。

全新翻译译本

除了詹姆斯王译本传统之外，20 世纪还陆续出现了一些这个传统之外的全新译本，其中有：(a) 因芝加哥大学倡议编纂并特别予以出版而得名《芝加哥圣经》(*Chicago Bible*)，附加《次经》的该版《圣经》全书于 1939 年出版；(b) 英美圣经公会推出的《新英文圣经》(*The New English Bible*，简称 *NEB*，《新约》1961 年，《旧约》1970 年)；(c) 采用英文现代语言的《给现代人的福音——现代英文版圣经》(*Good News For Modern Man—Today's English Version*，简称 *TEV*，1996 年)，1976 年美国圣经公会将只有《新约》的这个版本增加《旧约》译文合并出版，称为《福音圣经》(*Good News Bible*)，即《现代中文圣经》译本的英文底本；(d) 着重意译的《活泼圣经意译本》(或译《新力圣经》)(*The Living Bible Paraphrased*，简称 *LB*，《新约》1962 年，全书 1967 年)；(e) 保守派和福音派教会的"标准版本"《新国际译本》(*The New International Version*，简称 *NIV*，《新约》1973 年，《旧约》1976 年)，此版本最初是要迎合那些反对所谓"自由"倾向的"修订标准本"(*RSV*)和"新英文圣经"(*NEB*)版本的人们，以及不满足于今日流行于保守派圈内的《活泼圣经意译本》和《扩大本圣经》(*The Amplified Bible*)版本的人群；(f)《今日新国际译本》(*Today's New International Version*，简称

TNIV)是《新国际译本》基础上的新译本,《新约》出版于 2002 年,整部《圣经》出版于 2005 年。

(2) 天主教《圣经》英译本

译自《通俗拉丁文本》的译本

属于这个传统的有:(1)《兰斯-杜埃圣经》(*The Rheims and Douai Bible*,《新约》1582 年出版于兰斯,《旧约》1609 年出版于杜埃),是历史上因宗教原因流亡欧陆的英国天主教徒推出的译本,旨在与英国泛滥的新教译本相抗衡。(2)《查洛纳修订本》,这是英国天主教主教查洛纳(Richard Challoner)在 1749—1777 年间对《兰斯-杜埃圣经》进行数次大规模修订的成果,其中 1763—1764 年版的《查洛纳修订本》成为之后几乎所有以《杜埃圣经》、《兰斯-杜埃圣经》或《杜埃-兰斯圣经》为题出版的天主教《圣经》版本的底本;在 1941 年《兄弟之谊圣经译本》(*The Confraternity Version*)出版之前,查洛纳修订本一直是天主教英文《圣经》标准版本。

译自《圣经》原文本的译本

属于这个传统的有:(a)"美国天主教圣经协会"(The Catholic Biblical Association of America)出版的《新美国圣经》(*The New American Bible*,简称 NAB,1970 年),这个新译本的灵感来自 1943 年罗马教皇的一个通谕,这个通谕准许自原文翻译《圣经》,并批准"与分离的弟兄们合作"。(b)罗马天主教支持翻译的《耶路撒冷圣经》(*The Jerusalem Bible*,简称 JB,1966 年),以耶路撒冷著名的多明我会修士 Roland De Vaux 于 1948 年至 1954 年间主持翻译、1956 年出版的法文本(*Bible de Jérusalem*)为蓝本,是罗马天主教一种富有自由学术色彩的重要《圣经》英译本。(c)《新耶路撒冷圣经》(*New Jerusalem Bible*,简称 NJB,1985 年)是随着 1973 年法语版《耶路撒冷圣经》的升级变化而修订的英文《耶路撒冷圣经》的升级版本,是最具学术性的《圣经》版本之一。

(3) 犹太教《圣经》译本

犹太教英译《圣经》是指犹太教根据马所拉文本对于相当于基督教《旧约》部分的《希伯来圣经》(塔纳克)的英译,既不包括《外典》也没有《新约》,版本大多是希伯来原文与英译并排。犹太教译本通常反映犹太解经学,全部回避非犹太教译本中的基督论诠释。犹太教英译《圣经》的发展主要是在二战以后,之前犹太人即便是像在美国这样的英语国家,其《圣经》版本大多也是希伯来原文版或意第绪语版。只是随着二战前后大量犹太人移居美国,英语才成为犹太人中的主要口语之一。当然,这并不是说犹太教《圣经》英译历史上并不存在,而是说英译成为某种现象和气候还是二战之后,特别是 20 世纪 80 年代之后的事情。

这类英译本有：(a) 1851 年苏格兰出版的犹太教的第一个《圣经》英译本《与希伯来文本联袂出版的〈旧约〉翻译》(*A Translation of the Old Testament，Published with the Hebrew Text*)，这是亚伯拉罕·本尼什(Abraham Benisch)翻译的一个希伯来文和英文对照本；(b) 1853 年出版的第一个美国版犹太教《圣经》英译本《圣经二十四书》，由以撒·里瑟(Isaac Leeser)翻译，通常称为《里瑟圣经》，1917 年《犹太出版公会译本》(*Jewish Publication Society Translation*)面世之前，里瑟译本是最为重要英美犹太教英译本；(c) 1881 年英格兰出版的希英双语的《犹太家庭圣经》(*Jewish Family Bible*)，由米迦勒·弗雷德楞德(Michael Friedländer)编译；(d) 1917 年出版的美国《犹太出版公会译本》(*JPS*)，现称为《老犹太出版公会译本》(*OJPS*)；(e) 1957 年约瑟·盖厄(Joseph Gaer)推出的节译《圣经》译本《犹太教家庭阅读圣经》(*The Jewish Bible for Family Reading*)；(f) 1985 年出版的《新犹太出版公会译本》(*NJPS*)，也被称作"新犹太版"(*NJV*)，它不仅是 2004 年牛津出版社《犹太教研究圣经》(*The Jewish Study Bible*)的英文根据，也是 2006 年犹太出版公会《当代妥拉：JPS 译本的一种语性调适》(*The Contemporary Torah：A Gender-Sensitive Adaptation of the JPS Translation*)的英文根据；(g) 耶路撒冷可伦出版社(Koren Publishers Jerusalem)1977 年出版的左页英译、右页希伯来文本的双语犹太教《可伦耶路撒冷圣经》(*The Koren Jerusalem Bible*)；(h) 1976—1996 年正统派犹太教出版社马所拉出版社(Mesorah Publications)以"艺卷"(ArtScroll)徽记出版的希英双语《塔纳克精石版》(*Stone Edition of the Tanach*)《圣经》经卷系列；(i) 1979—2005 年犹太文物出版社(Judaica Press)陆续出齐的双语《拉比圣经》系列。

(4)《圣经》中译本

有据可查的《圣经》中译本迄今多达百余种，其中包括汉语文言文、汉语白话文、汉语方言译本和众多少数民族语言译本。根据《大秦景教流行中国碑》碑文推断，7 世纪前半叶至少《新约》已经有中文《景教译本》。一般认为，开启《圣经》中译新阶段的是"二马译本"，即 1823 年出版于马六甲的"马礼逊译本"(《神天圣书》)和 1822 年在印度出版的中文《圣经》"马士曼译本"。

马礼逊译本经过麦都恩、郭实腊、裨治文和马礼逊之子马儒汉修译，史称"四人小组译本"或"四人修正本"，其成果即 1837 年的《新遗诏书》和 1846 年的《旧遗诏书》。清政府被迫开放口岸的《南京条约》签订之后，代表欧美各地圣经公会(这些公会日后都成为联合圣经公会的会员)的传教士的译经活动后产生了三个文言文本译本："代表译本"(1852 年)、"裨治文译本"(1862 年)和"高德译本"(1868 年)。

在中国海禁开放所形成的新局势下，"浅文理"和"白话文"《圣经》译本应运而生。

浅文理译本的始作俑者当属杨格非《新约》译本(1885年出版,1889年修订本),后继译本则有包约翰与白汉理合译的《新约》(1889年),以及施约瑟翻译的《新旧约全书》(1902年)。白话文(官话)译本中的佼佼者有"麦都恩-施敦力译本"(1857年)、"施约瑟《旧约》译本"(1857年)、"杨格非《新约》译本"(1889年)。

中国近代《圣经》翻译的最高成就是1919年2月出版的"官话和合译本"。"和合本"面世后在国内广为流传、独占鳌头,逐渐在历史中成为中国教会唯一采用的版本。诞生于"五四"前夕的这个译本,不仅积极影响到"五四"时期的白话文运动,而且开启了中国教会白话文独立译经工作的新纪元。

基督新教方面,20世纪30—70年代初华人《圣经》译本中的"王宣忱译本"、"朱宝惠译本"、"肖铁笛译本"、"吕振中译本"等版本相继问世。天主教方面,1922年萧静山译出《新经全书》,1946年吴经熊译出诗体《圣咏译义初稿》,1949年又译出《新经全书》,1949年李山南、申自天等人合译的《新经全书》也得以出版。

现今华人天主教普遍使用的《圣经》"思高本"(1968年)是"思高圣经学会"(Pontifical Biblical Commission)为符合"梵二会议"的期望,参考五个圣经公会联合印行的《圣经》希腊文译本翻译而成。除附《次经》之外,还有三种附录:"历代大祭司一览表"、"《圣经》与世界大事年表"和"《圣经》教义索引"。

"和合本"出版60周年之际,中国香港地区同时推出《现代中文译本》、《当代圣经》和《圣经新译本》三个中文译本。《当代圣经》(《新约》1976年,《旧约》1978年)根据英文《活泼圣经》翻译而成。《圣经新译本》(《新约》1976年,《旧约》1992年)以《新美国标准版圣经》(New American Standard Bible)为蓝本,1993年由香港天道书楼出版。《现代中文译本》是其中影响最大的,是一部由新教学者主笔、天主教学者参与审定的中文圣经,依据英文《福音圣经》改译而成,由联合圣经公会出版(《新约》1975年,附《诗篇》1976年,全书1979年,修订版1997年)。

"和合本"圣经在华人基督教(新教)教会风行近一个世纪,其间虽然有上述其他译本面世,但"和合本"至今依然是最普及的译本。然而,现代中文在过去几十年经历了重大的改变,加上过去一个世纪以来在圣经和抄本研究上的进步及新的共识,"和合本"有修订的需要。1985年起,联合圣经公会及香港圣经公会策划,由不同地区的圣经学者、翻译顾问及编辑专才参与的"和合本"修订工作不断进行。1988年出版的"新标点和合本"可说是修订工作的第一阶段,2005年11月出版的《和合本修订版——新约全书》成为整个修订工作竣工的前奏。

就目前国内刊行的《圣经》版本而言,中国基督教协会2000年以来出版发行的中英对排版《圣经》("金边本")是知识阶层较为理想的版本。其中的中文版本是普遍采用的权威中译本"简化汉字现代标点和合本",其中的英文版本是 1989 年出版的权威英译本"新标准修订本"(*NRSV*)。这个版本可以供读者对照两个译自原文的权威译本研读《圣经》。就可以提供《圣经》经卷的介绍材料和经文注释的版本而言,香港天道书楼出版(1989 年)、内地教会引进的"启导本"则是理想的选择,这个版本采用的是"和合本",有十多万字的《圣经》介绍和注释文字可供参考。

第二节　研读《圣经》的三种进路

　　阅读是读者与文本之间的一种互动。在这个复杂的互动过程中,诠释是一个必备的要素,因为文本的含义并非总是自明的。读者运用某些文本线索和先有信息形成对于某些特定表达和信息的理解。这个解释或诠释过程用于研读经典的时候被称为释经(exegesis),即力图释放出经典的意义。

　　阅读《圣经》的过程是对文本发问的系统过程,在这个过程中或有意或无意的释经进路选择是必然的,不同的释经进路形成对文本侧重不同的理解。《圣经》释经进路分为属灵进路和批评进路。前者是带有信仰的进路,后者是不带信仰的进路。前者视《圣经》为宗教权威,后者视《圣经》为文化经典。当然,两种进路在个人身上并非不可兼备。

一、属灵进路

　　属灵进路有几个特征。首先,它假定了《圣经》确实或可能与个人的属灵生活相干。对于秉持这种进路的人而言,《圣经》是"上帝的圣言"。其次,它决定了秉持这种进路的人以一种委身的姿态阅读作为其信仰指南的《圣经》,带着寻找信仰答案的期待在阅读中与上帝会遇。再次,它倾向于忽略《圣经》文本在古代世界中的语境或历史背景,相信文本和读者是察觉《圣经》与信仰的当下相干性所需的一切。最后,采用这种进路的人通常带着敬畏和祈祷阅读《圣经》,希望在阅读中得到圣灵的引导。这种《圣经》进路率直、简捷、单纯,通常无需正式培训和学术研究在先。多少世纪以来数以百万计的犹太教徒和基督教徒就是通过这种阅读《圣经》的进路获得灵感和启示的。

　　尽管许多虔信的信徒以这种方式研读《圣经》,但是这种进路有其局限。

第一，就像任何尝试从头至尾"通读"《圣经》的人很快发现的那样，《圣经》的那些经卷不是通常的某个统一叙事中的章节。《圣经》浮现于犹太人和早期基督教共同体的历史，固然含有犹太教和基督教信仰起源的通俗"故事"，但是那些诗歌、律法、箴言和书信经卷也交织着大量的历史叙事、理性思辨和抽象意念。况且《圣经》经卷并非严格按照时间先后顺序安排，甚至有时某些事件又以不同的方式谈论多次。缺乏对于《圣经》这部"书"的特殊性质的理解，那些犹太教和基督教的故事经常沦为一系列充其量松散捆绑在一起的孤立的、费解的事件。这也是大多数尚未具备批评进路的读者阅读《圣经》时会有的感受。

第二，离开历史背景阅读《圣经》有误解文本的风险。例如，有些《圣经》文本，历史上属灵的进路理解为对于在战争中杀戮妇女、儿童等非战斗人员的正当辩护，理解为禁止妇女在会堂或教堂中担任领导角色，理解为建议人们独身而非结婚等等。实际上，在其缘起背景中仔细阅读这些经段，可以使当代读者产生完全不同的理解。

第三，囿于属灵进路，没有分析研究，就不容易理解《圣经》中的习语、俚语和经常出现的神秘指涉等等。例如，没有批评进路的学术引导，像《但以理书》7—12 章或《启示录》中的象征就令人难以理解。单凭属灵进路，对于其中的"小角"、"巴比伦的大淫妇"、"海中来兽"和"兽数 666"等虽百思也难得其解。

第四，单凭属灵进路的人不易察觉的一个危险是，往往带着某些可能产生曲解的先入之见对待文本。例如，没有经过训练、知识不足的人可能以为希伯来先知主要是预言未来的先知先觉者，若此则会大大误解这些重要人物的角色和贡献。

18 世纪以来，一种新的《圣经》进路发展起来，称作批评进路。批评进路并不意味一种否定进路，而是一种分析的和客观的进路。这种进路与属灵进路有两大不同，首先是强调在文本的原有背景中理解文本，其次是并不断言《圣经》的启示或属灵权威——尽管并非有意削弱这种权威。批评进路至少有三大优势。第一，它并不蕴含或要求信仰立场，任何探索者都可以用来研究文本，了解犹太教和基督教的源头。第二，这种进路并不把犹太教或基督教的信仰主张加诸尚在这些信仰之外的人。第三，有助于丰富对于《圣经》的理解。

无论对于属灵进路持何种立场，有一点是明确的，就是《圣经》比任何一部经典都容易产生误读。原因有三：第一，读者，特别是中国读者与古代中东和近东世界之间存在着巨大的文化差异；第二，读者，特别是中国读者与《圣经》的一些文本之间横亘着三千多年的时间鸿沟；第三，读者，特别是中国读者与《圣经》各个经卷的特殊地位之间存留着多样盲区。更何况，信与不信对《圣经》的解读有很大的偏差。所有这一切都要求首先有一种超越信仰之上的进路,即批评进路。

二、批　评　进　路

《圣经》学术为人们研读《圣经》提供了某些工具和方法,这些切入《圣经》的进路被称作批评方法,诸如文本批评、来源批评、编修批评、叙事批评、修辞批评、结构批评等①。不过,正如上文已经提示的那样,《圣经》批评进路并非《圣经》否定进路,而是仔细稽考、客观分析和完善判断之路。正如艺术批评家和文学批评家并非旨在非难而是鉴赏艺术和文学一样,《圣经》批评家也绝非旨在否定《圣经》,而是评鉴《圣经》,寻求对这部古代文献的确当理解。批评进路是人人可以尝试这么去做的现成方法。下面对其中具有代表性的进路加以引介,希望对于那些寻求理解犹太教和基督教的起源及其文本基础《圣经》的读者有所裨益。

文本批评

《圣经》的形成是一个漫长而复杂的过程。《圣经》经卷历经几百年的演化才最终发展成形,而且出自不同地点的不同作者之手。《圣经》是许多作品的一种荟萃,并非毕其功于一役的单一著作。况且,目前没有《圣经》的任何原稿遗存下来。所遗留下来的只有一些具有传承传统的复本。迄今发现的稿本复本多达数千件,一些是整部《圣经》,还有一些可能只是《圣经》的一段,甚至只是一节。就像人们可以预期的那样,这些稿本在某个特定文本的内容上并非完全一致,其中存在拼读、选词、专名和意义等方面的差异。

文本批评就是对各色稿本的研究,以期尽可能精确地确定某个段落的原有遣词。鉴于没有任何《圣经》手稿的原始稿本存世,文本批评只能就文本最好的遣词是什么做出决定。当今所用的任何《圣经》版本都归功于文本批评家的努力,是他们就原始文本最可能是什么做出的判定。

文本批评有两个主要研究领域:经外证据和经内证据。外证关乎稿本的日期、数量、风格,以及稿本之间的关系和所研究稿本的可信度等。内证关乎不同稿本之间的遣词变异。古代稿本都是艰苦的手抄本,抄经师要么是比照面前的稿本抄录,要么是听着文本的朗读抄录。所以抄录的稿本可能出现各种各样的偶然变化。字母、单

---

① 参见 John Barton (ed.): *The Cambridge Companion to Biblical Interpretation*, Cambridge University Press, 2003, pp. 9 – 180。

词抑或整行句子都有可能出现脱漏、倒置或重复。抄经师有时会把样本边注抄入新复制的稿本正文之中。抄经师在听读抄录的时候,可能因为误解而抄成一个含有错误的文本。还有一些变化是有心之作,就是抄经师为体现自己的神学见解和文字喜好而进行的"改进"或变通。文本批评家的工作就是稽考所有证据,以判定原作者的原作最有可能是什么。

例如,《诗篇》第 49 篇就提供了有关《希伯来圣经》文本难题的一个例证。在一些稿本中,其中的第 11 节经文读作"他们的肺腑(思想)是他们永远的家"(中文"和合本"此句经文为"他们心里思想,他们的家室必永存")。在这篇诗歌的语境中,这句经文有些费解。当稽考其他古代稿本的时候发现,其中的经文是"他们的坟墓是他们永远的家"。显然,后一种读法更讲得通。那么"肺腑"和"坟墓"哪个可能是原文的遣词呢?问题的答案在于注意到希伯来语的"肺腑"拼作 qrbm,"坟墓"拼作 qbrm。文本批评家合理地推断,某个抄经师可能偶然颠倒了这句经文中一个词的字母顺序,结果把 qbrm(坟墓)拼成 qrbm(肺腑)。这种字母顺序颠倒之说,以及"坟墓"一词更好的语境支撑,导致绝大多数学者得出结论,《诗篇》49:11 原文说的是"(虽然他们曾拥有自己的土地),坟墓却是他们永久的家"。

这可能令人心生疑窦,《圣经》文本中的变异恐怕数以千计,我们今天所用的《圣经》可靠度究竟如何?学术研究的答案是非常可靠。原因有四:第一,《圣经》的重要性保证了大量的稿本得以抄录和保留下来,远远多于古代的任何一部经典。鉴于这个事实,学者们对于《圣经》的精确性比任何古代典籍都有信心。第二,许多变异是显而易见的改变,学者们能够近乎肯定地复原原有的遣词。第三,《圣经》中产生问题的那些段落几乎无一重要,许多只是拼写和语法问题。第四,学者们在古代文献的产制和传递方面的理解取得重要成就,并且发展出专门方法帮助重构古代文献。尽管在某些《圣经》段落中的真确遣词方面存在不确定性,但是不能因噎废食,应该有理由相信现代译本的文本都是高度可靠的。

历史批评

历史批评包含两个研究领域。首先,历史批评研究某个文本,以决定其中所含信息的历史精确性。对《圣经》的仔细研究有时提示人们,一些事件的发生并非像所描述的那样。有关《圣经》信息历史精确性的问题可能因为下述几个原因而出现:《圣经》中平行叙述之间的不符、《圣经》材料与经外材料不符,以及有些信息似乎天生不可能或者不可信,或者有些材料好像反映较为后来的观念或事件。

《圣经》中的历史问题的一个例子是《路加福音》2:1—7,其中说到耶稣诞生于居里扭做叙利亚巡抚的时候。居里扭的叙利亚巡抚任期是公元 6—9 年。然而,根据

《马太福音》2：1，看来也得到《路加福音》1：5支持的是，耶稣诞生于大希律时期，大希律死于公元前4年，距离居里扭担任叙利亚巡抚有10年之遥。那么耶稣是诞生于居里扭时期还是大希律时期？大多数学者接受的一个合理提法是，1世纪末叶写作的路加在有关居里扭任职方面出现混乱。因而，大希律时期可能更为精确。

历史批评的第二个焦点是研究形成一个特定文本的历史要素。《圣经》经卷就像其他文献一样并不是在真空中产生的。尽管具有宗教焦点，但是那些经卷同样是社会、文化、地理和政治要素的产物。一个人对于某个特定文本的背景（写作日期和地点、作者身份和目标受众）了解越多，那么对于理解该经卷的内容就越有准备。

影响经卷形成的历史因素之一是文本写作的日期。有时经卷中有具体的日期暗示。例如，《列王纪下》的结尾提到犹大的前国王约雅斤流放在巴比伦。鉴于约雅斤大约公元前597年被掳往巴比伦，《列王纪下》的最终形式显然不可能早于这个日期。不过就绝大多数经卷而言，确定日期并没有这么容易。学者们必须寻找经卷中的内部线索，运用考古学获得的资料信息，参照日期确定的其他古代文献，寻找其他文献当中的有关记述等。

与写作日期密切相关的是写作地点。通过了解写作日期和地点，学者们可以研究写作时候的历史、社会和政治局势，探讨这些因素可能对作品的信息和呈现方式产生何种影响。固然所有的《圣经》经卷都产生于地中海周围地区，但是学者们要努力精确地缩小各种经卷写作的可能地点。有些情况下，学者能够掌握经卷写作城市的可靠证据。例如，《哥林多前书》16：8中，保罗暗示他在写作如今人们所知的《哥林多前书》的时候在以弗所这座城市。

历史批评家还对决定《圣经》文本的实际作者感兴趣。不过，并不是总能确定作者的身份，因为很多《圣经》经卷没有作者信息。当今《圣经》经卷标题中的人名通常是经卷问世几十年之后添加上去的，只是反映后来的传统对于经卷作者身份的认定。这种情况在英译本中尤甚。例如，有些英文《圣经》版本中的《希伯来书》的标题是《使徒保罗致希伯来人的书信》。这样的标题并非作品原有的一部分，而是后来添加的。现在有观点认为，仔细比对《新约》中已知的保罗书信表明，《希伯来书》并非出自保罗，因为风格、语汇和神学差别太大。

即便经卷本身提到某个特定的人是作者，也未必靠得住。与现在不同，伪托他人之名写作是古代世界一种相当常见和显然可以接受的作法。结果，《圣经》学者还得寻找内证和外证帮助确定作者身份。使问题更加复杂的是，许多经卷不止一个作者，有些是不同的个人参与创作和编辑的各种各样的传统综合的产物。在很多情况下，谈论某个特定材料片段或某个文献的某个版本的作者可能更为恰当。

历史批评家的另一个关切点是某个特定经卷目标受众的身份。作者是把经卷写给谁的？作者与受众的关系如何？对于这些问题的回答有时相对容易一些。例如，就像经卷本身当中所提示的那样，《腓立比书》是使徒保罗致腓立比教会的书信。保罗作为他们的精神领袖给他们写信，给予他们鼓励和建议。另一方面，有些经卷，诸如《马太福音》，对于目标受众的身份没有明确说法，只有留给学者做出研究判断了。

《以赛亚书》的作者身份问题例证了历史批评工作的一个侧面。该卷目前的形式有 66 卷。偶然读读的读者通常以为该卷是 8 世纪先知以赛亚一人的作品。不过，通过学者对经卷的仔细、深入研究，对于作者身份的理解就出现了变化。就该卷的大部分即 1—39 章而言，的确看似出自先知以赛亚。这些章节描述了以赛亚公元前 8 世纪下半叶与那些政治和军事事件的互动。然而从第 40 章开始，再未提及以赛亚。况且，历史局势也改变了。其中所描述的历史事件属于耶路撒冷陷落之后公元前 6 世纪的事件。此外，第 56—66 章好像反映的是以色列人的历史中更为晚些的事件。这个信息，连同其他证据，已经导致绝大多数学者得出结论认为，《以赛亚书》不是一个人的作品，而是至少两个人、很可能是不同的三个人的作品，各自反映了不同的历史、政治和宗教局势。

《新约》中的《启示录》为研究经卷的历史背景的价值提供了最好的注释。该卷怪诞的意象和奇异的象征往往令读者茫然不知所措。借助经卷本身的信息，诸如第 13 章中提及的逼迫和皇帝崇拜，以及基于早期基督教作家和罗马史学家的信息，现今绝大多数学者把《启示录》的写作地点和时间确定在罗马政府迫害基督徒时期的小亚细亚。最有可能的写作日期是罗马皇帝图密善（Domitian，又译多米田）执政晚期，公元 95 年的某个时候。借助这种学术亮光再度阅读，经卷中的大量象征就可以理解了。那些怪兽（诸如 13 章中从海中来的长有七个头的怪兽）通常是作者用以描述罗马官员的象征手法。作者之所以把他们描绘为吓人的怪兽，是因为深信那些宣称拥有神的地位的皇帝们代表着对于拒绝参与皇帝崇拜的基督徒的威胁。通过把皇帝描绘为怪兽，作者是要告诉他的目标读者，皇帝不是神圣的而是邪恶的。理解了《启示录》的历史背景，就能帮助人们看清该卷不是对于遥远未来事件的预言，而是面向 1 世纪受众的文献，是就他们当下的困境给予宽慰和抚慰。

来源批评

来源批评是对特定文本底层支撑来源的研究。就像其他作者一样，《圣经》作者也时常从其他来源借用材料，然后编辑、打造，为我所用。来源批评家力图确定作者在写作自己的作品的时候使用了什么来源。有时来源的使用是显而易见的，例如《民数记》21：14—15 和《路加福音》1：1—4，其中明言了材料来源。然而在绝大多数情况下,来源的使用并不这么容易确定。既然《圣经》作者们并不使用引号或脚注,我们如何查验来源呢? 学者们已经认定了数种表明很可能仰仗了其他来源的线索。这些线索包括语汇和短语的变化,文字风格的变化,段落的流畅度出现间断,文本之中前后不连贯,以及某个故事或事件的重复等。

《旧约》来源批评最为著名的成果之一是对摩西五经的研究。通过对这些文本的研究,学者们发现了几个现象。第一,发现同一个故事有不同的叙述。《创世记》1:1—2:3包含一个创世故事,《创世记》2:4—25则包含另一个创世故事。第二,整个摩西五经中不同的神名主导特定的段落。在一些地方耶巍(Yahweh)这个神名占主导,在另一些地方伊逻音(Elohim)这个神名则是首选。第三,在很多地方写作风格不同。《创世记》第1章是对创世的一种组织严密的正式叙述,而第二个创世叙事则像信手拈来的故事。第四,甚至上帝的形象都不同。上帝在第一个创世叙述中是遥远的、严峻的:上帝发令,然后造物存在。第二个创世叙述中的上帝则更为亲密:上帝像熟练的陶器匠人一样进行创造;上帝是人格的上帝,把生命之气吹入第一个人体内,而且关心那人对于伙伴的需要。整个摩西五经中存在的这些和其他一些差异导致"文献假说"或"底本假说"的产生。

"文献假说"是近现代影响巨大的《圣经》假说之一,由19世纪欧洲学者格拉夫(Karl H. Graf)、古宁(Abraham Kuenen)、威尔豪森(Julius Wellhausen)在前人成果的基础上提出并论证。假说认为摩西五经至少由J(耶典)、E(E典)、D(申典)、P(祭典)4种原始文献(底本)或传统线索组合而成,它们各自的作者、成书地点和时间均不相同,前后延续了大约500年。其中J、E、D编著于古犹太史上的王国时代,P编著于巴比伦囚掳和之后的复国时代,五经于公元前5世纪中后期形成。这个假说否定了摩西是"五经"作者的传统观点。

J底本(耶典)为一部记述以色列民族起源及早期历史的史书,一般认为成书于所罗门统治中后期(约公元前960—前933年),作者是一个熟谙宫廷内幕的人,他称上帝为耶巍(Jahweh——Yahweh的德语形式),因此得名"J典作者"。这个底本主要见于《创世记》、《出埃及记》、《民数记》三卷书中,内容包括伊甸园、大洪水、亚伯拉罕等族长的事迹,以色列人出埃及、漂流旷野的经历,直至摩西逝世。有学者以为这部历史可延续到约书亚率众攻占迦南及士师时期,这类片断散见于《约书亚记》和《士师记》。"J作者"在底本中刻意强调犹大支派在十二支派中的地位,因而可能是犹大支派人氏,由此J也被视为犹大(Judah)的缩写。J底本涉及面广泛,相对严谨完整,长于叙事,善用幽默、讽刺、夸张、悬念等写作技巧,反映以色列统一王国南方的观念。

E底本(E典)也是一部历史纪事,亦见于《创世记》、《出埃及记》、《民数记》等卷,内容几乎覆盖了底本所述全部历史,只是始于族长时期。成书年代应晚于 J 底本百年左右,在统一王国分裂之后。作者不可确考,但是居于北国以色列,在叙述摩西之前历史的时候用 Elohim(伊逻音)称呼上帝,所以得名"E 典作者"。J 底本和 E 底本反映的是南北两国各自角度的民族史诗,北国沦亡后两底本逐渐融合为 JE 底本。亦有人以为二者有一共同的原始底本 G(德文 Grundlage 的缩写,意为"基础")。

D 底本(申典)在摩西五经中的材料主要见于《申命记》中,因而得名。D 底本可能源于北国以色列,后来在公元前 7 世纪的南国犹大成形和扩增,最有可能成书于犹大王希西家时代(约公元前 720—前 692 年)。其基本部分公元前 621 年发现于耶路撒冷圣殿,史称"原本申命记",是犹大王约西亚推行宗教改革的理论基础,其作者被叫做"申典作者(Deuteronomist)"。该底本采用摩西"平原训众"的口吻写成,意在宣扬一神信仰,强调对犹太教典章律制的遵守,风格庄重、雄辩。

P 底本(祭典)因为主要关注与祭司和祭祀相关的内容而得名,据认为出自祭司作者(Priestly Writer)之手。该底本在所有底本中成书最晚,除少量叙事外,主要是对以色列神权政体渊源及礼仪细则的系统论述,主要见于现今《利未记》中。该底本成于犹太人巴比伦囚掳期间或刚过此时(约公元前 587—前 538 年)。之后不久,业已汇流的 JE 底本与 P 典结合为 JEP 底本。然后,在公元前 5 世纪期间,JEP 材料与 D 典材料结合,遂大致形成我们现在所知的摩西五经。

"J. E. D. P 四底本假说"问世以来,对五经作者问题的探讨不断深入。一批学者对各底本的分析更为精细。尽管有些学者基于维护摩西五经传统看法的立场对此假说仍有质疑,但是该假说的历史地位已得到《圣经》研究界的普遍承认,其学术价值是不能低估的。不过,在透过该假说洞悉摩西五经背后源头、保持来源批评意识的同时,不能落入借此肢解《圣经》的误区,因为摩西五经在统一主题的主导下已经把相关底本糅合成一个有机的整体。

就来源批评在《新约》方面的体现而言,主要集中在"同观福音难题",即前三部福音之间的文本关系问题。得到最为广泛接受的解决之道是"两源理论",即《马可福音》最早,《马太福音》和《路加福音》使用了《马可福音》和"Q 字原材料"。对于这种《马可福音》在先说的主要挑战是"双福音假说",认为《马太福音》最先,《路加福音》使用《马太福音》作为其来源,而《马可福音》综合和删节了两者的叙述。

形式批评

形式批评家研究《圣经》经段,辨认包含在其中的各种交流形式。他们对于透过书面文本发现背后的口传阶段特别感兴趣,致力于确认材料口头流传的形式。通过把材料归入不同的形式范畴,学者们能够更多地掌握材料在其早先阶段的使用情况。

例如,形式暗示材料最初可能用于崇拜,可能是婚礼仪式中的一部分,或法律文本的一部分。形式批评家还尝试追溯文本传统经历各种口头和书面阶段的发展和变化。

形式批评不仅可以用于某个传统的口传阶段,也可以运用于其书面阶段。《圣经》包含种类广泛的文学形式或文体。《旧约》文体主要有诗歌体和散文体两种形式。正如通常的情况一样,以色列人的文学最初是口传文学,而最便于口传的东西莫过于谚语、诗歌和诗体的故事,这也是在希伯来人的文学中诗歌体文学早于散文体文学的原因。

《旧约》的诗歌体文学可以大致分为诗歌、谚语和神谕三种。诗歌又可以细分为"饮食歌"(《民数记》21：17—18;《以赛亚书》22：13)、"收获歌"(《以赛亚书》16：10;《耶利米书》48：33;《诗篇》65：8—13)、"丧葬歌"(《耶利米书》9：10—22;《阿摩司书》5：1—17)、"王室歌"(《诗篇》101)、"战歌"(《民数记》10：35)、"凯歌"(《出埃及记》15：1—18)、"哀歌"(《耶利米书》11：18—23,18：18—23)、"圣诗"(《诗篇》29,103)、"感恩诗"(《诗篇》40：2—6,50：12—15)、"朝圣歌"(《阿摩司书》4：4—5;《以赛亚书》2：2—4)、"祝福歌"(《创世记》48：13—20,24：60;《民数记》6：24—26)、"诅咒歌"(《创世记》9：25—27,49：5—7)和"悔罪歌"(《创世记》39：7—10;诗32：1—5)等。谚语的形态又具体表现为"俗语"(《撒母耳记上》16：7;《列王纪上》20：11;《以赛亚书》10：15：)、"谜语"(《以西结书》17：2;《士师记》14：12—18)、"智慧语"(《列王纪上》4：33)、"箴言"(《箴言》30：15—31)、"比喻"(《撒母耳记下》12：1—7)、"譬喻"(《以赛亚书》5：1—7;《以西结书》19：1—9)和"寓言"(《士师记》9：7—15;《列王纪下》14：9;《以西结书》17：2—10)等。神谕又可以分为"藉祭司的神谕"(《出埃及记》28：30;《利未记》8：8)、"藉先知的神谕"(《撒母耳记下》7：4;《列王纪上》22：19;《列王纪下》3：17,8：13)和"特殊形式的神谕"(《以赛亚书》1：2—31;《弥迦书》6：1—7：20;《以赛亚书》6：8;《士师记》6：15;《出埃及记》3：2,4：18)三种不同的方式。

《旧约》的散文体文学可以大致分为律法、记录、史传和启示。律法可以细分为"诫命"(《出埃及记》20：1—17;《申命记》5：6—21)、"律例"(《利未记》17—26;《出埃及记》25—29)和"典章"。记录可以细分为"上谕"(《以斯拉记》1：2—4,6：3—5)、"书信"(《撒母耳记下》11：14—15;《列王纪下》10：1—3;《耶利米书》29：1—23)、"私人契约"(《撒母耳记下》5：3;《耶利米书》32：6—15)、"名单"(《士师记》10：1—5;《列王纪上》4：7—19;《约书亚记》15—19)和"谱系"。史传又可以细分为"编年史"(《列王纪上》11：41,14：19、29)、"阐释史"(《约书亚记》9：14;《列王纪下》17：7—41)、"神学史"(《创世记》1—2,11：1—9;《约伯记》40：15—41：26;《以赛亚书》11：6—10)、"稗史"(《创世记》16、19、21;《出埃及记》12：1—36)、"传奇"(《创世记》21：22—31;《出埃及记》4：24—26；《撒母耳记上》1：12—20)和"传记"(《耶利米书》19：14—20：6；《阿摩司书》1：1—2)。启示则是先知善用的"受上帝所感、代上帝之言"的文体(《但以理书》7—12；《加拉太书》9—14)。

《新约》的文体也很丰富，有书信、历史、赞美诗、福音、奇迹故事、比喻、启示文学等，其中已经引发可观兴趣的文学形式是赞美诗。早期教会就像今天的宗教共同体一样，通过唱赞美诗来表达自己的信仰，其中的一些赞美诗就包埋在《新约》经卷之中，例如《腓立比书》2：6—11。尽管学者们在把该文本分为精确诗节方面意见不一，但是绝大多数都接受这个段落为赞美诗的认定，因为它有赞美诗的特点：韵律、对应、诗体、大量使用分词结构、按照诗节安排和崇高的语言等。就像古代赞美诗一样，这首赞美诗可能在早期教会的崇拜中咏唱。《腓立比书》的作者保罗借用了这首赞美诗，并加以调适，用以传递他给腓立比教会的信息。

信息形式可以在读者头脑中产生某种预期。阅读文本不注意其恰当的文学形式会导致误解。例如，报纸中两种不同的文学形式是社论和头版报道。当人们阅读社论的时候，会预期发现作者就某个问题的观点。社论的目的是劝说或劝告。另一方面，头版报道应该是事实性的和客观性的。材料的目的是呈示信息，而不是劝说或劝告。如果忽略了这些形式，把社论当做客观信息来看待，就会出现误解。当处理《圣经》文本的时候，情况也是如此。读者必须注意材料呈现的文学形式或文体，否则可能误解文本。例如，人们不能像阅读保罗书信那样阅读作为启示文学的《启示录》。

编修批评

编修批评是一种与形式批评互补的研究方法。与形式批评集中在文本传统中的小尺度单位，把它们从所处的文本中解析出来，单独研究它们的背景和功能不同，编修批评着眼于更大的文本尺度。《圣经》作者并不是那些孤立传统的收集者和编纂者，而是编修者、创作者和神学家，他们校正、重排、删除、补足或用其他方式修正材料。编修批评家旨在揭示《圣经》作者为了表达信息是如何打造、架构和编辑材料的。由于认识到《圣经》作者时常依靠来源材料，编修批评家还致力于判定作者如何使用了这些来源。编修批评尝试理解作者的神学观点、文学旨趣和生活背景，以及这些要素是如何塑造出作者的材料表现方式的。

《历代志上》的研究提供了编修批评的价值例证。学者们一般都同意，《历代志上》的作者使用了作为来源的《撒母耳记上》和《撒母耳记下》。把《历代志上》中描述的事件与《撒母耳记上》和《撒母耳记下》中的相同事件加以比较发现，《历代志上》的作者对于来源材料进行了修改。《历代志上》20：1—3中大卫的故事例证了这种修改。《历代志上》显然改编了《撒母耳记下》11—12章的内容。不过，历代志的作者在重述大卫故事的时候删除了一些材料。《历代志上》的作者开始复述《撒母耳记下》11：1—2，然后就跳到《撒母耳记下》12：26，删除了中间的经节。被删除掉的材料包括大卫与拔示巴的艳情，大卫谋害拔示巴的丈夫赫人乌利亚的故事，以及因此引发的拿单谴责。

《历代志上》的作者之所以做这样的删节，很有可能是因为这些被删除的内容与作者把大卫描绘为以色列人的领袖典范这个总目的不符。当人们注意到《历代志上》对材料进行有利于大卫的此种编修不是一个孤证，而是通篇如此的时候，上述结论就更加得到强化了。《历代志上》的作者不只是报道现成的材料，而是创造性地塑造材料，以表达某些宗教信念。

正典批评

与处理某个文本的早期阶段或某些文本的孤立片段不同的是，正典批评关注文本的最终形式，即这个文本在正典中的形式。正典批评源于这样一种关切，即不是把《圣经》经段仅仅作为本身孤立的文本加以诠释，而是作为更大的文本即整个《圣经》的构成部分加以理解。正典批评家追问《圣经》文本的神学意义，不仅追问其对于那些保留了《圣经》文本的信仰共同体的意义，而且追问其对于如今仍然使用这些文本的共同体的意义。

信仰共同体把某些特定的文本作为神圣性的和规范性的文本予以接受，即把它们纳入这些共同体的正典经目之中，这在几个方面影响到对于这些文本的诠释。例如，对于正典《圣经》文本所选择的进路就会不同于其他文本。读者阅读正典《圣经》的前提和前设就会与阅读其他文本有所不同。同样，那些《圣经》文本原为个体文本，现在成为更大的作品即正典《圣经》中的一部分，自然又有所不同。例如，《马可福音》并非独自流行，而是与《马太福音》、《路加福音》和《约翰福音》，以及其他《圣经》经卷一道流行。教会把这些经卷放在一道，这种作法本身就已经或明或暗地说明，它们应当放到一起加以诠释。对《马可福音》的正典解读，自然要对耶稣在其他福音书中的形象保持敏感。

况且，作为现在信仰共同体所使用的更大文本《圣经》中的一部分，《圣经》中的那些经卷文本可能在它们原有背景中的意义之外还获得额外的意义。作为信仰共同体的一部分，《圣经》中的那些文本继续与那些共同体互动。因而，正典批评追问《圣经》中的那些文本对于当代《圣经》读者的意义是什么。此外，正典批评认识到，没有哪一个观念或教义可以单独凭其自身而被当作规范性的，其他《圣经》经段对于同一主题的教义必须予以考虑，必须让整部正典的教义浮现出来。

《以赛亚书》第 53 章是《旧约》中激起大量讨论的一个文本。作者所谈论的那位受苦的仆人是谁？持历史批评立场切入这个文本的学者通常认为有许多种可能性：那位仆人可以是以色列民族，当时的犹大国王，一位先知，作者本人，或者作者所期待的某个短期内就出现的人物。当这个文本在数个世纪之后的基督教共同体中加以阅读和诠释的时候，就赋予这位受苦的仆人以新的身份。早期教会和此后的教会都在这位仆人身上看到了拿撒勒的耶稣的预表。《新约》作者们就从《以赛亚书》第53章借用术语来描述耶稣。基督徒对于《以赛亚书》第53章的正典释读容许文本意义的这种添加，尽管这并不是原来作者立意的一个意思。以这种方式阅读这个文本，不是要宣称原作者是在预言数百年之后耶稣的到来。相反，正典释读只是容许文本在不同的背景和时代发挥作用的时候产生新的意义。

对《罗马书》第13章的正典释读提供了某个文本信息如何受到其他《圣经》段落影响的例证。在这一章中，保罗建议他的受众服从国家权威——反抗国家就是反抗上帝。单独来看，这个段落可以而且已经导致基督徒总要服从国家这样一种信念。不过，当《罗马书》第13章连同诸如《使徒行传》第4章和《启示录》第13章等《新约》文本一起参看的时候，这种严格的观念就有所松动，因为那些经文肯定非暴力不合作是可以接受的，而且在某些场合下甚至是必须的。正典批评提醒读者，那些《圣经》文本是互相依靠的，必须寻求文本间际的一种诠释。

社科批评

社科批评尝试把《圣经》文本置于这些文本由之产生的那个社会世界之中来理解《圣经》。现代世界和《圣经》世界之间存在巨大的社会距离。现在社会的习俗、语言、价值、社会制度、经济制度、政治制度和世界观与《圣经》世界都有所不同。准备不足的现代读者易于以为他们的世界与《圣经》世界紧密相似，于是会把自己的价值和信念体系加诸文本之上。借助从社会学、人类学、经济学和政治学等人文、社会科学所获得的方法和洞识，社科批评重构并显明古代社会世界，以便对于诞生于那个世界的《圣经》文本进行更好的理解。为了强化从历史研究中获得的信息，社科批评通常使用跨文化模型和比较研究。

《新约》社科进路的一个例子是对于1世纪罗马世界中的奴隶地位及其社会关系的研究。具有现代意识的读者，特别是像美国那样有过艰苦卓绝废奴历史的社会中的读者，接触到《新约》中的奴隶制度的时候，可能会以17—19世纪美国非洲裔黑人奴隶的状况作为构想框架。然而，就像历史学家所揭示的那样，1世纪地中海地区的奴隶制与美国当年的奴隶制大为不同。罗马世界的奴隶制不是基于种族，奴隶也不必然是终身的。奴隶可以通过不同途径赢得自由。在罗马社会，奴隶并不构成一个独立的社会阶级或经济阶层，他们的社会和经济地位在很大程度上是由他们主人的地位决定的。当然,古代奴隶制与美国奴隶制度这种差异举例,绝无暗含古代奴隶制是一种好的、中性实践的意思。相反,古代世界的奴隶制通常是不幸的、残酷的。父亲被迫卖儿卖女为奴还债的时候,常常是妻离子散。奴隶会遭到奴隶主的折磨、殴打和性侵害。这里提醒古代世界的奴隶制与美国奴隶制度有所区别,是要强调不要以美国奴隶制为模式曲解古代世界的奴隶制,要寻求对奴隶制在《圣经》世界中功能的确当把握。

叙事批评

叙事批评是几种可以一同归入文字批评范畴的《圣经》研究方法之一。这些文字进路把文本抽离其历史和社会背景,作为独立的作品来研究。其基础是认为文本创造出自己的世界,必须在那个世界之内进行理解。因而,文字批评家对于诸如作者身份、社会和政治背景,以及写作地点和日期等都只保持一种附带兴趣。文字批评家所关切的焦点是文本内在的问题。

叙事批评像研究其他文献一样研究《圣经》文本,聚焦于诸如情节、人物、场景、主题、观点、风格、修辞、象征、叙事者、叙事模式、冲突、秩序、暗含的作者和暗含的读者等。暗含的作者不同于文本的真正作者(即便是匿名的),而是叙事的讲述方式所创造出来的虚设作者。同样,暗含的读者也不是实际上的读者(无论是原有的读者还是现代读者),而是叙事本身所前设的一种理想化的读者。叙事批评家的志趣在于暗含的作者如何在通篇叙事中给予暗含的读者以指导和线索。叙事批评试图进入那个文本世界,以像暗含的读者应该有的那种方式聆听故事。如此一来,叙事批评家感兴趣的不是判定某个事件是否在历史上真正发生过,而是事件本身在叙事中如何发挥功能,暗含的读者应该如何理解事件。

叙事批评的文本进路可以对于《马可福音》中的插层或夹层使用的研究为例。有数个场合,《马可福音》的作者开始谈论一个事件,用另一个事件解释这个事件,然后完成第一个事件,于是把一个故事夹在另一个故事的两个部分之间。这种文字技巧的经典例证之一是《马可福音》11:12—25,其中耶稣洁净圣殿的故事被夹在耶稣诅咒无花果树的开头和结尾之间。严格说来,有关无花果树的故事本身有些问题。例如,耶稣为什么对于不在结果季节的无花果树不结果实大为愤怒?不过,如果把无花果事件主要看作作者用来帮助读者理解耶稣在圣殿行为的文字工具,那么故事的意义就更为清晰了。通过把有关耶稣清洁圣殿的故事包夹在诅咒不结果实的无花果故事的开头和结尾之间,作者向读者暗示,耶稣在圣殿的举动不是简单地"洁净"带有表面问题的机构,而是谴责一种没有结出该结果实的制度。

读应批评

《圣经》研究中有时使用的另一种文字方法是读应批评,即读者回应批评。正如名称所提示的,读应批评的焦点不是放在文本上,而是放在文本读者的角色上。根据读应批评家的观点,意义不是在文本之内,而是在读者与文本的互动之中。读应批评家对于文本作者的立意不感兴趣(认为那是不可能知道的),因为意义是由读者而不是由作者创造的。所有的文本都有"字沟"(literary gaps),在文本的这些地方某些信息是无法应用的。读者必须建立跨越文本中出现的这些"字沟"的联系。不同的读者以不同的方式理解文本,这是因为不同的读者"填充字沟"的方式不同。读应批评家强调,没有哪个读者是客观的、中立的。每个读者用来处理文本的自身经验、偏向和期待都不同于他人。

读应批评家感兴趣的是读者在阅读某个文本的时候如何接触文本、如何与文本互动。文本阅读对读者有何影响? 文本是否改变了读者的观点? 读者与文本中的人物认同吗? 读应批评家强调,阅读是一个历时活动而非静止状态。就是说,当读者从句子或段落读到文本的时候,一个人对文本的理解出现变化,新的意义产生。读者带着某个意义开始,随着阅读的继续,发展出其他一些意义,然后修改或肯定那些意义。读通文本的活动为读者创造出意义。读应批评家感兴趣的是文本中的不同要素(例如,结构、重复和预想陈述)如何影响读者切入和回应文本。

例如,《创世记》第18章讲述了三个陌生人拜访亚伯拉罕的故事。在对这个文本的研究中,读应批评家或许注意有关这些访客的不同身份和描述,追问这些对于文本读解有何影响?18:1的经文说:"耶和华在幔利橡树那里,向亚伯拉罕显现出来。那时正热,亚伯拉罕坐在帐棚门口。"接着18:2说:"举目观看,见有三个人在对面站着。"这两句经文之间出现了字沟。"耶和华"与"三个人"有什么联系? 他们是否是同一回事? 随着读者在文本中往下穿行,这个问题继续浮现,因为文本继续把"耶和华"和"三个人"交替呈现为主要人物(不是亚伯拉罕和撒拉)。当读者继续进入文本,到第19章会遇"两个天使"的时候,又会有迷惑产生。他们与第18章中的人物有什么联系? 人物身份披露方面的这种相互作用对于读者理解耶华和对于耶和华与人的互动有什么影响? 再者,读者自己的经验和偏向对于他就这些人物的身份作出判断有什么影响? 所有这些都是读应批评感兴趣的典型问题。

在某种程度上可以归入读应批评的《圣经》批评进路还有解放主义和女性主义,因为它们寻求从某个特定的观点阅读文本,无论是从妇女的观点、从少数族裔的观点,还是从被压迫者的观点出发,都是如此。其中的女性主义读解断言,《圣经》的父权特征是文化使然,并非出自神命,主张对《圣经》进行平权解读,肯定妇女的价值、尊严和历史贡献。

从另一个角度与读应批评密切相关或者说形成对照的《圣经》进路有结构主义。

结构主义结合了语言学和人类学的洞见,宣称文学就像语言一样具有常规模式和规则。就像"语法"规则决定我们如何讲话一样,也有某种文学"语法"决定了故事如何运作。尽管在表面上故事可能有不同的情节、场景和人物,但是在表层下面还有作者和读者对此都无意识的"深层结构",这种结构具有某些普遍的模式。通过把这些结构(情节运思、人物类型、活动种类等)加以辨认和归类,故事据其本质意义能够得到客观分析。根据结构主义,意义并不存在于作者的意向或读者的反应之中,而是寓于文本固有编码的这种深层结构之中。

三、实证进路

除了上述一些主要批评方法之外,《圣经》读者还可以从其他来源和学科的信息获益。对于《圣经》研读特别有用的两个领域是《圣经》考古和经外平行文献,据此可以对《圣经》进行某种经外勘验。这两个领域在与《圣经》相关的角度实为一体二面,从这种角度切入《圣经》不妨称为实证进路。

大致而言,考古学是对某种文化的物质遗存进行研究、以便更好理解古人如何生活和活动的学科。尽管一些古代遗存裸露在地表,但是绝大多数古代城市和墓穴的考古需要艰苦的发掘工作。通过勘验古代文献、陶器、家庭器具、工具、武器、珠宝、建筑、雕塑和石头等等,考古学家可以了解到某个民族的政治、经济、社会和文化的历史。考古研究对于《圣经》研究之所以具有价值,是因为考古研究提供了对于古代以色列和早期基督徒的习俗、信念和生活方式的更好理解。实际上《圣经》考古本身已经发展为一个学科,即利用《圣经》所述世界的古代遗迹及出土文物等考古发现来揭示《圣经》的历史原貌和文化特征的学科。

对于《圣经》研读颇有价值的信息还可以通过研究一些以某种方式与《圣经》文本平行的经外文献获得。来自埃及、迦南、希腊和罗马的平行文献和其他来源(包括非正典的犹太教和基督教文献来源),可以帮助揭示语汇、文字风格、文学形式、文体、古代习俗和信仰、《圣经》中记载的历史事件等。严肃的《圣经》读者都会研究这些经外文献,并运用获得的信息来更好地理解《圣经》。

第一讲　上帝圣言　万物起源
　　——希伯来人的创世信仰与圣约意识

　　《圣经》的第一卷是《创世记》，本卷在希伯来文《旧约》中没有书名，犹太人用本书开头的第一个字"伯里希特"(bereshith)来称呼它，意思是"起初"。现今的经卷名源自《七十子希腊文本》赋予此书的名称 genesis，有"出生"、"始原"等意思。它叙述宇宙的创造、人类的起源、罪恶和人世苦难的开始；同时记述上帝怎样与人类交往。

　　"根据以色列民族的神圣历史，天地的形成构成上帝创造活动之始。当然世界之始和历史之始合成一体。根据《创世记》，历史不是从以色列民族开始，而是从预备世界历史的舞台开始。只是后来《旧约》的焦点才从普遍缩小到特殊(《创世记》12章)。"[1]《创世记》全书可分为两部分：(1) 1—11 章记述宇宙的创造和人类早期历史，包括亚当和夏娃、该隐和亚伯、挪亚和洪水，以及巴别塔等事迹。(2) 12—50 章记述以色列诸先祖的历史。首先是以信心和顺服著称的亚伯拉罕，接着是他的儿子以撒、孙子雅格(也称以色列)，以及雅各的十二个儿子——就是构成以色列十二个支派的族长——的历史，特别着重约瑟的经历以及雅各和他其余的儿子们怎样携带眷属前往埃及居住的记载。

　　纵观整部《创世记》，强调的有两点：人的原罪和上帝的恩典。本卷不仅记述人物，更重要的是述说上帝的作为。它从肯定上帝创造世界开始，而以上帝应许继续带领他的子民结束。全书以上帝为中心：他审判、惩罚作恶的人，并带领、扶助自己的子民。他是历史的主宰。本书的神学目的是记录一个民族的信心，并帮助后人持续这种信心。

　　《圣经》批评学者中广泛的看法是，现在这个形式的《创世记》(甚至整个摩西五经)是在三个"底本"的基础上编纂而成的。它们分别是"耶典"(J)、"伊典"(E)和"祭

---

[1]　Brevard S. Childs, *Biblical Theology of the Old and New Testaments*, Minneapolis: Fortress Press, 1992, p. 107.

典"(P),尽管各有其特殊风格和倾向,但是在《创世记》中已经糅合成一个统一的整体①。以色列人在《创世记》中表达了上帝作为宇宙和以色列民的创造者的信念。以色列人有关上帝在创造宇宙之时他的创造大能在自然之中运作、有关上帝在创造以色列民之时他的创造大能在历史中运作的信念,在《创世记》的结构中是显而易见的。

就《创世记》上述两大部分而言,第一部分或"原始传统"部分的背景是以色列人的始祖亚伯拉罕之前的时代。这些传统提供了以色列人历史的神学导言。它们的基本目的在于把人描绘成一种反叛其造物主的造物,因而是需要拯救的。

这些"原始传统"代表的是具有信心的人们对于生存和意义这样一些根本问题的回答。就像所有的现代人一样,他们所关切的是要知道他们是谁,以及他们如何与世界和终极实在相关。他们借助于作为救星和主宰的耶巍(上帝)的遭遇来回答这些问题。因而他们相信耶巍是造物主,人应该为自己在世界上的生活负起有意义的责任。但是他们也在存在论的层面上明白,人在反叛他的造物主方面是个罪人,而且人类文化在某种意义上是人类以自我为中心否定上帝之国权的结果。

根据学者的研究,尽管《创世记》第一部分(1—11章)的材料来自不同的地域和时期,但是它们一道表达了从"出埃及"信仰——有关耶巍是救赎的和创造的上帝的信仰——的角度看来的人类的那些"起初"。那些具有信仰的以色列人用神学术语描述了人的叛逆本质,而这种本质使上帝的拯救活动成为必须。在展开这一主题的过程中,他们运用了从整个古代近东地区可用的资料,但是他们总是在这些资料上面加上源自"出埃及"拯救的上帝概念——上帝通过在以色列历史上的拯救活动把自己启示为充满慈爱的上帝。在这种上帝观念主导下的叙述,不仅为世界上的人们提供了一种宗教的导向,而且为理解生命的本质和意义提供了一种理论说明。

第一节　上帝创世(1—2)

以色列人对于耶和华的信仰不是单单基于或者不是主要基于他的创世活动,而是基于对他的救赎活动的经验。以色列民对于耶和华的了解,不是通过对于世界是什么以及世界如何得以存在的思辨,而是通过历史经验。以色列民在出埃及的时候

---

① 参见 Brevard S. Childs, *Biblical Theology of the Old and New Testaments*, Minneapolis: Fortress Press, 1992, p. 123; Cyrus H. Gordon and Gary A. Rendsburg, *The Bible and the Ancient Near East*, New York/London: W. W. Norton & Company, 1997, p. 34。

和在西奈旷野中与耶和华的遭遇都是直接的。因而创世信仰只是历史信仰的一种必然结果。把耶和华作为历史的主宰来接受,离信仰耶和华是世界及其一切的创造者只有一步之遥①。

　　根据有关研究,以色列人的历史记忆包含两个广泛的创世故事,这两个故事被"摩西五经"的编纂者们用来表达有关耶和华是造物主的成熟信仰,回答《圣经》中出现的第一个问题——"世界何以如此"②。《创世记》2:4b—25 所叙述的创世故事在这两个传统中更早一些,在经过无数世代的口传之后在公元前 10 世纪被整合进以色列人的"耶典"底本历史。《创世记》1:1—2:4b 所叙述的创世故事则是 5 世纪的、出自巴比伦囚掳时期"祭典"底本历史编纂者之手。鉴于其呈现形式较不矫揉、较不复杂,在学者们看来它保留了前巴比伦囚掳时期的创世观念③。

一、"耶典"底本的创世故事(2:4b—25)

　　这是一首美丽、纯朴的田园诗。人类被人格化为一个人亚当(希伯来语的意思是人类),而耶和华也被用神人同形同性的术语来加以描述,即被描述为一个人。耶和华用泥土造人(亚当),并且把生气吹入他的鼻孔中;耶和华设立了一个园子,让那人住在里面——那人在园子中做工,种植了各种各样的树木;耶和华在园子中与那人一道行走、彼此交谈。特别是,当人在动物中找不到同伴的时候,耶和华感到那人独居不好,便让那人入睡,从他的肋旁取出一根肋骨造出女人夏娃。这个创世故事更具有人类中心色彩。当然这并不意味着以色列人真的认为上帝用手工作,具有像人一样的躯体。这里所用的语言是比喻性的。有限的造物用这种语言可以尝试描述无限者。这一早期叙事反映的是一种巴勒斯坦农民的思维视角。

　　"耶典"底本的创世故事不仅确立了上帝与人之间的造与被造的关系,而且确立了《圣经》有关人类婚姻的基本规范。首先,没有婚姻伴侣,人的乐园是不完美的(婚姻是美好而神圣的,独身是不好的);其次,人的婚姻伴侣不是动物,而是人类(禁止与野兽交合);其三,女人是从男人的肋旁取一条肋骨创造而成这一点,说明男女在婚姻

---

① 参见《以赛亚书》40:28—29;45:18;《诗篇》104:24—30。

② Cyrus H. Gordon and Gary A. Rendsburg, *The Bible and the Ancient Near East*, New York / London: W. W. Norton & Company, 1997, p.34.

③ Henry Jackson Flanders, Jr., Robert Wilson Crapps, David Anthony Smith, *People of the Covenant: An Introduction to the Old Testament*, New York: John Wiley & Sons, 1973, p.57.

中是并肩而立的(男女是平等的);其四,上帝最初创造的是一男一女的婚姻,所以一夫一妻是美好的(禁止多偶婚、禁止同性恋);其五,因为女人是男人"骨中的骨,肉中的肉",男女本为一体,所以夫妻厮守一世是美好而符合人的本质的——"神配合的,人不可分开"(主张白头偕老,否定见异思迁)。

二、"祭典"底本的创世故事(1:2—2:4a)

这个版本的创世故事以一种庄严的、质朴的方式宣布了以色列人的创世信仰:"起初,神创造天地。"这同时也拉开了整部《圣经》的序幕。尽管以这样的经文开始的"祭典"底本创世叙述对古代近东的创世传统有很大的依赖①,但是它对耶和华的创造性话语的强调,从而对于耶和华高于和独立于自然的绝对国权的强调,就特点和心态而言无疑正是以色列人特有的。尽管就最后的书面形式而言,这个版本在《创世记》2章的"耶典"底本创世故事之后很久才确立,但是用它开启以色列人的经典是恰当的,因为它是对于以色列人有关上帝与世界的关系信仰、有关人本质上是上帝的造物的信仰的一种成熟陈述。这个创世故事更具有宇宙中心主义色彩。

在"祭典"底本叙述中,创造被分为六个秩序井然的阶段,每个阶段由一天代表。第一天创造出光,第二天创造出苍穹,第三天通过分开水而创造出旱地和植被,第四天创造出天体,第五天创造出鱼类和飞鸟,第六天创造出动物和人类男女,第七天上帝歇工了,即创造出安息日。在此,守安息日得到"祭典"底本作者的认定。值得注意的是,在这个故事中"祭典"底本作者把光安排在光体之前被造出来,其明显的目的是要否定源于两河流域的日月崇拜信仰,是与原先的母体文化的一种有效切割。"祭典"底本的创世故事宣示光独立于日月,而且把天上的光体描绘为只是耶和华这个唯一的真正上帝手中的工具②。其中所蕴含的神学观念是非常深刻的,即用真正的一神论破除多神论和偶像崇拜。

就"祭典"底本传统而言,所有的创造都是人的创造的序曲,耶和华在创造人的活动中比在其他所有的创造活动中都要直接和精细。创造的高潮是"亚当"的创造,但是这里用作集合名词指"人类":"神就照着自己的形象造人(亚当),乃是照着他的形象造男造女。"人享受到与所有其他造物不同的地位。更重要的是,这个创世版本强

---

① 参见池凤桐:《基督教信仰的起源[I]》,华东师范大学出版社 2006 年版,第 37—39 页。
② 参见《诗篇》8:3;19:9。

调了人与造物主之间的独一无二的关系。就是说，从《圣经》神学的角度来看，人在本质上是上帝的一种造物，把自己的存在归功于造物主。况且，以上帝的形象创造这一点包括了人的"治理"地位。有学者认为，西方文明之所以导致当今生态的恶化，就是因为人忘记了自己在上帝面前的恰当的"治理"职分、误把自己的意志当做的上帝意志所酿成的恶果，这成为当下方兴未艾的基督教"生态神学"的基点。

另外，"祭典"底本以七重叠句"神看着是好的"来肯定造物之好，这在叙述艺术方面就像叠声一样也是旨在引发人们的关注[①]。这个表达式标志着上帝的每个创世之工都符合上帝的意图。这也表明，《圣经》并不鼓励禁欲，人们不应成为禁欲主义者，而是应该享受上帝的各种美好的创造。实际上，"祭典"底本的创世故事蕴含着一个非常重要的维度，就是在宇宙中为人类"定位"。一方面，人是上帝唯一按照自己的形象所造的一种造物这个殊荣，保证了人在宇宙中作为"万物之灵"的地位，即人类的定位是"万物之上、一神之下"；另一方面，上帝按照自己的形象造男造女，即人人具有上帝的形象，提供了主张人人平等的基础。

三、两个版本之间的关系

既然《创世记》保留了上述两个版本的创世故事，那么就存在一个"耶典"底本与"祭典"底本之间的关系问题。人们可以发现，两个故事具有迥然不同的风格和语汇。它们在原文中用不同的词汇来指称上帝（"耶典"底本中是"耶和华"，"祭典"底本中是"厄罗音"），而且在对造物主和造物过程的描述方面也各不相同。不过，就《创世记》中整个"耶典"底本和"祭典"底本的情况来看，"祭典"好像表现出对"耶典"有所依赖[②]。倘若从内在逻辑关系而言，在《圣经》整体中"耶典"故事似乎是对"祭典"故事的一种补充和细化。

第二节　人类堕落(3—4)

"耶典"底本的创世故事把人类（亚当和夏娃）安置在伊甸乐园中。然而生活的现

---

① 参见西蒙·巴埃弗拉特：《圣经的叙事艺术》，华东师范大学出版社 2006 年版，第 218—272 页。
② 参见 Brevard S. Childs, *Biblical Theology of the Old and New Testaments*, Minneapolis: Fortress Press, 1992, pp. 119 - 120。

实并不"伊甸",而且人并非生活在一个乐园环境中。《创世记》在 1—2 章表述了创世信仰之后,接着在 3—4 章中解释了本来"好的"创造身上发生了什么。与神意相反,"好的"创造因人对上帝旨意的"邪恶"曲解而遭败坏。人反叛他的造物主的国权,结果暴力在人中间应运而生。人的堕落故事的诸要素最初固然可能是对于蛇类爬行、分娩疼痛、荆棘遍地等现象的一些缘起性的解释,但是"耶典"底本作者使用这些材料的用意要比回答起源问题深刻得多。

这个故事不但描述过去之所是,而且描述现在之所是。这里所讲述的不是单单发生在亚当身上的事情,而且讲述的是构成所有亚当们——人类——的特征经验的事情。按照上帝的形象所创造出来的人,是一种具有两维责任的造物:一个维度是纵向的,另一个维度是横向的。换言之,他要对上帝负责,也要对同胞负责。但是在所犯的原罪行动中,人在这两个维度上都是不负责任的。《创世记》第 3 章所谈论的是人对于上帝不负责任,第 4 章则讲述人对于同胞不负责任。

作为造物的人总是处于一种糟糕的境地,既明白自己受造的局限性,又憧憬倘若没有这些局限的样子。作为造物的人可以把自己想象成是绝对的,即他自己就是上帝。正是从这种不牢靠的模棱两可性产生出叛逆和傲慢的态度,而这对于上帝本来所造的人的本质具有毁灭性的影响。《圣经》神学称之为叛逆原罪。

一、叛逆——《创世记》第 3 章

"耶典"底本作者通过讲述故事的方式描述人的罪的本质。在神学中,传统上把这称作人的堕落故事,当然更以叛逆故事为人所知晓。在伊甸园的中央有"生命树"和"分别善恶树"这样两棵树,它们无疑带有东方文化积淀中人们所熟悉和富有意义的形象:"生命树"象征人与上帝不断的交通,而"分别善恶树"代表那些属于上帝的特权。亚当和夏娃被禁止吃"分别善恶树"上的果子,如果违禁,所受的惩罚将是死亡。

带有戏剧性讲述故事异禀的"耶典"底本作者,描述了伊甸园的和平遭到扰乱的情况。其时蛇劝夏娃说,那树的果子是好食物,看起来愉悦,而且是智慧之源。蛇代表狡黠和神秘,是险恶的力量。结果夏娃和亚当没能抵挡住蛇的微妙诱惑,屈从于他们会变得像神一样的期望:首先是夏娃,然后是亚当吃了那树的禁果。从本质上说,他们偷吃禁果之举是在试图逃避受造状态。不过,所获得的知识证明与诱惑者所允诺的大为不同。他们立刻意识到原罪和罪过,并且发现他们与上帝的关系已经遭到毁坏。一听到上帝在园子里的声音,他们便寻求躲避他的视线,但却发现他的视线无法逃避。他们的罪状被上帝抓个正着,审判随之临到他们。首先,蛇受到诅咒。其次,女人被判决遭受怀胎的痛楚。第三,对男人而言,工作成为负担,并且伴随着失望和烦恼。"耶典"底本作者讲述这个故事更为关注的是人的存在现实,而不是罪性之原始的和历史的起源。《旧约》的神学审判是,亚当和夏娃的叛逆故事就是每一个人的故事原型。

人类堕落的故事以戏剧性地强调伊甸园向亚当和夏娃关闭而告结束。人被逐出伊甸园,不再能够接触生命树。他的原罪已经让其与上帝异化开来,失去了乐园。人得以重新接近生命树的唯一的希望就是上帝本人采取行动移除障碍。这则"耶典"底本的故事尽管没有这么明说,但是这一点在整部《旧约》中都是清楚暗含着的。事实上古代近东文献中就有许多类似的有关失乐园、失不朽和死亡观方面的文献,例如《吉尔伽美什史诗》(*Gilgamesh Epic*)等①。

这里所传达的神学信息是,"耶典"底本的作者深信,即便是在上帝的审判中也显示出其对于造物的关切。妇女继续怀胎、生养,当然带着痛楚;男子确实从土地中收获丰收,却是带着劳苦。当人负罪、羞愧地站在上帝面前的时候,上帝尊重人的惭愧,并且使人自己动手遮蔽羞体。况且,人虽然被逐出乐园,但是仍然能够居住在上帝的临在面前,上帝一直在寻求恢复被人的原罪所破坏的团契关系。人受到上帝的审判,但是没有被上帝抛弃。

不过,值得注意的一点是,中文翻译为"分别善恶树"中的"善恶"用法实际上是一种修辞上的举偶对比法,在这里意指"一切",并非仅仅限于人们经常误解的道德上的"善恶"。《圣经》中的其他经文之中、埃及和希腊文献当中都有这种举偶对比法来表达"一切"的例子。基于此,一般所理解的"人的堕落"故事其实回答的是《圣经》中的第二个关键问题,即人为什么远比动物聪明的问题——答案就是人获得并吃下智慧果而打破了神的知识垄断。"于是人获得普遍知识,而且在这个程度上与神分享了原先一直是神的特权的一种官能。"②

二、暴力——《创世记》第 4 章

该隐和亚伯的故事代表了原罪的另一个方面。悖逆上帝的人进而对同胞肆意采

---

① 参见 John H. Walton, *Ancient Near Eastern Thought and the Old Testament: Introducing the Conceptual World of the Hebrew Bible*, Grand Rapids, Michigan: Baker Academic, 2006, pp. 51 - 52。
② Cyrus H. Gordon and Gary A. Rendsburg, *The Bible and the Ancient Near East*, New York / London: W. W. Norton & Company, 1997, pp. 36 - 37。

取暴力行动。在他想成为上帝的企图受阻之后,亚当的(即人类的)生命在一个暴力的世界中而非乐园中继续。

从文化人类学的角度,我们可以把第 4 章中该隐杀亚伯的故事理解为对农民和游牧民之间历史上存在的敌视状态的一种解释,理解为农业和畜牧业之间历史张力的一种解释。但是,根据《圣经》学者的观点,这并不是"耶典"底本作者的本意。他的立意是要表明,作为人悖逆造物主的结果,事情是如何变糟的,以及表明事情可以变得多么糟。紧跟亚当的违抗到来的是他儿子任性、傲慢和妒忌的大爆发,这种大爆发的极致是完全放弃人类的血缘纽带和温情关爱,即兄弟相残。"耶典"底本作者把这两个故事放在一道,形成对于人类和社会的犀利审判。

该隐和亚伯是亚当和夏娃的长子和次子,各自拿最好的东西献给耶和华。耶和华看中了亚伯和他的供物,但是没有看上该隐和他的供物。这个故事所关切的主旨不是献祭,而是谋杀。该隐的祭品遭拒呈现的是他因嫉成怒的环境。随着嫉妒增长为狂暴的愤恨,该隐杀了亚伯。像亚当和夏娃一样,该隐立刻听到耶和华不安的声音:"你兄弟亚伯在哪里?"拒绝作他兄弟的守护者是他悖逆耶和华的工具,也是逻辑上的第二步——人拒斥他的受造地位的手段。该隐被责罚在地上"流离飘荡"。唯恐他在没有氏族保护的情况下被人随意杀戮,耶和华给他立了一个受保护的记号——神恩的证据。就像亚当和夏娃的故事一样,这个故事的叙述也适用于每一个人。"耶典"底本作者责罚所有的不人道,而不是仅仅责罚一个古代的谋杀者。

三、以色列人对人之为罪人的理解

《创世记》3—4 章描述的是人在世界上的生存现实,也回答了亚当和夏娃如何生出世上万国的问题。按照神的形象所造的人要治理大地及其上面的一切。但他应该是耶和华的代表。人的治理权要在造物主的总体国权之下来行使。至高无上的是造物主而不是受造物。不过,受造物要使造物主形象化。对人而言,上帝的形象意味着人与他所代表的唯一者的一种关系,意味着他对唯一者的依赖。在这种关系中和从这种关系里,人要在他所治理的世界中反映上帝的本质。因而,人必须维持他与上帝之间的关系,他必须谨记,他只是上帝的"大使",他对造物的治理的有效程度只与这种关系的真实程度成比例。

作为向上帝负责的一种造物,人还对他的同胞负有责任。他是被造来生活在共同体之中的。他所得到的上帝的命令是"生养众多,遍满地面"。上帝打算让该隐作他的兄弟的守护者。在上帝的国权之下,并且符合他的公义的旨意,那么人就会生活在与他的同胞的真正的共同体之中。

不过,《创世记》3—4章认识到生活的现实与伊甸理想相去甚远。通过回顾,这两章力图解释实有的生活与应有的生活之间的落差。第3章和第4章中的故事是对人的罪性——他拒斥对上帝和同胞应尽的责任——的解释。随后,"耶典"底本作者表达了以色列人在原罪本质方面的立场。原罪的本质是以自我为中心的人对他独特禀赋的否定。生为造物,却想与他的造物主看齐。原罪植根于自以为是,自以为是不仅悖逆上帝而且侵害了邻人的权利。从《圣经》神学的角度来看,这两个故事都是对人的原罪的审判。上帝在这里的审判不是报复性的。上帝的基本关切是救赎作为罪人的人。救赎的基调在《创世记》1—11章所余的部分得以继续,也是上帝通过以色列民作工的基础。

在该隐的故事结尾的时候,"耶典"底本作者描述了文明的起源,同时对文化加以审判。根据《创世记》所言,人类的第一个城市是由杀人犯该隐所建。文明在该隐与上帝异化的标记下开始,却是上帝关切和恩典的对象。在这样的一种环境下,原罪得到强化。拉麦吹嘘自己的恶劣行径说:"壮年人伤我,我把他杀了;少年人损我,我把他害了。若杀该隐,遭报七倍;杀拉麦,遭报七十七倍。"(4:23b—24)可见,生命变得廉价,人们冤冤相报。不过,对于《创世记》此处对于文化的这种审判不应过度诠释。事实上,它透露出的是这种审判的一种小农或游牧民的起源背景。另一方面,没有哪一个曾经生活在发达但残酷和非人道的社会中的人会否认这样一个事实,就是非人的社会凶险无限。

四、社会历史底蕴

就《创世记》前四章而言,最初的内容是有关以色列人创世信仰的一个"序",随之进而展开有关人住在乐园中和堕落失乐园的故事。尽管这些大都运思在超越任何现实评估的水平上,但是在有关人的故事中讲到人蒙福居住的伊甸乐园中有四条河流。就其中比逊河和基训河的情况而言人们众说纷纭、莫衷一是,但是另两条河流——底格里斯河和幼发拉底河——则是人们在《圣经》中首次遇到的在现实世界中可稽考、可辨认的名字。美索不达米亚的这两条双子河,现今仍然奔流在原为亚述和巴比伦的肥沃原野上。

特别是从亚当被命令耕种他由之而出的土地的那一刻开始,我们透过《圣经》语言的折射依稀看到《创世记》故事与人类早期历史的关联。亚当的两个儿子该隐和亚伯代表的是追溯到遥远过去的定居的农民与游牧的牧民之间的巨大人类分工。获取必要的食物维持生命的问题是人和动物共同面对的难题，只有当人学会使用工具和武器来满足自己的基本需要的时候，他才把自己提升到动物之上。在最早的人类阶段，人是通过狩猎、采集的方式获取食物的，但是到石器时代中期，大约距今 12000 年到 15000 年之前，出现了革命性的契机。一些人类利用大河附近每年河水泛滥的土地开始了刀耕农业，种子被播种到足够的深度保证了土壤定期出产足够耕种者需要的作物。随之选择合适类型植物加以培养，系统农作便由此发端。与这个过程平行进行的是诸如牛羊的驯化过程，这些驯化的牲畜满足了人们的果腹遮体之需。

《圣经》故事的背景通过上文已经点到的事实进一步揭示出来，这个事实就是：正是从杀人犯该隐的后裔产生出文明中的绝大多数艺术和技艺。正是该隐建造了以他的儿子以诺的名字命名的人类第一座城市；正是该隐的第 6 和第 7 代后裔——玛土撒利之子拉麦的儿子们——成为乐器和"各样铜铁利器"的师祖。同样有趣的是，在希伯来文中"该隐"这个名字源自与基尼人(Kenites)部落那个词相同的一个词根，而基尼人部落则是古代著名的金属匠人。我们在《圣经》后面的"历史书"部分将看到不同的金属使用给《圣经》中不同的民族的文明带来的影响，例如技术上已处于铁器时代的非利士人对仍然处于铜器时代的以色列人在军事上一度占据优势就是一个例证。

第三节　上帝审判

《创世记》中有关陷入原罪中的人的故事从一个高潮到达另一个高潮。人的悖逆和暴力之后则是放纵，而后被洪水毁灭。最后，人从巴别塔上宣布自己独立于他感到不再需要的上帝。结果，人被描绘为四散在地球表面的各地——迷失在一个没有意义的世界中。陷入原罪中的人及其受到上帝审判的这幅画面是由《创世记》5—11 章所描画出来的。

一、从亚当到诺亚——家谱

在叙述大洪水的故事之前，《创世记》用两个家谱搭建起跨越一个广阔的历史跨度的桥梁。第一个家谱是 4：25—26，属于"耶典"底本传统。这个家谱通过被耶和华指定来代替该隐的塞特来追溯以色列人的血统。《旧约》在此开始有意识地区分上帝的真正子民以色列人与其他民族。第二个家谱是"祭典"底本的家谱，多了额外的十个世代，跨越了从创世到大洪水之间的一个广阔的跨度。其中的每一个人的寿命都异常地漫长。两个家谱传统所表达的是，在创世和大洪水之间有一个异常漫长的时期流逝过去。

除了保留下对于一个共同的古代传统的一种不同叙述之外，在《创世记》1—11章中插叙这个部分是用来表明，人类已经在地球上繁衍开来，随着人口的增加，罪性也在增加。作为人类充满邪恶地布满地球的黑暗时代中唯一的榜样性的人物来提及"与神同行"的以诺，就是要强化这一点。

二、大 洪 水

大洪水的故事是由整部《旧约》中最奇特的故事之一引入的。"神的儿子们"（来自天庭的半神人物）娶来"人的女子"为妻，生出英武有名的巨人族（希伯来文是"堕落者"）。《创世记》通过保留这个怪异的传统，强调世界上日益恶化的道德沦丧状况，为接下来的洪水灭世预作铺垫。

大洪水的故事是《创世记》对于人类巨大的罪恶使上帝的惩治行动成为必须的行动的一种解释。为了他们的神学目的，《创世记》神学家们在此运用了他们文化中的一个共通传统。在这个《圣经》故事的背后有一个古代世界的共同传统，关涉一场其严重程度使人没齿难忘的洪水泛滥。《创世记》的叙述保留了这个传统的两个版本，两个原初独立的版本在《创世记》中被编织到了一起。

《创世记》的洪水故事简单而尖锐。不满于他的造物的罪恶状况，耶和华判决予以毁灭。只有义人诺亚在耶和华眼中蒙恩。他和他的家人得到拯救，免于洪水毁灭，而且成为拯救其他生物的工具。诺亚奉命造起了巨大的方舟，很多动物被安置到其中。当诺亚一家进入方舟之后，大洪水开始了。"水势在地上极其浩大，天下的高山都淹没了。……凡地上各类的活物……都从地上除灭了……"

但是上帝仍然记着方舟里的诺亚，叫风吹地，水势渐落，最终方舟停在亚拉腊山上。在相继放出乌鸦和鸽子测试水的情况之后，诺亚及其家人走下方舟。他们的第一个活动就是建筑祭坛，向耶和华献祭。这样借助上帝的恩典，由诺亚代表的人类从毁灭中得到拯救，一切重新开始。

《创世记》6—9 章的大洪水故事与古代美索不达米亚的《吉尔伽美什史诗》有着

某些可比之处①，甚至可以说源于美索不达米亚②，但是其宗教意义远远超越了大洪水的历史本质问题。以色列人的洪水叙述中的根本宗教概念与《吉尔伽美什史诗》的那些概念有着明显的区别。与《吉尔伽美什史诗》中的洪水故事相比，"这个《圣经》故事在保留相同的基本要素的同时，特征鲜明地强调灾难的道德方面"③。

从《创世记》作者们对洪水故事的运用可以最为明显地看出以色列人洪水故事的优越性。所呈现的是《圣经》对于败坏了的人类的看法，就是其中几乎没有义人。以其可怕的惩罚，耶和华摧毁了罪恶的人；以其神奇的仁慈，耶和华解救了公义的人和人类。对于《创世记》作者们而言，反映在洪水故事中的救赎关切为耶和华选择以色列人作为其选民提供了理论说明。鉴于大洪水没有成功解决原罪难题（诺亚的罪就是明证），耶和华拣选了一个民族，而且为了达到拯救的目的与他们订立盟约。

"耶典"底本的洪水故事以诺亚赤身裸体和烂醉如泥的耻辱状况而告结束（或许与亚当和夏娃的"堕落"形成平行关系）。不过，该故事的真实焦点在诺亚的孙子、含的儿子迦南身上，他是迦南人的祖先。迦南人放荡的宗教一直是以色列人保持崇拜的纯洁性的一种威胁，该故事的功能是充当针对醉酒纵欲的迦南宗教的一种论战。大洪水时期的公义英雄诺亚受到可及的新文化力量的影响，结果对由一个人所代表的迦南人的生活发出了可怕的诅咒，这就为后来的以色列人从埃及返回迦南后奴役和消灭迦南人提供了合理性的证明④。换言之，"迦南遭到诅咒的故事不是出于种族偏见，而是为了说明希伯来人对迦南人的主宰"⑤。

三、巴　别　塔

"耶典"底本作者以巴别塔的故事结束了对人类原始历史的叙述。学者推测，这

---

① 参见 Henry Jackson Flanders, Jr. , Robert Wilson Crapps, David Anthony Smith, *People of the Covenant: An Introduction to the Old Testament* , New York: John Wiley & Sons, 1973, pp. 84 - 87。

② Cyrus H. Gordon and Gary A. Rendsburg, *The Bible and the Ancient Near East* , New York / London: W. W. Norton & Company, 1997, pp. 35 - 36, 50 - 51。

③ Michael Avi-Yonah and Emil G. Kraeling, *Our Living Bible* , London: Oldbourne Press, 1962, p. 17。

④ 比较《约书亚记》1—12。参见 Henry Jackson Flanders, Jr. , Robert Wilson Crapps, David Anthony Smith, *People of the Covenant: An Introduction to the Old Testament* , New York: John Wiley & Sons, 1973, pp. 191 - 192。Michael Avi-Yonah and Emil G. Kraeling, *Our Living Bible* , London: Oldbourne Press, 1962, p. 19。

⑤ Henry Jackson Flanders, Jr. , Bruce C. Cresson, *Introduction to the Bible* , New York: John Wiley & Sons, 1973, p. 54。

个故事的使用是对在大洪水故事中已经表达的审判主题的一种富有自我意识的重复。在古代,土拿(Shinar,即巴比伦)的苏美尔定居者把自己组织成强大的城市,建起庙塔或齐古拉(ziggurats)。"奇古拉"在亚述-巴比伦文字中意为"绝顶"或"山顶"。这种公元前 3000 年之前就出现的齐古拉是高若山丘的庙塔,最初的形式是有阶梯可登的夯土和泥砖高台,后来发展出四层庙塔,最终发展出七层庙塔①。"一个奇古拉通常有二个与之关联的庙宇,在最高的那一层上有一座为仍然高高在天上的神所建造的'高庙',在庙塔脚下有一个迎接下到地上来的神的'低庙'。"②此类奇古拉中最著名的当属巴比伦的一座庙塔,被称作"以特门南基"(Etemenanki),意为"天地根基的房子"③。

巴别塔与这类庙塔应该是同型建筑物,只是恐怕要高大得多。无论如何,《圣经》学者倾向于认为巴别塔故事的起源与某个荒废的美索不达米亚城市中的某个毁弃的奇古拉有关④。"巴别塔——显然指涉一种齐古拉(梯级庙塔或人工山丘)——的故事诉说的是人的集体傲慢和对上帝所采取的步调一致的大规模反叛。它还对人类语言和居住地的差异提供了语源学方面的解释。"⑤尽管这个故事解释了各种语言的起源和人类分居各地的原因,但是这个故事的神学重点则是人类集体努力把自己提升到上帝之上。人对造物主所发起的自以为是的反叛,人拒绝安于受造物的地位,就是造成人类共同体破裂的原因。实际上这个故事也可以看作对第 10 章中的家谱所综述的邦国和种族分歧与敌视状况的解释。

有《圣经》学者认为,"《创世记》11 章中的塔是人类所尝试的第一个这样的塔,是人类抗逆上帝的一个象征。后来的那些塔是这个'原塔'的摹本,它们的使用例证了人类更彻底地背信而滑向偶像崇拜,而偶像崇拜是苏美尔人和示拿平原上后来的闪族巴比伦人的特点。"⑥根据《圣经》考古学的有关研究,"到(公元前)3000 年的时候美索不达米亚人已经发明了大约 4000 个神祇。某个城市可能崇拜数以百计的神祇,但是每个城市都有一个主神。……美索不达米亚人相信数以万计的神祇占据他们的世界……他们得到的教导是,他们的生活目的是服侍这些神祇"⑦。由此观之,巴别塔

---

① H. W. F. Saggs, *Civilization Before Greece and Rome*, Yale University Press, 1989, p. 56.
② 同上书,第 57 页。
③ Joan Oates, *Babylon*, Tames & Hudson, 1986, pp. 157 - 159.
④ H. W. F. Saggs, *Civilization Before Greece and Rome*, Yale University Press, 1989, p. 56.
⑤ Henry Jackson Flanders, Jr., Bruce C. Cresson, *Introduction to the Bible*, New York: John Wiley & Sons, 1973, p. 54.
⑥ Merrill F. Unger, *Unger's Bible Handbook*, Chicago: Moody Press, 1967, p. 57.
⑦ Alfred J. Hoerth, *Archaeology and the Old Testament*, Grand Rapids, Michigan: Baker Books, 1998, pp. 66 - 67.

的故事解释了世界多神教"泥潭"产生的根源,并且为以色列人的一神教的"出污泥而不染"预作了铺垫。

巴别塔的故事中汇聚了《创世记》1—11 章中的那些基本主题。该故事以人类富有特色地反叛其受造地位来描绘人。就《圣经》神学而言,这样的抗拒既导致统一的人类共同体的破裂,又导致耶和华的审判。不过,尽管人类出现了语言方面的变乱状况,但是仍然以一些共同体而存在。

四、"约"的开始

在上述经文跨度之内还有一个值得注意的主题,就是"约法"概念开始出现。上帝通过诺亚使一切又重新开始。人类的生命没有被消灭,但是被赋予了一种新的开端。创造得到恢复,对人类原有的命令重新得到实行(8:22—9:3)。

可见,与审判主题(大洪水和巴别塔)并行的还有对约法的强调。大洪水标志着一个时代的终结和另一个时代的开始,而且根据编纂这些材料的以色列神学家们的观点,上帝对新时代所说的话是祝福和恩典的话。尽管有纷乱,但是人们在生命本身的继续中可能知道耶和华并没有退出。上帝面对反叛并没有退却,也没有放弃他对所有造物的国权。诺亚及其家族还活着,上帝与他们立约,允诺给他们的是他的临在,要求他们的是创世活动本身原本就要求的忠顺。造物主与造物立约,所允诺的是他恒久不变的关爱和保护,舍此生命就不会持续:

> 我与你们和你们的后裔立约,并与你们这里的一切活物,就是飞鸟、牲畜、走兽,凡从方舟里出来的活物立约。我与你们立约,凡有血肉的,不再被洪水灭绝,也不再有洪水毁坏地了……我与你们并你们这里的各样活物所立的永约是有记号的。我把彩虹放在云彩中,这就可作我与地立约的记号了。我使云彩盖地的时候,必有虹现在云彩中,我便记念我与你们和各样有血肉的活物所立的约,水就再不泛滥毁坏一切有血肉的物了。(9:9—15)

在大洪水中混乱可能对人形成威胁,但是彩虹之约象征上帝发出的混乱不会占上风的保证。上帝甚至对悖逆的人类享有国权。这种国权不仅体现在审判当中,而且体现在救赎之中。此处《旧约》中首次出现的约的概念对于理解整部《圣经》都是根本性的。《圣经》中一个约紧跟着另一个约。在摩西时代约的发展达到极致,其时摩西领导出埃及的人民与耶和华缔约,并被构造成"上帝的子民"。从摩西时代以降,约的概念成为以色列民族生活的基础。数世纪之后,先知耶利米表达了通过重新立约来恢复被摧毁和被流放的民族的希望①。耶稣宣示,这个希望要在他的生死中得到成全:"这是我立约的血,为多人流出来的。"②随着约的概念的浮现,《创世记》的经文从有关人类原始传统,转进到有关众族的世界。

五、众族与亚伯拉罕

上文有所提及的《创世记》第 10 章通过排列一系列的民族和国族,搭建起一个世界舞台,提供了人类原始历史与以色列人的具体发展历史之间的一个过渡。希伯来叙述者把所有人类种族的历史追溯到诺亚的三个儿子。尽管不是一种科学的人种学,但是这个谱系却是古代以色列人力图合理解释种族、语言和人类散居现象的尝试。此谱系中所提及的人都是某个民族由之命名的人,就是说他们代表的是民族或国家。诺亚的三个儿子闪、含和雅弗代表希伯来传统成形时期的所有民族的族名祖先。该谱系的安排是基于地理的远近,而不是种族的亲疏。含民族是南部阿拉伯人、叙利亚-巴勒斯坦的迦南人,以及属于埃及影响圈的那些人民——埃及人、古实人和其他北非人。雅弗的后裔则占据亚美尼亚、小亚细亚的大部、希腊和地中海诸岛。闪的苗裔后来被称作"闪米特人",包括西亚其余的几乎所有的人民:亚述人、亚兰人(阿拉米人)、以色列人和阿拉伯人。

有关这段经文人们往往忽视的是,尽管人类共同体出现了破裂性,但是人类的统一性仍然占主导地位。上帝在其目的中把所有的民族都纳入他的关怀对象之列。因此,舍却以色列人作为由之所有的民族接触到拯救的手段这样一个角色,上帝对以色列人的兴趣就是无意义的。

《创世记》11: 10—32 以聚焦于上帝选择来践行其对整个人类所抱意向的一个民族以色列民,结束了对原始人类历史的叙述。出自闪的那条血脉逐渐收缩到他拉家族,他拉是亚伯兰的父亲,亚伯兰成为约民的祖先,如此成为对整个人类的一个祝福。

《圣经》作者们在对人类原始历史的勾勒中已经为上帝活动的救赎历史预备了道路。对人类生存悲剧描述中透露出的那种现实主义的悲观主义,随着叙事从亚当和夏娃的悖逆转到人类巴别塔自赎的徒劳尝试,进一步得到深化。人从上帝那里异化

① 参见《耶利米书》31: 31—34。
② 《马可福音》14: 24。

开来。但是就总体布局而言,《创世记》1—11 章只是一个序,后面跟随着人类与上帝修和的故事。

第四节　列祖圣约

以色列人历史中的形成时期是一个包括以色列人出埃及和征服迦南的时代。不过,对于编纂《圣经》的以色列人的史学家而言,这些事件是上帝对他们的族长时期的先祖(亚伯拉罕、以撒和雅各)所作允诺的成全。他们相信,在上帝与列祖打交道的过程中,耶和华开始了他的救赎活动,这种活动在以色列人从埃及被解救出来和进入上帝应许之地迦南的过程中达到高潮。

族长故事是形成以色列民族的各种各样的氏族代代相传的信民传统。随之出现的对这些传统的诠释昭示了这样一点,就是它们目前的这种形式受到出埃及-西奈事件的影响,对于以色列人而言,这个事件对所有历史都有启发性。事实上,目前这个形式的《创世记》叙事呈现的是一个围绕立约承诺主题而统一起来的以色列民族起源的史诗。这个史诗有"耶典"、"祭典"和"E 典"三个版本。尽管族长传统的最终成形离它们所描述的事件有数个世纪之遥,但是该史诗形式真实地反映了公元前 2000—前 1500 年间古代世界的状况和习俗。无疑它们反映的是以色列人的祖先——漂泊的亚兰人的活动和运动:"你要在耶和华你神面前说:'我祖原是一个将亡的亚兰人,下到埃及寄居。'"(《申命记》26:5)

族长时期是以色列民的起源时期或者史前时期。《创世记》12—50 章中的族长叙事几乎是关于这个史前时期的唯一信息来源,然而它们绝非它们所关涉的同时代事件的历史文献,而是具有高度神学性的文献。

一、亚伯拉罕传统(《创世记》12—26)

亚伯拉罕传统聚焦于他定居在以色列人共同体未来的家乡迦南。他从以色列祖先的故土美索不达米亚西北的哈兰到达那里。在迦南,亚伯拉罕穿越中央高地到达"南地"(Negeb)。他停留在示剑、伯特利(Bethel)、希伯伦(Hebron)和别是巴(Beersheba),并且在这些地方筑坛。这些城市位于相对无人居住的国家之中,对于漂泊的游牧部落是很适合的。因此《圣经》中族长迁移的故事描绘的应该是游牧民族在无人定居的地区四处漂泊、试图避开强大的国家和人口稠密地区的一幅画面①。

应许和立约

《圣经》作者并不只是把亚伯拉罕的迁徙看作波澜壮阔的民族大迁徙中的一部分。他的旅程具有目的和方向。对于立约的信仰共同体而言，他们族长们的迁徙既不是游牧民族漫无目的的逐水草而居，也不是那些商人王子追逐金钱的历险，而是一种从应允到成全的运动。亚伯拉罕从哈兰到迦南的旅程是服从耶和华的命令，耶和华已经单独挑选出他来作整个人类得到祝福的工具："耶和华对亚伯兰说：'你要离开本地、本族、父家，往我所要指示你的地去。我必叫你成为大国。我必赐福给你，叫你的名为大，你也要叫别人得福。为你祝福的，我必赐福与他；那咒诅你的，我必咒诅他。地上的万族都要因你得福。'"（12：1—3）

为了演示这次旅程的宗教本质，该传统强调亚伯拉罕沿着他所游牧漂泊的路线定期筑坛和崇拜耶和华。这位族长的四处漂泊和进出迦南也不被解作典型的游牧民族的偶然的随波逐流。他是一个有信心的人，举行充满目的的仪式，而在其中耶和华对他的应允得以客观化："耶和华对亚伯兰说：'从你所在的地方，你举目向东西南北观看，凡你所看见的一切地，我都要赐给你和你的后裔，直到永远。我也要使你的后裔如同地上的尘沙那样多，人若能数算地上的尘沙，才能数算你的后裔。你起来，纵横走遍这地，因为我必把这地赐给你。'"（13：14—17）

筑坛是上帝临在的保证，所以在某种程度上是建造了一个世界，建造了一个意义和身份在其中得以确保的宇宙。应允给亚伯拉罕的土地是迦南。但它之所以是应许之地，只是因为亚伯拉罕通过崇拜予以承认的神在那里的临在。于是，亚伯拉罕即便不是事实性地，也是象征性地把迦南变成了自己的土地，并且确保了他的后裔拥有那地。《创世记》从这个角度把亚伯拉罕刻画成许多膜拜城市的创立者，当然亚伯拉罕还具有军事领袖（14）、祭司般的代祷人（18：22）和先知（20：7）等身份②。

有关罗得的故事则提供了与亚伯拉罕故事的鲜明对照。罗得与亚伯拉罕一道进入迦南，而且在上帝的临在面前与亚伯拉罕一道生活在那里。但是在罗得接受亚伯拉罕有关他可以拥有任何自己喜欢的地方的允诺而与亚伯拉罕分道扬镳、独行其是之后，事实上他就离开了有序的宇宙而进入混沌状态，因为他离开了耶和华的临在。

---

① 参见 Henry Jackson Flanders, Jr., Robert Wilson Crapps, David Anthony Smith, *People of the Covenant: An Introduction to the Old Testament*, New York: John Wiley & Sons, 1973, p. 103。

② 参见 Brevard S. Childs, *Biblical Theology of the Old and New Testaments*, Minneapolis: Fortress Press, 1992, pp. 125 – 126。

安全与亚伯拉罕同在,去到别的任何地方就是放弃安全和丧失机会。其后对所多玛和蛾摩拉两城的灾难性命运的戏剧性刻画,以及对罗得最终在山洞中与女儿们乱伦生子的悲剧性堕落过程的叙述,无不清晰地昭示了这一点。这个传统把这种描画扩展为有关与首领同名的部落的启示,就是罗得与女儿乱伦所生出的儿子们命定不是耶和华向亚伯拉罕所作应许的承受者,而是摩押人和亚扪人的始祖,他们是史前对以色列人的方式和抱负相当敌视的民族。罗得尽管是祖先传统中的一部分,但是并没有作为对立约共同体有所贡献的人而被人们所记忆。

约是与亚伯拉罕及其后裔所立的,将带给他们显赫的祝福和拥有迦南。作为这位族长与神之间的一种新关系的符号,族长的名字要从原名亚伯兰更名为亚伯拉罕。从根本上说这蕴含着这样一种观念,就是亚伯拉罕是一种新的创造,他与对他拥有权柄的上帝捆绑在了一道。对以色列人而言,情形必定总是如此。这种"捆绑"要求某种身体上的记号来标示以色列人只属于耶和华,割礼遂成为立约的印信。然而割礼本身并不令约成立,只是接受凭上帝的恩典而确立起来的那个约的象征符号。耶和华向亚伯拉罕的忠实宣誓通过应许给亚伯拉罕一个作为以色列人同名先祖的儿子而得到象征。于是所有的以色列人都分有上帝对亚伯拉罕的应许。最后,"祭典"运用有关族长亚伯拉罕为妻子和自己买下一个下葬的山洞,表明亚伯拉罕和撒拉即便是在死亡中也要分享应许之地。族长们宣称为应许的东西,以色列人立约的共同体后来作为耶和华的美好礼物来享受。尽管较之第 15 章中"E 典"的叙述,"祭典"代表的是一个更晚些的时代和视角,但是"祭典"底本有关上帝与亚伯拉罕之约的叙事具有巨大的神学意义。

对约的反应

亚伯拉罕是应许的承受者和约的参与者,但其行动却并不像是一个总是很有信心的人。约之稳固不是因为亚伯拉罕而是因为耶和华的忠实。例如,当饥馑袭击迦南的时候,亚伯拉罕准备迁移到埃及,就像迦南南部的游牧民族一样。鉴于迦南处于埃及的影响圈子之内,所以他们能够跨过边界。当埃及法老看到亚伯拉罕的妻子并且想要她的时候,亚伯拉罕宣称撒拉是他的妹妹,默认她被带到法老的宫殿。为了寻求保护自己,亚伯拉罕几乎放弃了耶和华的应许。在法老的禁宫中,撒拉不可能给亚伯拉罕生养儿子,而没有儿子,亚伯拉罕就无法成为一个大族的先祖。不过,耶和华介入此事,把撒拉归还给亚伯拉罕,而且在法老的请求下,他们返归迦南。

耶和华与亚伯拉罕所立之约包括应许亚伯拉罕"后裔极其繁多"。但是没有儿子,亚伯拉罕的继承人只有他的家宰大马士革人以利以谢(15：2),但是通过家奴来成全应许是不可能的。名字已经改作"多国的父"的亚伯拉罕却没有子嗣,这使所立之约无法兑现。在对于约所应许的儿子的渴望没有得到成全的情况下,这位族长自行其是,纳了撒拉的埃及使女夏甲为妾(16:14)。

夏甲给亚伯拉罕所生的儿子以实玛利的出现在亚伯拉罕家中导致竞争。按照当时的法典,亚伯拉罕可以轻易休掉不生育的撒拉,但是他没有这么做,这个事实说明亚伯拉罕对撒拉的爱远比《圣经》所陈述的还要深①。对撒拉而言,以实玛利总是提醒着她没有生养的事实和作为一个希伯来人妻子的失败。对夏甲而言,这个儿子是她个人傲慢和轻视撒拉的资本。最终在撒拉生子之后,亚伯拉罕默许撒拉把夏甲和以实玛利驱逐出家门。不过夏甲得到耶和华应许她的后裔成为大国始祖的保证(16:7—14;21:8—14)。她的后裔以实玛利"为人必像野驴",而且在以色列人的传统和穆斯林的传统中被当作阿拉伯的那些强大的贝都因部落的始祖来纪念。就像罗得一样,他被描绘成属于祖先,但不属于立约传统。

约的真正传人是以撒——亚伯拉罕和老年撒拉奇迹般所生的儿子。当渴望一个儿子的所有希望好像落空的时候,耶和华要求亚伯拉罕有信心,并且允诺亚伯拉罕(已经100岁)和撒拉(已经90岁)会生下子嗣。"耶典"对于上帝把这点向这对老年夫妇宣布的叙述堪称说故事的经典。(18:1—15)三个陌生的旅人在一天最热的时候来到亚伯拉罕的帐篷,慈祥的族长亚伯拉罕以游牧民族特有的好客之风邀请他们待下来,享受撒拉很快准备好的饭食。三个人中有一个是耶和华的代表,他告诉亚伯拉罕来年他会返回这里,那时撒拉会生子。亚伯拉罕和撒拉都不信这样的事,已经绝经的撒拉偷听到这番谈话禁不住对这种悖谬的应许暗笑起来。然而对耶和华而言,一切都是可能的,撒拉果然生养了以撒②,即上帝所应许的儿子,亚伯拉罕借此成为对万族的祝福的那个继承人。以色列人用这样一些故事来说明他们的祖先既是怀疑的人,又是有约之信心的人。

不过,约的应许的主题在以撒献祭的故事中得到最为有力的表达。耶和华对亚伯拉罕说:"神说:'你带着你的儿子,就是你独生的儿子,你所爱的以撒,往摩利亚地去,在我所要指示你的山上,把他献为燔祭。'"(22:2)这是族长亚伯拉罕故事中一个关键的时刻,因为要求他献为燔祭的是他得到的应许可以获得成全的唯一具体的证据。这则古代叙事以全然戏剧化的简单性诉说了亚伯拉罕如何服从上帝的谕令,以及如何与以撒前往摩利亚山的情景。当献祭的时刻到来,亚伯拉罕就要手起刀落的时候,上帝介入,用一只两角扣在稠密的小树中的山羊代替了以撒。根据《圣经》神学

---

① 参见 Alfred J. Hoerth, *Archaeology and the Old Testament*, Grand Rapids, Michigan: Baker Books, 1998, p. 66。

② "以撒"这个名字源自意为"发笑"的动词。

的解释,亚伯拉罕之所以按照上帝的指令去做,是因为他敢于相信上帝不会既要以撒死亡,又要上帝的应许死亡。而从文化背景的角度而言,我们认为这个故事则折射出以色列人的献祭仪式已经超越了以人为祭品的阶段。这个充满激动和悬疑的故事是以色列人赋予其历史以意义的一个杰出例证。通过保留祖先即族长们的传奇故事,以色列人不仅把事件加以编年、把人物加以编目,而且赋予其鲜活的生命,用活生生的信仰证据填满那些故事。

从这个叙述开始,亚伯拉罕的故事就与以撒的故事交织在一起。接下去的经文还提到亚伯拉罕生活中的其他事件。撒拉在希伯仑死去,亚伯拉罕从赫人以弗仑那里买下麦比拉山洞作为埋葬撒拉的家族坟地(23);亚伯拉罕再娶,并且生有其他儿子(25:1—6);亚伯拉罕得享高寿,最终归到他列祖那里,葬到麦比拉洞里(25:7—10)。

"耶典"和"E典"基于其上的那些族长们的传统叙事显然包括更多的细节,但是对于以色列人的神学信仰的目的而言,《圣经》没有必要对此一一述及,因为它们对于族长历史的重点而言无足轻重。族长历史的重点不是对个体人物事件的具体记载,而是以色列人的上帝耶和华向信众的应许。

二、以撒和雅各传统(24—36)

《创世记》在叙事方面接续下去的是有关以撒传统和雅各传统的叙事。耶和华向以撒重申了应许,而雅各成为以色列众支派的始祖。在这些有关以撒和雅各的简单叙事的背后,隐藏着一个相当复杂的持续过程,通过这个过程,那些后来构成以色列民族的人们从美索不达米亚西北部的故土进入迦南。

以撒

在《旧约》中,以撒是两个更加突出的人物——亚伯拉罕和雅各——之间的一个过渡性的人物。既然他与这两个人不能等量齐观,有关他的大多数故事就自然与那两个人混杂在一道,也可以说被吸纳到有关亚伯拉罕和雅各的故事之中①。以撒为人所知,主要是作为摩利亚山上亚伯拉罕要献为燔祭的儿子,以及作为两个争夺长子继承权的双生子的父亲。不过,所保留下来的那些有关他的故事的贫乏材料,还是反映出对于理解以色列人历史传统而言重要的运思。

---

① 参见 Brevard S. Childs, *Biblical Theology of the Old and New Testaments*, Minneapolis: Fortress Press, 1992, p. 126。

例如其中就讲到为以撒寻找合适的妻子的故事。亚伯拉罕派遣他的仆人以利以谢到哈兰为他拥有长子继承权的儿子寻找一个合适的妻子(24)。显然该传统明白哈兰是以色列祖先的真正故土。显而易见,以色列的那些族长时代的先人被当作迦南地的外人——身在异乡的侨民。仆人带着美丽的利百加从哈兰回来,反映的可能是一系列的人口迁徙中的一次迁徙,这些迁徙增加了迦南地的以色列人口。

以撒叙事进一步揭示出这样一个现象,就是亚伯拉罕的氏族保留了一段时间的牧羊生活,逐渐地才把迦南作为定居之所。从游牧文化向定居文化的过渡充满了难题和张力。以撒在南部海岸城市基拉耳附近生活了一段时间,而其最后的岁月则是在他与那些他试图在他们的领地中定居下来的人们之间的持续冲突中渡过的。有关以撒的牧人与那些城市的人们争夺水源地的记载,例证了游牧民族与城市定居者之间的持续冲突(26:17—33)。那些水井的名字,如"埃色"("相争"的意思)和"西提拿"("为敌"的意思),反映出了争夺的惨痛本质。有关以撒的水井引发争执的那则略带幽默的故事,是以色列先民在异国他乡寻找生存空间方面遭遇到艰难困苦的一种深刻写照。争执以和局而告结束。在与基拉耳的亚比米勒立约之后,以撒移到位于"南地"(Negeb)的别是巴去了。不过,随着以撒的后继者们、"待成的以色列人"越来越多地进入迦南,斗争仍然继续下去。

雅各

有关雅各的故事可以分成三个主要的故事始末:第一个与以扫有关,第二个与拉班有关,第三个与巴勒斯坦中部的士剑城有关。这些传统对雅各的刻画反映出的是以色列人的巴勒斯坦祖先与周围民族的关系。雅各传统有两个突出的特征,一是雅各获得"以色列"之名(32:28),二是雅各的12个儿子成为构成以色列人十二个支派的祖先(48:1及其以后;《出埃及记》1:1—7)。

(1)雅各和以扫。雅各-以扫故事始末既描绘了两个人之间的惨痛斗争,又描绘了他们所代表的两个民族之间的激烈角逐。雅各和以扫是以撒的双胞胎儿子,但是他们绝不是单独的个体。他们还是以他们的名字来得名的那些民族的祖先。雅各传统脱胎而出的那些古代故事明显地张扬聪明的雅各、贬抑愚蠢的以撒,表达的是以色列人对待以东人的大众心态。雅各就是以色列,以扫就是以东。以扫在以色列成为一个国族,并且在巴勒斯坦定居下来之后,与以东人比邻而居。以东人居住在从亚拉巴(Arabah)到外约旦高原最南端的广大地区。两个国族之间存在的惨痛倾轧因它们同文同种这个事实而加剧。《创世记》的故事把这种倾轧追溯到以撒的双胞胎儿子之间甚至在母腹里就已经开始的同胞倾轧(25:21—23)。这一倾轧的结果是雅各获胜。这是以色列人对于他们优越于以东人所给出的解释。既然雅各用计获得以扫的长子继承权,那么以色列作为具有立约特权的国族就胜过了以东。据研究,以色列人对以东人的这种优越是在大卫王时期获得的,而且之后在以色列人的那些强大时期一直保持着。

《创世记》浓彩重抹地在雅各和以扫之间进行了比照:"以扫善于打猎,常在田野;雅各为人安静,常住在帐篷里。以撒爱以扫,因为常吃他的野味;利百加却爱雅各。"(25:28)尽管以扫是长子,从而具有长子继承权,但是雅各借机买下以扫的长子继承权而获得对于兄长的优势(25:29—34)。更有甚者,在利百加狡黠的帮助下,假扮以扫的雅各骗得以撒把那份本来属意以扫的祝福给了他(27)。对于雅各确保自己的继承权而言,骗得祝福这个行动是必须的,因为在族长文化中父亲的祝福被当作一种法律上具有约束力的遗嘱和见证。一旦给出就不得撤销。因而,以撒尽管受骗但是不能改变他已经给予雅各的祝福。以扫对于获得较少祝福心存不满,于是怒火直指两次用计骗过他的兄弟雅各,设法杀他。雅各只好亡命。

(2) 雅各和拉班。雅各-以扫故事始末在此点由雅各和拉班的故事切入。早先独立于其他有关雅各的材料流传的这个故事令人感到趣味盎然地描述了自我放逐的雅各在他的祖先的美索不达米亚故乡的好运。就像他的父亲和祖父一样,雅各的基本缘分是在哈兰地区,由此他继续着寻娶一个妻子的借口。有关他在那里与拉班的斗争故事代表的是以色列人与叙利亚和幼发拉底河上游流域的亚兰人的关系。

这个传统的中心是神学上对雅各作为约的承受者的强调。被迫逃离以扫的狂怒的雅各启程前往族长们的故乡。在这次旅程上的一个驻足地,耶和华在梦中向他显现,表明自己的身份是亚伯拉罕的上帝和以撒的上帝。然后他向雅各做出了早先已经向亚伯拉罕和以撒所做的相同的应许:"我要将现在你所躺卧之地赐给你和你的后裔。你的后裔必像地上的尘沙那样多,必向东西南北开展,地上万族必因你和你的后裔得福。我也与你同在,你无论往哪里去,我必保佑你,领你归回这地,总不离弃你,直到我成全了向你所应许的。"(28:13—15)当雅各醒来时他称那个地方叫伯特利,是"神的殿"的意思。

在雅各在伯特利的经验中,雅各被认定为亚伯拉罕的继承人。原先独立流传的有关氏族祖先的那些传统如此一来便通过重申族长的应许而被约束在一道。上帝应许要祝福随同亚伯拉罕进入迦南的群体。该应许向以撒时代从哈兰到迦南的移民重申过。在伯特利那些分享雅各最终从哈兰回归的人们因与那个族长应许一致而获得身份。后来成熟的、统一的以色列人回顾他们纷乱杂陈的历史时,带着的是他们被同一个上帝引导到迦南的确信。

在哈兰地区,雅各与母舅拉班生活在一道。那些有关这两个人之间的关系的故事进一步例证了雅各是一个精明人。在雅各与拉班的首轮交锋中,拉班取胜。拉班巧用调包计,把本来答应嫁给雅各的小女拉结在新婚之夜换成了利亚;为了娶到自己所中意的拉结,雅各只好除了为娶利亚的代价而服侍拉班7年之外,又为了娶拉结服侍拉班7年。不过最终还是雅各又一次胜出。他的妻子们为他生养了许多儿子,而且他的营生为他带来了巨大的财富。许多年之后,雅各在哈兰主要以他的那些亲戚为代价逐渐成为一个富有和成功的人。雅各的兴旺促使拉班的儿子们悲叹:"雅各把我们父亲所有的都夺了去,并藉着我们父亲的,得了这一切的荣耀("荣耀"或作"财")。"(31:1)

在伯特利的宗教遭遇没有怎么改变雅各。在哈兰他仍然是业已窃取兄弟的长子继承权和祝福的同一个搞阴谋诡计的人。当意识到拉班对待他的气色不如从前了(31:5),雅各决定回到迦南和他的宗族那里。

(3) 雅各与以扫重逢。雅各传统的发展顶点是夜间在雅博渡口与上帝的使者摔跤(32:22—32),这从本质上说是对雅各的宗教改造的一种叙述。雅各以一种不可名状的方式与耶和华的使者、与耶和华、与他自己摔跤。尽管细节模糊,但是这次会遇的结果则是显而易见的。雅各有了一种与他所不能匹敌者相遇的新鲜经验。他在摔跤中输掉了。他却从这种经验中脱胎换骨而成为一个新人。由此,雅各窃得的祝福变成合法的,而且伯特利的应许得到印证。他变成以色列,"与神与人较力,都得了胜";变成一个耶和华能够借他继续进行拯救活动的人物。《创世记》35:10 也把"以色列"这个名字赐给雅各。

这个充满神学导向的在雅博渡口与神会遇的故事遮蔽了本来更重要的雅各与以扫修好的故事。当受害方准备原谅、侵越方寻求宽恕的兄弟两人彼此面对的时候,对于兄弟相会的叙述免不了充满了情绪和感伤:"以扫跑来迎接他,将他抱住,又搂着他的脖项与他亲嘴,两个人就哭了。"(33:4)这个故事的叙述显然带着对以扫的同情,以兄弟双方现实地决定分开,各奔东西而结束。以扫回到南地的西珥,雅各则前往迦南中央山地的士剑。这就再次折射出了以色列和以东的历史环境。尽管他们同宗同族,但是他们注定并不生活在一起。

(4) 雅各和士剑。雅各故事的第三个始末主要关乎以色列的先祖定居在士剑周围(33:18—20;34;35),作为新到达的民族在迦南中央确立其自己的地位。尽管这些故事无疑把雅各与士剑联系起来,但是它们更明显地是描述雅各的一些后裔(出自雅各的那些支派)在那个地区的定居情况。有研究认为,雅各及其与之相关的那些人向家乡方向的迁徙,可以认作亚兰人在公元前15世纪和公元前14世纪从美索不达米亚向迦南的迁移。士剑的某个叫 Labayu 的迦南王子与住在附近的 Habiru 立约,并且给予他们在他的城周围放牧的权利。雅各故事的第三个始末的总体画面与这个情况非常合拍,而且与 Habiru 的活动也可能相吻合。公元前14世纪早期的某个时候,入侵的以色列部落(Habiru)进入士剑周围的山区,而且与那城的居民立约(比较第34章)。其中的两个部落毁约,对士剑发起攻击。后来他们被士剑人逐出那个地区(比较35:5—6)。其他以色列部落仍然留在那个地区,与试图把他们逐出山地的那些迦南王子继续进行斗争。渐渐地,其中的一些部落在这个地区获得如此强大的立脚点,以至于当他们的同宗部落前往埃及、随后参与那些构成以色列国族基础的那些事件的时候,他们则仍然呆在原地[1]。

(5) 雅各家族的传统(37—50)。《创世记》37:2"雅各的记略如下"这句经文,既揭示了雅各其他儿子的传统,也披露了约瑟故事的源头。有关雅各的那些戏剧性上有力、神学性上重要的故事主导着这个源头,尽管其中还包含后来与耶和华立约而成为以色列人的那些部落群体的有趣资料。士剑资料(33:18—34:31)恐怕就是来自这个源头。

雅各的众子

在对雅各家族的描述中,"耶典"底本刻画了后来形成以色列民的那些部落的复杂起源。雅各有十三个子女,十二个儿子,一个女儿。雅各的六个儿子出自第一个妻子利亚,两个出自利亚的使女悉帕,两个出自第二个妻子拉结,还有两个出自拉结的使女辟拉。这些显然代表十二个主要支派(儿子们)和一个次要的支派(女儿)。在出埃及之前的时期,以色列人历史性的十二支派结构呈现一种孕育中的形式。有研究认为,它们分别出自妻子或使女,反映的是一个民族对于血缘上的不平等程度的意识。构成未来以色列民的那些氏族清楚地意识到他们的各种各样的背景,也意识到把他们约束在一起的一种强大的联结力量。这股共同的联结力量就是亚伯拉罕的孙子雅各传统中所表现的应许和立约的宗教遗产。尽管他们的历史不同,但这却是他们的共同遗产。他们在其现实性上是作为那个应许的承受者被约束在一起的一帮"混成群众"。

不同的支派进入迦南的那个过程的性质,以及它们之间的历史关系的复杂,都使精确的分析成为不可能。不过,《圣经》叙事表明它们之间的关系有点类似下述情形。存在两个主要的部落群,一个由雅各得自利亚的儿子们所代表,另一个由雅各得自拉结的儿子们所代表。利亚部落群包括流便、西缅、利未、犹大、以萨迦和西布伦。这些部落构成一个六部落联盟,位于迦南南部的 Hebron 周围。根据《旧约》传统,雅各得自利亚的使女的迦得和亚设两个支派与利亚部落群联系紧密。不过,这种关系必定

---

[1] Henry Jackson Flanders, Jr., Robert Wilson Crapps, David Anthony Smith, *People of the Covenant: An Introduction to the Old Testament*, New York: John Wiley & Sons, 1973, p.116.

属于出埃及以后向迦南迁徙的时期之前,因为没有这两个群体联系在一起的基础①。

另一个重要的部落群则是由拉结的儿子约瑟和便雅悯构成。这个部落群可能形成以迦南中央的士剑为中心的第二个部落联盟。与他们相关的则有关系疏松的庶出部落但和拿弗他利。及至以色列人征服迦南时期,这些支派已经与南部的部落群联合成为十二个支派的所有以色列人的部落联盟(当然,学界对此也有不同的看法,有的认为是由征服迦南的以色列人而不是留在原地的部落构成了这些部落联盟)。

入选部落方面显然存在的波动使人们确定以色列人部落联盟的精确构成上十分困难,即便在征服迦南以后的时期也是如此。尽管"12"这个数字是明显不变的,几乎是神圣不可侵犯的,但是构成部落则并不总是相同。例如,当利未不再是一个世俗氏族,而是变成祭司的时候,约瑟支派便一分为二成为以约瑟的儿子命名的以法莲支派和玛拿西支派。此外,一些《旧约》经段提到了玛吉支派②和吉列支派③。不过,十二个支派的部落联盟很早就稳定下来,而且一旦形成就从未变过。这点的证据是,很早失势的流便支派和被吸纳进犹大支派的西缅支派,继续在支派名录中得到承认。

所有这一切都令学者相当困惑,但它却体现出《圣经》叙事者的企图,就是既表明以色列由之作为一个国族而浮现的统一性,又表明以色列由之作为一个国族而浮现的多样性。

约瑟旅居埃及

以色列民族历史序曲中最后的系列故事的焦点是雅各所宠爱的儿子约瑟,他在埃及的好运映照出所有旅居那地的以色列人的经验。根据以色列民族对她自身历史的理解,这个国族的开端在埃及。出埃及是她的自我理解中的一个决定性事件。尽管她的祖先受到埃及人的奴役,但是耶和华眷顾他们,并且采取行动解救他们。约瑟的故事就是以色列民族有关他们何以到达埃及的解释。约瑟尽管没有跻身上帝向之应许后裔和土地的三人组之中,但是作为这种应许的承受者而与犹大地有着一种特殊的关系④。

有研究者指出,这个故事的讲述技巧格外高超,符合亚里士多德关于好戏剧的那些本质要素。事实上,情节的展开几乎无懈可击,从开端到高潮、到解决,丝毫没有偏离主题。约瑟这个雅各娇生惯养、身穿"彩衣"的儿子,因父亲的偏爱和自身的梦境所透露出来的傲慢引发兄长们的妒忌,遂被兄长们借机卖给路过的以实玛利人,带往埃

---

① Henry Jackson Flanders, Jr. , Robert Wilson Crapps, David Anthony Smith, *People of the Covenant: An Introduction to the Old Testament* , New York: John Wiley & Sons, 1973, p. 118.
② 《士师记》5:14;《民数记》32:39 及以下;《约书亚记》13:24—31。
③ 《士师记》5:17;11:1。
④ 参见 Brevard S. Childs, *Biblical Theology of the Old and New Testaments* , Minneapolis: Fortress Press, 1992, p. 127。

及后又被转卖给法老的护卫长波提乏为奴(37)。眉清目秀的约瑟因拒绝波提乏妻子的诱惑而被反诬行为失检,波提乏信以为真,便把约瑟下到囚禁法老囚犯的监里(39)。在监里,约瑟成功地为同样被关在那里的法老的酒政和膳长解梦(40),被一系列不祥的梦境所困扰的法老听闻后便命令约瑟为自己解梦(41)。约瑟令法老满意地把那些梦解析为一场即将到来的饥馑的征兆,倘若不预先采取应对措施的话,这场饥馑会毁掉埃及。鉴于饥馑到来之前有七个大丰年,约瑟鼓励法老利用这些丰年积蓄粮食,防备埃及地将来的七个荒年。法老随即任命约瑟为埃及的宰相,全权负责未雨绸缪之事,自此约瑟在埃及飞黄腾达(41)。在宰相任上,约瑟利用七个大丰年"深挖洞、广积粮",埃及成为大饥荒到来时唯一有备无患的国家,各国的人们都到埃及筹粮。就《圣经》神学而言,通过所有这些,《创世记》强调的是一个其中住有耶和华所眷顾的人的民族明显得到的益处。

在那些到埃及筹粮的人群中,就有多年前把约瑟卖身为奴的那些哥哥们。尽管那些哥哥为势所迫站到弟弟面前筹粮,但是并没有认出弟弟,弟弟也没有借机报复。在私下测知哥哥们仍然记挂父亲和最小的弟弟便雅悯以后,约瑟认为哥哥们这些年已经改变,于是冰释前嫌,兄弟相认。返回家乡的哥哥们向雅各报告说,约瑟仍然活着,并且劝说这位年迈的族长到约瑟为他们预备好的埃及居住。他们最后在肥沃的尼罗河三角洲东北部的歌珊定居下来。

约瑟的故事尽管带有彻头彻尾的埃及色彩,而且无疑是由那些熟悉埃及的人所提供的,但是其历史资料却是模糊不清的。例如,没有提及约瑟被带往的城市的名称,也没有提及约瑟是在哪位法老治下出任宰相。对于关切重心落在指导约瑟生涯的耶和华身上的叙事者而言,这样的细节无关宏旨。这个故事的主角不是约瑟,而是耶和华;根本主题是耶和华对于他的那些即便身处埃及的选民的护佑性指导。贯穿在错综复杂的故事之中的是,约瑟由耶和华命定成为埃及的宰相,以便拯救那地免除饥荒的毁灭,从而拯救他自己的人民免受饥馑之苦。约瑟的际遇仿佛是一个能够说出下述话语的人的故事的真实写照:"从前你们的意思是要害我,但神的意思原是好的,要保全许多人的性命,成就今日的光景。"(50:20)通过《创世记》对约瑟故事的叙述,我们再次看到重心落在耶和华忠实履约方面。

三、族长们的宗教

有观点认为,族长们的故事很有可能是对以色列人的家世的一种回顾,而不是对以色列民族始祖们的那些希冀和抱负之实现希望的一种前瞻。这些故事主要关切的中心是族长们对约的信心和在他们的经验中所凸显出来的上帝的引领——这是经卷"认信"本质的一个鲜明例证。它们的目的是坚振信仰,劝导听者或读者以一种动态的方式分有信心①。

族长时期的叙事反映的是以色列人有关自身起源的记忆,其中贯穿了一种信念,就是他们是上帝的"选"民。他们如此肯定的这种"获选"时间上早于他们作为一个民族的存在,从他们的伟大先祖亚伯拉罕的时候就开始了。获选民族的那些世代相继的经验,对于处于"未召"环境中的那种"蒙召"生活的事实和性质,产生出一种充满存在意识的再认识。族长们的那些相同经验在后来一再上演,这可能说明了这些故事持续流传的原因,以及得以保留下这些丰富多彩的先祖们的许多私密细节的原委。

"选"民观念贴有各种各样的标签,诸如前定和特选等,但是这个概念的意义并不总是很清楚。有观点认为,不管使用的术语如何,"获选"强调的是对于获选者的严肃要求,而不是由之而来的福佑。特选意味去服侍,而不是享受特权和地位。

我们强调这些故事反映出亚伯拉罕的后代对亚伯拉罕的生活和经验的记忆与分享的同时,切勿轻忽那些先祖们及其生活事件的历史性。他们的历史固然是诠释性的历史,但是《旧约》对那些族长们的诠释无疑立足于一些历史材料,而《圣经》考古对于这些都有这样或者那样的佐证。

就像亚当、塞特和诺亚的故事所传达的那样,上帝以某个人来开始或重新开始。不过,上帝从亚伯拉罕开启了一种异乎寻常的关系。亚伯拉罕与上帝的关系在《创世记》中是以"约"的概念来解释的。这是大能者耶和华与弱小者亚伯拉罕之间的一种带有宗主权性质的约。与亚伯拉罕所立的约是一种双向协议:上帝选择亚伯拉罕,并且通过其应许对亚伯拉罕承担义务;亚伯拉罕服从上帝,并成为对于万族的祝福。这些故事的神学根基通过不断鸣谢上帝守约的奇能而揭示出来。就这种有条件协议的维护而言,在亚伯拉罕服从上帝方面,以及他的继承者续守承诺方面,都有视情况而定的临时性现象。所以这个约不能理解为一种在亚伯拉罕一方那里总是有效的一种约束性的协议,而是有赖于每一代人对于这个立约信仰的持续肯定和对于立约义务的接受。因此耶和华被描绘成总是与一个摇摆的、有时顽抗的选民作斗争,以便维护约法的约束力,借助这种约法他可以把自己的人格和本质展示给全人类。这符合他旨在恢复被人的叛逆所败坏了的人-神关系这样一个"拯救"目的。

---

① Henry Jackson Flanders, Jr., Bruce C. Cresson, *Introduction to the Bible*, New York: John Wiley & Sons, 1973, p. 55.

还有一点需要注意,那就是《创世记》中有关族长叙事部分的插曲性质。《创世记》无意表现其中任何一位族长统一而完整的生活历史。它们服务于故事当中一再出现一些主题。一个主题是"约"以及上帝之约的应许。这可以视作对上帝与人相关的不变目的方面的一种信仰坚振。另一个是当这个家族的安全与美满受到"外人"或异族威胁的时候,上帝对这个家族令人艳羡的眷顾,这个主题反映出前文提到的重点,就是上帝掌控历史、人类和民族的事物,以便达成其目的。此外还有一个频繁出现的"危机"主题:是否有后嗣延续这个立约的家族? 就此上帝对自己应许的忠实一再得到印证。

族长们被刻画成"好"人,但是也广泛地袒露和描绘了他们的软弱和原罪。这可能是一种说话方式,借以表达:如果脆弱和堕落的人对于上帝还有一种基本的信实和承认,上帝就会启用和呼应他们。

族长故事在反映古代人类历史生活方面尤其具有启发作用。考古发现揭示出《创世记》对公元前第二个千年纪的人类生活描画的精确性。以色列民族的祖先和英雄们的生活在文化和历史方面植根于古代近东生活氛围之中。亚伯拉罕及其宗族可能是公元前第二个千年纪前期肥沃的新月地区未定居状况和大规模民族迁移的一部分。这点在《申命记》26:5该民族的一个自白中有所反映:"我祖原是一个将亡的亚兰人……"那个时代有无数的民族在迁徙,这个事实对于《圣经》中的史学家而言并不重要。重要的是在这个人及其家族的生活和环境中察觉到上帝的指引。

族长们的宗教难以系统性地予以还原和呈现。以色列人崇拜一个大能的上帝,他关心他所立约家族的福祉和接续。《创世记》作者们的上帝-语言是人神同形同性的,即他们用人的术语诉说和描绘上帝,仿佛上帝具有人的性质和属性一样。其中还提到"使者",尤其是"耶和华的使者"。这些通常被理解为"神显"故事,或者耶和华向人的直接显现。在神显故事中,耶和华通常以人形或者半人形显身。没有察觉到什么发达的天使论、魔鬼论,或"属神的"、"属灵的"世界。

族长们的宗教实践在此指的是"膜拜"活动,可以分为两个不同的范畴:(1)立约誓约和续约誓言,包括割礼,它与约的关系在于作为相继的世代持续遵从的记号;(2)向耶和华献祭,涉及亚伯拉罕和雅各故事讲到的"什一"献祭。

"约"确立和界定了族长们与耶和华之间的关系。至于族长们在什么程度上意识到约的界定关系的作用,以及讲故事的诠释者在多大程度上从他们出埃及以后的立场来强调约的作用,人们无法明确回答。所有现成的证据表明,献祭是希伯来人先祖宗教表达中的一个重要方面。事实上,《创世记》中没有解释过献祭,但是它必定引发对上帝大能的承认、对上帝的顺服,以及对建立和维持与上帝之间的关系的渴望,以便赢得上帝的眷顾、祝福或替他们赎罪。族长们的宗教中还没有专门化的、圣职化的僧侣。氏族酋长或族长代行氏族祭司的职责。

族长们所持有的上帝概念反映在族长故事中的那些名称或名头当中。正如前文我们已经注意到的那样,在"耶和华"成为《出埃及记》故事中立约上帝的神圣名称之前,有许多名称用来指称亚伯拉罕及其后裔的上帝。尽管"耶典"对于从《创世记》2章开始的那些事件的报道整个都用耶和华这个圣名,但是按照发生时间的先后而言,这个特殊的神名却是迟至后来的出埃及和西奈立约才开始使用的。在《出埃及记》故事之前,那些族长们及其所代表的氏族使用"他们祖先的上帝"和"以撒的上帝"等来称呼。

希伯来人还用伊勒(*El*)的某种形式来称呼上帝。伊勒是迦南人的一个共同神名。在几个世纪当中,希伯来人与迦南人保持着亦敌亦友的关系,在族长时期,迦南人伊勒崇拜的某些成分已经混杂到列祖们的崇拜之中[①]。亚伯兰(亚伯拉罕)崇拜"至高的神" *El Elyon*(14:19—20)、"全能的神"*El Shaddai*(17:1)、"永生神"*El Olam*(21:33);以撒崇拜"看顾人的神"*El Roi*(16:14);雅各在伊勒伯特利(*El Bethel*)经验到"伯特利之神"(35:6—7),而且使用了"神以色列神"*El-Elohe-Israel*(33:20)这个神名。其他的而且更具有人格性的称呼有"亚伯拉罕的盾牌"(15:1)、"以撒所敬畏的神"(31:42)和"雅各的大能者"(49:24)。这些名称的重要意义在于它们所反映出来的希伯来人对上帝的本质和属性的理解。这些可能是真正的称号,因为它们还没有标准化,在《旧约》中的出现也没有规律可循。

从这些为数不多的具体称号,人们得出了相距甚远的结论。从把各个称号看作指称独立的部落神,到把所有这些称号当作一种理论上的一神论传统的多样化显现,不一而足。后来的希伯来人能够而且确实在所有这些故事之中、在与上帝的这些会遇之中看到一种统一性。在他们看来,耶和华这位他们立约的上帝,按部就班地成全着对"蒙召"之民或"特选"之民所抱有的目的。

---

① Henry Jackson Flanders, Jr. , Bruce C. Cresson, *Introduction to the Bible* , New York: John Wiley & Sons, 1973, pp. 59 - 60.

第二讲　出离埃及　兵发迦南

——希伯来人出埃及传统与践约准备

　　《出埃及记》展开的是对于理解以色列人的整个历史而言处于中心地位的一出波澜壮阔的历史活剧。此剧是耶和华把以色列人从埃及的奴役下解救出来的活动。以色列人的信念——那些出埃及事件是上帝的救赎活动——赋予这个民族的所有记忆以价值和意义。出埃及事件对以色列人而言是历史的悬疑，在某种意义上类似于道成肉身事件之于基督教。所有在这之前的一切和所有在这之后的一切，都要放到上帝在这个场合下为了他的子民而有所作为这样的背景上来理解。该民族的神学从这个信号性的事件所蕴含的对上帝的理解中发展出来，即以色列人出埃及是耶和华的大能行动。

　　《出埃及记》必须作为以色列人的历史和律法传统——始于亚伯拉罕并于旷野飘荡和征服迦南时期得以继续——的更宏大的史诗般的文献中的一个组成部分来定位。现今作为一个独立存在和独立命名的经卷实体的《出埃及记》，其实缘于这样一个简单的事实，就是有关以色列民族起源的伟大文字历史不得不在五卷经轴之间成比例地分配；而且为了方便查找起见，每卷都独立命名。至于《出埃及记》的内容，则前与作为应许之成全的《创世记》传统相关，后与规范以色列人的生活和崇拜的那些传统相连。

　　《出埃及记》首先关乎出埃及传统(1：1—15：21)，其次关乎旷野传统(15：22—18：27)，第三关乎立约传统(19：1—24：11)，第四关乎膜拜的法规(24：12—31：17)，第五是杂项(31：18—40：38)。

　　《出埃及记》中的事件是以色列民族历史传统的中心。耶和华引领以色列人出埃及是以色列人的一个根本信仰。这个立约的共同体深信，在"出埃及-立约"事件中耶和华通过其决定性的行动向以色列人展示他在历史中的大能，并赢得以色列人的信仰。因而希伯来文本中给予《出埃及记》的标题"他们的名字"可能比《七十子希腊文本》所提供的、人们所熟悉的《出埃及记》更加合适。希伯来标题取自该卷希伯来本的开篇句子："以色列的众子,各带着家眷和雅各一同来到埃及。他们的名字记在下面……"《出埃及记》不仅是对于"出路"的一种叙事,更是有关以色列民族起源信仰的一种自白。

出埃及和立约这两个中心主题充盈整部《出埃及记》,形成那些有关以色列民族起源的叙事和所有以色列人的信仰的核心。出埃及和立约是拯救史的精华。出埃及和立约的主题在以色列民族神学的和信仰的自我理解尝试中不可避免地交织在一起。《出埃及记》的戏剧性叙事在立约中达到高潮。以色列人被从埃及解放出来,在西奈与上帝立约。立约传统总是这个被解放了的民族的传统。两个主题的统一性在立约仪式开始的宗教宣信中清楚地表达了出来:"我是耶和华你的神,曾将你从埃及地为奴之家领出来。"(20:2)

因此,出埃及和立约主题一道代表耶和华在历史拯救行动中启示自己的本质与在约中启示他的旨意之间不可分离的统一性。这两个主题以及与其相关的故事被进行崇拜的以色列人的共同体作为以色列人的基本信仰宣信而整合在一起。

第一节　出离埃及(1:1—18:27)

一、出埃及叙事(1:1—15:21)

出埃及的年代

尽管《旧约》叙事对"出埃及"事件大讲特讲,但是对于出埃及发生的时间几乎没有谈及。没有给出具体的年代,在故事中占有重要篇幅的埃及法老也是无名无姓。但是这些省略有其原因。《圣经》把它的焦点放在这出救赎剧目的主角耶和华身上,所以小心避免述及有关埃及敌手的那些令人分心的细节。就埃及方面的记载而言,迄今没有发现提及以色列人出埃及故事的文献。数目相对较小的一些闪族奴隶逃出法老的土地不会触发官方评述。况且,对这样的事件的任何提及都无疑是承认作为神的化身的埃及法老的失败,而这是一种不可能的考虑[1]。即便有过,恐怕也在喜克

---

[1]　参见 Philip S. Johnston, edited, *The IVP Introduction to the Bible*, Downers Grove, Illinois: Inter-Varsity Press, 2006, p.57。

索斯人统治期间遗失了；喜克索斯诸王都没有留下记载，遑论像约瑟这样的大臣了①。

　　就《圣经》对于出埃及记载详尽而经外记载阙如这种鲜明对比，当代史学巨著《犹太人历史》这样写道："对于出埃及和征服迦南方面经外材料的空乏这一点，最有可能的解释是这样一个事实，就是这些事件的国际权重不足以在同时代的文献中留下记载。不过，对于以色列人而言，这个被从'为奴之家'解救出来的传统和经由西奈到达应许之地的旅程，不仅在摩西五经和《圣经》历史书中成为他们信仰的奠基石，而且在先知著作(例如：《何西阿书》11：1；《阿摩司书》9：7；《耶利米书》2：6)和《诗篇》(例如：《诗篇》78：12—13,81：6)中也是如此。《圣经》对于出埃及和沙漠苦旅的叙述固然打上了民间传说的烙印，并且与传说材料交织在一起，但是毕竟包含真实的历史痕迹；当人们与埃及资料中令人茅塞顿开的类型学性质的平行材料加以比较的时候就会察觉到这些痕迹。"②

　　尽管秉持出埃及"早说"的人主张阿蒙霍特普二世(Amenhotep Ⅱ)是以色列人出埃及时候的法老，但是我们更有理由倾向于认同出埃及事件发生在"晚说"所主张的公元前13世纪上半叶，而不是"早说"所主张的公元前16世纪。出埃及之后那些事件的进程也向人们提示，出埃及的年代是在公元前13世纪上半叶。当以色列人在前往迦南的征途上进入外约旦地区的时候，他们被迫绕过以东和摩亚，因为他们发现那里的强大民族拒绝他们通过。考古发掘表明，公元前19世纪和公元前13世纪之间在这个地区没有人类定居③。更何况，考古证据表明公元前13世纪后半叶有过对迦南的征服事件。鉴于以色列人到达那里的时间大约是出埃及事件发生一代人之后，出埃及事件必定在同一个世纪早期。至关重要的是，出自拉美西斯二世的继任者梅尼普塔(Merneptah,公元前1224—前1214年)在位第五年的一块埃及得胜碑上的铭文描述了埃及向巴勒斯坦的进军。在所提及的这场埃及远征遭遇到的民族中就有以色列人。"这个胜利赞歌，其中梅尼普塔纵情自我吹嘘，作为首个提到'以色列'的经外文献极为重要。他在罗列那些被征服的民族的时候，这样宣称：'以色列已荒芜，其苗裔却未然。'"④这或许提示人们，以色列人在公元前1220年之前就进入了迦南。

　　毋庸置疑，这幅以色列人何时出埃及的图画相当复杂，而且不同的历史学家在判

① 参见 Alfred J. Hoerth, *Archaeology and the Old Testament*, Grand Rapids, Michigan: Baker Books, 1998, p. 164, note 27。
② H. H. Ben-Sasson (ed.), *A History of the Jewish People*, Harvard University Press, 1976, p. 43.
③ 参见 Henry Jackson Flanders, Jr., Robert Wilson Crapps, David Anthony Smith, *People of the Covenant: An Introduction to the Old Testament*, New York: John Wiley & Sons, 1973, p. 133。
④ H. H. Ben-Sasson (ed.), *A History of the Jewish People*, Harvard University Press, 1976, p. 25.

定考古和《圣经》陈述的证据方面会有"仁者见仁智者见智"的现象①。例如,《〈圣经〉与古代近东》的作者做出以色列人迟至公元前 12 世纪才出埃及的解读②。不过,大多数学者认为,证据的权重偏向表明塞提一世和拉美西斯二世治下的埃及状况就是《出埃及记》第一部分叙事的背景。最有可能的情况是,塞提一世是迫害以色列人的法老(1：9),拉美西斯二世是以色列人出埃及时的法老(2：23),尽管出埃及的人数不一定有《圣经》记载的那么大③。

综上所述,出埃及事件"晚说"的大致时间节点如下：约公元前 1720—前 1700年,喜克索斯(Hyksos)人侵入和征服埃及;约公元前 1700 年,希伯来人迁徙到埃及(歌珊);约公元前 1570—前 1550 年,喜克索斯人被从埃及逐出,结果从雅赫摩斯二世(Ahmose Ⅱ)开始,希伯来人在埃及统治者眼中失宠;约公元前 1308 年,埃及第 19 王朝的塞提一世奴役希伯来人,摩西的童年和逃往米甸就发生这种这个时期;约公元前1290 年,摩西对质拉美西斯二世,要求这位法老释放希伯来人;约公元前 1285—前1280 年,以色列人成功逃往西奈旷野;约公元前 1250/1240—前 1200 年,以色列人征服并定居迦南④。

摩西的故事

当精力充沛的埃及统治者塞提一世开始在尼罗河三角洲开始其建设项目的时候,把定居在那里的希伯来人当成了现成的劳动力。此时,喜克索斯人(在其治下像约瑟这样的闪族人曾获得过显赫地位)早被雅赫摩斯一世逐出埃及。据研究,法老对希伯来人的奴役和迫害源于对歌珊地的希伯来"人口大爆炸"威胁到土著埃及人数量优势的恐惧。新王朝的法老通过大兴土木来奴役包括希伯来人在内的外族人,一方面可以扩充其劳动大军建设边疆,另一方面又可以防止这些外族人的反叛。但是当苦役仍然无法遏制希伯来人的人口出生率的时候,法老便下达了屠杀每个希伯来新生男婴的命令。

《出埃及记》所叙述的摩西诞生在一个利未人家之时,埃及"不认识约瑟的新王"所颁的屠婴令正在实施。第二章中有关这个孩子的故事在西方可以说家喻户晓,其

① 参见 Alfred J. Hoerth, *Archaeology and the Old Testament*, Grand Rapids, Michigan: Baker Books, 1998, pp. 178 – 181。
② Cyrus H. Gordon and Gary A. Rendsburg, *The Bible and the Ancient Near East*, New York / London: W. W. Norton & Company, 1997, pp. 149 – 154。
③ 参见 J. W. Rogerson and Judith M. Lieu (ed.), *Oxford Handbook of Biblical Studies*, Oxford University Press, 2006, pp. 91 – 92。
④ 参见 H. H. Ben-Sasson (ed.), *A History of the Jewish People*, Harvard University Press, 1976, pp. 40 – 43。

中讲述了他如何被放入"抹上石漆和石油"的蒲草箱中漂流在尼罗河里、如何被"来到河边洗澡"的法老女儿在河边的芦荻中发现、如何被隐藏了真实身份的生母作为乳妈在宫廷按照希伯来人的习俗养大、如何因杀了虐待希伯来奴隶的一个埃及人而被迫逃往米甸等。但是即便在这些有关摩西早年的故事中,摩西也不是中心人物。质而言之,这些故事不是关乎摩西的,而是关乎耶和华的。《出埃及记》作者把摩西诞生和早年故事中揭示出来的上帝言行作为上帝关心他的子民获得救赎的证据。在以色列人既没有力量又没有希望的时代,上帝采取行动来解救他们。摩西将要担当的大任是,在以色列人历史上的关键时刻做上帝介入的代理人。

上帝预备摩西的故事集中在摩西流亡米甸时期。之前摩西义愤填膺地扼杀了毒打希伯来人的一个埃及人,第二天在主持正义阻止一个希伯来人欺负另一个希伯来人的时候得知前事败露而被迫逃到米甸,实际上就是通过牺牲自己的安全而表现出与自己民族的认同。接下来,通过摩西流亡米甸和预备面对未来重任的叙述,上帝的救赎故事变得更加具有戏剧性。

米甸本身在阿拉伯西北部的亚喀巴湾东,但是西奈半岛的某些部分可能叫过米甸地。正是在后一地区,摩西流亡在基尼人的宗族之中,并且在那地经历了半游牧生活状态,而这正是以色列人那些古代族长生活的特点。按照马丁·布伯的诠释:"摩西以其逃逸重回他的先祖那里……作为受奴役民族的一分子,同时又不是与他们一同受奴役的一个人,已经返归他的先祖自由而热心的氛围。"[①]

故事讲到,摩西逃到米甸后坐在一口水井(氏族或部落的中心)旁边,在那里遇到了基尼人的老祭司叶忒罗的女儿们。正义凛然、打抱不平的摩西帮助她们赶走了那些来与她们争水的牧羊人。从回家的女儿们那里得知此事之后,善良的祭司派女儿回去请摩西来与他们同住。在摩西娶了叶忒罗的长女西坡拉之后,便真正融入了这个家庭。

数年后,摩西有一次为这个家庭放牧羊群,在"神的山"听到上帝的呼召。上帝在"被火烧着"、"却没有烧毁"的荆棘中向摩西启示自己是摩西"父亲的神,是亚伯拉罕的神,以撒的神,雅各的神"。通过这种神显,摩西专心致志地意识到上帝的目的,就是从埃及解救受奴役的以色列人,而这个使命落在他的身上。

摩西承受的使命异常困难。他用各种借口予以推脱,但全属徒劳。在摩西与耶和华的对话中具有重要意义的是神名的启示和解释。"E典"底本把神名的启示和解释当作对摩西有关自己的权威所提实际问题的一种回应,就是要解决摩西凭什么让那些在埃及的同胞相信他"君权神授"的问题。为此,摩西必须告诉那些他要领出埃

---

① Martin Buber, *Moses: The Revelation and the Covenant*, Humanity Books, 1988, p. 38.

及的人那个派他来的神的名字。而且更加重要的是,摩西想知道神的本质的奥秘,这个神存在的秘密。

在以色列人的思想中,人或神的特点或身份是用他的名字来表达的。名字不仅仅是彼此区分开来的那些字母组合,更重要的是名字代表具有这个名字的人或神的全部存在。了解一个名字就是了解一个人的本质自我或身份。如此看来,上帝对摩西的回答既是难解的又是令人满意的,既隐藏又启示了他的真正本质:

> 摩西对神说:"我到以色列人那里,对他们说:'你们祖宗的神打发我到你们这里来。'他们若问我说:'他叫什么名字?'我要对他们说什么呢?"神对摩西说:"我是自有永有的。"又说:"你要对以色列人这样说:'那自有的打发我到你们这里来。'"(3:13—14)

上帝的希伯来名字"耶和华"是希伯来语"有"这个动词的第三人称形式。当上帝自称的时候,"有"这个动词形式就成为"自有",即"我就是"①。这个术语的重点不在于耶和华作为不变的永恒的纯在,而是在于上帝主动地介入人类历史和事务之中。这样的重点对于希伯来思想的那种务实的、非思辨的世界观而言是真实的。

在摩西与神的这种会遇中,神不仅显明了自己的名字是耶和华,而且允诺摩西得到能说会道的兄长亚伦的协助——做他的代言人,更为重要的是还授予摩西埃及术士那样的法术。正如《〈圣经〉与古代近东》所指出的,"法术在古埃及是最受人尊重的技艺与科学。所以如果有人想镇住埃及人,就像摩西为了确保以色列人的自由所要做的那样,就要像埃及术士那样'亮出绝活'。"②如此得到委任、指点和协助的摩西前往埃及,开始了解救在埃及的希伯来奴隶的运动。

二、"十灾"与红海奇迹

斗法与"十灾"

有关摩西与法老遭遇的叙事自始至终充满了戏剧性的悬疑。一步一步地、一幕一幕地,叙事展开了这场旷日持久、胜负未定的斗法,直到耶和华通过摩西战胜埃及

---

① 在《约翰福音》中耶稣一开始就公开宣称自己就是弥赛亚,并且通过"我就是"起头的7篇讲话为自己取得《旧约》在这里单单为神所保留的身份和权柄。

② Cyrus H. Gordon and Gary A. Rendsburg, *The Bible and the Ancient Near East*, New York / London: W. W. Norton & Company, 1997, p.144.

的强权。

摩西返回埃及,一切都在未定之天。他要说服以色列人相信耶和华已经向他显现,而且会采取行动解救他们。为此,"摩西、亚伦就去招集以色列的众长老。亚伦将耶和华对摩西所说的一切话述说了一遍,又在百姓面前行了那些神迹,百姓就信了。以色列人听说耶和华眷顾他们,鉴察他们的困苦,就低头下拜"(4:29—31)。面对耶和华,以色列人的注意力便转移到比法老还要高的一位君王身上,以色列人要求允许在旷野崇拜耶和华。

接着就可以拿法老做文章了。法老把这种请求理解为奴隶方面借故旷工、摩西方面借机煽动的证据。他的反应措施是"把更重的工夫加在这些人身上"。"素常作砖的数目"不变,但是不再给奴隶作砖用的稻草,自此作砖必用的稻草得靠奴隶们多花工夫自行解决。这种报复如此有效,以至于那些以色列工头开始向摩西和亚伦抱怨人民的生活反而变得更加困难了。摩西转而又对耶和华发怨言。如此这般,《旧约》通过放大耶和华胜利道路上的障碍提升了剧情。面对这些障碍,摩西和以色列众百姓出现了摇摆,而耶和华的手仍然坚定,他的解救仍然必定。

叙事以这种渐增的张力表明,摩西和亚伦的最初努力是徒劳的。摩西和亚伦照耶和华所吩咐的把杖变作蛇,但是法老的那些术士"也用邪术照样而行"。尽管亚伦的蛇吞了埃及术士们的蛇透出某些胜利的迹象,但是没有达到让法老改变主意的预期结果。摩西和亚伦不足以赢得与埃及人的斗争。这场斗争本质上是以色列人的上帝与法老之间的斗法,只有具有国权的耶和华自己才能够压倒气焰嚣张的埃及统治者。

叙事非常具有艺术鉴赏力地把耶和华与法老的战场设立在人们会以为埃及的众神理应占上风的尼罗河两岸。紧随一些初步遭遇战而来的是相继发生的十大会战,就是《出埃及记》列出的埃及人遭遇的十灾:尼罗河变血(7:14—24)、青蛙(7:25—8:15)、虱子(8:16—19)、苍蝇(8:20—32)、畜疫(9:1—7)、疮灾(9:8)、雹灾(9:13—35)、蝗灾(10:1—20)、黑暗(10:21—29)、击杀埃及人的头生子(11:1—10)。这十灾中,前两灾的情况,埃及的术士们还能照样而行,但是他们公开承认其他数灾则是他们力所不能及的,自己被"交在上帝的手中"。

研究表明,十灾中的前九灾都属自然现象,有其自然特征和顺序[1]。其中的七灾可能与一年一度的尼罗河泛滥有关,而在现代的阿斯旺大坝建造以前,埃及土地的丰饶全赖尼罗河水的泛滥,《出埃及记》所载法老下到河边(7:15)可能是一种迎接泛滥的仪式。尼罗河水变红是因为尼罗河从上游的阿比西尼亚高原带来大量的红土,8

---

[1]　Alfred J. Hoerth, *Archaeology and the Old Testament*, Grand Rapids, Michigan: Baker Books, 1998, p.163.

月水位达到最高,再加上各种有机物和细菌毒死鱼类,就更增强了效果。"埃及人都在河的两边挖地",正是要滤清河水的杂质,得到可以饮用的水。降灾前"法老心里固执"、降灾后"法老心里刚硬",可见这灾害对法老而言只不过是一次较大的麻烦,但对于百姓而言"河里的鱼死了"则无疑是巨大的打击。

尼罗河在秋天、通常在9月繁殖很多青蛙,泛滥之后自然更是"遮满了埃及地",不足为奇。《出埃及记》视蛙灾为神迹的要点在于青蛙按照一定的时间来,又按照一定的时间死。当然,它们离开河可能是因为河水污染,它们的死可能源于脱水或感染。在我们看来更加深刻的是,这次灾害所针对的是埃及人的神"赫德"(Heqt)。赫德是长着青蛙头的埃及女神,她的象征就是青蛙。赫德女神协助女人生育,但是被埃及人视为不洁。在耶和华面前青蛙"招之即来、挥之即去",所展示的是以色列人的耶和华对埃及人的神的胜利,这恐怕才是这段经文最内在的部分。

死去的大量青蛙尸体的腐烂提供了为什么会有随后的虱灾和蝇灾的自然解释。尽管翻译成"虱子"的希伯来词语 kinnm 的意义并不确定,但无论是指虱子、蚋子、蚊子还是扁虱,它们叮咬人类都会产生奇痒难耐的感觉;亚伦用杖击打地的时候,它们下在地上的卵都有可能飞到空气中,转而危害到牲畜和人类,形成畜疫。据著名的《圣经》考古学家莱特(G. E. Wright)的研究,倘若不是以寄生虫为食的朱鹭,那些灾害会更频繁地发生①。尽管暴风雨在埃及地区并不常见,但是像蝗灾一样偶尔也形成灾害。埃及春天的炙热沙漠风暴(Khamisin)刮起来时飞沙走石,日月无光,类似黑暗之灾中人不能相见的遍地黑暗。

至于第十灾的原因,基督教方面著述颇丰的罗兰·沃尔夫在《圣经中的12种宗教》中提出"狂犬病说",不妨立此存证:"尽管大多数读者没有注意,但是最后一灾的线索在《出埃及记》11:7中:'至于以色列中,无论是人是牲畜,连狗也不敢向他们摇舌,好叫你们知道耶和华是将埃及人和以色列人分别出来。'鉴于那个年代没有控制狂犬病的方法,当疯狗咬到其他狗、咬到动物和人的时候,随之而来的狂犬时疫可以是灾难性的。"②

尽管学者们设法还原可能的历史真实,努力揭示出十灾的自然原因,但是《旧约》叙事却有自身的神学主旨,就是把那些零散的、局部的自然灾害系统化和神学化,通过强调法老在灾害降临的时候抗拒耶和华的至上地位而富有技巧地为这出剧目加上重音符号。尽管前九灾让法老感到越来越惊恐,但是他仍然拒不释放以色列奴隶。

---

① G. E. Wright, *Biblical Archaeology*, Westminster Press, 1962, p. 54.
② Rolland Wolfe, *The Twelve Religions of the Bible*, The Edwin Mellen Press, 1982, pp. 73 - 74.

直到第十灾的时候(11：1—13：16)，也就是埃及人的头生子，包括法老自己的头生子被上帝击杀的时候，法老才屈服。

在耶和华击杀埃及人的头生子的那天晚上，以色列人家家户户宰羊、烤肉，"与无酵饼和苦菜同吃"，并且把羊血用牛膝草涂在"房屋左右的门框上和门楣上"，因而灾难得以逾越，长子安然无恙，犹太人的逾越节由此而立(13：8—10)。在同一个晚上，埃及人的长子却被击杀，举国陷入极大的哀愁之中。埃及人如此悲痛，以至于他们立刻采取措施抚慰以色列人的上帝。他们向先前的奴隶献上"金器银器和衣裳"，给予他们无数的家禽和牲畜，并且请求以色列人尽速离去。"耶和华叫百姓在埃及人眼中蒙福，以致埃及人给他们所要的，他们就把埃及人的财物夺去了。"(12：36)

从《圣经》神学的角度来看，埃及遍地都是偶像。埃及人拜蛇(比较7：10—12)、拜青蛙(比较8：6)、拜牛羊牲畜(比较9：1—3)、拜尼罗河(比较7：20)、拜太阳(比较10：21—23)、拜法老(比较5：3)。神惩罚埃及，就是惩罚埃及人的神，必然会存在唯一的真神与那些偶像的较量，因此"十灾"意在对埃及的大小神祇进行大清除。换言之，"这些灾难或许被埃及人当作直接针对埃及的众神(12：12)……尽管最后那场灾难没有什么自然解释，但也是针对一个神的——下任国王、即将成的神"[1]。《圣经》在此所要传达的信息是，无论强大的法老还是埃及阵容庞大的众神，都不能与以色列的神匹敌。耶和华会摧毁一切列阵抵抗他的力量。

过红海的奇迹

《圣经》叙事通过"十灾"的故事清晰地展示了耶和华的至高无上。胜利属于上帝，而且借助这个胜利，上帝把他所认的自己的民解救出来。不过，当以色列人后世庆祝出埃及这个历史事件的时候，他们首先想到的往往是过红海的奇迹："他在埃及地、在琐安田、在他们祖宗的眼前施行奇事。他将海分裂，使他们过去，又叫水立起如垒。"(《诗篇》78：12—13)《出埃及记》的叙事发展到过红海奇迹这个顶峰是自然的。

从兰塞附近，逃离的奴隶们开始向东南运动，可能走的是通常通往疏割(Succoth)的路。从疏割，人们通常走的那条通往迦南南部的商路沿着地中海海岸向东北延伸。然而以色列人却在通常的商路以南进入西奈半岛的旷野。此时后悔允许以色列人出埃及的法老驾战车率军追赶。法老的军队赶上来的时候，以色列人正处在苏伊士湾北端与地中海之间绵延六十五英里的沼泽地带，也就是《出埃及记》中的所谓红海。以色列人陷入前有沼泽后有埃及追兵的绝境。就像在"十灾"中所行的那

---

[1]　Alfred J. Hoerth, *Archaeology and the Old Testament*, Grand Rapids, Michigan: Baker Books, 1998, pp. 163 – 164.

样,耶和华再次介入,来拯救他的子民。耶和华让海水分开,以色列人从两边壁立的海水之间的干地安全跨过红海,而"法老一切的马匹、车辆和马兵"都被重新合拢的海水所吞没(14：21—23)。

《圣经》解释水分开的原因是强力的东风。"就像那些灾害一样,这种强力的东风不是独一无二的,现在每年还发生两三次。在苏伊士运河被疏浚到现在的深度之前,劲风甚至把苏伊士运河的水吹入苏伊士湾,每次通常令运河两三天无法正常运转。"①不过,或许还有另外的自然原因。研究发现,《圣经》中其他章节论及以色列人出埃及的时候都用诗体,例如《士师记》5：4—5、《诗篇》77：16—19、《诗篇》114：3—6和《哈巴谷书》3：3—6 等,分别使用了"地震天漏"、"大地战抖震动"、"大山踊跃如公羊,小山跳舞如羊羔"、"使地震动"等用语,都强烈暗示出有强烈的地震颤动的现象。无论海水分开的原因如何,关键在于《圣经》要传达的是耶和华再一次在压倒他的子民的敌人方面获胜,一步一步地继续着解救以色列人的工作。

红海是除了西奈山之外《出埃及记》所记载的另一个著名历史地点。但是经过3500多年的沧海桑田,再加上《圣经》记载的资料本身不多,今天不可能精确知道以色列人所过的红海究竟在什么地方,上文有关红海位置的说法也只是众说中的一种而已。第二种说法是在苏伊士地峡中部的田撒湖(Lake Timsah)附近,接近今天的伊斯玛里亚城(Ismailiya)。第三种说法是在曼撒拉湖(Lake Menzaleh)南部。第四种说法是在西奈半岛北岸与地中海只有一道狭长的沙堆相隔的撒尔邦尼斯湖(Lake Sirbonis),即今天的巴达威尔湖(Lake Bardawil)。

实际上,《出埃及记》第 14 章希伯来文原文只说以色列人渡过一个"海"(yām)。在希伯来文中 yām 是一个笼统指江、河、湖、海的词语,甚至可以指任何一片水域,地中海也可以叫 yām。只有《出埃及记》13：18 和 15：4,22 称以色列人渡过的是红海(yām sǔp)。但是即便如此,学者研究认为,yām sǔp 按字面翻译应该是"芦苇海",而不是《七十子希腊文本》中所译的"红海"。Alfred J. Hoerth 则在《考古与旧约》中从另一个角度为"芦苇海"之说提供了旁证。他提出了一个事实,就是在古代埃及的殡葬文本中,死者的亡灵要跨过"芦苇海"到达另一个世界。熟悉埃及宗教词汇的摩西或许在希伯来人逃出埃及获得新的生命中看到了某种类似之处,因而是在比喻的意义上使用了"芦苇海"②。把各种要素考虑在一起,无论《出埃及记》中的红海在哪里,大多数《圣经》学者都倾向于认为,以色列人所过的海不是把整个非洲东岸与阿拉伯

---

① Rolland Wolfe, *The Twelve Religions of the Bible*, The Edwin Mellen Press, 1982, p.78.
② Alfred J. Hoerth, *Archaeology and the Old Testament*, Grand Rapids, Michigan: Baker Books, 1998, p.168.

半岛隔开的今天的红海。

在跨过"红海"或"苇海"之后,以色列人暂停下脚步。米利暗和众妇女"拿鼓跳舞",载歌载舞地感谢耶和华的解救,以色列人则齐声应和"米利暗之歌"(15:1—21)。正是过红海这个事件催生了希伯来诗歌中最早的"两行诗"之一:"你们要歌颂耶和华,因他大大战胜,将马和骑马的投在海中。"(15:21)整个"米利暗之歌"就是后来的以色列人对这首"两行诗"的扩写。

出埃及事件之所以具有持久的意义是因为耶和华采取了行动。对以色列民而言,耶和华从来不是一个置身事外的旁观者。他一直认同他的子民。从他在燃烧的荆棘中召唤摩西以来,耶和华的品格一步一步地向人们启示出来。他在《出埃及记》中与以色列人的关系显露出他与那些被征服、受压迫、遭打击和没有体恤者的人们之间的认同。傲视异神,主宰自然,耶和华在历史进程中的那些特别的时刻和特定的环境中做工。但是耶和华不止是参与事件,他绝对掌控,君临一切。

在得到解放之后的那些世纪当中,以色列人都把出埃及和征服迦南当作上帝的作为来回顾。他操控整个事件,而且与事件的每个细节有关。即便是通过法老的敌视和对抗来强化剧情,耶和华也被视作对法老的"刚硬"负责。尽管有摩西和亚伦参与其中,但真正创生了以色列民族的却是耶和华。

三、西奈旷野(15:22—18:27)

以色列逃亡者们从红海向东移动。他们不是从埃及边境向北取道最直接到迦南的路线,而是向东转,以避开边疆的那些筑城和重兵把守的商用和军用大道。"非利士地的道路虽近,上帝却不领他们从那里走,因为上帝说:'恐怕百姓遇到打仗后悔,就回埃及去。'所以上帝领百姓绕道而行,走红海旷野的路。"(13:17—18)

迁移的人群包括"许多闲杂人"(12:38),表明随行的有一些人不是雅各的后裔。后来在迦南又有其他血缘的一些人加入"闲杂人"的行列。这次出埃及的人数难以确定,尽管《出埃及记》12:37明确说,"步行的男人约有六十万",但是有学者指出,这个数字与故事的几个特征不符。一些学者解释说,之所以有这么高的数字,是因为翻译成"千"的希伯来词语 'eleph 应该译作"家庭"或"战斗单位"①。还有学者提出,这是因

---

① 参见 Alfred J. Hoerth, *Archaeology and the Old Testament*, Grand Rapids, Michigan: Baker Books, 1998, pp. 177 - 178。

为把后来的人口统计数字植入了这个早期故事之中。不过,还有一部分学者坚信数字的准确性,认为作为统计数字的记载,应该是十分准确的。特别是在他们看来,那些不相信这个数字的人提出的那些解释,无非是把人口数字减少到合乎现今人的常理的程度而已。

众多的以色列人面对旷野客居的时候,对红海获胜的记忆是他们的信心之源。他们胜任的神掌控一切。"日间,耶和华在云柱中领他们的路;夜间,在火柱中光照他们,使他们日夜都可以行走。日间云柱,夜间火柱,总不离开百姓的面前。"(13:21—22)在此,"火"作为神的象征,对于以色列人并不是什么新鲜事物。当他们跟从曾经"在法老面前代替神"(7:1)的摩西的时候,或者当他们追随火柱通过旷野的时候,他们跟随的是耶和华。

当这群行路者面对书珥的旷野沙漠和严酷的旷野生活的时候,过红海的经历所激发的热忱很快消散。危机四伏,强敌挡路。争执、倾轧和抱怨时有发生。玛拉的水苦,以色列的会众怨声载道(15:22—24)。无酵饼食之无味,他们吵闹着要肉吃。他们发出的不满既是针对摩西的又是针对耶和华的。他们在汛的旷野所发的抱怨被夸张到这样一种程度,以至于他们渴望重新回到埃及为奴,在那里他们可以"坐在肉锅旁边,吃得饱足"(16:1—3)。

以色列人摇摆不定的忠信与耶和华不折不扣的忠信形成鲜明的对照。在以色列人的整个苦难历程中,耶和华充足地提供会众之需。耶和华晨降吗哪让以色列人"食物得饱",晚降鹌鹑让以色列人大快朵颐(16:4—36)。百姓口渴争闹的时候,耶和华让摩西击打磐石,"从磐石里必有水流出,使百姓可以喝"(17:1—7)。与亚玛力人争战的波浪式发展,取决于百姓看到摩西这位耶和华所选定的领袖是举手还是垂手。以色列百姓最终获胜,全凭摩西的助手亚伦和户珥一边一个稳住摩西举在空中的手(17:8—16)。

在耶和华的护佑下,刚解放了的奴隶战胜了好战的游牧民族,以色列人必然受到莫大鼓舞。随之,摩西的岳父米甸祭司叶忒罗听见上帝为摩西和上帝的百姓以色列所行的一切事情,便带着摩西的妻子西坡拉和两个儿子来探访摩西。期间叶忒罗承认耶和华比万神都大,并且帮助摩西建立起行政司法制度,来减轻摩西亲自审理以色列人之间各种争讼的负担(18:1—27)。

尽管耶和华援助的时机有时令以色列人失望,但是他从未舍弃他们。通过摩西,耶和华引导以色列民安全地、完好地抵达西奈山。后世的以色列人通过诗歌、故事和节日纪念在这些艰苦旅行的日子里的经历,意在不断提醒自己是谁、属于谁。

第二节　西奈立约(19：1—24：11)

从以色列人出埃及之初,摩西心目中的目的地就是西奈山,即耶和华首次向他显身的神的山。从这个对他来说的至圣地,摩西数月前孤身启程前往履行解救以色列人的使命。他已经成功履命,现在重回他的起点,进一步与耶和华会遇、复命。

一、西奈山的位置

"耶典"和"祭典"底本中所称的西奈山,在"E典"和"申典"底本中称作何烈山。所以西奈山又叫何烈山。由于《圣经》所提供的信息不足,人们无法准确判定西奈山的准确位置。依照传统的说法,西奈山在现今西奈半岛南端的山脉中。这里有三座高峰,分别是摩西山(Jebel Musa)、加大利纳山(Jebel Katarina)和撒堡山(Jebel Serbal),都可能是摩西会见上帝的地方。早在公元4世纪,教会已经在这个山脉中建立修道院。最初选定的是撒堡山,及至东罗马皇帝查士丁尼(483—565年)时代,改认摩西山为西奈山,就是现在传说的位置。著名的圣凯瑟琳修道院就座落在山麓。以此山为坐标,人们假定以色列人从埃及沿着半岛的西岸而下,而且《出埃及记》中所提及的那些绿洲和地点应该是在这一条线路上。

尽管有关西奈旷野是西奈山所在地(18：5)的传统说法受到一定的质疑,例如"加低斯巴尼亚"说、"阿拉伯西北、阿卡巴湾东南"说,但是并没有被放弃。被认定为西奈山的摩西山的山脚有一个大平原,面积约十平方公里,以色列百姓可能就是在此平原安营扎寨的①。无论西奈山位于何处,摩西重回的无疑是他放牧叶忒罗的羊群的时候所行进过的地域。摩西把以色列会众带到一个对于他个人而言具有约束性宗教意义的地点,实际上是带领他们经过一个他自己先前已经探索过的一个领域,自然能够找出足够的水源和营地。例如,饥渴难耐的以色列会众到达玛拉,最初因为那里的水苦不能喝而一时怨声载道,但是最终摩西利用当年为叶忒罗放牧羊群过程中所习得的生活知识解决了问题——"他把树丢在水里,水就变甜了"(15：22—24)。"就

---

① Alfred J. Hoerth, *Archaeology and the Old Testament*, Grand Rapids, Michigan: Baker Books, 1998, p. 169.

像在摩西时代一样,今天人们在玛拉通往西奈的那个绿洲上看到相同的清澈碱性水塘。那个区域的贝都因居民仍然继续运用当年摩西所使用的方法。"[1]

西奈是以色列作为一个民族开始走向成熟期的转折点。成功跨越红海是以色列民族所经历的诞生洗礼。在西奈,以色列民族被培养和训练成一个具有激励性的宗教和社会结构的、青春焕发的民族。以色列人随着这些经验而来的那些经验都由之而生长出来,就像从大男孩成长为一个成人一样。至于西奈山没有公认的明确的位置,犹太教拉比们的解释是,上帝不愿意西奈山成为朝圣的圣地。而且其中的属灵意义在于,上帝颁布律法的西奈山没有明确的位置,说明律法并不只是属于某地、某个民族,而是属于全人类。一般学者也认为,西奈山的具体位置并不影响文本。

二、耶和华崇拜的"基尼人假说"

《出埃及记》此处的经文还告诉我们,在西奈山,一些基尼人群体加入到出埃及的以色列人支派之中。以色列人的传统保留了这段记忆,就是上文简单提及的有关摩西与他的妻子、两个儿子和他的基尼人岳父叶忒罗重逢的故事(18:1—27)。叶忒罗满心欢喜耶和华的成就,并且给予摩西以建议。作为叶忒罗的建议的一个直接的结果,一种简单的司法制度建立起来。叶忒罗建议"摩西从以色列人中拣选有才能的人,立他们为百姓的首领",各样小事他们自己审判,"有难断的案件就呈到摩西那里"。这个故事可能是把早期以色列人的立法程序与那些生活方式类似于基尼人的以色列人的族长祖先的实践关联起来。通过摩西,正义与耶和华联系起来。作为至高无上的法官,摩西是耶和华的旨意作为法律得以传给人类的中介工具,从而管理以色列人的律法就是神的律法。

《旧约》用三个不同的名字提到摩西的岳父:流珥(2:18)、叶忒罗(3:1等处)和何巴(《民数记》10:29—32;士4:11)。据研究,"叶忒罗"可能是义为"大人"的一个称号,"流珥"才是他的本名。"何巴"可能是摩西内兄的名字,因原文中"岳父"和"内兄"是同一个词。叶忒罗是祭司,也可能是米甸人的酋长。《圣经》虽然只称其为"米甸祭司",而不是"耶和华的祭司",但他可能敬拜的是独一真神。

"得知耶和华比万神都大","摩西的岳父叶忒罗把燔祭和平安祭献给上帝"(18:11—12)。这暗示耶和华是基尼人的上帝,而叶忒罗是他的祭司。叶忒罗承认耶和

---

[1] Rolland Wolfe, *The Twelve Religions of the Bible*, The Edwin Mellen Press, 1982, pp. 80 - 81.

华,而且摩西像预先准备好了一样接受了他的建议,这就提出了一个问题,就是摩西的耶和华崇拜与人们所推测的、他的基尼人岳父的耶和华崇拜之间的可能关系问题①。在后来的年代,基尼人是维护耶和华崇拜的斗士,是以色列人的忠诚支持者。因而,很可能耶和华崇拜是在叶忒罗的鼓励下深入以色列人心的。

"E典"底本和"祭典"底本在与西奈经历相关的情况下引入"耶和华",对于耶和华这个名称至少是从基尼人传给以色列人的看法提供了某种支持。在描述摩西在西奈的经历的时候,"祭典"底本径直说:"我是耶和华。我从前向亚伯拉罕、以撒、雅各显现为全能的神,至于我名耶和华,他们未曾知道。"(6:2—3)这段经文告诉我们的信息是,以色列人列祖所指的神是"全能的神"(El Shaddai),耶和华这个神的名字他们并不知道。摩西很可能是在居住沙漠(米甸)期间了解到耶和华神的。不仅《圣经》中的大量经文把耶和华与沙漠地区特别联系起来,而且埃及的一些文本提到同一广大地域的"游牧人地的耶巍(Yhw)"。"这些事实允许我们得出结论,耶巍/耶和华是与区隔埃及和迦南的那片沙漠地区相关的神祇。进而言之,它们容许我们理解摩西对以色列人宗教的重要贡献之一:正是他把以色列民引向沙漠神祇耶巍信仰,随后耶巍信仰与迦南地相关的旧有神祇伊勒(El)或伊逻音(Elohim)相融合。"②另外,"E典"底本一直用"伊逻音"作为神名,直到摩西得到"燃烧的荆棘"这个经验为止;唯有"耶典"底本早在《创世记》第4章就使用"耶和华"。所有这些都令"基尼人假说"颇有说服力,但是并不为所有学者所接受,因此只能当作一个尝试性的假说③。

纵使摩西从他的基尼人岳父那里学到耶和华这个名字,他在以色列人中所确立的宗教也与基尼人的宗教有很大的不同。正如史家所言,"无论耶和华的起源为何,清楚的事实仍然是,这个根本的宗教创新——即一神论信仰——代表一种特殊的以色列人的现象,显示绝非倚重周围的异教世界。它不同于族长们家族性质的崇拜,这种崇拜充其量是唯一主神信仰——呼求一个单一的神,但是并不排除其他神祇的存在。新的一神教信仰基于既作为普世-宇宙神祇又作为特定的民族神祇的一个极化耶和华概念"④。

在摩西的宗教经验深沉而烦扰的那些日子,摩西临到一个决定性的时刻,就是在以色列人面前代表耶和华。无论耶和华对于基尼人意味着什么,所意味的必定是某

① 参见 Rolland Wolfe, *The Twelve Religions of the Bible*, The Edwin Mellen Press, 1982, pp. 63 – 71。

② Cyrus H. Gordon and Gary A. Rendsburg, *The Bible and the Ancient Near East*, New York / London: W. W. Norton & Company, 1997, p. 145.

③ 参见 Rolf Rendtorff, *The Old Testament: An Introduction*, Fortress Press, 1991, p. 13.

④ H. H. Ben-Sasson (ed.), *A History of the Jewish People*, Harvard University Press, 1976, pp. 45 – 46.

种对以色列人而言不同的东西。以色列人的上帝胜过基尼人的神。耶和华的真正品格不是单单在其名字之中，而是在以色列人对耶和华拯救其子民的经验之中。以色列人在出埃及经历中最终理解到耶和华的救赎大能和对他们的眷顾。以色列人中的耶和华崇拜完全使先前历史上无论什么耶和华崇拜都变得暗淡无光。对以色列人而言，宗教的基础不仅是奠定在神的名字之上，更是奠定在出埃及和西奈立约经验之中。

三、特选和约法

对以色列人而言，从最初类似听任摆布的婴儿，成长为后来完全委身的成熟约民，是一个伴随剧痛的转变过程。出埃及和旷野经验都指向西奈山，而且浓缩在西奈山。在圣山脚下，最初神应许给亚伯拉罕的真正圣约得以确立起来。在西奈山，以色列人举行了他们的"制宪大会"，阐明了圣约本质性的道德前提，澄清了共同体的本质。简言之，以色列民自愿成为带领他们出埃及的耶和华的子民。

就以色列人的信仰而言，特选子民意识非常明显。西奈立约实际上把上帝的特选活动推向高潮，这种特选活动一直可以回溯到亚伯拉罕蒙召的故事。在以色列人的族长先祖那里，以色列人相信他们被选为耶和华的特定子民，通过他们，所有的人类蒙福："惟你以色列我的仆人，雅各我所拣选的，我朋友亚伯拉罕的后裔，你是我从地极所领来的，从地角所召来的，且对你说：'你是我的仆人，我拣选你，并不弃绝你。'"(《以赛亚书》41：8—9)从埃及的奴役下被解救出来的这群特选子民把他们的圣化看作是在与耶和华的约中确立的。由此，信仰使出埃及的奇事成为耶和华向亚伯拉罕、以撒和雅各所做应许的成全："只因耶和华爱你们，又因要守他向你们的列祖所起的誓，就用大能的手领你们出来，从为奴之家救赎你们脱离埃及王法老的手。"(《申命记》7：8)

特选感居于以色列民族自我理解的中心。以色列民族之所以存在，仅仅是因为耶和华从万民中选择了他们，而且把他们从埃及的为奴之家拯救出来。就以色列民族自身而言，本来并无特别之处，但凭特选恩典成为耶和华的子民。这种关系在后来的文献中以耶和华的妻子(《何西阿书》2：19—20；《耶利米书》2：1—7；《以西结书》16和23)、他的头生子(《出埃及记》4：22)和他的遗产(《出埃及记》34：9；《撒母耳记上》10：1；《诗篇》28：9)等身份表达出来。她没有什么固有的非凡之处，其非凡之处只是寓于耶和华选择了她这个事实之中。其存在和价值都归于一个具有国权的上帝的救赎活动,正是这个上帝把她打造成自己的选民。但是从基督教的观点看来,以色列民族经常忘记耶和华拣选她是要服务的,而不是享受特权的。她唯一的特权就是服侍耶和华。她从万民中被单独挑选出来,不是去接受祝福,而是要成为一种祝福,未能做到这一点就使其最终遭受神的拒斥成为必然。

就以色列人的信仰而言,立约传统也非常重要。在出埃及后第 3 个月,以色列人到达西奈。在西奈山以色列人盘桓了许久,而且正是在此地发生了希伯来民族所有的经验中最重要的一个单一事件:摩西带领他们作为一个民族与耶和华立约。以色列人与耶和华的约奠基于耶和华的伟大和大能之上,就像《出埃及记》19:4 所陈述的:"我向埃及人所行的事,你们都看见了;且看见我如鹰将你们背在翅膀上,带来归我。"耶和华通过把他的子民从埃及解救出来并且把他们安全带到西奈山而展示出他的大能。现在这个上帝提出要把这些得救的人们当作自己特殊的子民,要让他们做自己的祭司,而且把迦南地给予他们为业。这些应许是上帝与亚伯拉罕立约的延续,因为这些人是亚伯拉罕的后裔。祭司的目的是在上帝与人类之间做"中保"。以这样的一种姿态,耶和华的约民就具有了把他们的伟大上帝告诉全世界的特权。

立约故事并未就此结束。紧接着的 19:5 中有一个非常突出和重要的词"若",这个词传递的是附着在立约应许之上的、要求很高的条件。要想成为这些应许的承纳者,以色列人必须同意顺从上帝:按照要求去做、信守约法,而且愿意在这个世界上充任耶和华的祭司。服从这些条件,约中的应许就会得到保障。在摩西把立约的条件和随之的应许告诉以色列人之后,"百姓都同声回答说:'凡耶和华所说的我们都要遵行。'"(19:7)从而他们自愿认同约法,自愿向耶和华发誓守约。在对以色列人这种认同约法的陈述中,对于《旧约》故事如此重要的耶和华和以色列人之间的关系得到说明。自此以后,以色列人将把出埃及和西奈立约作为巨大事件来回顾,这个事件造就了他们的民族,而且继续构成该民族的生存根本。

四、"十诫"与会幕

第 20—23 章解释约的要求。从重要性上而言,首屈一指的是第 20 章所言明的"十语"或"十诫":不可信别的神、不可为自己雕刻偶像、不可妄称上帝的名、当记念安息日、当孝敬父母、不可杀人、不可奸淫、不可偷盗、不可作假证、不可贪恋别人所有的。这里所说的是人如何与上帝保持恰当的关系(1—4 诫),以及人基于这种关系如何建立强大的、信神的社会(5—10 诫)。

第 20 章中的其余内容,以及随后的 21—23 章则是解释这些和其他的要求,以及如何具体实践:崇拜的基本规则(20:22—26)、有关希伯来奴仆的条例(21:1—11)、惩罚暴行的条例(21:12—27)、物主的责任(21:28—35)、赔偿的条例(22:1—15)、道德和宗教的条例(22:16—31)、正义和公道(23:1—9)、安息年和安息日(23:10—13)、三大节期(23:14—19)、应许和指示(23:20—33)。"显然,十诫(或十语)是古代以色列的一份重要陈述。就是说,不仅是后世的犹太教徒和基督教徒赋予这份文献以巨大的重要性;从它在摩西五经中所置于的位置相当显而易见的是,十诫在古代已经被视作根本的文献。"①

《出埃及记》"十诫"之后上述有关具体实践的经文,被称为"圣约之书"。研究表明,其中的许多法律条文与美索不达米亚的法典,特别是《汉谟拉比法典》有很多平行之处。"这些和其他平行律条在内容和措辞方面的相近表明,《圣经》中的个体律法(特别是圣约法典)与美索不达米亚的那些法典中的个体律法之间的清楚关系。解释这一现象的最佳方法是,假设古代以色列人分享了姑且称为古代近东法律传统的东西。无需设想存在直接的借用。相反,我们可以径直得出结论,古代近东各种各样的民族对于什么构成犯罪、对于特定的犯罪应该如何惩罚有着共同的理解。"②

以色列人"圣约之书"的顶点是第 24 章中所描述的对约的仪式性的批准。仪式中"向耶和华献牛为平安祭",并把血(象征生命)"盛在盆中"。用十二根石柱——每根代表一个支派——为耶和华筑坛,百姓围绕在四周。"盛在盆中"的一半血"洒在坛上",表明耶和华参与立约。另一半血则"洒在百姓身上",表明他们也是立约的一方。这个仪式提醒以色列百姓,他们承认约就是与上帝绑在了一起。就像其他宗教仪式一样,这个仪式有助于把内在于希伯来人信仰中的决定和应许现实化。

此外,在这个仪式中值得注意的是在完成立约的仪式的时候还有一个庆祝的举动,那就是吃团契餐:"摩西、亚伦、拿答、亚比户、并以色列长老中的七十人,都上了山。他们看见以色列人的上帝,他脚下仿佛有平铺的蓝宝石,如同天色明净。他的手不加害在以色列的尊者身上,他们观看上帝、他们又吃又喝。"(24:9—11)对于基督教而言,圣约中这种吃喝是主的晚餐的预表。

尽管没有具体提及上述七十四人的食物是什么,但是学者们认为应该是平安祭,就是牛。倘若把牛作为埃及人信仰中非常重要的一个神祇考虑在内,以牛为祭品,彰显的恐怕还是以色列人的神对于埃及人的异神的胜利,意味着以色列百姓以仪式的

---

① Cyrus H. Gordon and Gary A. Rendsburg, *The Bible and the Ancient Near East*, New York / London: W. W. Norton & Company, 1997, pp. 153 - 154.

② 同上书,第 155 页。

形式放弃了所受的埃及宗教的影响。以此为背景,我们再来看《出埃及记》32章中以色列百姓与耶和华立约之后对金牛犊的崇拜,其寓意就比较明确了,就是以色列人一度重回对他们影响至深的埃及宗教。

第32章中所记述的以色列百姓崇拜金牛犊的故事是希伯来人旷野经验中一个悲剧性的经验。当摩西进山接受神赐的法版久久不归的时候,以色列百姓臆测他惨遭不幸。既然他们与耶和华之间的纽带摩西已死,他们就准备舍弃耶和华而重回以前的众神。他们选择亚伦领导他们,并且敦促他为他们造一个神。于是亚伦便用百姓"妻子、儿女耳上的金环"铸造了一只金牛犊。在这个偶像面前,百姓们筑坛祷告、吃喝玩耍。当摩西归来看到营地的狂乱景象的时候,他摔碎了手中所拿着的法版。随之瘟疫作为他们崇拜偶像的一种惩罚而降临到以色列百姓身上。在他们忏悔之下和摩西代祷之下,以色列百姓得到宽恕,圣约得到重续。此外,《出埃及记》在这个以色列人崇拜金牛犊的插曲之前(25—31章)和之后(33—40章)的经文,大都是围绕圣约得以遵守的一些宗教机制建设方面的具体规定。

在确保圣约得到遵守的宗教机制建设方面,尤其值得关注的是会幕的建设。根据《出埃及记》的有关记述,会幕是以色列人以巨大的牺牲精神为上帝建造的世上的家,是供以色列百姓崇拜耶和华上帝的地方。整个会幕由三部分构成,外院(青铜祭坛、洗濯盆)、圣所(香坛、无酵饼桌、七连灯台)、至圣所(约柜)。这个移动的圣所提供了后来所罗门圣殿建设的基本蓝图。

归根结底,《出埃及记》第25—40章的经文都是围绕耶和华这样一种吩咐:"当为我造圣所、使我可以住在他们中间。制造帐幕和其中一切器具,都要照我所指示你的样式。"(25:8—9)在以色列人的会幕中,祭司们(亚伦及其子孙)在铜祭坛上为以色列人的个人和民族献祭。至圣所是供祭司们行使职责用的,不允许普通希伯来人进入。至圣所则是所有的人禁足之地。只允许大祭司在赎罪日进入。约柜,至圣所里唯一的陈设,是希伯来人最神圣的宗教所有物。《圣经》描述表明,约柜顾名思义是一个制作精美、上面镀金的木柜,内有耶和华所赐给以色列人的法版,上有"施恩座",耶和华"从法柜施恩座上二基路伯中间"吩咐传给以色列人的一切事(25:22)。在施恩座处,以色列民在"赎罪日"得以赎罪(《利未记》16:15—19)。约柜还用来引导以色列人在旷野中前行,也用来引导以色列战士投入战斗(《约书亚记》3:17、6:12;《撒母耳记上》4:1—11)。

约柜象征着耶和华的直接临在,在以色列人的旷野时期和王国时期都发挥了重要作用。不过有学者研究认为,它的影响似乎随着以色列民族放弃游牧生活而出现衰减的趋势。及至公元前586年新巴比伦王尼布甲尼撒二世摧毁所罗门圣殿,约柜便在以色列人的历史上销声匿迹①。许多诠释者主张,约柜在《旧约》时代后期圣殿演出的膜拜剧中占有意义重大的地位,但是这样的主张受到强烈的质疑。

第三节 《利未记》——祭司制度方面的准备

一、"献 祭"主 题

在上述《出埃及记》中,神在西奈山向摩西启示了律法(《出埃及记》20—40),其中包括对于建造会幕的指示(《出埃及记》25—31),这些指示在摩西的指导下得以落实(《出埃及记》35—39)。最后(《出埃及记》40)摩西竖起会幕,使以色列人按照神的命令生活和崇拜成为可能。《利未记》正是在此点上的接续。按犹太教和基督教传统说法,像《圣经》前五卷中的其他经卷一样,《利未记》亦系摩西所作,但是一些近现代学者认为其实是在"祭典"底本的基础上由数种各自单独流传的早期资料汇编而成,大致于公元前 5 世纪中后期成书②。

会幕是神与其子民一起临在的圣所(《出埃及记》25:8),在那里,神通过摩西与以色列人的共同体相遇和交通(《出埃及记》25:22,29:43—46)。《利未记》就是为了会幕所象征的神在其中的临在得以继续,神对这个共同体在生活和崇拜方式方面所做要求的具体化。由此观之,《出埃及记》中以色列人应该遵守的"十诫"和有关"会幕"的各种条例,只是"摩西五经"诸多形式崇拜或"膜拜"规条的最初部分。处于以色列人"膜拜"中心的是献祭崇拜,而《利未记》正是接续《出埃及记》之后以"献祭"为中心的《圣经》经卷;倘若按照现有《圣经》经卷顺序的安排为准,这里涉及的内容实质上是以色列人为履行征服迦南之约所做的祭司制度建设方面的准备。

《利未记》中交织着叙事和立法,其中的三个叙事(8:1—10:20;16:1—34;24:10—23)接续了《出埃及记》中的故事线索。叙事和律法条块相交织的类似模式同样出现在随后的《民数记》中,说明两部经卷出自同一个编修传统。就律法条文而言,《利未记》是《摩西五经》中最丰富的一卷,有"祭祀法典"之称。《利未记》记载古代以

---

① 参见 Henry Jackson Flanders, Jr. , Robert Wilson Crapps, David Anthony Smith, *People of the Covenant: An Introduction to the Old Testament*, New York: John Wiley & Sons, 1973, pp. 161 - 162。
② 参见 Rolf Rendtorff, *The Old Testment: An Introduction*, Fortress Press, 1991, p. 145。

色列人的礼拜和宗教仪式的规例,包括祭司在执行任务时应该遵循的细则,包括对燔祭、素祭、平安祭、赎罪祭、赎愆祭等礼仪的规定,有关洁与不洁的"洁净法典",涉及伦常、公义、祭司和圣物的"圣洁法典",以及有关恪守逾越节、除酵节、初熟节、住棚节、安息日、赎罪日、安息年、禧年等的律例等。本卷的主题是上帝的圣洁,以及为维持以色列人与圣洁的上帝之间的关系,上帝的子民应遵守的礼拜和生活条例。而本卷第19章第18节"爱人如己"则是本卷最著名的经句,耶稣视之为第二条最重要的诫命。

二、制 度 确 立

《利未记》本身包括十二个主要部分,每个部分都有总括性的陈述作为标志,分别是 7：37—38,10：20,11：46—47,12：7—8,14：54—57,15：32—33,16：34,21：24,23：44,24：23,26：46 和 27：34。这种分为十二部分的做法,无疑反映出把 12 作为一个象征数字来使用,既标明完备,又指向以色列人的十二支派。在被最终编修成目前形式之前,这十二部分中的一些部分可能独立存在过。此外,该卷还被编辑成包含三十六(3×12)段神的话语,再次运用了 3 和 12 这两个特殊数字。在以"耶和华……说"起头的三十六段话语中,有三十一个是对摩西说的,四个是对摩西和亚伦两个人说的,一个是对亚伦说的。这些话语主要包含律法和对大众的谕令,另外有一些则是具体而特殊的交通或指点①。

《利未记》的第一部分是有关耶和华所吩咐的奉献和献祭的律法(1：1—7：38),功能有点像"献祭手册"。这部分内容涉及燔祭、素祭、平安祭、赎罪祭、赎愆祭的条例,以及祭司献祭的责任。事实上,这些献祭条例不仅指导在旷野飘荡的会幕时期的祭司,而且指导大卫王建都耶路撒冷时期的祭司,乃至大卫的儿子所罗门王建立圣殿时期的祭司。这部分的总述是:

> 这就是燔祭、素祭、赎罪祭、赎愆祭和平安祭的条例,并承接圣职的礼,都是耶和华在西奈山所吩咐摩西的,就是他在西奈旷野吩咐以色列人献供物给耶和华之日所说的。(7：37—38)

《利未记》的第二部分是任命亚伦和他的后代为祭司(8：1—10：20)。在《出埃及记》25—31 中,神启示摩西有关建造会幕圣所及其相关物件、有关为亚伦及其后代准

---

① 参见 James L. Mays (ed.), *Harper's Bible Commentary*, Harper & Row, 1988, p.157.

备圣服、有关任命亚伦及其后代和有关圣所成圣等方面的指示。前两个方面的指示在《出埃及记》35—40中得到落实,最后两个方面的执行则是《利未记》第8章的话题,即设立以色列人的崇拜,亚伦和他的众子分别为圣(8:1—36)。在第八天的特殊集会上亚伦作大祭司主持祭司仪式,亚伦及其后代开始服侍耶和华的工作,则是9:1—24和10:12—20的主题。有关亚伦的儿子拿答和亚比户两人因违例献上凡火而"惹火烧身"而亡的叙事(10:1—7)为有关祭司管理的其他规定提供了背景,摩西借此强调祭司入会幕的例(10:8—11)和祭司食祭物的例(10:12—20)。

《利未记》第三部分关乎食物条例和污秽(11:1—47)。在《希伯来圣经》中,像脂油和血这类东西是永远禁止食用的,发酵饼则是在逾越节期间禁止食用的;某些动物和禽类允许作为食物,某些则被禁止作为食物。《利未记》第11章分别了洁净与不洁净的生物,确定了可食用与不可食用的标准。研究表明,这些规定的背后支撑是古代以色列人的世界观,即圣界、常界和秽界之分。人们因其言行可以跨界或退回。常人尽管不能完全进入圣界,但是可以借助圣所、仪式和祭司接触到圣界。就像接触秽界败坏正常生活一样,接触圣界提升人的正常生活。圣与秽这两界不可接触,否则就会像亚伦的儿子拿答和亚比户两人的命运那样[①]。

《利未记》第四部分的内容关乎产妇洁净的条例(12:1—8)。上一部分开始的有关污秽的主题在这个新的部分得以继续,这部分有明显的开头和结尾。生产对于产妇而言是一个过渡阶段,标志是退出正常生活和分为三个阶段的重回过程。产妇的不洁与生产之时和之后的流血有关,恢复洁净不仅需要献祭,而且要等待度过生男生女有所不同的不洁期。因为割礼问题在《创世记》第17章中已经解决,所以这里的经文只是顺便提及。第8天的割礼标志着新生男婴从单纯的人过渡到选民中的一员。

《利未记》第五部分关乎麻风病的污秽和洁净问题(13:1—14:57),涉及大麻风的诊治、管理(13:1—59),以及麻风病人的洁净规例(14:1—57)。一个被判定不洁的人被排除在宗教仪式和正常的社会关系之外,即被隔离起来。罹患大麻风的人之所以受到如此对待,是因为当时原因不明的大麻风被当做是来自上帝的惩罚,这样的人在社会中是对共同体的一种威胁。因为大麻风不仅传染人,而且污染房屋和物件,所以必须规定一定的仪式予以洁净。

《利未记》第六部分关乎体液分泌之后的洁净规例,强调圣洁的意思是清洁(15:1—33)。这部分内容涉及男性的病态性器分泌(2—15)和正常的射精(16—18),以及女性月经(19—24)和病态液漏(25—30)所产生的污秽及其洁净规定。这部分的第31

---

① 参见 James L. Mays (ed.), *Harper's Bible Commentary*, Harper & Row, 1988, pp. 167 – 168.

节经文对有关污秽的律法背后的思想体系做了某种概括："你们要这样使以色列人与他们的污秽隔绝,免得他们玷污我的帐幕,就因自己的污秽死亡。"就是说,之所以启示那些规条和谕令是让以色列人谨防自身的不洁玷污神居于其中的圣所,从而避免导致神的致命愤怒。

《利未记》第七部分关乎赎罪日的仪式和含义(16:1—34)。有关赎罪日的规定是在一个叙事语境中出现的,所以16:1拾起10:20所放下的话题。这个叙事语境对这种仪式的呈现是作为对于拿答和亚比户事件的回应,这两人的罪身玷污了圣所。不过,结尾段落(29—34)明确表明,所描述的规定成为并且局限于一年一度的定例。赎罪日仪式具有双重目标,首先是清除祭司的和大众的失误对整个圣所所产生的污秽污染(33),其次是洁净民众的罪愆(30)。

《利未记》第八部分关乎生活的圣洁(17:1—21:24)。这个板块的内容由17:1的发话形式所引入,通过21:24的总结陈述而收尾。其中心话题是在生活中效仿神的人们的生活圣洁问题。这部分材料安排的结构是耶和华向摩西的六个讲话(17:1,18:1,19:1,20:1,21:1,21:16)。就像神用六天创世确立造物的秩序一样,这六个讲话通过有关献祭的地点和血的神圣(17:1—16)、禁止像外邦人那样乱伦的人伦法(18:1—21)、禁止同性恋和与兽淫合(18:22—30)、律法撮要(19:1—4)、论对人慈祥(19:5—14)、公义(19:15—18)、实践手册(19:19—37)、家庭至上(20:1—9)、奸淫为致死之路(20:10—27)、祭司与圣物的圣洁(21—22)等方面的内容,勾勒出人们生活圣洁的秩序。据研究,这个板块可能一度作为单独的册子或圣洁法典而存在。

《利未记》第九部分关乎圣洁事物和圣洁时间(22:1—23:44)。紧跟21:24的总括陈述开始的这部分内容包含耶和华对摩西的两个讲话,在第22章中的第一个讲话是要对祭司们说的,在第23章中的第二个讲话是要对大众说的。第一个讲话是有关祭司如何监护和照管"圣物"——民众的奉献和祭品——所做的指导。开头是警告祭司在这些事物上必须谨小慎微,其余则是关于如何做到这点。第二个讲话反映出以色列人的思想当中不仅有事物、人物和地方的圣洁观念,而且还有时间圣洁观念,诸如安息日、逾越节、无酵节、五旬节、吹角节、赎罪节、住棚节,都是献给耶和华的圣洁时间(23:1—44)。

《利未记》第十部分关乎"上帝是光"的会幕法(24:1—9)和渎神的处罚(24:10—23)。这部分在一定程度上是对《出埃及记》中相关内容的重述和扩充,例如,其中的2—4节"有关燃灯的条例"是对《出埃及记》27:20—21神就建造会幕及其摆设对摩西所做指示的重述,5—9节有关"陈设饼"的规定是对《出埃及记》25:23—30的扩写。此外,这部分包含《利未记》中与渎神罪的判处相关的第三个叙事。至于如此安排内容的理由,人们并不清楚。

《利未记》第十一部分关乎土地向耶和华守安息年与禧年的规定,以及对于顺服的祝福和对于不顺服的诅咒(25：1—26：46)。与《希伯来圣经》其他涉及安息年的地方主要关乎安息年规定与社会秩序的关系不同的是,该处安息年的主要关切是土地本身,以使土地得到休息,而守安息的土地的自然出产则要用以扶贫济困。至于禧年的功能则是一种保证把土地重新分配到因各种原因失去土地的原主手上的规定,以避免土地过于集中,以保持人们与土地的关系。这些理想机制的神学理据是土地属于神,人只是佃户,地主的租赁条款是"地不可永卖"。据此,失去土地的人在禧年期之前拥有随时赎回土地的权利。至于城市的财产交易则另有规定。无论如何,人们应当以敬畏之心遵守律法,像子女那样顺服的得祝福,不顺服的受诅咒。

《利未记》第十二部分关乎赎回献给神的圣物和什一税的条例(27：1—34)。鉴于献给神的圣物作为神的和圣所的财产已经成为"圣洁的",所以人们要做出特殊安排和付出一定代价才能使那些可以"返俗"的物或人从圣界转回正常界或洁净界。事物有因许愿而成圣的,有因归给而成圣的,有因头生而成圣的,有因永献而成圣的,有因什一份额而成圣的。其中的一些可以合法赎回,另一些则不然。无论如何,圣物"还俗"费的收入显然是圣所及其祭司阶层的一个重要收入来源。研究发现,最后这部分内容与整体内容关系不够紧密,看似一个附录。之所以把这部分内容整合到《利未记》之中,是为了给该卷凑足十二个部分,给神的讲话凑足三十六个之数。这种显然的编修活动表明,摩西五经的各个经卷在其最后阶段都是个别编辑的[1]。

第四节　《民数记》——军事上的准备

在以色列人离开西奈山以前,摩西办理了第一次人口普查;约四十年后,在约旦河东岸的摩西办理了另一次人口普查。在这两次普查之间的时段,以色列人向迦南南部的加低斯·巴尼亚推进,但无法从那里进入迦南。在那地区逗留了许多年之后,他们到达约旦河东岸;有一部分人定居在那里,其余的人准备渡河进入迦南。以点算上帝子"民"之"数"而得名的《民数记》,记载的就是以色列人离开西奈山、来到上帝应许之地的东部边界的一段历史,前后约四十年。这也是以色列人为履行征服迦南这

---

[1]　参见 James L. Mays (ed.), *Harper's Bible Commentary*, Harper & Row, 1988, p. 180。

个圣约所做军事准备的历史。

就神学视角而言，本卷描写以色列人在遭遇到困难的时候常常灰心、恐惧，并且背叛上帝，埋怨上帝派来领导他们的领袖摩西。这是一部述说上帝信实的经卷。虽然以色列人常常畏缩不前，违抗命令，但上帝始终眷佑他们。本卷也提到摩西的品格：他难免有时失掉耐性，却能坚持不移，始终热爱上帝，热爱人民。

一、从西奈到外约旦

"以色列人在西奈山所度过 10 个月的时间，形成了一种民族认同。"①在进行完第一次人口普查(1—4)，规定下各种法律条例(5—8)之后，以色列人一过完第二个逾越节(9)便离开西奈山，北上迦南。

随后叙事呈现出一幅以色列民众怨声载道的场景。民众对耶和华提供给他们作为食物的吗哪和鹌鹑已经厌倦，而摩西家族的成员米利暗和亚伦则责备摩西娶了一个古实女子为妻。作为女先知的米利暗可能感到摩西的此种行为威胁到他身为上帝和以色列人之间的唯一中保的地位(《出埃及记》15：20)，当然这些指责也可以理解成米利暗对摩西地位的觊觎。之后米利暗染上大麻风，叙事对此的诠释是上帝对摩西的维护。多亏宽宏大量的摩西替米利暗求情，她才康复。这些事件预示了具有踌躇不定特点的以色列民族即将有一段罪恶的日子。

从加低斯返回的十二探子的故事(13—14)最为鲜明地呈现出以色列民众的软弱和缺乏信心。当民众到达加低斯的时候，派出十二个探子进入迦南地，打探那地的出产情况、城池的坚固程度、居民的本性，以及其他对于打算定居那地的人们而言重要的信息。他们回来汇报说，那地果然丰饶，但是住民强悍、城邑坚固宽大(13：27—28)。他们提到的民族当中有住在犹大地南部(南地)的游牧民族亚玛利人，公元前第二个千年纪一度统治小亚细亚但那时仍然在迦南很有影响力的赫人，耶路撒冷周围的耶布斯人部落，主要住在南部和西南部山地的亚摩利人等。探子中只有约书亚和迦勒主张立刻进军迦南，其余的则不同意，强调那地的城邑筑垒坚固、那地的住民"身量高大"、"是伟人的后裔"。鉴于十二个探子各代表一个支派，这实际上是只有少数以色列人对耶和华抱有信心的委婉说法。

研究发现，这些探子就迦南地的出产情况进行的汇报可能有过变动，因为有一处

---

① Alfred J. Hoerth, *Archaeology and the Old Testament*, Grand Rapids, Michigan: Baker Books, 1998, p. 202.

说到他们不相信迦南能够维持大量人口。《民数记》13：23—27关于迦南的报告是赞许性的——"果然是流奶和蜜之地"，而《民数记》13：32的有关报告则是否定性的——"我们所窥探经过之地，是吞吃居民之地"。面对十二个探子中十个探子的悲观报告，以色列民众不停地抱怨摩西和亚伦带领他们出埃及，甚至悲观到濒临回埃及去的边缘："众人彼此说：'我们不如立一个首领，回埃及去吧！'"当十二个探子中的两个探子约书亚和迦勒提议说，可以凭靠耶和华的大能征服迦南的时候，他们险些被众人用石头打死（14：1—10）。

民众所展示的不信和藐视惹怒了耶和华。耶和华打算清洗那些不信他的民众，以便一切再从摩西和亚伦的后裔开始。叙事用一些明显令人想起耶和华向以色列人的列祖所做应许的话语，把摩西刻画为一个大国之父："这百姓藐视我要到几时呢？我在他们中间行了这一切神迹，他们还不信我要到几时呢？我要用瘟疫击杀他们，使他们不得承受那地，叫你的后裔成为大国，比他们强盛。"（14：11—12）就摩西作为以色列民的代表和领袖而言，这个故事的有关描述比其他任何地方都要明确。经过摩西代百姓向耶和华祷告，耶和华赦免了百姓们的即死之罪，但是宣判他们这一代人在旷野自生自灭，不能进入迦南，只有约书亚和迦勒例外。这表明，在《圣经》神学看来，即便有先知的代祷，叛逆也有严重的后果。

那些就以色列人征服迦南作出悲观报告的探子们在瘟疫中死去之后，以色列民众的决定从原先的畏缩不前逆转为轻敌冒进。尽管他们口头上向耶和华认罪并接受他的审判，但是行动上却希望通过北伐迦南而规避他们不得进入迦南的惩罚。他们不顾摩西的规劝，在没有得到上帝批准的情况下（"耶和华的约柜和摩西没有出营"）进攻何珥玛的迦南人，结果联合起来的迦南人把以色列的大多数支派逐回到南地南部。有学者根据《民数记》21：1—3和《士师记》1：16—17的经文推测，可能仍有部分犹大支派和西缅支派的民众作为游牧民族留在何珥玛周围①。这个故事解释了为什么后来此处的一些部落群体对定居在迦南其他地方的以色列人深有同情之心的原因。

从何珥玛败退的以色列民众重新回到加低斯周围②，在那里逗留了一代人的时间。这段等待时期并非平安无事，而是"多事之秋"。亚伦的权威受到"可拉党"的挑战，摩西的权柄受到大坍和亚比兰一伙人的争夺。他们攻击摩西和亚伦"擅自专权"、"自高超过耶和华的会众"，结果把他们从他们眼中真正"流奶与蜜之地"的埃及领到

---

① Henry Jackson Flanders, Jr., Robert Wilson Crapps, David Anthony Smith, *People of the Covenant: An Introduction to the Old Testament*, New York: John Wiley & Sons, 1973, p. 177.

② Alfred J. Hoerth, *Archaeology and the Old Testament*, Grand Rapids, Michigan: Baker Books, 1998, p. 202.

旷野这块死地。面对可拉、大坍和亚比兰之流的大背叛，"万人之灵的上帝"耶和华"指示谁是属他的"："使地开口，把他们和一切属于他们的都吞下去，叫他们活活地坠落阴间"；"又有火从耶和华那里出来，烧灭了那献香的二百五十个人"（16：1—35）。

《民数记》把以色列人迟滞在旷野的经历说成是以色列人因为不信耶和华所遭受的惩罚。事实上，旷野迟滞远非这么简单。一代人的时间也是以色列民众整训的时间。新的一代人成长起来，他们没有在埃及生活过，没有回到埃及去的倾向，在征服迦南的热切前景面前表现得义无反顾。与旷野时期的那些抱怨毫无干系的新领袖也将代替摩西。从神学上说，耶和华是在利用这个时间协调和训练以色列人完成摆在面前的使命。

当耶和华允许以色列人继续前往"应许之地"的时候，通行仍然并不顺利。鉴于以色列人众支派先前没有能够从南部进入迦南，所以领袖们决定在再次尝试进入迦南本身之前，先行转进到外约旦。"摩西从加低斯差遣使者去见以东王"，请求以东王允许以色列人沿着连接叙利亚和亚拉巴丰富矿区的"大道"（"王道"）过境，保证秋毫无犯。不过，这个请求遭到拒绝，反映了（雅各的后代）以色列民与他们的宗亲（以扫的后代）以东人之间长期的敌视关系。在穿越以东地的捷径无法走通之后，以色列人沿着以东的北部边界向东运动，从那里向北进入外约旦（20：14—21）。

在这次行进过程中，发生了一些没有办法从地理上和日期上精确定位的事件。它们只是属于以色列民族旷野漂泊的记忆。米利暗死在加低斯，并且葬在那里（20：1）。摩西通过制造铜蛇避免了一场蛇咬造成的瘟疫（21：4—9）。为了缓解百姓没有水喝引发的"争闹"事端，摩西没有按照指令的那样"吩咐磐石发出水来"，而是用杖击打磐石出水，从而犯下罪过。他和亚伦都被耶和华剥夺了进入"应许之地"迦南的资格（20：2—13）。亚伦死在何珥山（死海南边的一个地方），并且安葬在那里。他的儿子以利亚撒穿上亚伦身上脱下来的圣衣，成为他的继任人（20：22—29）。对所有这些事件的记述都是要强调，尽管以色列民众及其领袖对于耶和华为他们所行的一切仍然不信和藐视，但是神圣的耶和华仍然一如既往地信实。

随之，展开的是以色列人对于外约旦的征服。以色列人先是沿着以东地的西缘行进，然后向东转向，沿着其北部边境运动。在抵达亚嫩河之前，以色列人同样沿着摩押地的东部边境绕着摩押地取道而行。但是到达亚嫩河的时候，亚摩利人的王西宏挡住了以色列人的去路。"西宏不容以色列人从他的境界经过"，双方在雅杂这个地方发生战斗，"以色列人用刀杀了他，得了他的地，从亚嫩河到雅博河，直到亚扪人的境界"（21：21—24）。

雅博河北边的地业属于巴珊王国，以色列人到的时候是一个叫噩的国王当政。

以色列人与噩及其民众在王国的首都以得来(Edrei)交战,杀死国王噩及其众子和民众,"就得了他的地"(21:33—35)。至此,除了以东地和摩押地之外,外约旦落入以色列人之手。以色列人锋芒强劲,继续进军,"应许之地"已在眼前。

二、巴兰的故事(22—24)

在继续讲述以色列人征服迦南的故事之前,《民数记》插入了一个摩押王召巴兰的阴谋故事,用以加强耶和华保护以色列人,以及以色列人在耶和华的国权之下享受安全的主题。这则用诗体和散文体叙述的故事所强调的是:企图干预耶和华的旨意是愚蠢的;即便是一位外族的诚实先知也不会与耶和华子民的敌人结盟。

古代战争中,行法术是一种可以接受的战术。面对以色列人的大军,暂时偏安的摩押王巴勒甚为忧惧,便派遣使者从幼发拉底河上游的一座叫作毗夺(Pethor)的城市远道请来著名的占卜者巴兰,想让他诅咒入侵的以色列人,以便自己在战斗中取胜。巴兰是一个典型的占卜者,具有古代人所相信的那些先知身上具有的能力。在《民数记》作者的笔下,巴兰被刻画成一位真正的先知,尽管受到高位和财富的诱惑,但是四次发出的都是耶和华上帝让他发出的神谕,没有对以色列人进行任何诅咒。巴兰不是一个以色列人,但是在《民数记》的这部分经文中他被塑造成一个无论是在毗夺还是在摩押都向耶和华负责的人。

根据考古发现,外约旦的代尔阿拉废丘(Tell Deir Alla,学者们认为可能是《圣经》中的疏割)出土了数以百计的泥版文本残片。把其中的一些泥版残片拼合之后,人们发现上面的文本集中说的是"比珥的儿子巴兰"的一个生活片段。这个出土的文本描述了巴兰见到神的异象①。尽管围绕这个文本的断代仍然存在争论,学者们所提出的可能时间跨度从公元前9世纪到前8世纪不等,但是巴兰及其驴子的故事在以色列人中想必家喻户晓,他们对巴兰的辨识力还不如他所骑的驴子想必津津乐道。驴子是被闪族人看重的一种动物,或许在早期受到过崇拜。一些人甚至相信驴子属于具有"千里眼"能力的动物。

在巴兰的故事中,人们发现一种在术语、神学和文学类型方面与那个时代和听众相契合的、富有意义的主题。耶和华令一切服从他的旨意的实现。一心反对耶和华的人愚不可及。只有遵照耶和华的旨意才能享受安全。等待那些反对耶和华及其子

---

① Alfred J. Hoerth, *Archaeology and the Old Testament*, Grand Rapids, Michigan: Baker Books, 1998, p. 204.

民的人的结局只有失败。

三、摩 西 之 死

几经周折和征战,以色列人最终到达一个举目可及约旦河东岸的地方。在那里作为军事接管"应许之地"的一个准备步骤,进行了另一次军事人口普查(26章)。十二个探子中两个主张夺取迦南的探子之一约书亚被选为摩西的继承人(27：12—23),以色列人的这位新领袖是经过战火考验的卓越领导人。在征服外约旦的最后一役,即对米甸人所取得的巨大成功的一役中,约书亚可能就已经是摩西的得力助手(31章)。之后,以色列人支派中的一些支派(流便支派、迦得支派和玛拿西的半个支派)要求在约旦河东承受地业(32章)。摩西允准了这个要求,条件是他们要在其他支派夺取约旦河西的土地的战斗中帮助其他支派。如此一来,外约旦在握、新领导就位的以色列人枕戈待旦,随时择机进入"应许之地"。

尽管摩西因故被耶和华判定不能伴随希伯来人进入迦南这个"应许之地",但是当征服外约旦的行动几近完成的时候,摩西的确有机会站在"摩押地"向以色列人发表临终遗嘱(之后很快便在尼波山上辞世)。按照现行《圣经》经卷之间的结构,不妨认为摩西的这些"遗嘱"被编纂成《申命记》,为以色列人进入迦南做好了神学准备。

第五节　《申命记》——神学上的准备

一、上承"摩西五经"、下启"申命历史"

《申命记》是《旧约》中"承上启下"的一部重要经卷。作为"摩西五经"中的最后一卷,它上承《出埃及记》、《利未记》、《民数记》中的律法;作为"申命历史"中的最前一卷,它下启《约书亚记》、《士师记》、《撒母耳记上》、《撒母耳记下》、《列王纪上》、《列王纪下》中的历史。本卷卷名是从希腊文"第二部法律"而来,不是重复第一部法律,而是重新解释,并且重"申"西奈山的诫"命",记载摩西在摩押向以色列人所做的一连串的指示。那时候,以色列人已经到达漫长旅程的终点,正准备进占迦南。

《申命记》的主要人物是摩西。该卷采取的布局和形式是摩西向陈兵约旦河东的以色列会众所说的三番话。背景是摩西垂垂老矣,行将把众部落领导权交付给约书亚。他在前往尼波山一去不复返之前,向以色列民众发出"精神遗嘱和见证"。绝大多数学者现今把摩西"向以色列众人所说的话"当作后来的作者用摩西的精神(即便不是摩西的语言)所呈现的圣约信仰的一种摩西式诠释。其中反复提到在士剑(以巴路山和基利心山)举行的仪式(《申命记》27;书8、24),这可能提供了《申命记》起源地点方面的线索。

学者们根据内证推测,当入侵的希伯来人来到士剑地区的时候,一定发现了居住在此地的宗亲(从未离开迦南的亲眷或先前逃离埃及的亲戚)。鉴于《圣经》中没有任何地方提及对这个特定地域的征服,然而这个地域自从以色列人的部落联盟早期就是希伯来人的地业了,而且确实是以色列人宗教活动的一个重要中心,所以学者们合理地认为,这些宗亲在接受摩西"向众人所说的话"之后,以仪式的形式加入到圣约信仰之中。在维系了以色列人的统一达150年之久的中心圣所中,每年新年都进行续约仪式,其中的高潮则是宣读和接受耶和华的律法。《申命记》布道基于其上的法典就是由在征服迦南之后的岁月中在士剑和示罗的圣所中每年宣读的律法发展和汇集而来①。如此一来,《申命记》的律法尽管呈现的是以色列人共同体内的一种后来的发展,但是从源头上依赖于"立约法典"②。因而《申命记》或许可以视作对西奈经验的一种扩展。

就其在正典中的地位而言,《申命记》是一个完整的、成熟的、比例协调、神学清晰的著作。正如当代德国著名《旧约》学家劳夫·仁韬夫所指出的,"《申命记》是一部神学著作。《旧约》中恐怕再无其他经卷能够明确做如此说。它勾勒出以色列人信仰一神、信仰这个神与其选民具有独有关系的总体观点;观点空前绝后,勾勒前后一致。"③它的受众包括那些与旷野和征服经验无关的人们。作为摩西对于遥望约旦河对岸应许之地的那些民众的讲道,这部经卷毫不含糊地宣称,贯穿以色列人整个历史的是以色列人一直是耶和华特选和拯救的对象。在这个意义上,该卷是《出埃及记》的深刻神学揭示,也是为征服迦南在神学上的一种未雨绸缪之举。

尽管《申命记》达到了以色列人历史上空前的道德高度,但是它也倡导残酷无情

① 参见 Henry Jackson Flanders, Jr., Robert Wilson Crapps, David Anthony Smith, *People of the Covenant: An Introduction to the Old Testament*, New York: John Wiley & Sons, 1973, p. 182.

② "立约法典",即《出埃及记》20:23—23:19。学者们指出,《申命记》应当连同《旧约》中的其他法典一道研读,比如,"圣洁法典"(《利未记》17—26)和"祭司法典"(《利未记》1—7;11—15)。

③ Rolf Rendtorff, *The Old Testment: An Introduction*, Fortress Press, 1991, p. 155.

地对待以色列人的那些敌人和崇拜异神者。圣战要求把所有的敌人及其财产作为献给耶和华的祭品。进而言之,《申命记》把痛苦和灾难问题还原为一个简单的等式——痛苦和惩罚属于不服从者,而快乐和繁荣属于服从者。尽管有这些倾向,但该卷把以色列人与把自己从奴隶状态下解救出来与神立约的传统衔接起来,强调耶和华这个神即便是在以色列人不配的时候,仍然热爱以色列人,总是信守自己对于以色列人的承诺。以色列民应该以一种充满爱的顺从来回应,承认自身的安全唯有基于这个神。以色列人是耶和华的民,必须通过他们的行动展示神的本质。这要求诚实和正义。作为神的子民,他们拥有因忠信耶和华而得到确保的一种命运。舍此,以色列人没有未来,只有死亡。

有鉴于此,《申命记》法典在以色列人后来高度需要宣示这种法典的时代发挥了重要作用,就没有什么奇怪的了。在犹大约西亚王(Josiah,公元前640—前609年)的政治和宗教改革期间,在圣殿中发现的那部经卷据认为就是《申命记》①。这部反映北方以色列宗亲信仰传统的经卷在北方王国一直维持到撒玛丽亚的陷落,然后传播到南国幸存的圣约信仰堡垒,并且在耶路撒冷圣殿中积淀下来②。这部经卷被发现之后当众宣读,成为以色列民宗教复兴的基础。

《申命记》是《新约》作者们喜欢引证的一卷经卷。耶稣在福音书中援引本卷的三处经文回应他在旷野遇到的诱惑;就耶稣有关第一条伟大的诫命③所提供的回答中的最初部分而言,他援引了《申命记》版本的"十诫"中的第一条诫命;耶稣基督发表"登山宝训"的时候,心中所铭记的当为《申命记》18:13。据统计,《新约》中《申命记》的引文超过八十处。这部经卷对于《新约》作者们如此具有吸引力的原因是显而易见的。在这部经卷中,人们发现以色列人的宗教的一种崇高概括。像《旧约》中为数不多的其他部分一样,《申命记》抓住了耶和华对其子民的关切点,而且号召他们以爱来回应。

二、摩西的三个遗言

《申命记》本身的结构清晰,始于双重导语(1:1—4:40;4:44—11:32),继以律

---

① Rolf Rendtorff, *The Old Testment: An Introduction*, Fortress Press, 1991, p. 155.
② Henry Jackson Flanders, Jr., Bruce C. Cresson, *Introduction to the Bible*, New York: John Wiley & Sons, 1973, p. 95.
③ 《马太福音》22:37。

法主体(12—26 章),收于一个由多种要素构成的结尾(27—34 章),其中的 28—30 章以摩西的话语形式出现,从而形成 1：1 开始的那番话语的尾声。

在摩西的三番讲话中,第一个讲话追述四十年来以色列人经历的重大事件,提醒人民要记得上帝怎样带领他们经过旷野,并且呼吁他们必须顺服上帝,对他忠心。摩西的第二个讲话是最长的,形成《申命记》的核心,所呈现的是耶和华的律法。这个讲话的第一部分(5—11 章)重申十诫,强调第一诫命——劝人们只敬拜上帝。它是支撑所有具体律例的基本原则。不服从上帝的律法招致的是灾难,而旷野漂泊就是明证。这个讲话的第二部分(12—28 章)申述将来以色列人进入上帝应许之地后应该遵守的律例。这个法典关系到以色列人生活的所有方面,诸如民事的、道德的和仪式的方面等。与悖逆中的诅咒相对照,这个部分的结尾呼吁以色列人服从上帝,获得应许的功德。其中的第 27 章看似一个插叙,讲的是在士剑准备立约仪式,或许是征服结束的时候要遵守的仪式。第三个讲话告诫以色列人守约,在立约的共同体面前摆出生死抉择。第 28 章的祝福和诅咒是这些抉择的仪式性的表达。抉择属于整个民族,而忏悔则是背教永远可以求助的。

随之则是一些额外的鼓励和劝勉的话,以及摩西对各个部落的临终祝福。该卷以叙述摩西之死,以及对这位伟大的先知盖棺论定而结束。

第三讲　迦南逐鹿　文明冲突

——希伯来人征服迦南与建立王国

　　作为"申命历史"的一个组成部分,《约书亚记》和《士师记》叙述了希伯来人如何从半游牧状态向迦南的定居生活方式的转变。这两部经卷所涵盖的这个过渡时期从摩西之死延展到参孙之死。这些经卷的材料是以在《申命记》中所呈现的"申命神学"观点来处理的。对圣约与土地之间关系的强调是这些书面记述的有机组成部分。

　　在研究以色列人征服迦南事件方面会碰到一些重要问题,诸如事件发生的日期、那时的迦南统治者、肥沃新月地区的政治局势、后世考古佐证、灭绝土著人口的神命、希伯来人所面临的宗教难题等。对这些难题的回答尽管无法做到人人满意,但是对他们的考察毕竟有助于把握相关的《圣经》经卷的内容和主旨。

　　《旧约》时代的早期年表令人苦恼不已和争论不休。就目前的知识程度而言,无法给出确定的断言和绝对的解答。基于同样的资料,人们往往得出不同的结论。还没有哪一个断代系统能够满意地解释每一个现存的证据。尽管问题没有一劳永逸地得到解决,但是人们提出公元前1290年作为以色列人出埃及最有可能的年代。而对迦南的征服发生在这个事件的大约四十年到五十年之后,即大约公元前1250年。考古学作为一门看似相当科学的学科本来可以考察挖掘的废墟,回答相关的年代问题,但是在有关《旧约》方面则做不到这一点,因为《旧约》记录中所提及的地点在认定方面通常存在不确定性。

　　总体来看,来自巴勒斯坦的现有考古证据指向这样一点,就是大约公元前13世纪中叶,在许多地点发生过灾难性的毁灭。考古学鲜有能够决定一场毁灭是由谁进行和如何进行的时候,通常只能用最宽泛的术语加以表述。而且考古学更不可能评述那些灾难的宗教意义。就《圣经》所关涉的主要是事件的宗教意义这个角度而言,考古学永远不能"印证"《圣经》。它只能够例证和再现历史的、地理的和文化的背景,以便帮助人们更好地理解而已①。

那时古代近东的强权是埃及和赫人帝国,争夺主宰该地霸权的斗争在公元前1286年达到顶点。这一年,埃及的拉美西斯二世(Ramses Ⅱ)和赫人的穆瓦塔利斯(Muwatallis)在叙利亚奥龙特斯(Orontes)的卡叠什(Kadesh)进行决战。双方都付出了惨痛的代价。之后一段时间,双方都不得不致力于稳定国内统一。建立帝国已经力不从心。公元前13世纪是肥沃新月地区的历史上罕有的时期之一,其时迦南地既没有处于哪个世界霸权的控制之下,也不是两个或者更多的强权逐鹿之地。

因此在公元前1286年之后的一些年里,肥沃新月的中部地区享受到没有大国侵扰、可以休养生息的短暂时期。期间反抗外部入侵者的只有当地住民。"允许以色列人在迦南地确立其自己地位的一个要素是当地缺乏对抗新来者的统一战线。迦南由一系列的城邦统治;实际上达到几十个,星罗棋布地点缀在迦南大地上。《阿玛纳信札》验证了这些城邦国家之间传统上的敌对关系,所以无法期待通过军事合作阻止以色列人的推进。况且在经过埃及人对这个地区数世纪的统治之后,那些城邦显然受到削弱,无力应付一支新的力量。……总之,条件适合以色列人在这个地区取得立足点并且扩展他们的力量基础。"②在这样的局势下,横亘在上帝特选的和立约的子民以色列人道路面前的,既没有与迦南地的住民结盟的外部强权,也没有住民的强大联盟,迦南地可以说唾手可得。希伯来人没有错失机会,抓住大好的"战略机遇期",率先争夺迦南地(约在公元前1250年到达),随后则是非利士人(大约在公元前1200年到达)。

希伯来人尽管实际上面临着漫长的争战,但却是一场可以取胜的争战。《约书亚记》所记述的就是以色列人在摩西的继承人约书亚的带领下,进占迦南的经过③。经过旷野漂泊的漫长岁月,以色列人至此终于进入应许之地。重要的事件包括:渡过约旦河、攻陷耶利哥、艾城之役,以及上帝与他的子民重新立约等。

---

① 参见狄拉德、朗文:《21世纪旧约导论》,刘良淑译,台北校园书房出版社2001年版,第130—132页。
② Cyrus H. Gordon and Gary A. Rendsburg, *The Bible and the Ancient Near East*, New York / London: W. W. Norton & Company, 1997, p.169.
③ 约书亚属于以色列人中的以法莲支派,原名何西阿(意为"拯救"),摩西给他取名约书亚(意为"耶和华拯救",民13:8,16)。"约书亚"这个名字译为希腊文就是"耶稣"。约书亚领导以色列人进入应许之地迦南、耶稣领导信他的人进入应许的荣耀之地,都是神对其子民的拯救。当然,在基督教看来只有基督能带领人们进入神的真平安里(来4:8—10),进入新天新地和新的圣城(启21:1—2)。

第一节 《约书亚记》——征服迦南

《约书亚记》首先关乎征服迦南的经过(1：1—12：24),其次关乎所征服土地的分配(13：1—21：45),第三关乎约旦河东支派返回他们的地界(22：1—34),第四是约书亚临终遗言(23：1—16),第五关乎在示剑重新立约(24：1—33)。

《约书亚记》对于以色列人征服迦南的叙述是从希伯来民族主义和"申命神学"这样的双重诠释角度进行的。民族主义表现在对以色列人的关切和对其他民族的漠视。"申命神学"几乎无处不在,但是在那些说教——耶和华对约书亚的谕示和约书亚对以色列人的几个演说——之中最为突出。

一、征服迦南的两个版本

《圣经》提供了以色列人征服迦南这块"应许之地"的两个版本。一个是《约书亚记》1—12章的叙述,另一个则是《士师记》第1章经文的有关叙述。《约书亚记》版本传统的中心是约书亚的领导;高潮是或征服或降伏,"约书亚夺了那全地,就是山地、一带南地、歌珊全地、高原、亚拉巴、以色列的山地和山下的高原"(《约书亚记》11：16)。《士师记》版本传统强调的则是从南部侵入、各个支派的征伐和占据山区,还提及一些以色列人没有征服的区域(《士师记》1：27—36),特别是给予犹大支派以特别关注。很有可能,《圣经》对于以色列人征服迦南的叙述是从漫长的夺取迦南时期保留下来的数个传统说法的一种混合。

以色列人定居迦南地的过程跨越了数个世纪,它始于族长时期,继以公元前10世纪王国的建立。一步一步地,《圣经》故事从"应许之地"的异族转移到大卫治理之下这块土地无可置疑的拥有者身上。故事也勾勒了以色列人生存方式从游牧到半游牧,直到根本定居下来的变化。在雅各得自两个妻子利亚和拉结的众子所形成的支派和得自两个妻子的使女悉帕和辟拉的众子所形成的支派①的地业分配方面,各个

---

① 参见《创世记》29：15—30：24。利亚的支派是：流便、西缅、利未、犹大、以萨迦和西布伦;拉结的支派是以法莲、玛拿西(约瑟的支派)和便雅悯;辟拉的支派是：但和拿弗他利;悉帕的支派是：迦得和亚设。

传统说法还展现了某种协同性。那些出自雅各正室的众子的支派比那些出自雅各偏房众子的支派在应许得到成全的叙述中处于更加中心的地位。利亚支派可能在某种程度上先于拉结支派在迦南定居下来,因为这个主要的《圣经》征服故事集中在出于约瑟的以法莲和玛拿西支派所建立的功绩①。

在《约书亚记》1—12章所叙述的征服迦南的版本中,以色列人所使用的是"分而治之"的古代战术。首先,在迦南的中央部位打入一个楔子;然后,相继在南部和北部发起进攻。在发起进入迦南的进攻之前,希伯来人已经派人侦查过军事行动中的第一个目标城市耶利哥。尽管被派往的两个探子被人发现,但是在妓女喇合的帮助下得以脱身。因为喇合所提供的对于耶和华的这种服侍,她不但得到侵入的以色列大军的厚待,而且在以色列人的记忆中作为忠信耶和华的榜样而长存②。探子们报告"那地的一切居民在我们面前心都消化了"(2:24),这极大地激励了希伯来人。于是以色列民众带着很高的期望侵入迦南地。

至于"抬耶和华约柜的祭司在约旦河中的干地上站立,以色列众人都从干地上过去,直到国民尽都过了约旦河"的叙述(3:17),对于跟随我们阅读《旧约》的读者们而言也没有什么可惊讶的。因为《圣经》的希伯来作者并不像常人那样问为什么,他的眼中只看到耶和华的手积极地介入而达成他的圣约目的。但是就学术而言,《圣经》所记述的约旦河水"在极远之地……停住,立起成垒"(3:16)则提示着土崩或泥石流可能一度阻塞了约旦河水的流动。就近代有关约旦河发生土崩或泥石流的记载来看,这种土崩的规模足以暂时阻塞河水(20世纪初发生的一次泥石流阻塞约旦河水二十个小时)。另外,干旱季节约旦河水浅,有些地方可以涉水而过。

当然,就信仰《圣经》的人们而言,神可以改变自然规律、施行神迹,土崩就像其他自然现象一样也可以解释成耶和华直接行动的结果。约旦河恰好干枯——就像先前降临到埃及的灾难和以色列人过红海的奇迹一样——被有信仰的人当作以色列民的圣约历史中所援引的那些事件当中耶和华的临在和大能的迹象。

---

① Henry Jackson Flanders, Jr., Bruce C. Cresson, *Introduction to the Bible*, New York: John Wiley & Sons, 1973, p. 105.

② 作为信仰的一个例证,《希伯来书》11:31章提到喇合:"妓女喇合因着信,曾和和平平地接待探子,就不与那些不顺从的人一同灭亡。"

二、耶利哥圣战

据载,耶利哥是一座城墙坚固的城市。从《圣经》经文推测,当以色列人兵临城下的时候,可能向耶利哥人劝降,但是遭到拒绝:"耶利哥的城门因为以色列人就关得严紧,无人出入。"(6:1)持久围困、撞击城墙和猛攻城门通常是古代战争的惯常战术,而且往往以被困城市"弹尽粮绝"、被迫投降而告结束。但是约书亚制服城墙高筑的耶利哥的"绕城"方法却有些异乎寻常:一队圣战士兵走在前头,后面跟着七个祭司和约柜,又有一队圣战士兵殿后,连续六天这样绕城一次。绕城过程中人们屏声敛气,只有手拿羊角号的七个"祭司一面走一面吹"(6:9)。唯独第七日如此这般绕城七次。在第七次绕城"祭司吹角的时候",众百姓在约书亚的吩咐下齐声呐喊,耶利哥"城墙就塌陷,百姓便上去进城,各人往前直上,将城夺取"(6:20)。

对于攻陷耶利哥城这个事件,历史上著述颇多,甚至有诗歌吟颂。至于耶利哥城墙倒塌究竟是怎么回事,则众说不一。甚至在耶利哥城遗址的认定方面,同样莫衷一是。人们对于高大坚固的耶利哥城墙倒塌的原因有许多臆测,其中的一些相当值得玩味:地震说,即认为位于地震多发地段的耶利哥城墙毁于地震;共振说,即认为希伯来百姓齐声呐喊产生的共振声波摧毁耶利哥城墙;地道说,即认为以色列人在绕城掩护下偷偷地在地下掘倒了耶利哥城墙[1]。20世纪30年代和50年代考古学家发掘耶利哥城废墟,发现公元前1400年代的耶利哥城墙的确毁于塌陷,覆盖在家庭用品完整的房屋废堆上。无论"塌陷"的真实原因如何,对于希伯来人而言,城墙倒塌就足够了。只是他们的信念令他们断定那是耶和华的大能作为而已。

耶利哥之战是以色列人发起的征服迦南战役的首个圣战。此战是在"这城和其中所有的都要在耶和华面前毁灭"(6:17)这样的神圣命令之下进行的。此节中的"毁灭"(18节的"当灭"和21节的"杀尽")的希伯来原文为 hārem,含有某物完全归神的意思,因此必须完全毁灭,人不可拥有。这个专名特指在任何为神而进行的圣战中毁灭敌人的一切。在判定为"圣"的任何战争中,严禁保存战利品、不允许留活口,一切都要作为祭品献给耶和华[2]。所以当以色列人"将城夺取"之后,"又将城中所有

---

[1] Henry Jackson Flanders, Jr., Bruce C. Cresson, *Introduction to the Bible*, New York: John Wiley & Sons, 1973, p. 107.

[2] 参见《申命记》20;Henry Jackson Flanders, Jr., Robert Wilson Crapps, David Anthony Smith, *People of the Covenant: An Introduction to the Old Testament*, New York: John Wiley & Sons, 1973, p. 194。

的,不拘男女老少、牛羊和驴,都用刀杀尽"(6:21)。如此残酷的"圣战"是人们理解上帝的本质的时候遭遇到的一个难题。学者们认为,《圣经》中的"圣战"概念反映的是以色列人在把握上帝的本质和旨意方面的不确定性①。

然而,事实上"圣战"禁令在耶利哥之战中遭到违反,"以色列人在当灭的物上犯了罪"(7:1)。原因是以色列人的一个叫亚干的士兵藏匿了战利品——"取了当灭的物"。这个故事突出了以色列人以神为中心的态度和他们具有的"集体人格"观念。首战告捷之后,以色列人攻打"艾城人"遭遇失败。以色列人只是把失败理解为耶和华因为以色列人的营中有人犯罪而施行的惩罚。他们既不考虑军事战略是否可能有误——"众民不必都上去,只要二三千人上去,就能攻取艾城"(7:3),也不质疑耶和华不是单独惩罚犯罪的亚干而是惩罚整个以色列民的方法是否妥当。在这样的思维模式下,当亚干违禁的事实被发现之后,亚干连同他的一家都被打死(7:24—25)。

在那个阶段的以色列人的思维中,最为重要的是群体,无论是民族、氏族、部落还是家族,而不是个体。这样的态度很有可能源于以色列人旷野游牧期间求得生存必须的那种群体团结和协调行动的生活模式。尽管在整个《旧约》历史期间存在着可以觉察到的个体和集体责任之间的张力,但总体上而言,只是在以色列人作为民族实体消失之后,价值焦点才转移到个体②。

在亚干犯罪事发③并受到应有的惩罚之后,以色列人对艾城的第二次攻击获得胜利。《旧约》对此事件以神为中心的解释强调的是,第二次攻击之所以获得成功是因为耶和华与他们同在。但是对于现代读者而言,恐怕大多还是会把以色列人所采取的与第一次不同的攻击策略作为取胜的重要因素。例如,全力以赴、身先士卒——"约书亚……点齐百姓……和以色列的长老在百姓前面上艾城去"(8:10);巧设伏兵、引蛇出洞——"他挑选了约有五千人,使他们埋伏在伯特利和艾城的中间"(8:12)、"艾城人追赶的时候,就被引诱离开城"(8:16)、"伏兵就从埋伏的地方急忙起来,夺了

---

① 在耶利哥之后的迦南战役中,神只禁止以色列人留存城中的人口,牲畜和财物可以当作战利品予以保留。对于为何要灭绝迦南人,神学家们也给出了一些思考的角度:首先,以色列人在迦南的所作所为是遵照《申命记》20:10—18的规定;其次,毁灭迦南人是神通过战争对那些道德和灵性极端腐败的迦南民族的惩罚,以色列人倘若犯同样的罪行也不例外,一样会遭受从地上被除灭的惩罚(《申命记》6:15;民33:55—56);其三,为了让以色列人在身体上免遭迦南及其四境的民族因为放纵情欲所招致的梅毒(时为绝症)之害,在灵性和道德上避免以色列人效法迦南人而堕入不可救世药的深渊,只有诉诸一劳永逸的"毁灭"。

② Henry Jackson Flanders, Jr., Bruce C. Cresson, *Introduction to the Bible*, New York: John Wiley & Sons, 1973, p.108.

③ 断定亚干有罪的方法可能是通过抽签(8:16—18),所用工具大概是放在大祭司胸牌里的圣签"乌陵"(意为"咒诅",代表"否")和"土明"(意为"完全",代表"可"),《旧约》时代的以色列人常用此法寻求神的旨意和裁定(《撒母耳记上》10:20;14:41)。

城,跑进城去,放火焚烧"(8:19)。艾城之战与耶利哥之战既有相同之处——"直到把艾城的一切居民尽行杀灭"(8:26),又有不同之处:"惟独城中的牲畜和财物,以色列人都取为自己的掠物,是照耶和华所吩咐约书亚的话"(8:27)。

三、南 征 北 战

与前面的血腥战争形成对照的是,《约书亚记》紧接着叙述了约书亚在士剑地区的以巴路山(Mount Ebal)为耶和华以色列的神筑坛,举行立约仪式,但是没有表明以色列人是通过战斗夺取这个地区的。这暗示从埃及回归的以色列人在这个地区与未曾前往埃及的当地以色列人和平会师之后,把圣约信仰传授给后者,并且以仪式的形式确立这种信仰,以便归并进入圣约民族。从神学上来说,突出的是听从耶和华的命令和违背耶和华的命令的人的两种不同命运。

正是从这样的角度,我们才可以理解基遍人通过欺瞒约书亚的方式与以色列人立约、结果"以色列人就没有杀他们"的事件(9:3—27)。然而与基遍人的选择不同的是,在迦南地区的其他民族则仓促结成两个联盟,讨伐"与约书亚和以色列人立了和约"的基遍人(10:4)、抵御以色列人的威胁。南方亚摩利人的"五王联盟"攻打基遍的时候,以色列人在约书亚的带领下星夜驰援,在基遍和随后的追杀途中大败并杀死五王(10:6—27)。之后,以色列人在南方战役中的表现可谓摧枯拉朽(10:28—42);以色列人尽管没有完全征服整个南方,但是其中有组织的抵抗已经不复存在。以色列人对北方的类似攻伐见证了以夏琐王耶宾为首的诸国联盟在米伦水边的惨败,以及随后以色列人发起的粉碎残余的有组织抵抗的战役(11:1—23)。

不过,对于"这样,约书亚照着耶和华的吩咐,夺了那全地"(11:23)这个说法,必须从概述的角度去理解,它说的应该只是有组织的抵抗已经终结。因为,那地中显然有相当多地业还没有被征服——"还有许多未得之地"(13:1),特别是那些城墙高大的堡垒城市。例如,"以色列人却没有赶逐基述人、玛迦人,这些人仍住在以色列中"(13:13等)①。

所以,《约书亚记》13—22章所叙述的以色列众支派所分配到的地业并非都是实际上完全落实了的。在对土地分配的叙述中,特别提到了分配给约书亚和迦勒②的

---

① 参见《士师记》1:1—36。
② 他们是当年十二个探子中坚信神的应许、力主进入迦南的两个人。在神对缺乏信心、近迦南而不入的以色列人进行四十年流浪生活的惩罚之后,一代男丁尽亡,唯有约书亚和迦勒留存(《民数记》14:22—25),得以进入应许之地。

地业,"因为他专心跟从耶和华以色列的神"(14:14)。在战事结束之后,流便、迦得和玛拿西的半个支派履约返回《民数记》中已经交代过的、他们从摩西手中所分得的位于外约旦(约旦河东)的地业;而其他九个半支派则分得约旦河西巴勒斯坦的土地。

四、设立"逃城"

笔者以为,在以色列人类似"打土豪分田地"的土地分配过程中,从神学上说,最为重要的是分地的决定必须按照上帝的应许、得到上帝的认可:"约书亚就在示罗耶和华面前,为他们拈阄。约书亚在那里按着以色列人的支派,将地分给他们。"(18:10)从文化人类学上来说,在以色列人的分地过程中最为值得关注的是"逃城"的设立。

与其他支派不同的是,利未支派所获得的不是成片的地业,而是分散在其他支派地业中的四十八座城市。显然这样的安排是要利未人这个祭司支派"渗透"到以色列人的生活之中(21:1—42)。更为重要的是,在这四十八座城市中有六个城市,即拿弗他利支派地业中的基低斯、以法莲支派中的士剑、犹大支派中的希伯仑、流便支派中的比悉、迦得支派中基列的拉末、玛拿西支派中的哥兰(20:7—8),具有特殊的功能。这六座城市是过失杀人者的亡命之所,他们可以逃到这些庇护城或"逃城"躲避"血亲复仇"者的追杀(20:9)。这些"逃城"在空间上的分布表明,其地点的选定是经过周密思考的。从迦南地的任何地方,任何需要相关庇护的人都可以方便到达某个"逃城"①。这映射出以色列人从部落私刑习俗,到部落联盟时期公共司法习俗萌芽的改变。

更为重要的是,进入迦南分得地业之后,以色列人所面对的头等大事不是过失杀人之后个别的以色列人如何"逃生",如何获得"公权利"的审判,而不致遭受"私刑";而是在以色列人这个原先能征善战的单一游牧民族作为一个整体开始与农业社会的迦南多民族比邻而居的情况下,如何面对某些尚未征服地区和定居文明生活的挑战。那时物质文明高于以色列人的迦南人敬拜各种偶像,尤其是卖淫之风与宗教仪式得到有机结合。从生活方式和宗教信仰上,对"初来乍到"的以色列人都有不小的诱惑。有鉴于此,约书亚才在他的遗言中(23:1—16),特别是在士剑向百姓的讲话中(24:1—27),一再强调圣约的重要。他劝勉以色列人避免他们生活在其中的那些当地人

---

① 参见 Alfred J. Hoerth, *Archaeology and the Old Testament*, Grand Rapids, Michigan: Baker Books, 1998, p. 225。

的异神,强调在与耶和华所立的圣约中只效忠耶和华,指出以色列人作为圣约之民的成功完全仰仗这样的认识和对耶和华的忠信。

在"约书亚打发百姓各归自己的地业去了"(24:28)之后,迦南地的生活斗争也随之开始了;以色列人起先还忠信耶和华,后来则无视圣约,结果导致其原因可以归结为宗教背信的无数困难,包括不断进行"保家卫国"的鏖战。

第二节　《士师记》——守卫迦南

一、"士师"的含义

大约公元前 1200 年至公元前 1020 年这段时期被称作"希伯来人的黑暗时代"。《士师记》所涵盖的这段时期,无论从民族成就来判定,还是从宗教推进来评估,确实都相当黯淡。《士师记》对以色列人在迦南维持生存的困难方面的描述所体现出来的世界观属于"申命"传统。它从神学上对于这些困境的解释是以色列人违背圣约。《士师记》以这样的话语总结和评估了这个时代:"那时以色列中没有王,各人任意而行。"(21:25)

在士师时代以色列人的主要敌人除了迦南人之外,还有摩押人(以笏时期)、亚玛力人(耶弗他时期)、米甸人(基甸时期)和非利士人(参孙时期)。外敌为患时,以色列人各支派大多数情况下"只扫自家门前雪,不管他人瓦上霜",只是偶尔联合对敌(7:23)。当年以色列人中的有识之士对此深有感触,例如底波拉就作诗谴责只顾自身忍辱图存、对其他支派的危难袖手旁观的那些支派的做法(5:1—31)。

把希伯来文 Shophetim 翻译成"士师"(天主教《思高本圣经》译为"民长"),似乎有误导之嫌;其实"士师"是以色列历史上"受命于危难之际、挽狂澜于既倒"的民族英雄。《士师记》记载以色列人进入迦南后到建立王国这一段纷乱时期的历史。这段历史以约书亚死后的十二个民族英雄的功绩为中心;他们多数是军事领袖,而不是司法人物:"耶和华兴起士师,士师就拯救他们脱离抢夺他们人的手。"(2:16)其中最为著名的当数参孙。

士师们的英雄主义之所以值得称颂,更多地是因为他们在相关支派大敌当前的时候所发挥的领导"救亡图存"的作用,而不是他们所展现出来的个人品格、智慧和属灵成就。《士师记》通过士师拯救以色列人的叙述,旨在说明以色列的生存有赖于对上帝的忠心。当他们背弃耶和华的时候,往往招来灾祸,神就把他们交在敌人手中;当他们悔改再归向耶和华的时候,神就饶恕他们,派遣士师拯救他们。

二、文化冲突的滥觞——巴力崇拜

在定居迦南与王国初兴之间的时代,以色列人的众支派基本上是各行其是,而且彼此之间在地理上通常为迦南人或者其他民族所隔离。这些支派松散地团结在一个单一的宗教圣所周围,这与伊斯兰教之前的阿拉伯人和当今全世界的穆斯林以麦加的克尔白(天房)为中心有些类似。以色列人的这种同教部落联盟所赋予的责任是照管圣所、参与宗教活动和遵守宗教节期,以及履行某些军事义务等。联盟中的部落数目习惯上是六个或者十二个,这样方便部落之间按照历法轮流承担起圣所责任。至于以色列人原先只存在由十二个支派组成的一个联盟,还是存在各由六个支派构成的两个联盟(一个中心在士剑,后来迁到士罗;另一个中心在希伯伦),学界各自基于《圣经》"引经据典",迄今一直争论不休。不过,综合传统来看,大多倾向于认为以色列人联盟的最终形式显然是起先中心在士剑、后来中心迁往士罗的一个十二支派构成的联盟。自从以色列人踏上迦南边境,耶和华信仰即面对众多威胁;这种一神信仰在迦南各种多神宗教的"围追堵截"下幸存下来实属奇迹,但是毕竟幸存下来。以色列人及其宗教以某种形式幸存是士师时代的主要成就。耶和华从而是面对艰难险阻的胜利者。

以色列人定居迦南之后所遭遇到的难题的根源在很大程度上是侵入的以色列人与土著居民之间广泛存在的文化冲突。文化冲突波及范围非常广泛,包括绝大部分生活领域。《旧约》把叙述的重点放在这种冲突的那些宗教方面。迦南人公开的多神教着重的是土地的丰饶,这与希伯来人排他的耶和华信仰有着根本的不同;在希伯来人看来,耶和华把自己启示为人事、国事和历史的主宰。巴力崇拜中的那些丰饶祭仪是迦南农民农业惯例中既定的部分。来到新家园的那些希伯来人在农事方面是不折不扣新手(经过四十年的旷野流浪,出埃及的那代人已经逝去),在农耕技能方面要仰仗迦南邻居。巴力崇拜自然成为如何从事农耕培训方面的组成部分。富有经验的迦南人卓越的农作技能可能导致希伯来人相信,巴力的确与土地的丰饶和作物的生产有关。这种向邻居看齐的渴望在以色列人的历史中时有发生。丰饶祭仪身体上和感官上的魅力也为巴力崇拜平添了不少吸引力。

巴力崇拜是《旧约》中希伯来人与迦南人冲突的焦点。1929 年以后在乌加列(Ugarit)或拉沙玛拉(Ras Shamra)的那些发现极大地推进了人们对于迦南宗教的理解。这是一种认伊勒(El)为主神的多神崇拜,但是远离人类的伊勒很少成为人们直接的崇拜对象。伊勒和他的配偶亚舍拉有七十个子女,其中最著名的是巴力及其姊妹暨配偶亚娜忒(Anath),这个名字还有其他变体,如亚斯她忒(Astarte)和亚斯她录(Ashtoreth)等。巴力与他的兄弟摩特(Mot,死神和冥神)之间的冲突据信是其中巴力部分时间在阴间、部分时间在阳间的季节轮回的原因。

崇拜巴力的人们在巴力与亚娜忒(或另一个女神)的性关系之中所体现出的生殖力与他们所渴望的大地丰饶力之间看到了某种直接的关系。迦南人相信此神借雨水(赐生命给土壤)、闪电(他的剑和长矛)、雷(他的声音)显能,其神力能够控制自然秩序。因此,在巴力崇拜中常见的仪式是"交感巫术",借此,崇拜者和"神娼"力求激发起巴力的性活动。这样的操行对于虔诚的希伯来人而言是不道德的,也是违反圣约的,但是对于迦南宗教而言却是合乎规范、中规中矩的。迦南人把有规则的季节更替视作生命和生殖力的悸动。古代许多其他文化也在自己的宗教中孕育出类似的丰饶仪式和交感法术。借助这些丰饶仪式,人通过交感法术成为诸神降下"润物细无声"的雨水、增加贫瘠土地地力等活动的参与者。弗雷泽的文化人类学巨著《金枝》在这方面提供了丰富的例证①。弗雷泽解释这种情况产生的原因说:"如果说在某种程度上原始人同自然是一致的,他们又不能区别自己的情欲、生殖,跟自然繁育动植物的方法两者之间的不同,于是他们就会得出这样的结论:通过放纵自己的情欲,有助于动植物的繁殖。"②

客观而言,这种宗教不纯粹是通过性满足来追求感官享受;那些宗教仪式把虔信者带入一种神学境地,其中他们认为自己实际上参与到诸神与人打交道的那些活动之中。但是对于诠释以色列人信仰的那些《圣经》作者们而言,以色列人频繁背信耶和华、不断重蹈崇拜巴力和女神(通常是亚斯她录)的覆辙,正是士师时期最为严重的时代痼疾③。

倘若从文化人类学的角度来看,士师时代和其后的王国时代,以色列人的这种痼疾所折射出来的是迦南人拥有的低级形态的巫术与以色列人拥有的高级形态的

---

① 参见弗雷泽:《金枝》(上、下),徐育新、汪培基、张泽石译,中国民间文艺出版社 1987 年版,第 19—74 页(交感巫术)、第 92—127 页(巫术控制天气)、第 206—211 页(两性关系对于植物的影响)。
② 弗雷泽:《金枝》(上),徐育新、汪培基、张泽石译,中国民间文艺出版社 1987 年版,第 210 页。
③ Henry Jackson Flanders, Jr., Bruce C. Cresson, *Introduction to the Bible*, New York: John Wiley & Sons, 1973, p.114.

宗教之间的张力。"虽然在许多世纪里和许多国土上巫术与宗教相融合、相混淆，但是我们仍然有理由认为这种融合并非自始即有，曾有一个时期人们为满足他们的那些超越一般动物需求的愿望而只相信巫术。首先，考虑到巫术与宗教的基本见解，我们倾向于做出这样的判断：在人类历史上，巫术的出现早于宗教。我们已经看到：一方面巫术仅只是错误地应用了人类最简单、最基本的思维过程，即类似联想或接触联想；另一方面，宗教却假定在大自然的屏幕后面有一种超人的有意识的具有人格的神存在。很明显，具有人格的神的概念要比那种关于类似或接触概念的简单认识要复杂得多，认定自然进程是决定于有意识的力量，这种理论比起那种认为事物的相继发生只是简单地由于它们互相接触或彼此相似之故的观点要深奥得多……"①

三、背信与悔罪的轮回

《士师记》首先是从约书亚到士师时代的历史综述(1：1—2：5)，其次是对于士师时代所作的一个属于"申命"传统的引子(2：6—3：6)，第三是士师们的故事(3：7—16：31)，最后是士师时代的两个插曲(17—21)：以法莲的米迦及其偶像崇拜(17—18)，便雅悯人因害死利未人的妾而招致几近灭门之祸(19—21)。

对于《士师记》而言，人们最不熟悉的恐怕是上述梗概中的第一部分(1：1—2：5)和最后部分(17—21)，但正是这些部分具有巨大的历史价值，其中有不少还是此处独有的史料。导言性的历史概括所强调的是以色列人征服迦南实属未竟之事业，点明以色列人何以与生活在那里的迦南人比邻而居。面对"革命尚未成功、同志仍需努力"的局面，犹大和西缅两个支派联手向南征伐仍然由迦南人居住的土地(1：1—7)，先后占领了耶路撒冷(1：8)、希伯仑(1：10)；其间俄陀聂为赢得美人归，奋力征服底璧(1：11—15)；之后犹大和便雅悯支派又向西南部扩展征土(1：16—17)。与此同时，"约瑟家"(以法莲与玛拿西支派)也夺得伯特利(1：22—26)。但是便雅悯等七个支派并没有完全取得抽签分配到的土地，各自遭遇到不同的困难(1：27—34)。之所以会出现这样的局面，是因为以色列人没有听从耶和华有关"不可与这地的居民立约，要拆毁他们的祭坛"的指令(2：2)；作为对以色列人的一种惩罚，"他们必作你们肋下的荆棘，他们的神必作你们的网罗"(2：3)。

---

① 弗雷泽：《金枝》(上)，徐育新、汪培基、张泽石译，中国民间文艺出版社 1987 年版，第 83—84 页。

　　上述第一部分所描绘的总体画面是：迦南绝大多数筑垒城市和战略要地仍然未能征服，但是重要的有组织抵抗已经被希伯来人粉碎，而且和平降临到那地的绝大多数居民头上。这样人口混居的事实必然造成许多问题，但是《旧约》的焦点可以预期地落在人们生活中的宗教维度上面，这正是《士师记》最后收尾部分的两个故事所例证的。"米迦造像"的故事是说，以法莲山地有一个叫米迦的人不仅造像(17：1—6)，而且聘请利未人作祭司(17：7—13)。米迦造像并在家中敬拜，表明他心目中的耶和华已经受到异族观念的污染、蜕变成耶和华本来严禁的偶像；而他立自己的儿子为祭司，以及按己身利益、借助聘请利未人为祭司来增加地位和声望，可能说明当时依神命所定的利未人的祭司制度或许已经解体。米迦所自创的融合以色列人的信仰与异教信仰的宗教形式，正是以色列人的纯正信仰受到当地宗教信仰侵蚀的一种表征。随后，正在觅地而居的但支派中"窥探那地"的"五个勇士"说服米迦的祭司放弃"作一家的祭司"而"作以色列一族一支派的祭司"(18：1—30)，则进一步透露出以色列人中的偶像崇拜已经不是个别现象："神的殿在示罗多少日子，但人为自己设立米迦所雕刻的像，也在但多少日子。"(18：31)至于另一个故事，即便雅悯人把一个利未人的妾强奸致死的故事(19章)，更是反映出以色列民在巴力崇拜的情色氛围毒化下，道德和宗教生活败坏堕落到无以复加的地步。这为便雅悯支派险些被良心未泯的其他支派联合灭绝(20章)提供了解释。

　　事后，"百姓为便雅悯人后悔，因为耶和华使以色列人缺了一个支派"。为了"免得以色列中涂抹了一个支派"，除了在与便雅悯人讲和之后"以色列人就把所存活基列雅比的女子给他们为妻"之外，还吩咐便雅悯人"在葡萄园中埋伏"，"若看见示罗的女子出来跳舞，就从葡萄园出来，在示罗的女子中各抢一个为妻，回便雅悯地去"(21：1—23)。这又凸显了拯救的主题。

　　获得拯救有赖于对耶和华的忠信。《士师记》中属于"申命"传统的这个重点正是在我们所划分出来的第二部分(2：6—3：6)引入的。这一部分所呈现的是以色列人全民在背信和悔改之间的循环往复，而这种循环则充当了《士师记》那些故事的展开模式。这种循环的基础是耶和华所要求的对于圣约的忠信，而这种忠信又是以色列人真正占有迦南土地的条件。无论背信的形式如何，不管是公开信仰巴力和亚斯她录，还是将巴力崇拜的要素掺和到对耶和华的信仰之中，都被视为对"十诫"中首条诫命的公然违背。

　　耶和华对于希伯来人的应许之一是，如果他们守约，他就会引领他们占据迦南地。倘若他们爽约，那么耶和华就没有义务守约。一旦进入那地之中，他们所表现出的则是不愿意付出守约的代价，即他们向巴力崇拜妥协。《士师记》认为，在希伯来人背信的情况下,耶和华一方本来没有义务遵守"应许之地"之约。但是恩宠、慈爱和宽恕的上帝却仍然站在他们身后。即便耶和华如此忠信圣约,但以色列人罪不可赦,特别是在以色列人没有悔罪之心的时候,更是不能不予惩罚。因此每当以色列人犯有巴力崇拜罪行的时候,耶和华就以失去土地相威胁。某个外国君王作为压迫者,要么会夺取希伯来人的一部分土地,要么会奴役希伯来人,即强迫他们纳贡称臣,以换取在迦南地的生存空间。当以色列民意识到自己的罪过、开始悔改的时候,耶和华就会呼召某人起来充当"士师",解救以色列人脱离压迫者的魔爪。通常的结果是以色列人对敌作战取胜,重获对于自己土地的控制。对于各个这样的片段,《士师记》都以"太平"多少多少年收尾。

《士师记》的第三部分(3:7—16:31),也是主体部分,所呈现的是发人深省的一幕幕活剧。每次随着以色列人毁约(崇拜巴力)而来的都是一系列的灾难。然后某位解民于倒悬的军事领袖——士师——就会应运而生。由于尚未形成强大的民族统一体,所以士师们的活动通常局限于一个或者一个以上的支派而已。有两三个士师可能同时在迦南的不同地方作士师。

《士师记》明确称为士师的有十二个人。倘若像有人主张的那样,把亚比米勒也算作士师,则有十三个。因为亚比米勒在《士师记》中从未被称作士师,所以通常人们认定只有《士师记》明示的十二个士师。在这十二个士师中,有六个人的事迹用较长的篇幅讲述,通常称作"大士师"。其余六个只是提及名字,偶尔提及家族,最多提到一项功绩,称作"小士师"。

迦勒的侄子俄托聂是第一位"大士师",他把以色列人从"美索不达米亚王古珊利萨田手中"拯救出来(3:7—11)。随之,《士师记》的叙事转移到另一个背信耶和华的故事,攻击以色列人的敌酋摩押王伊矶伦攻城略地,甚至在耶利哥周围"占据棕树城",便雅悯支派的以笏受命拯救他们(3:12—30)。接下来述及的珊迦可以作为《士师记》处理"小士师"叙事的一个例证。巴拉是第四位士师,他的故事之所以著名是因为其中两位妇女底波拉和雅亿被赋予了女英雄的重要角色(4:1—5:31);在我们看来,她们与中国的花木兰和穆桂英有某种神似之处。基甸这位"游击将军"是《士师记》中最为家喻户晓的人物之一(6:1—8:35),基甸率领三百人之所以能够取得对于米甸人和亚玛力人的胜利,是因为他们所依靠的不单单是刀剑,而且在战斗中使用了足以造势的空瓶碎裂、火把摇曳和号角齐鸣等扰敌战术;基甸的这次袭击行动也是历史上实战与心战有机结合的典范。

在简单提及小士师陀拉(10:1—2)和睚珥(10:3—5)之后,《士师记》述及第五位大士师"大能的勇士"耶弗他"与亚扪人争战"的故事(10:6—12:7),其中耶弗他把女儿献为燔祭是以色列人的宗教历史中极为罕见地提及的、以人献祭的实例之一。六位大士师中的最后一位是参孙(13：1—16：31)。参孙的故事是接着小士师以比赞(12：8—10)、以伦(12：11—12)和押顿(12：13—15)的事迹之后展开的。参孙的故事打破了上述惯常的循环模式,因为它不是以耶和华对敌人取得决定性的胜利而告结束的。

参孙时代以色列人的压迫者是邻族非利士人。其时非利士人已经占据迦南沿海的南部平原,在那片土地上"兵强马壮"、牢固盘踞。他们在组织和武器上都优于希伯来人,在迦南首次形成对整个以色列民的真正威胁。参孙的故事中叙述了希伯来人与非利士人之间早期发生的那些冲突。参孙与非利士人进行了一个接一个的遭遇战,但是直到大卫王统治时期,以色列人的这个敌人才被决定性地征服。

参孙"自出母胎就归神作拿细耳人"(16：17),信守拿细耳人所发的誓愿正是参孙力大无比的秘密所在。交织在参孙与非利士人的那些战斗故事之中的还有对他独钟非利士人女子这个致命的弱点和"色点"的叙述。其中的两个非利士人女子——参孙的亭拿新娘和迦萨的一个妓女——给他带来巨大的麻烦,而另一个非利士人女子大利拉则与他的死脱不了干系,应验了中国"英雄难过美人关"的俗语。

参孙在非利士人女子面前的弱点在大利拉的故事中暴露无遗。非利士人趁着"大利拉使参孙枕着她的膝睡觉"的时候,"剃除他头上的七条发绺"、"剜了他的眼睛",然后"带他下到迦萨"、"在监里推磨"(16：15—21)。在非利士人"要给他们的神大衮献大祭"的节日之际,他们"将参孙从监里提出来",带到大衮庙中,"观看参孙戏耍"。参孙这时候被剃的头发已经"又渐渐长了起来",在祈祷耶和华赐予力量之后,用力推动支柱,"房子倒塌,压住首领和房内的众人"。尽管参孙"与非利士人同死",但是"这样,参孙死时所杀的人,比活着所杀的还多"(16：22—30)。

对参孙的结局有过各种评价,马丁·路德颇有微词,约翰·米尔顿视之为苦命英雄。无论如何,绝境中的参孙在外族的神明崇拜场所向耶和华祈祷,并最终用耶和华所赐的力量推倒异神大衮庙,所彰显的神学主题是耶和华是真正的神,而忏悔、信主就可以获得耶和华的宽恕。这一点在"那时以色列中没有王,各人任意而行"的情况下,尤其重要。

尽管《士师记》以"那时以色列中没有王,各人任意而行"(21：25)结尾,但这不是说当时所有人都德行败坏。实际上现在《圣经》编排顺序中接下来的《路得记》就说明仍然有虔信的人。而且在《士师记》中大利拉等"外女"的劣行背景上,路得的信德有为"外女"正名的作用。出于本"精读"从谋篇上只能在容许篇幅内设法涵盖整个《圣经》的考虑,《路得记》将放到本书有关章节,从另一个角度加以提示。

第三节 以色列人建立王国的契机
——非利士人的挑战

一、前王国时期以色列人的劲敌非利士人

"那时以色列中没有王"在《士师记》中出现四次,"那时以色列中没有王,各人任意而行"(21:25)出现两次,而且整个《士师记》以此结尾。这暗含着从《圣经》角度来说,"没有王"至少是以色列人众多乱象,特别是面对非利士人处于劣势的一个原因。正如有学者早就评论的:"出埃及给予以色列民以宗教;定居迦南给予以色列民以土地;非利士人的压力给予以色列民以国王。"[1]

通过《士师记》中珊迦和参孙的故事我们已经得知非利士人在迦南地的存在。在亚述帝国主宰迦南(公元前8世纪)之前,非利士人比任何其他民族都形成对于希伯来人占有迦南土地的挑战。对于非利士人的身份,目前学者们已有定论,"有充分的经外证据证明非利士人是一群说希腊话的'海民',大约公元前1200年在巴勒斯坦西南部定居下来"[2]。这些新来的非利士人定居者拥有优越的制造铁器的知识和技术,并且采取一切措施垄断铁器制造和打磨技术,不予外泄,这确保了他们在仍然处于铜器时代的迦南安然无恙(颇具讽刺意味的是,这有点类似当今的以色列)。证据表明,尽管非利士没有形成王国,五个主要城市(亚实突、迦特、以革伦、迦萨和亚实基伦)只是由"五个首领所管"(《约书亚记》13:3;《士师记》3:3;《撒母耳记上》7:7),但是除了铁器技术之外,非利士人的城邦联盟和五个首领的协同机制在与希伯来人进行迦南争霸战时取得的那些早期胜利中发挥了重要作用。这种希腊城邦和协议机制赋予他们在目的和行动上的统一性,而这却是当时的希伯来人所缺乏的,后者主要效忠于支派而不是民族。

正如本书前文指出的那样,此时的迦南地难得地处于一个没有外力控制和干涉的时期。非利士人和希伯来人彼此争夺迦南地期间,非利士人在许多年间一直占着

---

[1] H. W. Robinson, *The History of Israel*, Duckworth, 1960, p. 48.

[2] Philip S. Johnston (ed.), *The IVP Introduction to the Bible*, Downers Grove, Illinois: Inter-Varsity Press, 2006, p. 83.

上风。《士师记》(15:11)中犹大支派遭受向他们索要参孙的非利士人所逼,劝参孙束手就擒的时候就说:"非利士人辖制我们,你不知道吗?"非利士人在整个《撒母耳记上》之中都是以色列人所面对的主要威胁,而且在很大程度上以色列人的王国制度的创立就是为了应对非利士人的威胁。王制,包括其起源、确立和历史,构成《撒母耳记上》、《撒母耳记下》、《列王纪上》和《列王纪下》的主题。鉴于这些经卷原本是一部反映"申命神学"立场的连续历史著作,而且鉴于本"精读"篇幅所限,我们按照以色列人历史进程的线索予以合并处理,并提供《历代志上》和《历代志下》的平行经文的情况。

作为"申命历史"的一部分,以色列人的统一王国的历史记录在《撒母耳记上》1:1至《列王纪上》11:43之中。梗概如下:撒母耳的诞生和童年(《撒母耳记上》1:1—3:21),与非利士人的早期战斗(《撒母耳记上》4:1—7:2),撒母耳的领导(《撒母耳记上》7:3—17),建立王制(《撒母耳记上》8:1—12:25),扫罗为王(《撒母耳记上》13:1—31:13),大卫和伊施波设(《撒母耳记下》1:1—4:12),大卫早期对全以色列的统治(《撒母耳记下》5:1—8:18),大卫朝的生活(《撒母耳记下》9:1—《列王纪上》2:11),所罗门朝代(《列王纪上》2:12—11:43)。

二、撒母耳与扫罗的政教纷争

历史需要一个精力充沛、勇敢无畏的人为以色列民族打造一种应对威胁到以色列人生存的那些内外力量的机制。应运而生的撒母耳(《撒母耳记上》1:1—3:21)就是那位担当大任、带领以色列人共度时艰的伟人。撒母耳之于以色列人的王国建立,正如摩西之于以色列人出埃及、约书亚之于以色列人征服迦南。

尽管以参孙等人为代表的那些士师们领导以色列人与非利士人展开了可歌可泣的卫土战争,但是到撒母耳诞生之时,以色列人的战局进一步恶化。及至以色列人的同教部落联盟中心示罗陷落,代表耶和华的临在性和以色列人的统一性的约柜被非利士人掳获(4:1—22),非利士危机把以色列民族逼到了生死的边缘。期间以色列人的土地几近遭到非利士人的蹂躏,而且德高望重的祭司暨先知以利已死(《撒母耳记上》4:12—18),先前在以便以谢(Ebenezer)与亚弗(Aphek)周围展开的战斗中"以利的两个儿子何弗尼、非尼哈也都被杀了"(4:11)。在我们看来,宗教中心示罗陷落、约柜被掳的残酷事实,意味着以色列人以神为纽带的部落联盟已经解体,同时也意味着以色列人被推到新时代的门槛边上。

灾难迫使以色列人重新审视旧有的部落联盟中保存下来的宗教价值。由耶和华打造和维系的民族命运也有待澄清。以色列人要想图存,某些政治与宗教的变革是必须的。时代需要一种新的纽带把以色列人的各个支派重新统一起来。在这种情势下,"天降大任于斯人"的撒母耳聚集起以耶和华为中心的以色列部落联盟的余力,顺应民心、殚精竭虑、苦心经营,维系以色列民族直到君主政体的建立(7:3—17),成为新时代的缔造者。撒母耳是先知、祭司、士师、顾问和国王的膏立者,简言之,他担当了以色列人在那个时刻所需要的一切领导角色。

撒母耳精明能干,而且禀赋领袖魅力。他的拿手好戏的确是在属灵的方面,但并不缺乏在与非利士人的生死对决时代所急需的卓越军事才能。在以色列人不顾撒母耳有关立王的可能弊端而一再坚持立王的情况下(8:4—22),撒母耳在属于便雅悯支派的一个"名叫基士"的人的儿子扫罗身上,发现了作为国王人选所要拥有的自然能力、宗教热忱、军事敏锐和个人魅力(9:1—27)。尽管扫罗后来变得忤逆而且最终遭到耶和华废弃,但他最初还是一个宗教敏感的人;例如,他遇到一班先知并且在先知中受感说话的故事就反映出这一点(《撒母耳记上》10:9—13)。他的军事才能则在基列雅比击败亚扪人的解救战中(11:5—15),以及对非利士人取胜的那些战斗中展现出来。无疑,扫罗最初正是撒母耳所要寻找的"比众民高过一头"的人(10:23)。

用现代军事术语来说,以色列人与非利士人的斗争是历史上发生的一场非对称战争。非利士人一方好比组织严密的正规军,而希伯来人一方则基本上是民兵;拥有铁制武器的非利士人好比拥有飞机大炮,而只有少量简单铜制武器的以色列人基本上就是小米加步枪。在这样力量对比悬殊的情况下,扫罗领导希伯来人在与非利士人所进行的战役中有胜有负,已经实属不易。只是在《圣经》的"抑扬"基调看来,随着时间的推移,扫罗对耶和华的悖逆逐渐显露,包括扫罗在与亚玛力人的争战中违背"灭尽"的圣战规则(15:1—9),以至于撒母耳公开宣布耶和华离弃了扫罗(15:10—23)。不过,这只意味着从"申命史观"看来扫罗在宗教上已经陷入"失道寡助"的境地,但并不意味着他丧失了世俗的权利。在某种程度上,我们认为这更多地是扫罗和撒母耳之间政教张力的一种反映。

三、扫罗与大卫的君臣张力

正是在这种政教张力的背景上,我们才能够理解为什么在扫罗仍然为王的情况下,某个"得道多助"的人已经被撒母耳秘密膏立为王(《撒母耳记上》16:12—13),而这个人就是在《撒母耳记上》的叙事中英雄般入场的大卫。大卫是扫罗的臣仆为了用音乐平复扫罗因恶魔烦扰的心绪而带到宫中的一位善于弹琴的乐师(16：14—23)；大卫是用"机弦"甩石的方法击杀非利士人一度所向无敌的巨人战士歌利亚的以色列人勇士(17：1—54)；大卫还是扫罗军中"无不喜悦"的"战士长"(18：1—7)；而且大卫因为与扫罗的女儿米拉的婚姻(18：20—27)，以及与扫罗的儿子约拿单的友谊(19：1—7；20：1—42)，显赫与地位得到进一步巩固。

尽管如此，由于大卫有些"功高盖主"，早就遭到扫罗的妒忌(18：8—9)；《撒母耳记上》有关大卫与扫罗的女儿的婚姻和扫罗的儿子的友谊的经文，同时交织着大卫与扫罗之间的冲突。深受压抑感和神弃感所折磨的扫罗被描绘成这样一位国王，他不但妒忌年轻有为的大卫，而且视之为王权的一大威胁，花尽心思想除掉他。另一方面，大卫则被塑造成一个义人，不折不扣地顺从和尊重这样一位不断企图羞辱和杀害自己的国王，最后为了保全自己的性命只好逃离扫罗(21：1—15)。即便大卫"占山为王"(23：14—29)，"寻索"大卫的扫罗自投罗网的时候，大卫也一再不予加害(24：1—22；26：1—25)。出于一劳永逸地逃避扫罗的寻索，以及为追随他的那些人寻找安身之地的考虑，大卫远避到非利士人的一个首领迦特城的亚吉那里。"大卫在非利士地住了一年零四个月。"(27：1—12)

大卫尽管被亚吉所接受，但是在非利士人五个首领针对以色列人的联合行动中，其他首领却对大卫深怀戒心，不允许大卫跟随作战(29：1—11)。所以，尽管大卫难脱"投降"之嫌(29：3)，但是却从来没有与本族以色列人接战。根据上下经文判断，大卫实际上后来不被非利士人所容，遭到遣散，率众回到迦南南部的犹大地。大卫及其追随者的作战对象是以色列人之外的其他民族，主要是"侵夺南地"和侵夺"属犹大的地"的亚玛力人(30：1—25)。大卫甚至"从掠物中取些送给他的朋友犹大的长老"(30：26—31)。这为扫罗死后大卫被膏作犹大王埋下了伏笔。

大卫在南方与亚玛力人争夺地盘的战事相当顺利，但是扫罗在北方与非利士人进行的卫国战争却异常艰难，最终壮烈殉国，而这成就了扫罗的最大荣耀。尽管事先扫罗曾经求女巫招已死的撒母耳上来问计，得知"耶和华必将以色列的军兵交在非利士人的手里"(28：3—19)，但是扫罗仍然勇敢地担负起作为国王应尽的御敌保民的义务。战斗中身负重伤的扫罗抱着"免得那些未受割礼的人来刺我、凌辱我"的信念自刎基利波山。在我们看来，扫罗的行为与中国历史上自刎乌江的楚霸王项羽堪有一比。只是逼迫这位以色列的项羽自刎的不是大卫代表的另一部分以色列人，而是第三方非利士人，不过刘邦的影子恐怕在大卫身上也不能说一点没有。

对扫罗功过的评价向来莫衷一是。根据《圣经》的叙述，扫罗固然违背所谓圣战规矩，行了遭耶和华厌弃的事——"扫罗和百姓却怜惜亚甲，也爱惜上好的牛、羊、牛犊、羊羔,并一切美物,不肯灭绝"(15:8),但是这不正好反映扫罗心地仁厚吗?大战前夕扫罗面对基尼人的时候所说的一番话——"你们离开亚玛力人下去吧!恐怕我将你们和亚玛力人一同杀灭,因为以色列人出埃及的时候,你们曾恩待他们"(15:6),岂不说明扫罗重情重义吗?除了扫罗人格上的一些闪光点之外,《圣经》字里行间掩盖不住而透露出来的、扫罗在维持耶和华信仰方面的贡献,更不应该予以忽视。扫罗的作为——"扫罗从国中剪除交鬼的和行巫术的"(28:9),以及扫罗的意识——"免得那些未受割礼的人来刺我、凌辱我",都提示着就以色列人的纯正信仰而言也应值得肯定的东西。

从《圣经》叙述中我们看到,扫罗在与大卫的比较下处于阴影中。然而倘若没有扫罗的功业,大卫也不可能到达他辉煌的顶点。正是扫罗成功地把以色列人的十二个部落熔铸成一个坚固的君主制的联邦,避免了非利士人对整个巴勒斯坦的侵占。在这一过程中,外约旦的希伯来人部落成为以色列人国家的有机组成部分。尽管扫罗的能力和领导艺术得到《旧约》叙述的暗证,然而在以大卫为中心的整体框架中仍然被塑造成一个过渡性的人物。在我们看来,扫罗尽管经常受到误断和误解,他仍然不失为以色列人历史上一个意义重大的人物。

第四节　大卫与以色列帝国

一、大卫称王、定国安邦

大卫是一个在正确时间处于一个正确地点的人物。他拥有巨大的个人能力,禀赋超凡的个人魅力。他的人格吸引了以色列人异乎寻常的忠心和奉献。他在商务方面精明、战事方面英明、国务方面睿智。尽管有这些值得称道的天赋,但是倘若生不逢时也无用武之地。事实上,历史给大卫提供了再好不过的时机。当公元前 10 世纪早期大卫缔造他的帝国的时候,肥沃新月地区没有一个主宰性的强权存在。无论是尼罗河三角洲的埃及还是两河流域的亚述,均不在一位强有力的国王的治下。整个时局都有利于肥沃新月地区中段的一个王国的发展,而大卫把这个机会利用到了极致[①]。

---

① 参见 Henry Jackson Flanders, Jr. and Buce C. Cresson, *Introduction to the Bible*, New York: John Wiley & Sons, 1973, p. 143。

　　需要留意的是,整部《旧约》具有"偏袒大卫"的倾向。其中除了摩西之外,没有人享受到大卫那样的赞誉。除了大卫之外,再无他人有幸在自己所处的时代背景上、被以雄浑的浮雕手法如此鲜明地刻画出来。大卫显然被塑造成以色列民族最大的"真心英雄"。他比任何人都更有力地领导以色列民族实现遵守圣约所带来的祝福。耶和华与他同在,而他也把自己奉献给耶和华。就《圣经》对大卫的刻画而言,《撒母耳记上》和《撒母耳记下》中的大卫形象与《历代志上》和《历代志下》中的大卫形象在"容貌"上大体相符,但是面部"细节"略异。在《撒母耳记》中,大卫是一位具有人之常情的统治者,经受着所有人都会有的那些压力和诱惑,正所谓"人所具有的我无不具有";而在《历代志》中大卫却被刻画为理想的宗教领袖。总体而言,在这两个来源中,大卫通常都综合了民族的军事政治英雄和民族的杰出宗教领袖的角色。

　　对于大卫而言,这种角色的奠定并不是轻而易举的,单单继承扫罗的王位就经历了一个曲折的过程。基利波山决战之后,扫罗的余部在元帅押尼珥的统领下逃到巴勒斯坦的外约旦地区(约旦河东),在玛哈念拥立扫罗幸存的一个儿子伊施波设为王,"治理……以色列人众人"(《撒母耳记下》2:8—9);此时"惟独犹大家归从大卫",他们在希伯仑拥立大卫作犹大的王。这种分治的状况持续了七年半(2:10—11)。随着这种分治而来的则是希伯来人南北两个统治集团之间的内战(2:12—32)。"扫罗家与大卫家争战许久,大卫家日益强盛,而扫罗家日见衰弱。"(3:1)在此消彼长中尤其重要的是,因为押尼珥不满伊施波设怀疑自己与扫罗的嫔妃有染,愤而改投大卫麾下,带走了原先支持伊施波设的大军(3:6—21)。几乎失去任何支持的伊施波设很快便遭弑杀(4:1—8),大卫遂获全民拥戴登基(5:1—5)。于是大卫把以色列民重新统一在一个十二个支派的联邦之中。

　　作了全以色列的王之后,大卫的聪明睿智在首都的选择上再好不过地反映出来。他选择当时并不处于任何支派控制下的耶路撒冷作为未来的首都,消除了犹大支派与北方的其他支派之间的相互担心和潜在妒意。特别是从地理上说,耶路撒冷位于大卫原先的势力范围犹大与新加入的北方支派之间的边界上,不属于任何一方。当时耶路撒冷还是耶布斯人的一座没有被以色列人征服的筑垒城市。此外,耶布斯人自诩城池固若金汤,感到即便是瞎子和瘸子都可以成功地防守住(5:6),说明这个地点易守难攻。所有这些都展现出大卫在选择都城方面的智慧。等约押奉命从"水沟"攻入耶路撒冷之后,新都不仅成为"大卫城"(5:7—9),而且成为耶和华的城,因为后来约柜运到了耶路撒冷(6:1—16)。在没有更加永久的放置场所的情况下,大卫把约柜安放在所搭的帐幕之中(6:17),为此深感不安的大卫曾经计划建造圣殿,但终因耶和华要把建殿的荣耀留给所罗门而作罢(7:1—17)。

尽管如此,大卫对约柜和其他宗教法器的呵护还是强化了希伯来人对于他作为一位崇高的宗教领袖的记忆。无论是"大卫穿着细麻布的以弗得,在耶和华面前极力跳舞"(6:14),还是"大卫献完了燔祭和平安祭,就奉万军之耶和华的名给民祝福"(6:18),都明确提示着大卫已经行使起大祭司的职责。在我们看来,大卫具有宗教领袖的角色对于确保以色列人统一王国的"长治久安"是相当重要的。以色列人的政教关系在撒母耳作大祭司和扫罗作国王的时代是分离的,政教角力在很大程度上是造成撒母耳与扫罗冲突的主因,也是以色列人在非利士人面前战败的一个要素。大卫能够集国王与大祭司的角色于一身,就有效地避免了"令出多头"的弊端。

大卫不仅是国王和大祭司,而且还是战功彪炳的军事统帅。大卫通过与非利士人在利乏音谷的两次大战,决定性地消除了长久以来存在的非利士人的威胁(5:17—25)。他最终把非利士人压缩在先前的沿海走廊地带,使他们成为臣服希伯来人的一个外族。他们从此再未形成对于以色列人控制迦南土地的挑战。大卫最伟大的军事成就恐怕就在于此。圣约有关土地的应许得以实现,而且希伯来人成为不争的迦南主人。不仅如此,大卫还推行一种扩张政策。通过军事征服,外约旦的那些邻国都被并入以色列人的版图,其中包括以东、摩押、亚扪和叙利亚(亚兰)的绝大部分地区(8:2—10:19)。大卫完全控制约旦河东西两岸之后,就控制了肥沃新月地带北方诸国与埃及和南部国家经商的必经之地,这成为以色列国在大卫和所罗门治下国富民强的一个重要地理因素。

以色列大军所向披靡。当时只有沿海地区的腓尼基仍然在推罗城和西顿城的领导下维持独立,但是与大卫也建立了一种密切合作的关系。正是基于这种合作关系,希伯来人与腓尼基人在整个以色列人的统一王国时期一直保持着和平,在希兰作推罗王时更是如此(5:11)。尽管《圣经》没有过多地提供这种合作的细节,但是基于经文,我们可以合乎逻辑地推断,以色列人与腓尼基人应该达成了一种互惠的协议,就是腓尼基人控制海上贸易,而以色列人控制陆地贸易①。毫无疑问,大卫成为当时肥沃新月中段地区的主人,而他所缔造的以色列帝国无论在版图的辽阔方面,还是在国力的强盛方面,都是以色列人历史的顶点。正是因为有这样的辉煌历史,所以当今以色列人中的某些势力仍然不满足现有的土地,不愿意与巴勒斯坦人通过和谈来达到"和平共处",而是仍然希望诉诸武力来扩张以色列的版图到大卫王时期的所谓"大以色列"那样的幅员。这是就以色列方面而言无法达成中东和谈目标的最大原因。

---

① 参见 Henry Jackson Flanders, Jr. and Buce C. Cresson, *Introduction to the Bible*, New York: John Wiley & Sons, 1973, p. 145。

就像在应运治理一个快速扩张的复杂帝国的过程中所展现的那样,大卫的组织才能和行政天赋在以色列人的历史中实属罕见。他的军队不单单由以色列人构成,而且还不乏外族士兵,其中许多外族士兵无疑是一些雇佣军。他知人善任,把军队置于一种由元帅约押统领的指挥系列之下。大卫自己和一些属下从事国际贸易和外交。他具有良好的历史感,雇佣了一些文士和史官。他组织起祭司阶层,在会幕服侍和在宗教崇拜中发挥其他职能,包括歌手和乐师(8:15—18)。在很多方面,他的王国堪称组织和行政效率方面的典范。更加令人印象深刻的是,所有这一切都是出自本身还是卓越战士、宗教领袖和诗人乐手这样一位人物。

二、宫闱艳史与传位之争

大卫的确营造出"空前盛世",但是并非"平安无事"。在很大程度上,大卫可谓"家事、国事、天下事,事事'烦'心"。在彰显大卫的辉煌之后,《撒母耳记下》接着对于大卫宫廷中的那些烦心秘事和揪心国事逐一加以揭秘(11—20章)。其中就有大卫与"邻家女孩"拔士巴的宫闱艳史,以及与逆子押沙龙的爱恨情仇。

大卫与拔士巴的香艳故事是在以色列人与亚扪人的战争背景下展开的(11:1—27)。正当以色列人的大军在外对敌作战、"围攻拉巴"之际,宫中安然的大卫"在王宫的平顶上游行,看见一个妇人沐浴,容貌甚美"(11:2)。因渴慕美媚而欲火攻心的大卫王即刻派人打探,不料得知美人已经"名花有主"——"那妇人"是"赫人乌利亚的妻拔士巴"。其时乌利亚正在前线与亚扪人作战。但是色胆包天的大卫王没有止于发发"佳儿佳妇,谁所不欲? 然名花有主,难系红丝,射雀无缘,徒玷白璧"的感叹,而是干起时下时髦的话所说的"名花虽有主,我来松松土"的勾当;把"月经才得洁净"的美妇接入宫中"'强'系红丝",半推半就间做成一夜好事,致使拔士巴怀上身孕,背上"甜蜜的负担"。大卫与有夫之妇私通,"按律当斩"。为了掩人耳目,大卫设计"借刀杀人",致函元帅约押把乌利亚派往"阵势极险之处",可怜的乌利亚在疆场屈死于亚扪人的穿心箭下。等拔士巴为丈夫"哀哭的日子过了,大卫差人将她接到宫里,她就作了大卫的妻,给大卫生了一个儿子"。大卫自以为自己所行之事"神不知鬼不觉"。

在整个事件中,大卫实际上犯奸淫罪于前,又犯杀人罪于后。"大卫所行的这事,耶和华甚不喜悦。"(11:27)尽管这位国王逃过了民事的惩罚,但是无法逃脱先知的谴责和神的惩罚(12:1—23)。代上帝而言的先知拿单向大卫讲述了一个想象出来的法庭案例,其中牛羊成群的贪婪富人夺去了贫穷邻居家唯一的羊羔。在大卫认定富人有罪之后，拿单说出大卫自己就是那个有罪的富人，因为大卫虽然妻妾成群却夺去了赫人乌利亚的妻子拔士巴。为此大卫所遭受的神的判决既重且长："刀剑必永不离开你的家。"(12：10)

也许正应了这一判决，大卫之后的日子一直为家庭的灾难所困。先是大卫与拔士巴偷情的"爱情结晶"夭折(12：15—23)，继有大卫的儿子暗嫩因对同父异母的妹妹他玛做了始乱终弃的"丑事"而遭他玛的哥哥、大卫的另一个儿子押沙龙的诛杀(13：1—39)，后有幸得提哥亚的妇人向大卫进言才获准回耶京的押沙龙(14：1—33)不思感恩、反酿篡权反叛之乱(15：1—12)，遂起大卫逃难之灾(15：13—37)，终有押沙龙被杀之悲(18：1—18)。《圣经》似乎把大卫麻烦不断的家事看作是这位国王所犯"大罪"的一种报应。整个过程中，大卫家庭事务方面的唯一亮点只有儿子所罗门的诞生(12：24—25)。

实际上，所有这些家事的叙述都指向一个中心，就是要说明王权的继承是如何确定下来的。受人拥戴、生气勃勃的王子"押沙龙暗中得了以色列的人心"(15：6)，一度率众进入京都耶路撒冷。尽管这位王子差点把乃父赶下王座，但是兵败而亡的时候，大卫还是禁不住为自己这位心中属意、只是过早动手"抢班夺权"的爱子之死老泪纵横(18：19—33)。及至《列王纪上》大卫老迈年高、寿数将尽(《列王纪上》1：1)，他幸存的儿子中最年长的亚多尼雅加紧"抢班"的密谋，与元帅约押和祭司亚比亚他组成"三人小组"(1：5—7)。但是这个联盟被另一个由先知拿单、祭司撒督和大卫的爱妻拔士巴为核心的、更加强势的集团所克制。在这个集团的劝说下，大卫"废长立幼"，最终决定让所罗门为王，并且在死前不久把王位传给所罗门。这样便宣告王位争夺大戏以所罗门的最终胜出而落幕(1：8—53)。这种接班制度减少了因为争权而导致王国出现一段人心浮动的脆弱时期的可能性。

第五节 所罗门

一、智慧之王

所罗门在母后拔士巴结党相助下带着父王大卫的嘱托(2：1—9)登上王位。传统把他与智慧、财富和伟大的建筑联系在一道，这是他四十年统治的浓墨重彩之处。

然而,所罗门作为一个谦谦君子、和平之君的形象并不妥帖。因为他是通过诛杀异己而巩固王位的。当年所罗门王大开杀戒的起因是,失落王位的亚多尼雅贪恋曾经替老迈的大卫王暖被的美女亚比煞,遂求拔士巴替他到所罗门面前求情,好把亚比煞赏赐给他。所罗门从拔士巴的求情中解读出亚多尼雅大有"汝得江山,吾拥美眷"之意。这令他警觉亚多尼雅可能日后还有"求国"的可能。遂令效忠自己的比拿雅杀死亚多尼雅和追杀闻风逃到耶和华帐幕中躲藏的约押,并且让比拿雅代替约押作元帅,同时遣返祭司亚比亚他,以撒督取而代之;然后还杀死了实际上遭到软禁、但还是担心可能对自己构成威胁的扫罗族中的示每。"这样,便坚定了所罗门的国位。"(2:19—46)所罗门不是一位战争国王,因为他从父王那里继承的本来就是一个幅员辽阔、四境靖绥的帝国,只需统治而无需扩张。

　　所罗门的"智慧"是《旧约》传统所确立起来的一个信条,也是所罗门在即便没有接触《圣经》的中国人中间赖以成名的美德。所罗门正是以"智慧之王"享誉古今、名传天下的。例如,即使一个人可能不知道《圣经》,但也可能知道原本出自《圣经》的有关所罗门智断"两女争子"案子的故事(3:16—28)。当年慕名远道来访的示巴女王①在所罗门面前更是发出一番"所见不虚"的肺腑之言(10:6—7)。一般认为,示巴是阿拉伯西南端的一个国家,属于现今也门一带。伊斯兰教的《古兰经》(27章15—44节)中也提及示巴女王(素莱曼与赛百邑女王的故事)。至于有传说认为示巴女王是埃塞俄比亚女王、她和所罗门所生的儿子后来成为埃塞俄比亚第一位国王等传说,恐怕也只能是传说了②。

　　所罗门作为"智慧者"的名声大,作为"缔造者"的名声更大。他在以色列人的军队中大规模地引入马拉战车,精心修造了用来储备这些战车的"战车城"。他还与友邦腓尼基人一道建造了海船和海港。他所从事的属于"大兴土木"范畴的、各种各样的工程也不在少数,包括供他自己和庞大的"第一家庭"享用的辉煌王宫。尽管建筑工程在所罗门王国的其他地方也有,但是因为如此多地集中在耶路撒冷附近,而在北方支派中引发不满。这为所罗门驾崩之后王国的分裂埋下了祸根。

　　从《圣经》的角度讲,在所罗门王所有重要的成就中高居榜首的当属建成圣殿,从此以色列人的历史中才第一次有了献给耶和华的永久性礼拜场所。《列王纪上》和《历代志下》都把这个成就放在首位。所罗门把耶和华圣殿建在紧邻耶路撒冷皇宫的一个地方,这个地方很快便成为皇城的焦点所在。据《圣经》记载研判,圣殿的平面图

---

① 参见《以赛亚书》60:6;《耶利米书》6:20;《以西结书》27:22。
② 参见约翰·鲍克:《圣经的世界》,刘良淑、苏茜译,台北猫头鹰出版社2000年版,第131页。

与旷野时期的会幕大同小异，而且在结构上与当年迦南人和腓尼基人的庙宇也没有多大不同。事实上无论是建殿的能工巧匠还是各种用料都经由腓尼基运来，这全赖以色列人与推罗王希兰之间保有传统的良好关系。

所罗门国库收入的一个主要来源是发商路的财：控制陆地商路和通往阿拉伯、印度洋的海路。所罗门的财富固然庞大，但是无法完全满足大兴土木的用度。他的那些孤注一掷的建筑项目产生一些他无力应付的开销。因此所罗门曾要求推罗王希兰供应建圣殿和王宫用的香柏木、松木和金子。作为偿还所欠债务或者缓解财政困厄的一种不得已的方式，所罗门把加利利的二十座城市割让或抵押给了希兰(9：11)；这些城池在得到俄斐运来的金子和示巴女王的赠金之后，才收回来(9：28；10：2、11、15)。传统上所说的所罗门靠在以东地开矿获得巨大财政收入的说法有些过誉。所罗门在那里的确开有矿井，但是绝对不足以支撑整个所罗门帝国的资金要求。所罗门的许多项目是靠老百姓服苦役来完成的。就爱好自由、时刻不忘民族在埃及所受的奴役之苦的希伯来人而言，这种苦役极为罕见，引发了大规模的不满。

二、随同异神

《圣经》没有对所罗门的上述国事有任何微词。《圣经》对于所罗门的谴责只是集中在他的那些外族妃嫔所导致的所罗门的背信上面。所罗门的后宫犹如"国际公主俱乐部"，妃嫔各有自己的异国情调："所罗门王在法老的女儿之外，又宠爱许多外邦女子，就是摩押女子、亚扪女子、以东女子、西顿女子、赫人女子。"(11：1)因为"这些妃嫔诱惑他的心……所罗门随从西顿人的女神亚斯她录和亚扪人可憎的神米勒公……所罗门为摩押可憎的神基抹和亚扪人可憎的神摩洛，在耶路撒冷对面的山上建筑丘坛"(11：4、5、7)。在这个意义上，这些异邦女子在传扬自己的宗教文明方面都是比所罗门宫中的正式大使还要成功的"使节"。

平心而论，所罗门显然不是一个追求感官刺激、用情不专的"花花公子"，他的那些婚姻大多都是政治性的或"贸促会"性质的，是随着与各种各样的民族和氏族的缔约而来的。换言之，所罗门后宫佳丽上千、妃嫔媵嫱各异，是某种"和亲"政策的结果。其中，他与法老女儿的著名婚姻是一笔收获颇丰的交易，因为法老的女儿给他带来了一片土地作为嫁妆，那就是包括巴勒斯坦南部城市基色在内的那片地区。所罗门的那些外族妃嫔们的本邦宗教习俗不仅得到所罗门的宽容，而且无疑有所罗门和他的一些官员或出于真心或出于敷衍地参与到其中。对此《圣经》论断说："所罗门年老的时候,他的妃嫔诱惑他的心去随从别神,不效法他父亲大卫……耶和华向所罗门发怒,因为他的心偏离向他两次显现的耶和华以色列的神。"(11:4、10)

在所罗门"随从"的异神中,"西顿人的女神亚斯她录"是司爱与生殖的女神,是迦南人所崇拜的"送子观音"。《圣经》中亚斯她录(以木柱为像)常与她的配偶、男神巴力(以石柱为像)并提。拜这些神祇的仪式掺杂污秽的淫行,有时以儿童为祭品,崇拜亚斯她录的仪式尤其淫秽。"亚扪人可憎的神米勒公"又称摩洛,祭神仪式包括献儿童为祭①。"摩押可憎的神基抹"的崇拜仪式与摩洛崇拜相似,所罗门为其所筑造的祭坛直到几乎300年后犹大约西亚改革时期才被毁掉②。所罗门不仅宽容异教、伤害真信,而且在他手上政体从部落联邦关系转变成一种中央集权的压迫性管制机制。

所罗门借助联姻和结盟的手法无疑巩固了国内地位和国际关系,但是从《圣经》神学角度而言,立国的根基却因为允许异邦信仰和异神祭坛而动摇。尽管所罗门治下的以色列国空前繁荣,每年经由贸易赚得大量金银,但是大多在"政绩工程"上耗尽。一般民众非但享受不到其成果,反而苛捐杂税日重。特别是与以色列人"出埃及"所追求的自由目标背道而驰的劳役制度,更是"倒行逆施"之举。所罗门晚年已经从一个本来被膏立作以色列牧者的智慧之王,蜕变为以重担加在百姓头上的暴君(12:4)。结果激起天怒人怨,国内达到暴乱随时都会发生的地步。同时,早年因为先知亚希雅预言会接替所罗门作王而受追杀、先前逃居埃及的耶罗波安,在海外伺机回国夺取大位(11:26—40)。也许以色列人的统一王国真的天数已尽,所罗门王驾崩之后,继位的偏偏是他与亚扪妃嫔所生的儿子罗波安(14:21)。最终,慵弱的罗波安在流亡埃及海外"异议分子"耶罗波安返国后的强烈挑战面前应对失措,导致国家分崩离析。一曲所罗门所肇始的以信仰妥协为代价兴国、恰恰最终导致亡国的古代以色列人"亡国恨歌"的确发人深省。读经至此,人们难免掩卷欷歔。

---

① 　参见《利未记》18:21;《列王纪下》23:10;《耶利米书》32:35。

② 　参见《列王纪下》23:13。

第四讲　兄弟阋墙　国破家亡
—— 以色列人王国的分裂与覆灭命运

第一节　埃及和亚述帝国阴影下 以色列人的南北分朝

上文说到,以色列人盛极一时的统一王国的浮华背后隐藏着致命的隐忧。从《圣经》"申命"传统的历史观来看,以色列民族分裂的首要原因是所罗门及其指定领导者在宗教上的背信:他们违背圣约,从而难以和平持有那地。随着所罗门王公元前922年驾崩而来的还有其他一些导致北方支派反叛的实际原因。巴勒斯坦地理多样性的特点形成居民在生活方式上的一些差异,北方人更像农民,南方人更像牧人。鉴于农民比牧民更容易受到丰饶宗教和生殖崇拜的感染,因此南北不同的宗教重点也是导致南北分裂的重要因素。况且,希伯来人对于支派的忠诚仍然过强,初步形成的民族凝聚力和认同感尚不足以取而代之。随着强大的非利士人被击败,与民族救亡大业相关的统一力量不复存在,再加上对所罗门集权的不满,北方一些支派希望恢复个体支派享有较多自由的部落联盟形式。另外一个不能忽视的因素就是,领导人缺乏像大卫那样具有凝聚人心作用的个人领袖魅力。在这方面,所罗门显然无法与乃父相比。罗波安更是"一蟹不如一蟹"。除了这些内部因素之外,不利的外部压力也开始增长。在尼罗河三角洲地区的埃及,具有侵略倾向和扩张心态的法老示撒(Shishak)已经登上王位,一心图谋把自己的权利延伸到巴勒斯坦。在埃及示撒朝的政治庇护下,先有哈达(Hadad)在以东领导针对所罗门的反叛(《列王纪上》11:14—22),后有耶罗波安挑头酿成针对所罗门的儿子罗波安的分裂之乱。

一、从王国分裂到亚述危机开始的历史梗概

《圣经》接下去的内容是基于"申命"传统历史观,追溯公元前 922 年之后北方的以色列国和南方的犹大国的命运。从以色列人统一王国的分裂到亚述危机开始(公元前922—前 746 年)的历史梗概(《列王纪上》12 章至《列王纪下》14 章;经文与《历代志下》10至 26 章平行)如下:统一的以色列人王国一分为二(《列王纪上》12:1—14:23),南北两个王国早期软弱的君王和内战(《列王纪上》15:1—16:22),北国以色列的暗利朝(《列王纪上》16:23—《列王纪下》8:29),北国以色列的耶户朝(《列王纪下》9:1—15:12)。

由所罗门的统一王国分裂而成的南北两个王国毗邻存在了两百年,其中北国以色列力量较强。这是因为以色列不仅比犹大控制更多的土地,而且所控制的土地中有最好的牧场和农田——撒玛利亚地区和耶斯列平原(现称以斯德伦平原)。以色列得以接触地中海及其日益繁忙的商业航运,而犹大则不然;更何况,埃及和叙利亚之间的主要陆地商路经由以色列而不是犹大。再说以色列的人口也比犹大众多。犹大所占有的优势只是拥有耶路撒冷及其所积累的财富,最为重要的是拥有耶路撒冷耶和华的圣殿[1]。

南北两个王国并存期间,之间的冲突时断时续,其中大多是边境冲突。南国犹大处于北国以色列的阴影之中,没有出类拔萃的国王,但是表现出比北国更大的内部团结和更稳定的朝政。在南国犹大,大卫的后裔统治长达三百五十年,其间只有像中国唐朝武则天建立周朝那样的短暂中断。与之形成对照的是,北国以色列在两百年间出现九个朝代、十九个国王的更迭。北国国王的统治期限从四十一年到七天不等。导致王朝更替的是频发的暗杀,而其根源通常在肥沃新月地带动荡的政治环境,北国以色列统治者的更替反映出来的往往是亚述帝国内部的权力斗争。正是亚述这个强权导致一度自豪的北国以色列人最终战败和迁离故土。

二、士剑分裂与北方以色列国的建立

所罗门王死后,他的儿子罗波安立刻被南方的犹大支派和便雅悯支派接受为王。

---

[1]　参见 Alfred J. Hoerth, *Archaeology and the Old Testament*, Grand Rapids, Michigan: Baker Books, 1998, p.299。

然而在北方的那些支派当中却出现了其他因素,许多支派渴望回到以前个体支派享有高度独立和自由的部落联盟方式。他们与大卫家的关系并非密切到有义务服从大卫的后裔。而且按照当年大卫升任全以色列的王的时候的传统做法,北方支派有权主张遵行批准新王王位的某种定制①。另外,耶和华的先知予以膏立,也是选择新王的一个重要步骤。鉴于亚希雅是公认的先知,他先前对耶罗波安的膏立并不会仅仅因为耶罗波安是流亡埃及的"政治犯"而予以不顾。因此,北方诸支派保留了在质询罗波安之后再判断是否接受其为王的权利。在士剑这个续订圣约的神圣之地,北方支派汇集一道,准备就所罗门的继任者作出决定。

当罗波安到达士剑的时候,已经返国的耶罗波安率领北方支派的代表向新王提出减轻赋税和劳役的要求,以此作为他们效忠新王的条件(12:1—5)。"人民的要求反映出所罗门统治期间所积聚的不满,对于罗波安的暂时接受则表明王国的统一业已变得多么脆弱。"②面对这种局势,前朝老臣建议罗波安借机让步,以换取北方支派的支持。但是罗波安不听善意忠告,而是听信一起长大的那帮少年人的狂妄的"立威"主意,不但拒绝了聚集在士剑的北方民众减少税赋和减轻劳役的请求,而且厉言恫吓(12:10—11),这成为压断以色列统一王国脊梁的最后一根稻草。北方支派对所罗门压迫性的赋税和劳役政策不满已久,不想再与宣誓变本加厉继续所罗门政策的新王有什么关系。民众对于"少年轻狂"的新王罗波安的傲慢举措感到"是可忍孰不可忍",仿佛大卫王时期示巴反叛的阴魂重现③,即刻哗变说:"我们与大卫有什么份呢?与耶西的儿子并没有关涉。以色列人哪,各回各家去吧!大卫家啊,自己顾自己吧!"(12:16)

与罗波安不同的是,耶罗波安顺乎北方支派休养生息的民意,给予他们改革与重回部落联盟时期的宗教和神权领导的希望。相形之下,耶罗波安更得民心。结果,"罗波安王差遣掌管服苦之人的亚多兰往以色列人那里去,以色列人就用石头打死他。罗波安王急忙上车,逃回耶路撒冷去了。"(12:18)最终拿八的儿子耶罗波安(耶罗波安一世)被公元前922年士剑分裂之后的北方十个支派众望所归地拥立为北方邦联的国王,从此这个北方邦联作为国家被称作以色列或以法莲。

北方支派的反叛之所以能够成功,与埃及法老示撒在罗波安的南疆大军压境是分不开的。罗波安本来打算招兵买马,弹压北方的哗变(12:21),但是面对南疆压境的埃及大军,罗波安被迫奉行"安内必先攘外"的策略,只好听从先知示玛雅的预言,

---

① 参见《撒母耳记下》5:1—3;《撒母耳记上》12:1。
② Alfred J. Hoerth, *Archaeology and the Old Testament*, Grand Rapids, Michigan: Baker Books, 1998, p. 297.
③ 参见《撒母耳记下》20:1。

对北方支派反叛一事从长计议。尽管先知们仍然把耶和华的约民当作一体来看待，但是在耶罗波安和埃及人的里应外合之下，扫罗、大卫和所罗门历尽艰难险阻终于达到和想方设法予以维护的以色列人的政治统一就这样一去不复返了。

三、耶罗波安一世与南北王国的对峙

从《圣经》的"申命史观"来看，耶罗波安一世(公元前922—前901年)的统治例证了作为北国以色列显著特征的偶像崇拜。"尼八的儿子、叫以色列陷在罪里的耶罗波安"成为一个臭名昭著的绰号，这不仅是对耶罗波安的一种谴责，而且凸显了北国以色列持续的背信。

耶罗波安从埃及返国、登上王位之后，立刻着手为自己的统治选择一个强固的中心。示剑自然是不二之选。一方面示剑是部落联盟续订圣约的地方；另一方面所罗门曾经把此地作为一个管区的首邑，从而使之成为行政活动的一个中心。耶罗波安所谓的"建筑示剑"(12：25)，实际上是筑垒防御。考古发现已经提供了筑垒的证据①。毗努伊勒也得到加固，后者扼守出约旦谷地的东路，可以充当防卫示剑的外围桥头堡。此外，得撒(Tirzah)被选为王宫驻地。

尽管筑垒加强了防御，耶罗波安还是"恐怕这国仍归大卫家"，所以不仅采取巩固国防的军事措施，而且采取了稳固人心的宗教措施，就是在北国以色列的但地和伯特利建立崇拜耶和华的圣所。分裂出来之后，北国失去了作为信仰象征的耶路撒冷圣殿和利未祭司。倘若允许以色列人回到耶路撒冷守宗教节期，那么等于敢冒失去他们对于北国忠心的风险。耶罗波安的解决之道就是在以色列北部的但地和南部的伯特利建造圣所，各自安放一个铸造的金牛犊。与耶路撒冷相比，这些地方对于北国以色列人而言既贴近又方便。此外，他不仅"将那不属于利未人的凡民立为祭司"，而且还"私定"节期，"自己上坛献祭"(12：26—33)。在代表南国立场的"申命史观"看来，这些都是他的罪行，因为症结在于他在耶路撒冷之外进行对于耶和华的崇拜。但是从另一个角度而言，他这是把以色列人的最高权力从所罗门王国时期的"政权"复归到部落联盟时期的"神权"。至于金牛犊，有解释认为那只是耶和华临在的一种象征，就像约柜或圣殿中的基路伯一样，而不是崇拜对象。至于民众不能区分宗教象征和

---

① Henry Jackson Flanders, Jr., Robert Wilson Crapps, David Anthony Smith, *People of the Covenant: An Introduction to the Old Testament*, New York: John Wiley & Sons, 1973, p. 273.

崇拜对象则是另一回事①。

　　无论如何,《圣经》中的"申命史观"以耶罗波安和后继君王纵容偶像崇拜、背弃圣约为由逐一程度不同地予以谴责。人们熟悉的、一再出现的"申命史观"的表达方式用在耶罗波安不争气的儿子拿答身上就是一个代表:"拿答行耶和华眼中看为恶的事,行他父亲所行的,犯他父亲使以色列人陷在罪里的那罪。"(15:26)统治只有两年的拿答沦为暗杀者的牺牲品,耶罗波安家后继无人,北国出现了改朝换代。

　　与其同时,南国犹大的罗波安在失去辽阔的北国疆土之后,又受到埃及王示撒的威胁。罗波安在位第 5 年的时候(公元前 918 年)示撒侵入耶路撒冷,洗劫一空而去(14:25—26)。示撒对于他对巴勒斯坦的这次大举进攻非常自豪,特意命人在底比斯卡纳克(Karnak)的阿蒙-拉(Amun-Re)神庙的一堵墙上制作浮雕以志纪念。浮雕表明示撒征服了巴勒斯坦,提到据称所征服的一百五十六个地名,其中接近七十个是在南地,包括亚拉得,该城第十一考古层有火焚的证据。学者们认为,埃及重点征服南地的目的是试图割断犹大与红海的联系,重新控制埃及与阿拉伯和非洲贸易的商路。卡纳克的浮雕还提到《圣经》中所没有的记载,就是示撒也入侵了以色列。浮雕上所列出的北方城市有他纳、伯善和米吉多。在米吉多考古学家已经发掘出示撒安置在那座城市中的得胜碑。卡纳克庙墙上的浮雕和米吉多出土的示撒得胜碑表明,尽管埃及在世界列强中一度退缩到一个微不足道的地位,但是在所罗门死后仅仅五年,她就能够给以色列人一度统一的王国的南部和北部带来恐怖②。

　　在"申命史观"看来,犹大的宗教和道德状况比所谴责的以色列也好不到哪里去:"犹太人行耶和华眼中看为恶的事……他们在各高冈上,各青翠树下筑坛,立柱像和木偶。国中也有娈童。犹大人效法耶和华在以色列人面前所赶出的外邦人,行一切可憎的事。"(14:22—24)罗波安之后,继承王位的儿子亚比央在位三年,扩大了乃父的政策和做法(15:1)。在亚比央统治期间,南北两国的对峙已经不再局限于边境摩擦,亚比央曾经侵入以色列境内,一度占领属于北方王国的数个城市,特别是占领了以色列的南方崇拜中心伯特利③。亚比央死后,他的儿子亚撒开始为期四十一年的统治,但是在宗教上一改先前两朝的做法,开始"效法他祖大卫行耶和华眼中看为正的事"。唯一美中不足的,"只是丘坛还没有废去"(15:9—15)。亚撒在位期间曾奋起

① Henry Jackson Flanders, Jr., Robert Wilson Crapps, David Anthony Smith, *People of the Covenant: An Introduction to the Old Testament*, New York: John Wiley & Sons, 1973, p. 274.

② Alfred J. Hoerth, *Archaeology and the Old Testament*, Grand Rapids, Michigan: Baker Books, 1998, pp. 301 - 302;参见 Henry Jackson Flanders, Jr. and Buce C. Cresson, *Introduction to the Bible*, New York: John Wiley & Sons, 1973, p. 156。

③ 参见《历代志下》13:1—19。

击败来袭的埃及军队①。他在位第十五年的时候开始感到来自北国巴沙王的威胁，后者开始在以色列的边境加固堡垒城市拉玛。亚撒用金银收买叙利亚(亚兰)国王便哈达与以色列断交，而改同犹大建交(15：18—19)。基于条约，叙利亚不仅向南攻入以色列，逼迫巴沙放弃加固拉玛(15：20—21)，而且自此"南下"成瘾的叙利亚形成以色列数个世纪的大患②。

　　与南国的亚撒博弈的巴沙是北国以色列第二个朝代的第一位国王。他不是来自耶罗波安家族，他是在耶罗波安的儿子拿答包围非利士的基比顿的时候，杀死拿答及其全家而篡位的(15：27—29)。巴沙在位二十四年，把以色列的首都从士剑迁移到得撒。与亚撒长期统治犹大形成对照的是，以色列不断发生巨变。巴沙的儿子以拉在位只有两年便被臣子心利所弑，篡位的心利作为以色列第三个王朝的国王在位只有七天便被暗利逼宫而亡(16：8—18)。暗利建立了一个延续时间很长的朝代，为以色列取得了显著的成就(16：21—27)，其中包括建造以色列的新都城撒玛利亚(《列王纪上》16：24)。因为与叙利亚的战争失败，暗利被迫满足允许叙利亚人在撒玛利亚建立街市，即允许叙利亚人在以色列的首都进行贸易。摩押碑记载暗利征服和统治摩押③，而暗利朝很多年之后的亚述有关记录仍然称以色列为"暗利家的土地"④。

　　《圣经》没有提到暗利与犹大的任何冲突，这可能意味着在外敌的压力下"南北和谈"已经成功⑤。而且这种外部压力还促成了暗利的儿子亚哈与芳名耶洗别的西顿公主的"秦晋之好"(16：31)。据历史记载，耶洗别的父王名叫谒巴力，也是西顿人所崇拜的生殖女神亚斯她录的祭司，而亚斯她录崇拜与巴力崇拜实为一体两面的关系。尽管理论上西顿人与以色列人所信奉的神不同，但是在国力日盛、力图扩张的共同敌人亚兰人面前，腓尼基和以色列为了军事和商业上的利益，通过通婚这种形式结盟共抗亚兰是很自然的事。但是随着耶洗别的到来，亚哈"侍奉敬拜巴力"，以色列人之中原先受到一定遏制的巴力崇拜大有燎原之势。"子不孝，父之过。"恰恰因为"不孝之子"亚哈，暗利虽然为色列带来稳定，并使之屹立于古代世界的民族之林，但是在"申命史观"看来，他所做的一切仍然应该予以激烈谴责："暗利行耶和华眼中为恶的事，比他以前的列王作恶更甚。"(16：25)

---

① 参见《历代志下》14：9—15。
② Alfred J. Hoerth, *Archaeology and the Old Testament* , Grand Rapids, Michigan: Baker Books, 1998, p. 303.
③ 同上书，第309—310页。
④ 同上书，第308页。
⑤ 同上书，第306页。

第二节　北国以色列的宗教背信与
先知运动的发端

一、反巴力的先知以利亚和以利沙

　　暗利的儿子亚哈于公元前874年接替乃父登基。亚哈与耶洗别的联姻在政治上是可以理解的,但是对耶和华信仰而言却是一种宗教不幸。耶洗别在以色列的存在强化了人们倒向巴力崇拜的已有倾向。在"沿海大城市"西顿长大成人的耶洗别,显然有很强的使命感,就是向在她眼中囿于"穷乡僻壤"、文化落后的以色列民族"启蒙"丰饶崇拜的价值。为此,耶洗别不仅杀害耶和华的众先知(18：13),而且不惜"引进人才",从她自己的祖国请来850位巴力先知或亚舍拉(亚斯她录)先知,并予以个人支持(18：19)。亚哈也加入到耶洗别的异神崇拜之中(16：32—33)。

　　这时以色列人中间兴起了耶和华的一位真正的倡导者,即挑战耶洗别影响的提比斯人以利亚。他的使命在于唤醒以色列民认定只有耶和华是神。在亚哈王和耶洗别积极鼓吹巴力崇拜、迫害忠信耶和华的民众,以致耶和华崇拜几乎转入地下的时代,身单力孤的以利亚奋起为耶和华大声疾呼。以利亚代上帝言,宣布神的惩罚,即预言三年无雨,要发生旱灾和饥馑(17：1—7)。以利亚所行的诸事中最富有戏剧性、也最有意义的是他选择迦密山与巴力先知斗法(18：1—46)。

　　迦密山与腓尼基接壤,是腓尼基人拜巴力的地方。以利亚选择迦密山斗法,意味着公开与王后耶洗别和巴力崇拜宣战。故事的中心集中在这样一种挑战,即巴力是不是控制降雨从而控制土地的丰饶? 巴力是迦南人的风暴和农作之神,倘若不能降雨止住以利亚按照上帝的旨意所预言到的旱灾,那么真假之神立判。以利亚深信,假神巴力不仅不能降水,而且即便在干旱发生的时候,更为容易的降火也不能做到。所以,以利亚当着北国以色列各个支派的领袖和国王本人的面,向巴力的那些先知发出挑战,让他们看看能不能求告巴力"降火显应",证明巴力的大能。为了求雨和证明巴力的大能,"他们大声求告,按着他们的规矩,用刀枪自割、自刺,直到身体流血"(18：28)。巴力的先知们的这种行为在常人看来相当怪异,但是正如弗雷泽所指出的:"流血是模拟下雨。巴力的先知们为了求雨而用刀子在自己身上拉开口子直到鲜血流淌的做法,可能也是基于同样的巫术原则。"①

无论是巴力的先知们"在所筑的坛周围踊跳",还是"用刀枪自割、自刺,直到身体流血",都无济于事。而轮到以利亚求告耶和华的时候,则求火火降,求雨雨下(18:41—45)。这个以利亚通过与巴力先知斗法来区分耶和华为真神、巴力为假神的事件是以色列人的宗教发展和宗教意识方面的一个焦点事件。因为在这个事件中,巴力崇拜与耶和华崇拜的"不相兼容"被首次明确指了出来。先前,以色列人的信仰实践中一直存在对于耶和华信仰中的某些游离因素的调和、宽容。从此,则要更清晰地划清彼此之间的界限。这恐怕是历史上最早的文明冲突了。由此,以利亚所开创的以色列人的先知运动,意义重大。

亚哈不仅因为巴力崇拜而"声名鹊起",在国际舞台上也是一个重要的国王。《列王纪上》固然留下了他与叙利亚人(亚兰)作战并战而胜之的事迹(20:1—34),但历史上更加重要的事件是亚哈与肥沃新月地带的其他国家的结盟活动。说来奇怪的是,《旧约》对于这种结盟和联军与亚述人在甲加(Qarqar)的战斗只字未提。有关这些事件的信息来自《圣经》之外的材料,即撒缦尼色三世所立的得胜碑②。碑上记载,在那些联合对付撒缦尼色的国王和国家中有以色列的亚哈,他的军队是联军的主力之一。甲加之战代表着以色列和亚述之间的首次直接对抗。甲加之战还有另一个意义,就是提供了经外来源可以精确佐证其日期的、以色列人历史中最早的事件,即公元前853年亚哈是在北国以色列的国王位上③。

亚哈尽管在政治和军事上颇有斩获,但是也被先知指责为纵敌(20:35—43),更留下了觊觎拿伯的葡萄园的骂名(21:1—29)。特别是在后来与南国犹大王约沙法联合对抗亚兰的战争中,无视耶和华的先知米该雅的警告,最终阵亡(22:1—40)。他的儿子亚哈谢继位,短暂、无闻地统治了两年(22:51—53)。至于与亚哈联盟的南国犹大的约沙法,根据记录没有什么大的作为④,但是因为继续耶和华崇拜而受到"申命史观"的褒扬(22:41—50)。之后,在犹大国他的儿子约兰接续作王(公元前849—前842)。而凑巧又极易混淆的是,北国暗利朝的最后一位国王也叫约兰(公元前849—前842),在位期间也一样。在这段时间,犹大和以色列继续保持和平关系,而且这种关系因为通婚而得到加强,例如,亚哈的女儿亚他利雅就嫁给约沙法的儿子

---

① 弗雷泽:《金枝》(上),徐育新、汪培基、张泽石译,中国民间文艺出版社1987年版,第100页。
② 参见 John H. Walton, *Ancient Near Eastern Thought and the Old Testment: Introducing the Conceptual World of the Hebrew Bible*, Grand Rapids, Michigan: Baker Academic, 2006, pp. 63 - 64。
③ 参见 Alfred J. Hoerth, *Archaeology and the Old Testament*, Grand Rapids, Michigan: Baker Books, 1998, p. 313。
④ 参见《历代志下》17:2—9。

约兰。(16：18)

与其同时,意义重大的先知活动在以色列仍然继续。按照《列王纪下》的记载,以利亚一直活跃到以色列的亚哈谢和约兰在位时期(《列王纪下》1：1—18)。然后在以利亚乘旋风升天之后(2：11),以利沙接替他作为耶和华的代言人和一个被称作"先知门徒"的先知群体的领袖(2：13—15)。以利沙不仅见异象,而且行了许多神迹,诸如把恶水治好(2：19—22)、以油帮助穷寡妇(4：1—7)、救活书念妇人的儿子(4：32—37)、把锅中的食物去毒、20 个饼让 100 人吃饱(4：38—44)、医治乃缦(5：1—14)、找回斧头(6：1—7)等奇迹;这些大量的记载不仅要突出耶和华是真神,以及"除了以色列之外,普天下没有神"的主题(5：15),而且表明以利沙在希伯来人的记忆中非常著名。这种记忆还与以利沙指点以色列王打败亚兰军联系在一道(6：8—21)。

以利沙在有生之年继续着以利亚反巴力的热忱,为此甚至鼓励造暗利王朝的反。他所鼓励的造反方式非常符合他的身份,就是派一个先知门徒去膏一个叫耶户的年轻人为以色列王(9：1—13)。

二、反巴力的君王耶户

耶户莽撞,但是拥有从以色列大地上清除巴力崇拜的热忱。他把自己的反巴力政策付诸实施的时候,立刻血流成河。耶户不仅杀了暗利王朝的最后一位国王约兰(9：14—26),而且吩咐人把太后耶洗别从皇宫的窗户掷下摔死(9：30—37),还有当时恰好在以色列的犹大王亚哈谢也连带丧命(9：27—29)。

耶户并未就此罢手,进而清洗暗利朝的幸存者。他先是致信耶斯列首领,逼使他们处死亚哈的七十个王子:"凡亚哈家在耶斯列所剩下的人和他的大臣、密友、祭司,耶户都杀尽了,没有留下一个。"(10：1—11)然后,他在去撒玛利亚的路上又连带把犹大王亚哈谢的弟兄、四十二位犹大王子屠杀了(10：12—14)。杀红了眼的耶户一不做二不休,进而"把撒玛利亚亚哈家剩下的人都杀了,直到灭尽"。(10：15—17)更有甚者,为了对巴力崇拜斩草除根,"耶户差人走遍以色列地"传他有意欺骗崇拜巴力的人们的话:"亚哈侍巴力还冷淡,耶户却更热心。现在我要给巴力献大祭……凡不来的必不得活。"实际上,"耶户这样行,是用诡计要杀尽拜巴力的人"。等"凡拜巴力的人都来齐了,没有一个不来的",耶户一声令下,"护卫兵和军长就用刀杀他们",直到"杀尽拜巴力的人"(10：18—27)。

正是因为对拜巴力的人们的血腥屠杀,耶户被"申命史观"视作伟大的以色列国王：

> 这样，耶户在以色列中灭了巴力。只是耶户不离开尼八的儿子耶罗波安使以色列人陷在罪里的那罪，就是拜伯特利和但的金牛犊。耶和华对耶户说："因你办好我眼中看为正的事，照我的心意待亚哈家，你的子孙必接续你坐以色列的国位，直到四代。"只是耶户不尽心遵守耶和华以色列神的律法，不离开耶罗波安使以色列人陷在罪里的那罪。

耶户在以色列所行的一切对犹大产生了重大影响，因为那时恰好在以色列的犹大王亚哈谢连带丧命。亚哈谢一死，南国犹大的太后亚他利亚篡权，统治以色列六年："亚哈谢的母亲亚他利亚见她儿子死了，就起来剿灭王室。"（11：1）对亚他利亚篡权的叙述所暗含的是，作为亚哈（可能与耶洗别所生）的女儿，亚他利亚实施的政策让人联想到乃父在以色列的作为，即为巴力崇拜推波助澜。为了扫除巴力崇拜的任何障碍，她不惜杀灭自己的整个王室。但是她没有想到自己一个乳臭未干的孙子幸存下来，被祭司党藏到耶和华圣殿里面。到第七年的时候，祭司耶何耶大秘密赢得军队对"藏在耶和华的殿里六年"的前朝幼主的忠心，然后"祭司领王子出来，给他戴上冠冕，将律法书交给他，膏他作王。"结果，喊叫"反了！反了！"的亚他利亚被杀。（11：4—16）于是七岁的约阿施登基，犹大的王位重新回到大卫家。随后耶何耶大进行改革，清除巴力崇拜。"约阿施在祭司耶何耶大教训他的时候，就行耶和华眼中看为正的事，只是丘坛还没有废去，百姓仍在那里献祭烧香。"（11：17—12：3）

第三节　先知运动的勃兴与正义呐喊

随着犹大的改朝换代，国际局势也发生了巨大变化。公元前 853 年的甲加大战之后，亚述堕入内部虚弱时期，对巴勒斯坦地区几乎无法发生什么影响。此时的埃及也没有强大到对外侵略的程度。这种局势有利于巴勒斯坦地区的那些国家的国力缓慢而有效地恢复。

在公元前 8 世纪上半叶，以色列和犹大达到力量鼎盛的时期。在两者之间以色列仍然较为强大，甚至在耶户及其四个后裔一个半世纪的统治期间获得一定程度的王权稳定性。耶户王朝中最重要的是耶罗波安二世（《列王纪下》14：23—29)，他的统治长达四十或四十一年，领导北国以色列达到力量和影响的顶点。他扩展领土边界的事迹是"申命史观"对他所取得的成就的唯一记录(《列王纪下》14：25)，但是从出自他的统治时期的《阿摩司书》和《何西阿书》的先知讯息，我们可以窥见其强大的程度。不过，他的时代是一个表面繁荣与和平的时代，随着富者通过不正当的手段变得越来越富有，受压迫的穷者变得更加贫穷，苦难的暗流在深深地涌动。

此时的以色列人不是没有宗教，而是没有宗教深度。上文"只是丘坛还没有废去，百姓仍在那里献祭烧香"就是犹大国宗教状况的现实写照。只有耶和华透过繁荣的表象看清"以色列人甚是艰苦"，无论是"自由的"还是"困住的"都是如此，"也无人帮助以色列人"(《列王纪下》14：26)。于是耶和华兴起先知予以帮助。其中，正义和公义的先知阿摩司率先对以色列人的宗教肤浅和时代乱象进行了无情谴责。

牧羊人暨先知阿摩司是第一位把他所传的信息以他的名字结集保留下来的先知。之前以色列人的先知以利亚和以利沙只是"述而不作"。从《圣经》资料而言，所提供的阿摩司的信息不多，只知道他的家乡在犹大的提革亚，在耶路撒冷以南十英里处；他是一个牧羊人，也修剪桑树，会前往那些生长桑树的地方；他作为先知不是自己选择的结果，也不是职业使然，而是由于耶和华的命令，所以不同于像在伯特利圣所侍奉的那些"职业"先知；他虽然来自犹大，却是在北国以色列说预言。《阿摩司书》的所言、所述提示着，他是在耶罗波安二世成功地结束与叙利亚(亚兰)的战事之后作先知、说预言的。他在"大地震前二年……得默示论以色列"，而这场一个世纪之后仍然记忆犹新的大地震(《撒迦利亚书》14：5)发生在大约公元前760年。此时以色列和犹大因为埃及和亚述的虚弱已经享受了一段时间的和平①。

一、正义和公义的先知阿摩司——《阿摩司书》

《阿摩司书》首先是针对邻国的神谕——神审判以色列的邻国(1：3—2：5)，其次是针对以色列的神谕——神审判以色列(2：6—16)，第三是有关在劫难逃的三个信息(3：1—5：17)，第四是有关两组"祸"(5：18—6：14)，第五关乎阿摩司所见的异象(7：1—9：4)，第六关乎上帝对审判的最后宣示(9：5—10)，最后是对更美好未来的希望——以色列的未来复兴(9：11—15)。

《阿摩司书》的基调是一种在劫难逃的基调。阿摩司在以色列人的生活和宗教中几乎看不到任何希望。他一再向以色列人重申，耶和华是正义的上帝，会对以色列施

---

① Philip S. Johnson (ed.), *The IVP Introduction to the Bible*, Inter-Varsity Press, 2006, p. 131.

行应得的毁灭,几乎无人能够逃脱。就以色列人而言,不公正已经成为一种生活方式:

> 因为他们为银子卖了义人,为了一双鞋卖了穷人。他们见穷人头上所蒙的灰也都垂涎;阻碍谦卑人的道路;父子同一个女子行淫,亵渎我的圣名。他们在各坛旁铺人所当的衣服,卧在其上,又在他们神的庙中喝受罚人的酒。(2:6—8)

法庭判决依据贿赂而不是证据,已经腐败透顶,真所谓"八字衙门朝南开,有理无钱莫进来":

> 你们怨恨那在城门口责备人的,憎恶那说正直话的;你们践踏贫民,向他们索勒麦子;你们用凿过的石头建造房屋,却不得住在其内;栽种美好的葡萄园,却不得喝所出的酒。我知道你们的罪过何等多,你们的罪恶何等大。你们苦待义人,收受贿赂,在城门口屈枉穷乏人。所以通达人见这样的时势,必静默不言,因为时势真恶。(5:10—13)

人们只管享乐、自我满足和奢侈:

> 你们躺卧在象牙床上,舒身在榻上,吃群中的羊羔、棚里的牛犊。弹琴鼓瑟唱消闲的歌曲,为自己制造乐器,如同大卫所造的。以大碗喝酒,用上等的油抹身,却不为约瑟的苦难担忧。(6:4—6)

甚至他们的崇拜也是如此腐败,以至于在耶和华眼中没有什么救赎价值:

> 我厌恶你们的节期,也不喜悦你们的严肃会。你们虽然向我献燔祭和素祭,我却不悦纳,也不顾你们用肥畜献的平安祭。要使你们歌唱的声音远离我,因为我不听你们弹琴的响声。(5:21—23)

宗教崇拜固然有多种形式,但是"这些形式的目的仅仅是为了取悦神。如果这位神喜欢仁爱、慈悲和贞洁更甚于带血的祭品、赞歌和香火,那么他的信徒们使他高兴的最好的做法,就不是拜倒在他脚下、吟诵对他的赞词或用贵重礼物摆满他的庙宇,而是以廉洁、宽厚、仁慈去对待芸芸众生。因为这样做人们就会尽人类的柔弱心灵之可能去模仿神性的完美无缺。希伯来的先知们出于对上帝的美好与神圣的崇高信念而孜孜不倦地教诲人们的,正是宗教的这一伦理学方面"①。弗雷泽的这个论断为

---

① 弗雷泽:《金枝》(上),徐育新、汪培基、张泽石译,中国民间文艺出版社 1987 年版,第 78 页。

我们理解《圣经》中逐步展开的以色列人先知运动提供了一个视角。

尽管先知阿摩司一再警告、教诲,但是仍然无人理睬。如今审判到来:

> "看哪,在你们所住之地,我必压你们,如同装满禾捆的车压物一样。快跑的不能逃脱,有力的不能用力,刚勇的也不能自救,拿弓的不能站立,腿快的不能逃脱,骑马的也不能自救。到那日,勇士中最有胆量的必赤身逃跑。"这是耶和华说的。(2:13—16)

以色列这个国家唯一可能的希望是返回到耶和华身边,足够恩典的耶和华会在审判中有所保留。行将到来的劫难日被阿摩司称作"耶和华的日子"。

先知阿摩司的主调是呼唤多多益善的公平和公义:

> 惟愿公平如大水滚滚,使公义如江河滔滔!(5:24)

阿摩司是一个转瞬即逝的先知,在短时间内充当耶和华的代言人之后,再也杳无音信。尽管他的信息是振聋发聩的,但是以色列众人对他的信息竟然仍充耳不闻,他所敦促的改变也并没有到来。结果这个民族在毁灭的道路上越走越远。

几年后,在耶罗波安二世统治期间,又出现一位先知何西阿,在以色列传讲类似阿摩司的信息。他是在亚述作为一个更大的威胁隐隐呈现的时候,开始向北国以色列的人民说预言的。何西阿作先知的时间至少持续三十年(公元前 755—前 725 年),涵盖了北国以色列最后的那些动荡岁月,不过书中没有提及撒玛利亚的陷落(公元前722 年)①。他坚称以色列对耶和华的不忠会导致灾难性的审判。至于何西阿的生平背景、家乡和职业,我们没有得到任何明确说法。在他的信息中,他的妻子歌篾(Gomer)和三个子女是凸显的人物形象。

二、忠信圣约的先知何西阿——《何西阿书》

《何西阿书》首先关乎何西阿的家庭生活和经历(1:2—3:5),其次是何西阿有关在劫难逃的信息——耶和华对以色列的审判(4:1—13:16),再次是呼吁重归耶和华(14:1—8),最后关乎耶和华的道(14:9)。

在《何西阿书》中,何西阿不幸的婚姻经历充当了界定以色列民背信的一种例证模式。歌篾为了过妓女的生活而离弃她的丈夫,可能是充当以色列的那些异神

---

① Philip S. Johnson (ed.), *The IVP Introduction to the Bible*, Inter-Varsity Press, 2006, p. 129.

圣所中的神妓。尽管她已经背弃了作为一个妻子所发的所有誓约，但是何西阿仍然爱她，并且期待她幡然悔悟，"回头是岸"的那一天。许久之后，何西阿发现歌篾被卖为奴隶。"痴心不改"的何西阿赎回了歌篾，好像最终恢复了她作为一个妻子和母亲的地位。期间何西阿已经以耶和华代言人为天职。在这之前他就通过给自己的子女取一些预言性的名字(1：4—8)来充当"移动警示"，借以警告以色列人背信的后果。现今，何西阿自己刻骨铭心的婚姻经历，为他提供了一个绝好的类比，即用他对妻子执著的爱和妻子的背叛，来类比耶和华对圣约的矢志不渝和他的子民轻浮的不忠不信。他所传的信息是，谴责以色列民违反圣约誓愿，同时呼吁他们恢复对圣约的忠信。他的基调比阿摩司温和一些，但是他的用语同样充满了大难临头的警讯：

> 以色列人啊，你们当听耶和华的话。耶和华与这地的居民争辩，因这地上无诚实、无善良、无人认识神。但起假誓、不践前言、杀害、偷盗、奸淫、行强暴、杀人流血，接连不断。因此，这地悲哀，其上的民、田野的兽、空中的鸟必都衰微，海中的鱼也必消灭。(4：1—3)

显然以色列民也宣示对耶和华的爱戴和忠信，但是没有或几乎没有常性：

> 因为你们的善良如同早晨的云雾，又如速散的甘露。(6：4)

何西阿指出，实际上耶和华随时准备带着宽恕的心来倾听以色列民的忏悔：

> 来吧，我们归向耶和华！他撕裂我们，也必医治；他打伤我们，也必缠裹。(6：1)

《何西阿书》中的这个主题经常被夸大，以至于有人认为何西阿是作为一个爱与望的先知而兴起，而不是一个谴责和警示劫难的先知。其实何西阿信息的整个冲击力显然在于警示即将落在圣约之民头上的灾难，这些耶和华的子民陷在违背圣约誓愿的罪里而浑然不知。何西阿自己用以说出耶和华神谕的那些话是他的信息的最佳总括："我喜爱善良，不喜欢祭祀；喜爱认识神，胜于燔祭。"(6：6)但是何西阿在"拨乱反正"、扭转时弊方面像阿摩司一样收效甚微，以色列民仍然一股脑地向着先知们所警告的灾难扑去。

何西阿充当耶和华先知的年代是在耶罗波安二世统治末期的那些纷乱岁月。肥沃新月地带日益增长的动荡早在耶户王朝覆灭时期就显现出来。耶罗波安二世之后，他的儿子撒迦利雅继位，但是不到一年就被一场军事政变所推翻(《列王纪下》15：8—10)。

第四节 亚述危机时期北国
以色列的亡国命运

公元前 8 世纪末和公元前 7 世纪上半叶亚述爬升到其力量的顶点,而这形成了笼罩在北国以色列和南国犹大头上的一个巨大阴影。

一、亚述危机时期的分裂王国

《列王纪下》15—21 章(经文与《历代志下》27—33 平行)所涵盖的正是这段历史时期(公元前 746—前 642 年),内容主要有二:一是面对亚述强权的北国以色列和南国犹大诸位弱王(《列王纪下》15:1—17:41),其中的重点有叙利亚-以法莲战争(16:5—9),以色列的陷落(17:1—6)和"申命史观"的评价(17:7—23);二是犹大作为亚述的附庸国而独存(《列王纪下》18:1—25:30),其中主要有三位国王,即希西家(18:1—20:21)、玛拿西(21:1—18)和亚们(21:19—26)。

亚述直接针对巴勒斯坦的行动是随着亚述提革拉毗列色三世在尼尼微加冕而开始的。他的主要目标是埃及,但是巴勒斯坦处于进军路线上,因而成为亚述对外政策和军事战略的一环。在平定巴比伦的动乱而巩固了地位之后,雄心勃勃的提革拉毗列色剑指埃及。肥沃新月地带的那些小国原先为了拒绝向提革拉毗列色纳贡曾经结成联盟,但在提革拉毗列色于大约公元前 739 年进入该地区时,这个联盟很快便瓦解。提革拉毗列色所留下的铭文吹嘘他从叙利亚的利汛和以色列的米拿现那里收取贡赋,但是没有提到从犹大国的乌西雅那里收取贡赋。

大约公元前 735 年,以色列的国王比加(15:27—31)和叙利亚国王利汛试图组建新的联盟以阻止提革拉毗列色进一步向他们的国土推进。犹大国王亚哈斯拒不加入这个联盟,而且当"亚兰王利汛和以色列王利玛利的儿子比加上来攻打耶路撒冷,围困亚哈斯"的时候,亚哈斯派出使者直接向提革拉毗列色寻求支持(16:1—7)。为此,"亚哈斯将耶和华殿里和王宫府库里所有的金银都送给亚述王为礼物"(16:8)。这个行动使犹大显然成为亚述的附庸国。于是,"亚述王应允了他,就上去攻打大马士革,将城攻取,杀了利汛,把居民掳到吉珥"(16:9)。这个粉碎叙利亚(亚兰)和以色列联盟的事件发生在公元前 732 年。亚述不但吞并了叙利亚(亚兰),而且侵入以色列。尽管亚述的这次行动没有终结作为一个国家而存在的以色列,但是导致比加被谋杀,由一个最初亲亚述的傀儡王何细亚取而代之(17:1)。这些都得到有关提革拉毗列色三世的编年文献的考古印证①。

以色列国王何细亚在维持亲亚述的政策期间,平安无事、万事大吉。但是大约公元前 725 年何细亚不再向亚述纳贡称臣,而是倒向埃及:"何细亚背叛,差人去见埃及王梭,不照往年所行的与亚述王进贡。"(17:4)战争随之爆发,遭到背叛的"亚述王上来攻击以色列遍地,上到撒玛利亚,围困三年"(17:5)。此时上来荡平以色列、围困耶路撒冷的亚述统治者是撒缦以色五世,但是他没有看到城破便死去。接替他的萨尔贡二世继续围城,并最终于公元前 722 年攻陷撒玛利亚,北国以色列灭亡:"何细亚第九年,亚述王攻取了撒玛利亚,将以色列人掳到亚述,把他们安置在哈腊与歌散的哈博河边,并玛代人的城邑。"(17:6)亚述在攻陷撒玛利亚之后,采取了掳民政策。以色列的大量人口,包括领导阶层,被迫离乡背井、迁徙到亚述帝国的其他地方。在考古发现的萨尔贡二世的宫殿石板上所镌刻的年表中,萨尔贡二世宣称击败了坐落于暗利家土地上的撒玛利亚,迁出了其人口;此外还记有针对亚实突、巴比伦和以拦等地所发动的战役②。

亚述帝国不仅从以色列地迁出以色列民,而且向以色列地迁入其他国家的人口:"亚述人从巴比伦、古他、亚瓦、哈马,和西法瓦音迁移人来,安置在撒玛利亚的城邑,代替以色列人,他们就得了撒玛利亚,住在其中。"(17:24)。这些移民之中包括阿拉伯沙漠里的一些部族③。以色列人迁出的十个支派的人口因为异族通婚和民族融合,失去了特定民族身份,在历史上不知所终,这也成为汤因比等历史学家所研究的"遗失的十个支派"问题。而那些没有被迁出、仍然居住故土的北国以色列人形成历史上著名的撒玛利亚人。撒玛利亚人因为兼容并蓄的宗教实践,以及与异族通婚,被后来时期的犹太人视作一群被开除"犹"籍的人。

对厄运降临以色列头上的原因,"申命史观"给出了基于圣约神学的一种墓志铭式的解释。这一在北国以色列的废墟上树立起来的墓志铭,意在警告南国犹大,倘若犯同样的错误,就会"殊途同归"(17:7—23)。

尽管以色列的毁灭是《圣经》历史上非常重要的事件,但是对亚述人而言,这只不

---

① 参见 John H. Walton, *Ancient Near Eastern Thought and the Old Testament: Introducing the Conceptual World of the Hebrew Bible*, Grand Rapids, Michigan: Baker Academic, 2006, p. 68.

② 同上。

③ 菲利浦·希提:《阿拉伯通史》第十版(上),新世界出版社 2008 年版,第 33 页。

过是保证肥沃新月地区的那些国家纳贡称臣的一次行动,是亚述与另一个大国埃及长期冲突中的一个小插曲而已。从这样的角度来看,南国犹大甘心称臣的做法,使她在亚述主宰时期日子要比以色列好过一些。尽管她失去了自己的独立,但是维持了自己的身份。与北国的何细亚王不同的是,南国犹大的亚哈斯王保存国家的政策主调就是顺服。当希西家继承王位之后,一改乃父"韬光养晦"的臣服政策:"他背叛,不肯侍奉亚述王。"(18:7)对于希西家,"申命史观"因为他恪守耶和华的圣约而给予高度评价:"希西家倚靠耶和华以色列的神,在他前后的犹大列王没有一个及他的。"(18:5)他的宗教改革至少部分直接指向削弱亚述宗教实践的影响,因为与这种宗教相伴生的是政治上的臣服(18:3—4)。

希西家漫长的执政道路上最著名的事件出现在公元前701年。许多年间,亚述国王一直忙于应付地中海东岸那些国家此起彼伏的反叛——拒绝纳贡,同时与埃及进行着争夺当时世界霸权的拉锯战。不过,希西家在所有这一切当中牵涉不深,所以没有招来亚述的惩罚性袭击。但是公元前701年的这次惩罚,希西家却没有能够幸免。在那些古代帝国中,一个国王的死亡通常成为其中的小国造反的信号。公元前701年亚述萨尔贡二世驾崩,巴比伦起来造反,并且敦促帝国的西方同时起义,最终没有成功。在重新控制巴比伦之后,亚述王西拿基立转而向西收服腓尼基和非利士。然后他又借机把大军锋芒指向此时独存的以色列人的国家犹大。结果,犹大的大片国土遭到蹂躏(18:13),耶路撒冷陷入重围。尽管希西家被迫一度向亚述王献上贡品(18:14—16),但是西拿基立毕竟没有成功征服耶路撒冷。最后,"耶和华的使者"把死亡带给十八万五千围城的亚述大军,剩余的军队只好撤离(19:35—36)。至于亚述撤军的真正原因,学者们推测是因为腹股沟腺炎性的瘟疫爆发。

颇有价值的是,这个故事不仅以《旧约》中的版本形式保存下来,而且还以亚述人的一个版本留存于世。西拿基立所立的几个铭记"丰功伟绩"的棱碑之一记述了他的这次远征,其中谈到"希西家就像笼中小鸟一样被困在耶路撒冷",还宣称在该年晚些时候从希西家那里取得过贡品,但是没有夺取耶路撒冷①。当然在这个铭文中,没有提及他损兵折将的灾难。西拿基立被弑之后,他的一个儿子以撒哈顿继位。

尽管耶路撒冷得以保全,但是亚述的主宰地位并没有成为过去,只是这种继续就亚述而言已是过去辉煌的一种回光返照而已。及至以撒哈顿的儿子亚述巴尼拔(亚斯那巴,《以斯拉记》4:10),亚述国势大不如前。但是就犹大而言,图存的任务仍然非

① 参见 John H. Walton, *Ancient Near Eastern Thought and the Old Testament: Introducing the Conceptual World of the Hebrew Bible*, Grand Rapids, Michigan: Baker Academic, 2006, p. 64。

常艰巨。在犹大与亚述的伟大斗争年代,又涌现出耶和华的两位先知:以赛亚和弥迦。

二、耶路撒冷的以赛亚——先知和政治家

以赛亚是先知传统中的一位巨人。以他的名字得名的《以赛亚书》对于《圣经》文字评断学者们而言是一个难解之谜。现代学术的意见认为,《以赛亚书》是来自《旧约》历史中不同阶段的一些预言性神谕的结集,其中以公元前 8 世纪耶路撒冷的以赛亚为开端。尽管在这个预言传统中还有一些以赛亚的弟子或追随者们的贡献,但是耶路撒冷的以赛亚仍然是这个传统中的主导性人物。一般认为,《以赛亚书》1—39 章出自公元前 8 世纪耶路撒冷的以赛亚,而 40—66 章出自公元前 6 世纪巴比伦的以赛亚。尽管对此和《圣经》的其他评断性解释几乎总是有不同见解[1],但是我们暂时沿用这种区分,以时代为背景分两部分来处理《以赛亚书》。1—39 章这一部分放到此处讨论,而 40—66 章那一部分则放到讨论巴比伦囚掳时期的章节。

《以赛亚书》中耶路撒冷的以赛亚部分除了其主题之外,还提供了前文《列王纪下》中有关内容的背景材料和细节。耶路撒冷的以赛亚活跃在大约公元前 740—前 700 年之间,正是亚述力量增长的时期[2]。他经历了一些重大的危机。在公元前 735 年或公元前 734 年,以色列和亚述入侵犹大。不顾以赛亚的建议,犹大的亚哈斯王向亚述寻求援助,成为一个附庸国,并且把亚述信仰引入圣殿(《列王纪下》16 章;《以赛亚书》7—8 章)。以色列王国于公元前 722 年被亚述所灭。当亚实突、以东和摩押于公元前 713—前 711 年结盟反抗亚述的时候,以赛亚反对犹大卷入其中(14:28—32;18:1—19:25)。他还反对公元前 705 年的类似反叛(30:1—31:9),正是这次反叛导致西拿基立毁灭性的入侵。因为亚述傲慢和渎神,以赛亚预言耶路撒冷得到奇迹般的拯救(《以赛亚书》36—37 章;王下 18—19 章)。

《以赛亚书》1—39 章首先关乎对犹大和耶路撒冷的预言性神谕(1—12);其次关乎主要针对外邦的神谕集(13—23);第三关乎"以赛亚末世论"(24—27);第四关乎哀叹集,主要谴责犹大的政策和做法,内政方面以及与亚述和埃及相关的外交方面(28—33);第五关乎与以色列的蒙福和活力相对的以色列敌人的劫难(34—35),第六

---

[1]　参见 Philip S. Johnson (ed.), *The IVP Introduction to the Bible*, Inter-Varsity Press, 2006, pp. 121–122。
[2]　同上书,第 121 页。

关乎与希西家时代相关的历史叙事（36—39）——与《列王纪下》18：13—20：19平行。

《以赛亚书》第1—39章的梗概和信息表明，以赛亚是耶路撒冷的一位贵族和政治家。尽管他的生活和公开侍奉只是以耶路撒冷为中心，但是他的关切并不局限于那些民族主义的要旨。他结了婚（8：3），有两个名字具有预言意义的儿子：一个叫施亚雅述（"剩余之民将归回"），另一个叫玛黑珥沙拉勒哈施罢斯（"掳掠速临，抢夺快到"）。他的先知活动始于乌西雅王驾崩那年（公元前742年），继于后续的三个国王统治期间：约坦、亚哈斯和希西家。犹太教传统认为，他活到玛拿西统治期间，为了他的信仰而殉道——"被锯锯死"①。

以敏锐的先知洞见和耶和华的鲜活信息武装起来的以赛亚，面临着圣约之民历史中的一些重大转折事件：亚述力量的蹿升和影响、叙利亚-以法莲联盟、叙利亚和以色列的陷落、亚述和埃及争夺霸权的拉锯战、西拿基立的入侵和最终亚述的君临天下。

其中，有关凡人以赛亚成为先知以赛亚的异象记载，定下了该卷前后一致和贯穿一切的基调：耶和华的圣洁与他的约民一方的缺乏圣洁。耶路撒冷的以赛亚视神的审判为犹大民众的态度和行为的必然结果。

> 天哪，要听！地啊，侧耳而听！因为耶和华说："我养育儿女，将他们养大，他们竟悖逆我。牛认识主人，驴认识主人的槽；以色列却不认识；我的民却不留意。嗐！犯罪的国民，担着罪孽的百姓；行恶的种类，败坏的儿女！他们离弃耶和华，藐视以色列的圣者，与他生疏，往后退步。"（1：2—4）

正是因为犹大民众的这种态度和行为，"以色列啊，你的百姓虽多如海沙，惟有剩下的回归。原来灭绝的事已定，必有公义施行，如水涨溢。因为主万军之耶和华在全地之中，必成就所定规的结局"（10：22—23）。

民众崇拜的量不可谓不多，但并不真诚，因此不为耶和华所接受：

> 耶和华说："你们所献的许多祭物与我何益呢？公绵羊的燔祭和肥畜的脂油，我已经够了。公牛的血，羊羔的血，公山羊的血，我都不喜悦。你们来朝见我，谁向你们讨这些，使你们践踏我的院宇呢？你们不要再献虚浮的供物。香品是我所憎恶的；月朔和安息日，并宣召的大会，也是我所憎恶的；作罪孽，又守严肃会，我也不能容忍。"（1：11—13）

---

① 《希伯来书》11：37所涉及的可能就是此事。

在以赛亚看来,犹大所犯之罪的本质是民众的自大和任意而为,这就完全把耶和华排除在外:

> 眼目高傲的必降为卑,性情狂傲的都必屈膝,惟独耶和华被尊崇。必有万军耶和华降罚的一个日子,要临到骄傲狂妄的,一切自高的,都必降为卑。(2:11—12)

充满恩典的耶和华一直试图引导他的子民,呵护他们,以一切可以想象的方式向他们提供所需,但是民众却悖逆他的愿望,行公平和公义的反面。尽管他们理应"哀哉"临头(5:8—25),理应遭受入侵敌军的完全毁灭(5:26—30),但是《以赛亚书》第5章快乐的《葡萄园之歌》还是提供了一个比喻,展示神对这样一群无动于衷的民众的关爱。

叙利亚-以法莲危机是《以赛亚书》第7—8章的关注中心。面对心神错乱的亚哈斯王,以赛亚提出的忠告是一种需要耐心的信仰,而亚哈斯对此不予践行。相反,他自大地把他的国家与亚述结盟,结果犹大的独立丧失于对提革拉毗列色(《以赛亚书》中称为普勒)的臣服之中。

以赛亚的著名之处是坚持认为,耶和华将通过派遣一位神所膏立或选择的"弥赛亚"的方式介入人类的斗争和悲剧之中。表达这一主旨的最著名经文片段采用的是描述一个新的国王的形式,这位国王像大卫一样,甚至更好;通过这样一个国王,崇拜和顺从耶和华将在大地上得到实现。

> 因有一个婴孩为我们而生,有一子赐给我们,政权必担在他的肩头上。他名称为奇妙、策士、全能的神、永在的父、和平的君。他的政权与平安必加增无穷。他必在大卫的宝座上治理他的国,以公平公义使国坚定稳固,从今直到永远。万军之耶和华的热心必成就这事。(9:6—7)

> 从耶西的本必发一条,从他根生的枝子必结果实。耶和华的灵必住在他身上,就是使他有智慧和聪明的灵、谋略和能力的灵、知识和敬畏耶和华的灵。他必以敬畏耶和华为乐……(11:1—3)

以赛亚这位伟大先知并没有说耶和华什么时候强力介入,但是他肯定地认为,只有信靠耶和华才有唯一的希望。相反,民众却依赖他们自己的"精明"安排。

> 我们与死亡立约,与阴间结盟;敌军如水涨漫经过的时候,他必不临到我们,因我们以谎言为避所,在虚假以下藏身。(28:15)

对民众自己的安排的成功之处,以赛亚有这样一种隐喻性的、但是足够充分的描述：

> 原来床榻短,使人不能舒身;被窝窄,使人不能遮体。(28:20)

国家、国王和民众拒斥了那条向他们提供了化解生活危难和无常境况的唯一解决之道的信息:

> 主耶和华以色列的圣者曾如此说:"你们得救在乎归回安息,你们得力在乎平静安稳。"你们竟自不肯。(30:15)

耶路撒冷的以赛亚看到背信的国家面临审判的必然性,但是他还看到亚述不过是神的审判的工具。就像耶和华审判并谴责犹大一样,他也审判亚述(30:27—33)。亚述因自己的力量和成就而沾沾自喜,注定在劫难逃。

当犹大国公元前701年遭到亚述王西拿基立进攻的时候(36:1—2),以赛亚的这个信念最为清晰地聚焦起来。以赛亚向被围困的国王和耶路撒冷居民宣示,耶路撒冷城会屹立不倒,西拿基立的进攻不会成功(37:21—35)。果然,"耶和华的使者出去,在亚述营中杀了十八万五千人。清晨有人起来一看,都是死尸了。亚述王西拿基立就拔营回去,住在尼尼微。"(37:36—37)

这个事件以及以赛亚论锡安(或耶路撒冷)的荣耀的那些教导催生了"神圣不可侵犯的锡安"教义,而这个教义后来被人们理解为适用于任何历史和宗教状况。与这个思想紧密相连的是有关耶路撒冷——崇拜耶和华之城——的荣耀未来这样一个观念。以赛亚是在回归的剩余之民的语境中表达希望超越劫数的观念的。但是最初的这样一个思想被后世抽离了原先的语境而加以诠释。以赛亚使之成为在劫难逃的民族的一线希望;而后世把它诠释为耶和华的未来和希望。把未来的荣耀(2:2—4)与理想统治者(9和10章)关联起来,以描绘出锡安和大卫王朝的荣耀时代,是一件称心和容易的事情。其中奠定了把以后《旧约》时代的未来希望与一个地点和一个家族联结起来——因此比永恒和属灵更加暂时和属世——的基础。

在亚述主宰的黑暗年代,可能出现过对耶和华崇拜的官方禁令。尽管伟大先知耶路撒冷的以赛亚湮灭在历史之中,但是他的教导却传到了现代。与耶路撒冷的以赛亚同时代、思想迄今同样存世的还有一位先知弥迦。

三、来自乡村的先知弥迦与希西家改革的命运

《旧约》中所提供的有关米迦的个人资料不多。他说预言期间在位的那些国王的

统治时间跨越五十多年,包括公元前 722 年毁灭之前以色列人最后的那些多灾多难的岁月,以及公元前 701 年西拿基立对犹大的入侵。米迦是摩利沙人,可能位于耶路撒冷与非利士平原之间的山区。他的信息透露出他偏爱乡村生活,而厌恶、甚至谴责城市生活。他的信息直接指向耶路撒冷和撒玛利亚(1：1),在他的眼中,这些城市与犹大和以色列的罪等同:"雅各的罪过在哪里呢? 岂不是在撒玛利亚吗? 犹大的丘坛在哪里呢? 岂不是在耶路撒冷吗?"(1：5)米迦与前辈先知和同代先知一样谴责社会不公和宣示迫在眉睫的劫难:

> 祸哉,那些在床上图谋罪孽造作好恶的,天一发亮,因手有能力,就行出来了。他们贪图天地就占据,贪图房屋便夺取。他们欺压人,霸占房屋和产业。所以耶和华如此说:"我筹划灾祸降与这族,这祸在你们的颈项上不能解脱,你们也不能昂首而行,因为这时势是恶的。到那日,必有人向你们提起悲惨的哀歌,讥讽说:'我们全然败落了! 耶和华将我们的份转归别人,何竟使这份离开我们? 他将我们的田地分给悖逆的人。'"(2：1—4)

《弥迦书》对于真正的宗教所下的定义足以跻身人类文献中的伟大陈述之列:

> 我朝见耶和华,在至高神面前跪拜,当献上什么呢? 岂可献一岁的牛犊为燔祭吗? 耶和华岂喜悦千千的公羊,或是万万的油河吗? 我岂可为自己的罪过献我的长子吗? 为心中的罪恶献我所生的吗? 世人哪,耶和华指示你何为善,他向你所要的是什么呢? 只要你行公义,好怜悯,存谦卑的心,与你的神同行。(6：6—8)

米迦所宣布的最为独特的信息莫过于他所宣示的耶路撒冷和圣殿的毁灭了。这个信息对与他同时代的那些人而言不免耸人听闻,因为那些秉持倘若没有圣殿上帝便没有居所的人们坚信,上帝肯定会保护他的圣殿。但是米迦宣告事情绝非如此:

> 他们却依赖耶和华,说:"耶和华不是在我们中间吗? 灾祸必不临到我们。"所以因你们的缘故,锡安必被耕种像一块田,耶路撒冷必变为乱堆,这殿的山必像丛林的高处。(3：11—12)

这一有力宣告的效果到底如何,在《弥迦书》中没有记载,但是在《圣经》研究领域,其效果是众所周知的。在《耶利米书》第 26 章中,耶路撒冷的长老们把引发希西家改革的动因归功于米迦的这个宣告。而《旧约》正是把公元前 701 年耶路撒冷能够逃脱西拿基立的毒手归功于如此激发而来的宗教改革。

先知对犹大存在的不公及其接受亚述政策和追随亚述做法所进行的挞伐难以长

久逆转潮流。犹大很快堕入一个亲亚述和反耶和华的时代。接受亚述在政治上的至高无上地位包括接受亚述的宗教。希西家亡故之后(《列王纪下》20：21)，在玛拿西和亚们作傀儡王期间(《列王纪下》21：1—26)，耶和华的先知们在犹大沉默了至少半个世纪。这些犹大王不仅接受了亚述的主导地位，而且乐此不疲、有所获益。希西家的改革被废止，生殖力崇拜再度恢复。(《列王纪下》21：3)随着异神祭坛在圣殿的设立，圣殿蜕变成一个亚述宗教崇拜的中心(《列王纪下》21：5)。国王们在异神崇拜仪式中以人为祭品献祭，为臣民树立了恶劣的榜样(《列王纪下》21：36)。简而言之，纯粹的耶和华崇拜在犹大国的那片土地上已经被遗忘殆尽。不仅如此，"申命史观"还附加了对耶路撒冷生活的一种写实性的描述："玛拿西行耶和华眼中为恶的事，使犹大人陷在罪里，又流许多无辜人的血，充满了耶路撒冷，从这边直到那边。"(《列王纪下》21：16)

在以撒哈顿和亚述巴尼拔治下，亚述达到力量的鼎盛。以撒哈顿活捉了犹大王玛拿西并一度把他囚禁在巴比伦城，而且他在亚述诸王中是唯一定都巴比伦城的国王(其他皆定都尼尼微)(《列王纪下》19：37；《以赛亚书》37：38)。随后继位的是他的儿子亚述巴尼拔(公元前668—前626年在位)，即亚斯那巴(《以斯拉记》4：10)。亚述巴尼拔继位后讨伐敌国古实和埃及，打败其联军，并于公元前663年攻克埃及首都提庇斯城，即《圣经》中的挪亚们。亚述巴尼拔也是目睹亚述盛极而衰历程的一位亚述国王。随着所取得的势力范围内巴比伦和其他地方的造反频发，亚述巴尼拔四处平叛，力图重振亚述雄风，无奈晚年国势日衰。

公元前727年一度臣服的巴比伦人在强大的迦勒底王子比罗达巴拉但(《列王纪下》20：12)领导下摆脱了亚述人的统治，并于公元前612—前605年与米底亚人一起灭掉了亚述。而这正应了以赛亚(10：5—19)、那鸿(3：19)和西番雅(3：13)等先知们的预言。随着亚述强权在巴勒斯坦的终结，犹大迎来了民族复兴的希望曙光。

第五节　巴比伦阴影下南国犹大的定数

犹大列王采取的臣服亚述的国策维持了犹大作为一个政治实体的地位，但是也把犹大带入宗教和国事方面的一个黑暗和困难的时代。亚述强权的倾覆提供了犹大复兴的希望——国家政治上独立、宗教上忠信耶和华的希望。但是这个希望转瞬即逝，它首先遭遇极力把影响力扩展到这个地区的埃及强权的沉重打击；继而惨遭击败了埃及并主宰肥沃新月地带的巴比伦强权的彻底粉碎。

一、犹大和巴比伦危机梗概与约西亚宗教改革

这部分历史(《列王纪下》21：23—25：30；经文与《历代志下》33：25—36：21 平行)主要涉及以下内容：第一，约西亚及其改革(21：23—23：30)，其中重要的事件有少年天子(21：23—22：2)、修缮圣殿(22：3—7)、托古改制(22：8—23：27)和命丧尼哥(23：28—30)；第二，犹大的动荡局势——先顺服埃及、后顺服巴比伦(23：30—37)；第三，反叛巴比伦和"第一次被掳"(24：1—16)；第四，以圣殿被毁、"第二次被掳"而告终的第二次反叛(24：17—25：21)；第五，犹大沦为以基大利为省长的巴比伦行省(25：22—30)。我们认为，理解这段纷繁历史的主线是犹大政坛亲巴比伦派与亲埃及派的角力。

亚述势力的衰落在她幅员辽阔的帝国中创造了原先被压制的民族进行反弹的机会。埃及和巴比伦的成功反叛树立了光辉的榜样，其他民族纷纷效仿。尽管《旧约》本身不把解释政治因素和帝国因素与宗教事件的关联放在心上，但那场弑杀了热衷搞亚述亲善的犹大王亚们的军事政变，很有可能与民族希望和宗教热忱有密切的关系。这段时期的犹大列王有：亚们(公元前 642—前 640 年)、约西亚(公元前 640—前 609 年)、约哈斯(公元前 609 年)、约雅敬(公元前 609—前 598 年)、约雅斤(公元前 598 年)和西底家(公元前 597—前 587 年)。

尽管"申命史观"想为约西亚树碑立传，但是有关约西亚早年统治时期的事情我们几乎一无所知。所记载的第一个、也是最有意义的事件是他执政第十八年的时候所进行的宗教改革。对《列王纪下》所缺失的约西亚王的早期材料，《历代志下》有所补充。其中记载约西亚执政第八年、十六岁的时候开始寻求耶和华，而在二十岁的时候开始推行摧毁异神祭坛和象征的政策，甚至大规模深入一度属于以色列的土地①。这里所暗含的意味是，约西亚的宗教改革是一个广泛的民族振兴政策的构成部分，可能旨在重新建立一个涵盖原先统一王国疆土的一个统一的希伯来国家。所有这些努力出现在亚述巴尼拔死于亚述的几乎同一个时期，应该绝非碰巧那么简单。

约西亚统治的焦点落在公元前 621 年。这是约西亚改革或曰"申命改革"的日子。这场改革在形成希伯来人未来那些世代的宗教概观和宗教文献方面具有指标性

---

① 《历代志下》34：6—7。

的意义。圣殿得到修缮和恢复,因为在亚述危机期间耶和华崇拜基本上被放弃,甚至为了生殖力仪式和星相仪式之需在圣殿树立起异神的祭坛。当犹大在约西亚的带领下开始舍弃亚述神祇的时候,这个行动无异于宣布从亚述获得政治独立。不过,约西亚改革的政治蕴含几乎完全被《圣经》史观所忽视,因此需要从字里行间领略这个改革的方方面面。

约西亚改革缘于奉命修缮圣殿的大祭司希勒家从圣殿中所发现的一轴古卷(22:3—10)。希勒家把所发现律法书古卷的内容读给约西亚王听了之后,约西亚对古卷中的内容深感震撼。在得到女先知户勒大对律法书的真实性的认定之后,约西亚王立刻派人当众宣读,并宣布新发现的律法书为"这地的律法"。于是在耶和华面前立约之后,"众民都服从这约"(22:11—23:3)。新发现的律法成为约西亚改革的核心,并为他的宗教方略的实施提供了巨大的推动力。正是根据如此确立起来的法典,轰轰烈烈的约西亚改革以清扫所有遭到该法典谴责的宗教惯例和习俗开始入手(23:4—14)。宗教改革的狂飙不仅席卷耶路撒冷及其周围地区,而且遍及整个犹大,甚至远及伯特利(23:15—20)。改革锋芒所到之处,高冈和圣所的祭坛、柱像和亚舍拉纷纷灰飞烟灭。此外,不但公共的宗教场所和地点得到洁净,而且"凡犹大国和耶路撒冷所有交鬼的、行巫术的,与家中的神像和偶像,并一切可憎之物,约西亚尽都除掉,成就了祭司希勒家在耶和华殿里所得律法书上所写的话。"(23:24—25)尤其重要的是,这场改革重新把圣殿和耶路撒冷提高到一个显著的地位,不仅把耶和华的信仰集中到那里,而且把逾越节的庆祝从家庭搬到圣殿,遂演变成民族的一种庆典(23:21—23)。

尽管存在不同见解[1],但是有学者认为,所谓律法书的发现无疑是约西亚那个时代具有改革头脑的希伯来人编纂希伯来宗教、伦理法典的一种尝试,是旨在纯洁信仰和提高道德的一种策略[2]。另外,约西亚的宗教改革政策与《申命记》的重点之间的协同,致使绝大多数学者得出结论认为,在耶和华殿里所得的那卷"律法书"(22:8)与目前形式的《申命记》基本上是同一个东西,也就是《圣经》底本说中的"申典"[3]。

约西亚的改革是短命的,而且并不十分成功。即刻改观的东西通常难免流于表面。不过这次改革所确立起来的"申命神学观"并没有随着时间而淡化,反而对从那

[1] Henry Jackson Flanders, Jr. and Buce C. Cresson, *Introduction to the Bible*, New York: John Wiley & Sons, 1973, p. 185.
[2] David S. Noss, *A History of the World's Religions*, 11th ed., Upper Saddle River, NJ: Prentice Hall, 2003, pp. 435 - 436.
[3] 尤其是《申命记》中的第 12—26 章与约西亚改革的细节相关。

以后的希伯来人的宗教观和文献产生了重大而持久的影响。其底蕴还一直影响到整个犹太-基督教传统对道德和宗教的诠释。为了更好地确定约西亚的政策在世界背景上的影响和结果,有必要考察约西亚同时代的西番雅、哈巴谷和那鸿三位"小先知"与以西结这位"大先知"的著作。

二、亚述大城尼尼微毁灭的先知那鸿——《那鸿书》

华彩诗篇《那鸿书》所关注和欢庆的是尼尼微陷落这样一个历史上的重大事件。

只有一节经文的题记道出了有关先知那鸿的唯一生平信息——他来自具体地点不祥的一个叫做伊勒歌斯的地方,所论的是有关尼尼微的默示。对《那鸿书》的研究表明,先知那鸿是一个驾驭诗歌体裁的大师。在这一点上,《旧约》中有与那鸿平起平坐者,但是没有出其右者。此外,那鸿还是一位对亚述深恶痛绝、具有强烈爱国心的犹大先知。

鉴于尼尼微陷落于公元前 612 年,《那鸿书》最有可能是在接近这个日期的时候写成的。这就会把那鸿界定在约西亚民族主义宗教改革中的那些较晚的年份,期间爱国主义的复兴强化了犹大民众对长期以来威胁着耶和华的子民的亚述帝国的满腔仇恨。最终,邪恶的国族得到正义的审判!

> 耶和华不轻易发怒,大有能力,万不以有罪的为无罪。(1:3)

按照具体应用来看,《那鸿书》的主题意在表达亚述在劫难逃。这点在第 2—3 章中有生动的表述。该卷优美的文字、诗化的意念、生动的笔触确立了那鸿的文学成就,但是他所传的信息却是最不具有吸引力的先知信息之一。他所传的信息听起来是仇恨而不是爱,是报复而不是宽恕,是审判而不是慈悯。尽管不够具有吸引力,但是他所传的信息肯定神的审判的肯定性和普遍性,这与《旧约》中的上帝信条是符合的。加之亚述人的残酷和非人道,那鸿的敌意是可以理解的。他宣称,即便是强大如亚述,最终也不能逃脱耶和华的审判。

三、耶和华审判之日的先知西番雅——《西番雅书》

《旧约》几乎没有提供我们可资谈论先知西番雅的相关材料。该卷的题记把西番雅的活动事件界定在约西亚统治时期。有人推测,他就是公元前 587 年新巴比伦王尼布甲尼撒在利比拉所处决的犹大的副祭司西番雅(《列王纪下》25：18—21)。学者们一般认为,先知西番雅传信息的日期应该在约西亚宗教改革之前或者之后。之前,则展现需要神加以审判的众人的做法;之后,则表明改革几乎没有改变犹大地的人的基本态度和行动这样一个现实。

西番雅的宣示围绕着先知传统中由阿摩司所首创的"耶和华的日子"这个概念而展开。《西番雅书》在《阿摩司书》的基础上把那个日子描述成迫在眉睫的、令人恐怖的审判人的罪行的日子,这种审判具有普世的适用性,伴随着自然界中一些翻天覆地的变化。《西番雅书》以写实的笔触描绘了那个日子的情形:

> 耶和华的大日临近,临近而且甚快,乃是耶和华日子的风声。勇士必痛痛地哭号。那日,是忿怒的日子,是急难困苦的日子,是荒废凄凉的日子,是黑暗、幽冥、密云、乌黑的日子,是吹角呐喊的日子,要攻击坚固城和高大的城楼。(1：14—16)

那些认定耶和华在人类境遇中不起作用的人们被直接设为抨击的目标:

> 那时,我必用灯巡查耶路撒冷,我必惩罚那些如酒在渣滓上澄清的。他们心里说:"耶和华必不降福,也不降祸。"他们的财宝必成为掠物,他们的房屋必变为荒场;他们必建造房屋,却不得住在其内,栽种葡萄园,却不得喝所出的酒。(1：12—13)

耶和华审判的彻底性在《西番雅书》中令人难忘地描绘出来:

> "我必从地上除灭万类。我必除灭人和牲畜与空中的飞鸟、海里的鱼,以及绊脚石和恶人;我必将人从地上剪除。"这是耶和华说的。(1：2—3)

四、求索的先知哈巴谷——《哈巴谷书》

《哈巴谷书》在先知传统中有些新颖的、独特的色彩。像其他先知一样,哈巴谷承担把上帝的讯息传递给人类的使命,但他为此尝试了一些不同以往的创新方式。他代表那个时代向上帝提出了"恶人主宰义人的现象何时方休?"这样一个辛辣的问题:"恶人吞灭比自己公义的,你为何静默不语?"(1：13)对这个问题的讨论以及耶和华的回应是他所传信息的中心要素。

该卷没有提及先知的任何信息，无法直接帮助我们确定先知身份或确定其活动日期。有学者认为，书中提及"迦勒底人"(1：6)表明《哈巴谷书》的信息可能是随着巴比伦崛起于世界舞台而出现的，大约在公元前7世纪后期。

《哈巴谷书》提出的难题是：

> 耶和华啊，我呼求你，你不应允，要到几时呢？我因强暴哀求你，你还不拯救。你为何使我看见罪孽？你为何看着好恶而不理呢？毁灭和强暴在我面前，又起了争端和相斗的事。因此律法放松，公理也不显明；恶人围困义人，所以公理显然颠倒。(1：2—4)

学者认为上述经文也透露出了难题产生的背景，就是在约雅敬作王治理犹大期间，此时这位国王对约西亚的宗教改革"反攻倒算"、"倒行逆施"①。《哈巴谷书》对上述同一个难题还有进一步的表述：

> 你眼目清洁，不看邪癖，不看好恶；行诡诈的，你为何看着不理呢？恶人吞灭比自己公义的，你为何静默不语呢？(1：13)

面对这个难题，《哈巴谷书》也代替耶和华作出了回应，而这个回应难题的答案让我们有证据得出结论，这个难题不是一人一地的问题，而是在广大的民族范围内遇到的问题：

> 你们要向列国中观看，大大惊奇；因为在你们的时候，我行一件事，虽有人告诉你们，你们总是不信。我必兴起迦勒底人，就是那残忍暴躁之民，通行遍地，占据那不属自己的住处。他威武可畏，判断和势力都任意发出。(1：5—6)

有学者提出，《哈巴谷书》的信息是先知对约雅敬在位期间统治集团内部所存在的邪恶的一种预言性的抗议，只是出于先知不敢公开指名道姓地说出来，所以才放到一种国际背景上暗示出来。先知哈巴谷所传的神谕的复杂性在于同时存在两个事实给先知所带来的困惑：一是耶和华一直借助比犹大更邪恶的那些异族对子民施行审判，再就是耶和华允许像约雅敬这样毫无价值的人在大卫的宝座上统治犹大②。

《哈巴谷书》的一个重要价值在于寻求解答神是否正义这个问题，这其实已经是一种非常雏形的神正论探讨。他所关切的中心是神在需要国际公理的时候却无所作为。尽管深信需要正义的行动，但是他代表民众表达了常人的疑惑，就是不明白为什

---

① Philip S. Johnson (ed.), *The IVP Introduction to the Bible*, Inter-Varsity Press, 2006, p.135.

② Henry Jackson Flanders, Jr. and Buce C. Cresson, *Introduction to the Bible*, New York: John Wiley & Sons, 1973, p.189.

么正义总是迟迟不到。耶和华的回答是：

> 他对我说："将这默示明明地写在版上，使读的人容易读。因为这默示有一定的日期，快要应验，并不虚谎。虽然延迟，还要等候；因为必然临到，不再延迟。"迦勒底人自高自大，心不正直；惟义人因信得生。(2：2—4)

这个答案尽管没有直接肯定耶和华的正义，但是它表明耶和华行动的时间选择无需符合先知所提的时间表。耶和华将会有所行动，尽管在人们看来有些延迟。在这种情况下，忠信耶和华和耶和华的道路是生活的关键。从常人看来不合理的途径，在全知、全能、全在的神的手中可以让正义得到最后的伸张。

"义人因信得生"是源于《哈巴谷书》的一个著名主题。上帝的子民时常为当前发生的事情惶惑不安，无法理解上帝的长久旨意。《哈巴谷书》的主旨就是处理这个问题。哈巴谷首先代表上帝的子民，抱怨上帝在社会状况需要他采取行动的时候仍然"碌碌无为"；然后当上帝辩称自己意在用巴比伦来惩罚犹大的时候，先知抗议上帝是用邪恶的民族来惩罚相对公义的犹大民众。在深信上帝的回答是唤其信赖、保证巴比伦将因它自己的罪恶而遭受惩罚之后，哈巴谷最后以表达对神的信心的赞美诗予以回应，并作为《哈巴谷书》的收尾。

"义人因信得生"这个主题成就了辉煌的历史。这个主题不仅是耶稣基督改革犹太教的基调，也是使徒保罗在《新约》中所体现的保罗神学的主调[1]，更是后世马丁·路德所肇始的新教改革中的强音。

五、"新约"先知耶利米——《耶利米书》

"新约"先知的含义

公元前 7 世纪最伟大的先知是耶利米。大约公元前 640 年，耶利米诞生于耶路撒冷附近亚拿突城的一位被免职的祭司之家。他可能是大卫时代的主要大祭司之一亚比亚他的后代[2]，亚比亚他在所罗门时代被贬到亚拿突(王上 2：26—27)。

公元前 626 年，即约西亚在位第十三年，仍然年少的耶利米开始作先知，而且持续到公元前 586 年犹大覆灭和耶路撒冷陷落之后。这段时间包括几个重要的事件：约西亚的改革(始于公元前 621 年)、约西亚在与法老尼哥作战时阵亡(公元前 609

---

① 参见《罗马书》1：17。
② Philip S. Johnson (ed.)，*The IVP Introduction to the Bible*，Inter-Varsity Press, 2006, p.123.

年)、在基迦米施击败埃及军队的巴比伦控制犹大(公元前 605 年)、巴比伦第一次占领耶路撒冷和移走犹大居民(公元前 597 年)、巴比伦再陷耶路撒冷和第二次移走犹大居民(公元前 586 年)、巴比伦指定的省长基大利被杀和一些犹大地的人裹挟耶利米逃到埃及(《耶利米书》39—44 章、52 章;比较《列王纪下》22—25 章)。

耶利米被称为"新约"先知,不是因为他处在新约时代,而是因为他所传的有新约的信息。耶利米是一个形单影只的先知,总是被他同时代的那些同胞误解和拒斥。耶利米表示,他作为单身的人孤独处世是顺应耶和华的旨意。他树敌无数,但是有一个长久的密友,就是他的助手和书记巴录。

《耶利米书》包含混杂在一起的三种不同材料:诗体神谕、散文讲道和散文叙事。诗体材料或多或少直接来自耶利米,而绝大多数散文叙事讲述的是有关他的故事,所以很可能是由别人写的。一些散文布道重复诗体神谕中所说的内容,提示着可能是别人写下的有关耶利米布道的报道①。散文体的叙事和布道内容据认为出自耶利米的书记巴录之手。正是因为巴录的辛劳,耶利米的信息和个人资料才得以留存下来。

圣殿训众

《耶利米书》的那些从头至尾的信息并不是严格按照时间先后安排的,只是有一个大致的时间顺序。耶利米是以论说将有劫难从北方降临到犹大头上而开始其先知活动的。尽管没有清楚地加以界定,但是耶利米头脑中所谓的压迫者最有可能是巴比伦人。虽然有人认为耶利米对于约西亚改革的态度无法明确确定,但是许多人认为耶利米至少是约西亚改革的早期支持者之一,而这个立场的基础是《耶利米书》11章中的有关经文:

> 耶和华对我说:"你要在犹大城邑中,和耶路撒冷的街市上,宣告这一切话说:你们当听从和遵行这约的话。因为我将你们列祖从埃及地领出来的那日,直到今日,都是从早起来,切切告诫他们,说:'你们当听从我的话!'他们却不听从,不侧耳而听,竟随从自己顽梗的恶心去行。所以我使这约中一切咒诅的话临到他们身上。这约是我所吩咐他们行的,他们却不去行。"(11:6—8)

无论耶利米是否最初支持这场改革,但是毫无疑问的是耶利米采取了针对这场改革的立场,尖锐地谴责这场改革对圣殿的侧重。改革的传布者们在人民心中灌输了一种错误的希望,他们向民众一再保证,只要圣殿及其仪式得到维持,耶和华就会保护耶路撒冷。耶利米学样取笑那些改革者们,"这些是耶和华的殿,是耶和华的殿,

---

① Philip S. Johnson (ed.), *The IVP Introduction to the Bible*, Inter-Varsity Press, 2006, p. 124.

是耶和华的殿。"(7：4)他把这种宣称当作一种"虚谎的话",是一种错信。如果民族要得以保全,符合道德的生活必须取代不道德的生活,忠信耶和华必须取代那种对异神的兼容性的倚靠。在我们看来,耶利米的立场所针对的是约西亚改革的不彻底性,而非针对改革本身。

> 看哪,你们倚靠虚谎无益的话,你们偷盗、杀害、奸淫、起假誓、向巴力烧香,并随从素不认识的别神;且来到这称我名下的殿,在我面前敬拜。又说:"我们可以自由了!"你们这样的举动是要行那些可憎的事吗?这称为我名下的殿在你们眼中岂可看为贼窝吗?我都看见了。这是耶和华说的。你们且往示罗去,就是我先前立为我名的居所,察看我因这百姓以色列的罪恶,向那地所行的如何。(7：8—12)

耶利米拿示罗说事激怒了民众,因为在以利和撒母耳时代非利士人在那里摧毁了会幕,掳走了约柜。结果,"耶利米说完了耶和华所吩咐他对众人说的一切话,祭司、先知与众民都来抓住他,说:'你必须死!'"(26：8)其实耶利米所谴责的不是圣殿和圣殿仪式,而是民众的虚妄信心和错误的崇拜精神。借耶利米之口耶和华说:"从示巴出的乳香,从远方出的菖蒲奉来给我有何益呢?你们的燔祭不蒙悦纳,你们的平安祭我也不喜悦。"(6：20)耶利米的确保留一种超越精神转变之外的希望。

> 因为耶和华如此说:"大卫必永不断人坐在以色列家的宝座上;祭司、利未人在我面前也不断人献燔祭、烧素祭、时常办理献祭的事。"(33：17—18)

"圣殿训众"(第7章和第26章)带来的结果是,耶利米被逮捕,并且被指控妖言惑众——"说预言攻击这城"。对于这项指控,耶利米供认不讳,但是辩护说:"耶和华遣我预言,攻击这殿和这城,说你们所听见的一切话。"(26：12)正是鉴于这点,该城的那些首领借机诉诸先知米迦的先例来为耶利米开脱,说犹大王希西家和犹大众人敬畏耶和华,并没有因为米迦那时说预言而治死他。耶利米与米迦的情况相同,"若治死这人,我们就作了大恶,自害己命"。结果耶利米逃过一劫,没有像另一个不幸的先知——约雅敬王时期的乌利亚那样丧命(26：16—24)。但死罪虽免,活罪难逃!所以才有对耶利米当众负轭游街的惩罚(第27章)。

约雅敬在埃及与巴比伦之间的政治博弈

这个信息可能是在约雅敬王统治的最初时期出现的。耶利米在扶持约雅敬登上王位中的作用我们无从知道,但是约雅敬的继位非常重要。约西亚的民族主义和扩张主义的政策被埃及的介入所粉碎。大约公元前609年,年轻而富有侵略性的法老尼哥登上埃及的权力宝座。他的战略是捐弃前嫌,与过去敌对的亚述"相逢一笑泯恩仇",在亚述针对巴比伦的图存大业中支持亚述。他的如意算盘是,一个对埃及有所依赖的虚弱亚述会形成埃及与向西推进到巴比伦之间的缓冲区,可以使他成为远在巴比伦边境的肥沃新月地区的主人。当尼哥率军援助一度坚不可摧的亚述残兵败将的时候(尼尼微早在公元前612年已经陷落),约西亚已经没有多少选择的余地。倘若尼哥的计划获得成功,犹大在劫难逃。可能与巴比伦结盟的约西亚不愿意埃及帮助犹大国的宿敌亚述,所以几乎是以一种"不可为而为之"的悲怆精神聚集弱小的军队,选择在米吉多隘口阻挡尼哥大军:"约西亚年间,埃及王法老尼哥上到幼发拉底河攻击亚述王,约西亚王去抵挡他。埃及王遇见约西亚在米吉多,就杀了他。"①

约西亚西西弗斯神话般的壮举和牺牲对当时的国际乱局作用如何无法肯定,但是尼哥由于受到约西亚在米吉多的阻击,到达亚述与巴比伦鏖战的基迦米施战场的时候为时已晚,所以尼哥被迫独力与巴比伦人作战。尽管尼哥宣称取得了胜利,但是受到太大的消耗,无法按照如意算盘成为古代近东世界的主要强权。而巴比伦则没有受到重创,并壮大为主宰下个世纪肥沃新月地带的强国。

约西亚意外阵亡之后,他的儿子亚哈谢继位,但昙花一现。尼哥把他赶下王位,掳到埃及,扶植约西亚的次子约雅敬登位。在约雅敬统治初期,他无疑是尼哥的傀儡;但是随着巴比伦的强势日益明显,他改换门庭,成为效忠巴比伦帝国的傀儡。

约雅敬的统治并没有营造出什么有利于耶和华信仰的气氛。耶利米可能是在某些限制下进行先知活动的。《耶利米书》记载有一个名叫乌利亚的先知的遭遇。这个先知所论的信息与耶利米相似,在遭到迫害后逃往埃及,但是被约雅敬派人从埃及押回处死(26:20—23)。尽管环境险恶如此,但是耶利米并没有停止向约雅敬和耶路撒冷的民众说出耶和华的话。民众复辟了异神信仰实践,就像玛拿西作王期间那样,只是现在换成了巴比伦诸神而已。暴虐的约雅敬用希伯来奴工为自己建造辉煌的新王宫,耶利米对此进行了尖刻的抨击:

> 那行不义盖房,行不公造楼,白白使用人的手工不给工价的,有祸了! 他说:"我要为自己盖广大的房、宽敞的楼,为自己开窗户。这楼房的护墙板是香柏木的,楼房是丹色油漆的。"难道你作王是在乎造香柏木楼房争胜吗? 你的父亲岂不是也吃、也喝,也施行公平的公义吗? 那时他得了福乐。(22:13—15)

耶利米的活动受到限制,这个事实在"被拘管"的耶利米"不能进耶和华的殿"、只好吩咐巴录进殿代为向民众传耶和华的话这个事件中异常明显(36:5—8)。这个场

---

① 《列王纪下》23:29。此段经文原文并没有"和合本"中的"攻击"含义。参见《历代志下》35:20—24。

合所记下的"书卷"是有关国王、民众和国家在劫难逃的书卷,描绘出巴比伦"一统天下"的场景。书卷在圣殿中由巴录宣读,但是被夺走后交到国王手上,而国王则一边读一边一页一页地撕下烧掉(36:27)。

公元前598年,约雅敬领导犹大走上反抗巴比伦王尼布甲尼撒的道路,而且在这一年耶利米有关在劫难逃的信息开始应验。尼布甲尼撒行动迅速地平息了约雅敬的反叛,因为这次反叛既挑战了他的权威,又减少了他的收入。约雅敬亡于尼布甲尼撒大军压境之时。国家的重担落在年轻的王子约雅斤身上,后者接受了耶利米没有人缘的投降建议,从而使耶路撒冷、圣殿和国家免于毁灭。犹大投降的国耻年是公元前597年。耶路撒冷城的大量财宝被夺走。国王约雅斤、绝大多数上层人物和许多匠人都被迁徙到巴比伦,即巴比伦第一次迁民。

犹大的最终结局

此后,尼布甲尼撒在犹大扶植约西亚的另一个儿子西底家为王(37:2)。无论从巴比伦人的角度而言还是从犹大国的角度而言,这都是一个错误的选择。西底家被证明是一位不称职的国王,他的最大缺陷是优柔寡断,从而导致冒进的属僚们弄权。在犹大面临这些艰难时势期间,活跃着两个群体,一个是亲巴比伦派,另一个是亲埃及派。即便有时面对暴力反对,耶利米仍断然坚持一种亲巴比伦的立场。西底家这位国王尽管个人亲巴比伦,但是生性不够坚定,屈服于亲埃及派的压力。于是公元前589年犹大爆发了另一场反叛巴比伦的起义,并很快导致国土被入侵,一座接着一座的筑垒城池沦陷。《拉吉书信》("Lachish Letters")活灵活现地描绘了希伯来人所面临的军事绝境①。耶路撒冷在经年累月遭受围困之后,最终于公元前586年被尼布甲尼撒再次攻克。与约雅斤献城投降的那一次不同,这一次陷落不但使圣殿和城墙被毁,而且西底家本人也被挖去眼睛并被抓到巴比伦囚禁起来。更有许多耶路撒冷的民众被掳往巴比伦,加入到十年前第一次被掳往巴比伦的犹大民众的行列(39:1—10)。

在耶路撒冷遭受围困期间,因为耶利米鼓励向巴比伦苟合而被视作叛国者,大部分时间处于被关押状态(38:1—13)。他对西底家的建议也受到冷落:

> 你要对这百姓说:"耶和华如此说:看哪,我将生命的路和死亡的路摆在你们面前。住在这城里的必遭刀剑、饥荒、瘟疫而死;但出去归降围困你的迦勒底人的必得存活,要以自己的命为掠物。"(21:8—9)

---

① Henry Jackson Flanders, Jr. and Buce C. Cresson, *Introduction to the Bible*, New York: John Wiley & Sons, 1973, p. 198.

　　耶利米怀有超越耶路撒冷迫在眉睫的毁灭的一种盼望,这种盼望通过他在耶路撒冷遭受围困期间在亚拿突附近买下一块地而展露出来,正所谓"留得青山在,不愁没柴烧"。出于这种超越劫难的盼望,耶利米给出了他最为重要的信息。他论及这样一个时代,那时耶和华和他的子民将订立新的圣约:

> 　　耶和华说:"日子将到,我要与以色列家和犹大家另立新约。不像我拉着他们祖宗的手,领他们出埃及的时候,与他们所立的约。我虽作他们的丈夫,他们却背了我的约。"这是耶和华说的。耶和华说:"那些日子以后,我与以色列家所立的约乃是这样:我要将我的律法放在他们里面,写在他们心上。我要作他们的神,他们要作我的子民。他们各人不再教导自己的邻舍和自己的弟兄说:'你该认识耶和华。'因为他们从最小的到至大的,都必认识我。我要赦免他们的罪孽,不再记念他们的罪恶。"这是耶和华说的。(31:31—34)

　　在我们看来正是因为有这样的盼望,耶利米才能够超越"一时一地之得失"的考量,鼓励民众在绝望中向敌人投降。这样也许城池和圣殿沦丧,但是只要对耶和华的信仰永驻,个人不通过耶路撒冷的圣殿也仍然能够侍奉耶和华。

　　公元前586年之后,耶利米仍然被允许留住犹大地,避免了大多数人所面对的被掳命运(40:1—6)。沦为巴比伦一个行省的犹大由钦定的省长、犹大当地人基大利治理,省会设在耶路撒冷北面的米斯巴(40:7—12),开始了劫后复原时期。许多逃难到临近国家和地区的人们开始返回家园,支持基大利当局。其间,耶利米对于居住地犹大省的事务好像还欣然有所参与①。

　　但是好景不长,妒忌和悲剧很快便降临米斯巴。在亚扪人所策划的一项阴谋中,具有犹大王室血统的以实玛利暗杀了省长基大利,"又杀了在米斯巴的基大利那里的所有犹大人和所遇见的迦勒底兵丁"(40:13—41:3)。感到害怕和肯定巴比伦会报复的一小群幸存者逃往埃及。事先,耶利米反对向埃及逃往的想法,但还是被其他人裹挟到了埃及(42—43章)。耶利米在埃及继续发出警告性的神谕,谴责那些在埃及寻求庇护的犹大人的异神崇拜和悖逆做法(44章)。据推测,耶利米到达埃及后不久离世。

---

① Henry Jackson Flanders, Jr. and Buce C. Cresson, *Introduction to the Bible*, New York: John Wiley & Sons, 1973, p.205.

第五讲　异乡明月　故土情怀

——犹太人囚掳归回与智慧文学

第一节　巴比伦囚掳期间以色列人的信仰和生活

一、以色列人的回乡盼望

公元前 586 年,耶路撒冷陷落于新巴比伦王尼布甲尼撒之手,标志着以色列人国家的终结,以及另一段悲伤历史的开始。"申命史观"认为,国土沦丧是因为圣约没有得到遵守。但是以色列人并非丧失了一切,因为他们的盼望跨越几代人幸存下来;而且这种小小的盼望之火终有一天会成为民族复兴和最终回乡的燎原之火。公元前 6 世纪对以色列民而言是"最糟的时代",但是由于以色列民的创造成就,它又成为一个"最好的时代"。

由于《旧约》中没有巴比伦囚掳时期的历史记载,因此无法对涉及巴比伦囚掳时期的《圣经》材料加以系统归纳,只能凭借从不同材料获得的零星资料提供一个近似的时间序列。这段时期的重要事件有:公元前 597 年希伯来人第一次被掳、公元前 593 年以西结开始作先知、公元前 586 年希伯来人第二次被掳、大约公元前 582 年犹大省长基大利被杀(希伯来人逃往埃及)、公元前 563 年以西结亡故、公元前 550 年波斯王古列(Cyrus)兴起、大约公元前 550—前 540 年巴比伦的以赛亚时期、公元前 539年古列征服巴比伦(颁诏释放希伯来人回乡)。

值得注意的是,攻陷耶路撒冷的巴比伦实际上史称新巴比伦帝国,以与汉谟拉比时期的旧巴比伦帝国相区别。尽管新巴比伦帝国在肥沃新月地带的历史上相对并不重要(只有两代强大的国王,维持不到一个世纪),但是对《圣经》时代的历史而言却意义深远。巴比伦的掳民政策相对于残酷毁灭撒玛利亚的亚述而言要温和得多,这个影响希伯来人的政策有两个可以察觉的目的:一方面,通过掳走留在当地可能形成叛乱威胁的领导阶层,确保了巴比伦势力范围的稳定;另一方面,通过所掳走的大批能工巧匠的劳动,巴比伦的经济更加稳定,财富日益积累。

　　耶利米和以西结的见证所支持的判断是,被掳之民实际上是在一种非压迫的环境下生活。流放中的希伯来人并不是奴隶或关在集中营里的犯人,只是不能回归故乡的异乡人。耶利米在巴比伦人第一次掳民和第二次掳民之间从耶路撒冷写给那些被掳之民的信函(《耶利米书》29 章)表明,那些身在巴比伦的民众保持着与祖国的某种联系,以西结来自流放地的那些信息指向耶路撒冷这个事实也表明了这一点。至于在公元前 586 年耶路撒冷陷落之后是否还有这种联系就不得而知了。从耶利米的书信可见被掳之民有从事正常活动的自由(返回巴勒斯坦除外):

　　　　你们要盖造房屋,住在其中,栽种田园,吃其中所产的,娶妻生儿女,为你们的儿子娶妻,使你们的女儿嫁人,生儿养女,在那里生养众多,不至减少。我所使你们被掳到的那城,你们要为那城求平安,为那城祷告耶和华,因为那城得平安,你们也随着得平安。(《耶利米书》29:5—7)

　　被掳之民所抱持的终有一天返回祖国的盼望,为他们提供了忠信耶和华的重要动力:

　　　　耶和华如此说:"为巴比伦所定的七十年满了以后,我要眷顾你们,向你们成就我的恩言,使你们仍回此地。耶和华说:我知道我向你们所怀的意念,是赐平安的意念,不是降灾祸的意念,要叫你们末后有指望。你们要呼求我,祷告我,我就应允你们。你们寻求我,若专心寻求我,就必寻见。耶和华说:我必被你们寻见,我也必使你们被掳的人归回,将你们从各国中和我所赶你们到的各处招聚了来,又将你们带回我使你们被掳掠离开的地方。"(《耶利米书》29:10—14)

　　有关巴比伦囚掳时期的自由和所抱持的归回盼望的类似迹象也出现在《以西结书》中。

二、被掳之民的先知以西结——《以西结书》

《以西结书》的主题前后连贯、内容安排得当、信息日期明确,不过仍然是现代《圣经》学术中争论最大的经卷之一。尽管许多学者满心疑惑,但是一般认定的确有一位先知以西结,他在巴比伦做被掳之民的先知,也是《以西结书》中那些预言信息的首创者。弟子和编者的作用固然可能相当可观,然而这并不能够抹杀以西结的重要性。

《以西结书》中所记载的以西结的那些经验和异象本质上相当奇异。他主要强调的是耶和华的荣耀。他总括他的第一个有关活物和轮中之轮这些奇特异象的意义说:"这就是耶和华荣耀的形象。"

以西结运用所宣示的信息、象征和物件提出警告说,耶和华行将毁灭性地惩罚一个傲慢、不信神的耶路撒冷。第1—24章的内证表明,这部分属于公元前586年之前,由劫难这个主题一以贯之。没有证据表明以西结去过耶路撒冷,也不清楚他的那些信息是否在耶路撒冷降临和宣示。他以这种风格说预言的目的可能出于民众当中假先知盛行的考虑。《耶利米书》和《以西结书》都印证了民众当中假先知当道的现象。那些假使者怂恿人们相信,所有的一切都会被宽恕,而且被掳之民仿佛有神的法令那样会被迅速送回故乡。以西结与这些观念针锋相对地提出萦绕不去的劫难信息。

以西结表达预言的创新方式相当引人入胜。他使用了模仿耶路撒冷被围困(4章)、在自家墙壁上凿洞(12章)和无声应对妻子亡故的消息(24:15)等技法,把他的信息活灵活现地戏剧化。借助他那些异乎寻常的媒介,以西结寻求在民众头脑中刻下他们因为没有遵守圣约而在耶和华面前有罪的印象。他把以色列民描绘成耶和华不忠的妻子(16和23章)。尽管耶和华毫不吝啬地把最精美的礼物和忠诚花在了她的身上,但是她仍然向近东世界的那些权贵们——亚述、迦勒底(巴比伦)和埃及——卖弄风情。为此,以西结把有罪的重担加在现在的世代和过去的那些世代的以色列民身上(18章)。他否定他自己那个世代的以色列人通过把遭受审判的原因归于先辈的罪过而自我解脱的做法。以西结把他同时代人的注意焦点拉到他们自己的罪过上,拉到他们自己的责任上,而不是一味地抱怨先人:

> 你们在以色列地怎么用这俗语说:"父亲吃了酸葡萄,儿子的牙酸倒了"呢?主耶和华说:我指着我的永生起誓,你们在以色列中必不再有用这俗语的因由。看哪,世人都是属我的,为父的怎样属我,为子的也照样属我,犯罪的他必死亡。(18:2—4)

面对一个垂头丧气的民族,以西结比他的那些前辈先知们在更大的程度上强调个人的责任:

> 我也要赐给你们一个新心,将新灵放在你们里面。又从你们的肉体中除掉

石心,赐给你们肉心。我必将我的灵放在你们里面,使你们顺从我的律例,谨守遵行我的典章。你们必住在我所赐给你们列祖之地。你们要作我的子民,我要作你们的神。(36:26—28)

以西结有关枯骨复苏的异象(37章)正是对于一个被压垮的、绝望中的民族复苏的盼望和生命的一种生动写照。

超乎劫难和复归之上,以西结的一些异象还为新圣殿中的崇拜仪式提供了一种属灵化的建设计划,在全新的圣殿中,真正的属灵的崇拜会为更新的民族生活设立标准(40—48章)。

三、囚掳中犹太教的发展

对从以西结亡故到古列兴起之间的犹太人的命运,我们的知识存在一种脱漏。巴勒斯坦犹太人的生活想必在很大程度上按部就班、一如既往。在那里,巴比伦囚掳之前就是人口主体的下层民众没有受到巴比伦迁民政策的太大影响。根据《耶利米哀歌》加以推测,耶和华崇拜在耶路撒冷的圣殿废墟上以一种献祭膜拜的形式得以继续。

《耶利米哀歌》由五首诗歌构成,而每首诗歌又都是由基于希伯来字母的藏头诗构成。它所呈现的是忠信耶和华的人对耶路撒冷和圣殿的荒芜痛彻心扉的哀伤感,以及对伴随事件的失落感和悲剧感。

锡安民的心哀求主。锡安的城墙啊,愿你流泪如河,昼夜不息;愿你眼中的瞳仁泪流不止。(2:18)

冠冕从我们的头上落下,我们犯罪了,我们有祸了! 这些事我们心里发昏,我们的眼睛昏花。锡安山荒凉,野狗行在其上。(5:16—18)

尽管如此,《耶利米哀歌》中仍然保有对耶和华未来日子的盼望(3:31—33)。犹太人的被掳经历在犹太教的宗教发展中具有无可估量的意义。后来发生的不同于前巴比伦囚掳时期的巨大思想转变是这段时期宗教发展的不争证据。

伴随着流放而来的自由,造就了掳往巴比伦的宗教领袖和上层民众几无限制地进行崇拜的机会,唯一的重大局限只是没有圣殿。在缺乏圣殿献祭膜拜的情况下,被掳之民进行了替代性的和代偿性的宗教活动。在缺乏民族膜拜形式的情况下,个体主义的膜拜形式迅速发展起来。祈祷、斋戒和施舍等私下的和个人的行为显著起来。

可以理解,斋戒成为献祭的一种替代。对于那些需要加以保持的宗教教义的强调奠定了正在浮现的律法主义的基础,其中两个著名的例子就是饮食律例和守安息日的规定。

在巴比伦囚掳期间,后来的犹太会堂也以一种萌芽的形式出现。会堂可能源于邻里的团契聚会和对古有崇拜的纪念,尤其是源于对年轻一代的教诲之需。就像已有的、为数不多的律法和历史经卷那样,圣传也受到珍视。对后来成为经书的那些书卷的研究和整理,成为某些被掳之民的重要宗教活动。在这个时期,《旧约》中的一些部分已经接近现在的形式。

宗教领袖们的思想无疑时常转向落到民族头上的悲剧,而且得出两个重要的和形成中的神学结论。首先和最为重要的是对于学理上的一神论的肯定——信仰耶和华对于所有的国家和民族具有大能。这就使没有异神成为一个显然的推论。在这之前希伯来人一直得到停止崇拜别神的指令,但是收效甚微。在遭掳之后,崇拜邻族的偶像神在犹太人中已经不存在。第二个结论与第一个紧密相关,就是深信罪恶,特别是异教徒般地罔顾律法招致被掳的命运。由此,诠释和遵守律法在后来的犹太教中占有至高无上的地位。正是从巴比伦囚掳的温床上生长出了随后那些世纪的犹太教①。

四、囚掳终结的契机——波斯王古列灭新巴比伦

新巴比伦王尼布甲尼撒的统治(公元前 605—前 562 年)漫长且繁荣。他通过铁腕统治维系着幅员辽阔的帝国的统一与和平。他集中建设巴比伦城及其周围地区,包括城镇、庙宇和运河等,但是忽略了他所控制的那些外省。如此埋下的不和谐种子在他死后开花结果,造成国内的无政府状态和内部争斗。在软弱无能的一系列接续统治者手下,巴比伦城不再能够成为抵御外族入侵的堡垒。在尼布甲尼撒死后二十年,伟大的波斯王古列对巴比伦强权发起了第一个挑战。

波斯人约于公元前 20 世纪后期从中亚进入伊朗高原西南部,是属于印欧语系东支的伊朗语族。公元前 7 世纪被米底亚人所征服和统治。公元前 550 年,阿契美尼德氏族的古列(又译居鲁士)率领波斯各部落灭米底亚王国,建立阿契美尼德王朝,定

---

① Henry Jackson Flanders, Jr. and Buce C. Cresson, *Introduction to the Bible*, New York: John Wiley & Sons, 1973, pp. 209 – 211.

都苏萨(书珊)。及至公元前 539 年,古列已经掌控原来的巴比伦帝国的版图,它的地域从印度河到爱琴海、从里海到红海和波斯湾。在波斯灭掉新巴比伦帝国、取得对巴勒斯坦的主宰地位之后,犹太人成为波斯的臣民。古列不是被当作一个征服者受到敌视,而是被当作一个解救者受到犹太人的欢呼,他们称之为"耶和华所膏的"(《以赛亚书》45:1)。为了赢得先前被尼布甲尼撒掳到巴比伦的犹太人的支持,以及出于让这些犹太人回到靠近埃及的故土而形成一个缓冲地带的考虑,古列一改先前的亚述和巴比伦的掳民政策,颁诏允许犹太人返回耶路撒冷(《以斯拉记》1:1—4)。对此《旧约》有这样的记载:

> 波斯王居鲁士如此说:"耶和华天上的神,已将天下万国赐给我,又嘱咐我在犹大的耶路撒冷为他建造殿宇。你们中间凡作他子民的,可以上去,愿耶和华他的神与他同在。"(《历代志下》36:23)

古列(居鲁士)是一个公开的多神论者,能够接受他的国度中臣民的众神,支持原先巴比伦时期的被掳民族重建各自圣殿的活动,这点得到考古发现《古列桶石(Cyrus Cylinder)铭文》的证实①。《圣经》中多次提到波斯王古列(《以斯拉记》1:1、2、7;5:14、17;《以赛亚书》44:28;45:1;《但以理书》1:21;6:28;10:1)。

古列战败身死后,他的儿子冈比西斯继位,于公元前 525 年征服埃及。公元前 522 年国内发生高墨达政变,冈比西斯卒,大利乌(又译大流士)夺取政权。大利乌继位后,下令继续修建耶路撒冷圣殿(《以斯拉记》6:1—12)。尼希米时代称王的是亚达薛西一世(公元前 465—前 425 年)(《尼希米记》2:1)。有《圣经》学者认为以斯拉是在亚达薛西二世(公元前 404—前 358 年)在位时回到耶路撒冷的。波斯王亚哈随鲁(即薛西斯一世,公元前 485—前 465 年)时,犹太人末底改代替哈曼任宰相(《以斯帖记》10:2—3)。波斯帝国于公元前 449 年在希波战争中失败,加之国内起义此起彼伏,国势转衰。公元前 331 年,被马其顿国王亚历山大所灭。

五、普救主义的先知——巴比伦的以赛亚

对以色列民第二次"出埃及"的那些重大事件所作的充满洞见和引发争议的诠释,见于《以赛亚书》中学界所谓的"第二以赛亚"部分。其中的信息表明这个"第二以

---

① 参见 John H. Walton, *Ancient Near Eastern Thought and the Old Testment: Introducing the Conceptual World of the Hebrew Bible*, Grand Rapids, Michigan: Baker Academic, 2006, p. 66。

赛亚"应该是巴比伦因掳时期以色列民中的一分子。而且还表明《以赛亚书》40—55章属于巴比伦,而56—66章属于回归完成后的巴勒斯坦背景。

巴比伦的以赛亚所呈现的是早在耶路撒冷的以赛亚时期(公元前8世纪)就吐蕊的"盼望超越苦难"的先知传统已经开花结果。在公元前586年耶路撒冷陷落时,耶利米在家乡亚拿突置办田产,表明他对未来更加美好日子的期盼。他的这个异乎寻常的举动展现的是他的信念:"将来在这地必有人再买房屋、田地和葡萄园。"(《耶利米书》32:15)他想见的是大批民众返归巴勒斯坦、重建各地城市、土地丰产的远景。他看到的是一个新的锡安和以色列人坐在王位宝座上的独立国家。他甚至预言到一个洗心革面的民族,一个不是凭借写在石版上的圣约,而是倚靠写在人心上的新的圣约生活的民族(《耶利米书》30—31章)。他所描绘的是一个凭本性就全心全意侍奉耶和华的民族。

以西结有关枯骨凭耶和华先知的话语而复苏的异象(《以西结书》37章)同样承载着"前头的大好日子"的主题。他畅谈未来的以色列民的"新心"和"新灵"(《以西结书》36:22—32)。他们会在耶和华的临在的永恒和平的时代接受大卫家的治理,而耶和华的荣耀将崇拜全新的圣殿(37:24—28)。在他所想见的一种天堂般的背景中,耶和华统治和保佑所有围绕在他的圣山周围的民众。巴比伦的以赛亚则用他有力、优美的表述把这些主题和其他主题推向极致。

《以赛亚书》中"巴比伦的以赛亚"首先关乎一种安慰信息——被掳之民的复新(40:1—48:22),其次关乎耶和华仆人的使命和耶路撒冷的复新(50:1—55:13),第三关乎警告与应许的神谕(56:1—66:24)——所针对的可能是公元前538年之后重返巴勒斯坦的被掳之民。

"巴比伦的以赛亚书"的信息是一种安慰和抚慰信息,因为惩罚已经完成:

> 你们的神说:"你们要安慰、安慰我的百姓。要对耶路撒冷说安慰的话,又向他宣告说,他争战的日子已满了,他的罪孽赦免了,他为自己的一切罪,从耶和华手中加倍受罚。"(40:1—2)

巴比伦的以赛亚这位先知清楚地看到,耶和华是用波斯王古列(居鲁士)来成全他的旨意,就是完成解救自己的子民和为他们开启全新日子的大门的使命(41:2—4)。他的子民将不再感到他们的道路对耶和华而言隐而不知。他们正行进在通往一个新伊甸园的道路上(51:13)。

巴比伦的以赛亚把耶和华视为历史的缔造者和主人,提供了《旧约》中所见的有关耶和华的"伟大"之最为突出和最为前瞻的生动描述。这位先知有关上帝的教义主题有：

耶和华的创造性：

> 你岂不曾知道吗？你岂不曾听见吗？永在的神耶和华，创造地极的主，并不疲乏，也不困倦，他的智慧无法度量。(40：28)

耶和华的排他性——没有其他神：

> 我是耶和华，在我以外并没有别神。除了我以外再没有神。(45：5)

耶和华的大能：

> 你们将谁比我，叫他与我相等呢？你们向上举目，看谁创造这万象，按数目领出，他一一称其名，因他的权能，又因他的大能大力，连一个都不缺。(40：25—26)

耶和华的大智：

> 谁曾测度耶和华的心，或作他的谋士指教他呢？他与谁商议，谁教导他，又将知识教训他，将通达的道指教他呢？(40：13—14)

耶和华主宰历史：

> 你们岂不曾知道吗？你们岂不曾听见吗？从起初岂没有人告诉你们吗？自从立地的根基，你们岂没有明白吗？神坐在地球大圈之上，地上的居民好像蝗虫。他铺张穹苍如幔子，展开诸天如可住的帐棚。他使君王归于虚无，使地上的审判官成为虚空。(40：21—23)

作为高扬的上帝教条的延伸，巴比伦的以赛亚还刻画出偶像崇拜的愚蠢。《以赛亚书》第44章通过对一个用烤火剩下的树干雕刻予以崇拜的偶像，然后祈求解救自己的穷人的描述，尖刻地讽刺了偶像制造和偶像崇拜者们的自欺欺人。所有的神和人造的偶像都已经过时，只有属于列国的耶和华才是唯一的真神。

普救主义是全能的造物主上帝观念的逻辑延伸。既然他是唯一的神，那么必定是地上所有人的神。巴比伦的以赛亚以明白无误的语言表达出了这个至为重要的观念：

> 地极的人都当仰望我，就必得救，因为我是神，再没有别神。我指着自己起誓，我口所出的话是凭公义，并不反回。万膝必向我跪拜，万口必凭我起誓。(45：22—23)

耶和华的仆人受托承担的使命包含一种普救的主张：

> 你作我的仆人，使雅各众支派复兴，使以色列中得保全的归回尚为小事；我还要使你作外邦人的光，叫你施行我的救恩，直到地极。(49：6)

巴比伦的以赛亚最为著名的信息关涉耶和华的仆人。耶和华的特选仆人及其使命在四首"仆人之歌"中浮现出来。蒙召和受托的耶和华仆人要到以色列民和地上的万邦那里去，尽管必然带有挫折、受苦、死亡，但是更有最终的胜利。至于"耶和华仆人"的认定，一直众说纷纭。犹太教中最为著名的理解是，耶和华的仆人就是已经受难而且正在救赎性地受难的以色列民族；基督教中最为常见的理解是，耶和华仆人的使命所描绘的就是拿撒勒的耶稣代替性的受难。事实上，我们不可能知道巴比伦的以赛亚这位先知说"耶和华仆人"时心中的所指，不知道指的是集体还是个人，抑或兼而有之；也不确定指的是过去、现在或将来，抑或兼而有之。尽管如此，就基督教的角度而言，拿撒勒的耶稣的传教是借助这位仆人的话语进行的，因而有意识地把"耶和华仆人"认定为耶稣基督。在某种终极的意义上，基督教以令人讶异的一致性肯定，耶和华仆人的角色和使命在拿撒勒人耶稣的生命及其代替性的受难中得到成全。

巴比伦的以赛亚这位被掳之民的伟大先知所传的前瞻性的、充满盼望的信息，为耶和华的子民接下来的伟大经历预备了道路。以色列民这个接下来的伟大经历就是在当年巴比伦的征服所留下的废墟上重铸以色列民族和国家[①]。

第二节　囚掳归回之后重建家园和信仰的努力

一、波斯帝国治下以色列民族的复新大业

巴比伦被新兴的波斯所灭之后，波斯王古列实行尊重不同信仰的政策（《以斯拉记》1：1）。历史上著名的《古列诏书》使以色列人返回巴勒斯坦、重建圣殿成为可能。对于这些方面的权利被剥夺达数代人之久的一个民族而言，这无疑是一个重大契机。

---

① 参见：Henry Jackson Flanders, Jr. and Buce C. Cresson, *Introduction to the Bible*, New York: John Wiley & Sons, 1973, pp. 212 - 217。

但是以色列人重建家园的实践证明,行动自由与谋求自由的行动之间的巨大鸿沟比所预计的要难以逾越得多。以色列人在祖先的土地上重建家园的道路充满了艰难险阻。

尽管古列颁布了诏书,但是并没有任何强制力量要求在巴比伦为囚的犹太人重返巴勒斯坦。实际上,公元前538年身在巴比伦的犹太人都是当地出生的;几乎没有人对“故土”有什么记忆。这些“被掳之民”已经成为巴比伦生活的一部分。巴比伦是他们的家乡,在那里他们生息繁衍。他们已经不是流放者,而是分散在巴勒斯坦之外的世界各地的“散居”犹太人的一部分。在已经“扎根”巴比伦的情况下,倘若有人鼓动他们走上一条充满艰难困苦的漫长西行之路,而路的那端只是没有任何概念的所谓“故乡”的不定生活,就难怪大多数人会选择仍然留住巴比伦了。

《旧约》几乎没有记载以色列民归回的任何细节,只是提到一个半世纪的时间段中四个引领几批犹太人归回的著名领袖。不过,很有可能陆续有一些犹太人自行返回巴勒斯坦。犹太人返回巴勒斯坦的那些最可能的日期和领袖有:大约公元前538年设巴萨率领一批犹太人返国、大约公元前520年所罗巴伯带领第二批犹太人返国、大约公元前444年尼希米带领第三批犹太人返国、大约公元前397年以斯拉带领第四批犹太人返国。

有助于复原犹太人返国事件的主要资料来自《以斯拉记》,尤其是1—8章中的内容。在这方面,《俄巴底亚书》、《以赛亚书》56—66章、《玛拉基书》和其他后巴比伦因掳时期的《旧约》文献也有所助益。不过,作为后巴比伦时期犹太人生活主要资料来源的《以斯拉记》和《尼希米记》中的那些事件并不是按照时间先后记载下来的,这自然引发了一些问题和有关历史的不确定性。

根据《圣经》的叙述,设巴萨是一位“犹大的首领”,他被波斯王居鲁士(古列)指定为犹大省的省长,携带被尼布甲尼撒抢掠到巴比伦的圣殿器皿回国(以斯拉记1:8)。这符合居鲁士的一贯作法,他总是选择某地的首领或王子治理当地,并且允许当地的宗教存在。第一批返回耶路撒冷的民众打下了圣殿的基础,但是没有进一步建成圣殿。在某种程度上,失望和困苦击垮了这些朝圣者。《以赛亚书》40章所描绘的那种荣耀在他们的现实生活中没有丝毫的迹象。在需要大量精力用来维持生计的情况下,无疑开始出现相当程度的宗教淡漠现象。再加上他们回到故土之后遭到当地人的公开敌视和压迫,他们没有能够完成圣殿建设就没有什么不好理解的了。关于设巴萨,我们不知其所终,他从历史叙事中销声匿迹了。

至于所罗巴伯,我们所获得的材料则要丰富得多。尽管他如何被选为省长和如何到达耶路撒冷的情况仍属历史之谜,但很有可能的是,继承了居鲁士政策的大流士仍然采行指定某地的皇室成员治理那地的政策,结果所罗巴伯被选中治理犹大省。所罗巴伯是犹大国王约雅斤的孙子。在所罗巴伯和祭司耶书亚的带领下,公元前520年重建圣殿的工作继续进行。《以斯拉记》描绘了开始建造圣殿的喜乐:

> 他们彼此唱和、赞美称谢耶和华说:"他本为善,他向以色列人永发慈爱。"他们赞美耶和华的时候,众民大声呼喊,因耶和华殿的根基已经立定。(3∶11)

当年被亚述王以撒哈顿迁来居住的异族人想加入犹太人建筑圣殿的工作,但是被拒绝。显然是因为他们在种族上是混血的,而在宗教上是兼容并蓄的,抑或是背信的。结果,这些人便想方设法地阻挠犹太人的建殿工程:

> 那地的民,就在犹大人建造的时候,使他们的手软,扰乱他们。从波斯王居鲁士年间,直到波斯王大流士登基的时候,贿买谋士,要败坏他们的谋算。(4∶4—5)

犹大人的建殿工程尽管几经周折,但是最终得以完成。那个时代的状况在《哈该书》和《撒迦利亚书》的信息中有所反映。公元前520年(大流士第二年),先知哈该所传的几个信息都是鼓励建造圣殿的。

二、鼓励百姓重建圣殿——《哈该书》和《撒迦利亚书》

哈该是犹太人获释归国后第一位在剩余之民中作先知侍奉的人。以先知哈该的名字命名的《哈该书》记录的是他鼓励百姓完成新殿工程的五篇简短有力的信息。

《哈该书》清晰地描绘了耶路撒冷的凄惨状况,人们食不果腹,衣不遮体,到处一片民生凋敝的暗淡景象:

> 你们撒的种多,收的却少。你们吃,却不得饱;喝,却不得足;穿衣服,却不得暖;得工钱的,将工钱装在破漏的囊中。(1∶6)

哈该认为这种状况是民众只顾自己、忘记耶和华的结果。所以哈该在第一篇神谕中责备耶路撒冷的民众不建造耶和华圣殿,敦促他们把目光从自家的房屋转向待建的圣殿;并且应允说,倘若他们"省察自己的行为"、"上山取木料建造这殿",就会得到他们想得到的神的祝福,而这些祝福先前的那些先知在神谕中已经向他们宣示过,但是被他们忽略罢了。在他的第二个神谕中,他大胆预言"列国的宝座"(波斯)倾覆,并且指认所罗巴伯为耶和华仆人(2：20—23)。

除了哈该之外,还有一位先知撒迦利亚呼吁重建圣殿,并且宣布所罗巴伯和耶书亚是耶和华的两位弥赛亚(撒迦利亚书4：14)。尽管他宣示的风格与哈该大相径庭,但是所包含的信息则是相同的。撒迦利亚的预言是以异象的形式表达的,这些异象所关涉的大多是上帝与他的那些天使般的使者之间的访谈或对话。《撒迦利亚书》的形式和观念向着"启示"文学和思想迈出了显著的一步。

《撒迦利亚书》的显著重点除了"重建圣殿"之外,还有一个重要的主题,那就是为了以色列人中的属灵宗教而渴望耶和华。《撒迦利亚书》概括了巴比伦囚掳之前的那些先知们的伦理教导:

> 万军之耶和华曾对你们的列祖如此说:"要按至理判断,各人以慈爱怜悯兄弟。不可欺压寡妇、孤儿、寄居的和贫穷的人,谁都不可心里谋害弟兄。"(7：9—10)

先知撒迦利亚把耶路撒冷的荣耀推向极致,以至于它成为普世崇拜的圣城:

> 必有列邦的人和强国的民,来到耶路撒冷寻求万军之耶和华,恳求耶和华的恩。万军之耶和华如此说:在那些日子,必有十个人从列国诸族中出来,拉住一个犹大人的衣襟,说:"我们要与你们同去,因为我们听见神与你们同在了。"(8：22—23)

《撒迦利亚书》的这段经文描述的是普世的人民承认犹太人真实和确当的宗教,他们想加入其中。值得注意的是,这种普救主义(普世主义)不如上文提及的巴比伦的以赛亚那么彻底。

主要是在先知们的鼓励和鞭策下,耶路撒冷的人民果然奋起重建圣殿。公元前515年或公元前516年,大约在所罗门圣殿被毁七十年之后,圣殿建成并在一片欢腾中献给耶和华(《以斯拉记》6：16—18)。新建的"第二圣殿"从外形上不如所罗门"第一圣殿"壮观和辉煌,但是毕竟是一个圣殿,而且在之后的五个世纪中为犹太共同体提供了进行崇拜的圣所。

公元前515年之后,在有关巴比伦囚掳之后的犹太人的生活方面再次出现知识断裂。所罗巴伯相当神秘地从历史舞台上消失了。有猜测认为,这可能是波斯帝国在整个帝国范围内改变政策、禁止原地的亲王治理故土的一个结果。借助《俄巴底亚书》和《玛拉基书》,我们可以一瞥巴比伦囚掳之后归回的那小群挣扎的犹太人生活的某些侧面。

三、谴责百姓因未得建殿现报而生的宗教
幻灭——《玛拉基书》和《约珥书》

《玛拉基书》写于大约公元前 450 年,反映的是第二圣殿建成、投入使用之后的情况,但是尚未到与尼希米和以斯拉相关的宗教改革时期。"玛拉基"是一个意为"我的使者"的普通名词,不是一个先知的名字。该卷的主要价值在于,它提供了有关一段希伯来人历史的证据,舍此,我们对这段希伯来人的历史便一无所知。

希伯来人的那段历史所处的是一个幻灭的时代。因为所应许的、随着圣殿的重建而到来的"黄金时代"没有实现,人们失去了盼望。宗教义务被忽视,不道德的行为盛行,生活变得既腐败又无意义。"玛拉基"作为先知,用一种论辩式的和启发式的风格所面对的正是这些状况。通过问答,他阐述了与古代的那些先知们相同的属灵原则,并且把这些原则与他的时代关联起来,号召人们重回属灵的耶和华的宗教。

与《玛拉基书》大约同一个时代的信息有上文提及的《以赛亚书》56—66 章,而以色列人的罪过则招致其中的 56—59 章所描述的审判。尽管如此,60—62 章仍然提供了复新时代的荣耀希望。类似的思想出现在这个先知材料其余的章节中。

另外,围绕《约珥书》的成书日期也有相当大的争论,"早期成书说"主张该书写于约阿施作犹大王时期(约公元前 800 年),"后期成书说"主张该书写于犹太人被掳回归后的时期(约为公元前 400 年)。内证表明,该卷成书于后巴比伦囚掳时期应该更为可信。先知在蝗灾的画面中看到的是上帝会对其子民施行审判。先知约珥把上帝的审判看作暂时引而不发,接下来则描绘出一幅上帝眷顾、借助上帝将"灵浇灌凡有血气的"而得到复新的诱人画卷(《约珥书》2:28—29)。

四、谴责犹太人归回后的劲敌以东人(以土买人)
——《俄巴底亚书》和"第三以赛亚"

《俄巴底亚书》这部《旧约》中的最短经卷只有一个主题,就是谴责以东人。尽管该卷的日期不能确定,但是其信息极大可能源于巴比伦囚掳后期或巴比伦囚掳之后早期的巴勒斯坦背景。以东人在公元前 586 年曾经帮助巴比伦人征服以色列人,已

有旧恨;现在以东人蚕食犹大地业,特别是南地,又添新仇。谴责以东成为巴比伦因掳之后先知们的一个普遍重点——以东(即《新约》中的以土买)成为犹太人的"敌人"的一个象征。

《以赛亚书》56—66 章的先知属于后巴比伦因掳时期这一点,从其强调守安息日、宗教禁食、仪式问题等可见一斑。相对于简单的流于形式的崇拜,该部分强调的是真心实意的崇拜。未来寓于犹太人的敌人(以东就是象征)的劫难与耶路撒冷、圣殿及其人民的荣耀之中。

五、重建耶路撒冷城墙和宗教改革——《尼希米记》和《以斯拉记》

《尼希米记》也提供了对于后巴比伦因掳时期犹太人共同体生活状况的"一孔之见"。作为波斯王亚达薛西一世的酒政,尼希米为耶路撒冷仍然一片废墟,特别是耶路撒冷城墙尚未复建而愁容满面。波斯王钦命尼希米返回耶路撒冷,并且向他提供了重建圣殿堡垒和耶路撒冷城墙的材料。或许是出于在波斯和埃及之间建立一个缓冲国的考量,亚达薛西一世还宣布犹大是一个独立的省份,指定尼希米作省长(1—2章)。面对几乎难以克服的阻力,他开始了自己的工作。之所以获得成功只是"因为百姓专心作工"。为了防范参巴拉、多比雅、阿拉伯人、亚扪人和亚实突人的阻挠和破坏,"就派人看守,昼夜防备"(4:1—9)。不仅如此,"修造的人都腰间佩刀修造"(4:18)。更为重要的是,在以色列人看来,这个工作之所以能够完成,"是出乎我们的神"(6:16)。

经过五十二天的艰苦劳作,耶路撒冷城墙的根基完工;两年后耶路撒冷再次成为城垣高筑的城市,能够抵御敌人的猛攻,特别是那些阻挠修造城墙的阿拉伯人、以东人、亚扪人和撒玛利亚人的可能进攻(6:15—7:3)。城墙完工之后,"城是广大,其中的民却稀少,房屋还没有建造"。于是以色列人按照抓阄的结果,在城中建造房屋和居住(7:4—73)。

公元前 433 年,尼希米短暂重回波斯。"过了多日",他再度被任命为犹大省长。在这一任期他所关切的是宗教改革:恢复祭司和利未人"所当得的份"(什一税)、施行恰当的安息日制度、废除犹太人与异族的婚姻。为了实现他的宗教改革,尼希米恢复了一些极端的措施。

《以斯拉记》和《尼希米记》之间的关系是《旧约》诠释中经常争论的难题之一。

我们在此只是择取其中的一种立场，即认为尼希米出现在亚达薛西一世统治时期，而以斯拉出现在亚达薛西二世时期。《以斯拉记》的日期应该是在公元前398/397年。

以斯拉不是地上的大厦的建造者，而是宗教建筑师和改革者。他的工作对后巴比伦囚掳时期的犹太教的影响远远大于这个时期的其他以色列民的领袖人物。他在犹太人共同体中完成了重新确立圣约的宗教大业。他享有"通达天上神律法大德的文士"的头衔（《以斯拉记》7：12），"将耶和华籍摩西传给以色列人的律法书带来"耶路撒冷（《尼希米记》8：1）。这部"书"的确切内容我们无法确定。尽管这部"书"是否全部的"摩西五经"仍存在争论，但是包含其中的要旨部分应该是没有问题的。这些从巴比伦重新带回来的律法书在巴比伦无疑受到珍视，但是耶路撒冷的人们对此却一无所知。以斯拉当众宣读律法，促使百姓谨守耶和华的节期（《尼希米记》8：14—18）。因为"妥拉"（"摩西五经"）强调诵念耶和华在以色列人历史中的大能作为，诸如把以色列人从埃及解救出来并且与之立约，所以这个宗教改革的过程包括诵读圣约、重新坚定人们的信仰：

> 因这一切的事，我们立确实的约，写在册上。我们的首领、利未人和祭司都签了名。（《尼希米记》9：38）

经卷中提到的民众不懂希伯来语这个事实，暗示民众的语言已经改变。鉴于民众的语言已经是亚兰语，所以利未人要帮助民众理解希伯来文的律法：

> 他们清清楚楚地念神的律法书，讲明意思，使百姓明白所念的。（《尼希米记》8：8）

学者们认为，这里所记的利未人用亚兰语向民众讲解希伯来律法可能是最早的解经讲道，这种用亚兰语来翻译和讲解希伯来律法书"使百姓明白"的尝试就是《塔古姆》之始。

在整个犹太传统中，以斯拉一直与希伯来文士群体的创建联系在一道，而且被认为是希伯来人所创造的许多属于正典和非正典的一些宗教文献的作者。无论事实如何，他对犹太传统产生了主导性的和塑造性的影响是显而易见的，而且他所倡导的与异族隔离的做法成为随后数个世纪犹太人宗教实践的主要模式。

《以斯拉记》宗教改革的有些要素经常被称作狭隘本土主义，其焦点是异族通婚主题。之前尼希米已经禁止犹太人与非犹太人通婚；而以斯拉要求犹太人与外邦妻子离婚。这些规定的目的是为了维护犹太人信仰的纯正，避免那些业已证明对于所罗门时期和前巴比伦囚掳时期的以色列人共同体而言具有灾难性影响的信仰妥协。

况且,后巴比伦因掳时期的以色列人共同体十分弱小,处于挣扎之中;那些民族的、自然的、意识形态的和宗教方面的敌人环伺左右,巴不得这个民族崩溃。当然,就个人而言,一些犹太人无疑感到宗教改革的一些措施过于严厉,与这个民族的历史惯例不符。

六、对尼希米和以斯拉宗教改革狭隘民族主义的制衡——《路得记》和《约拿书》

"《路得记》是卷名中唯一带有外邦人名字的《圣经》经卷。这个根本要点本身就已经是颠覆性的标志。"①《路得记》通过路得的故事,把大卫王的祖先追溯到一位摩押女子,通常被认为在异族通婚问题上代表着尼希米和以斯拉立场的对立面。女主角路得不是一个犹太人,但是两次婚姻所嫁的都是犹太人;她身上所展现出的人类之爱和家庭责任,可以树为楷模。路得本是一个摩押女子,因为嫁给以色列人而成为这个民族中新的一员。她对拿俄米和丈夫的民族的忠诚远胜过许多以色列人。

学者们认为,《路得记》成书于巴比伦因掳之后时期,它假托士师时代的背景,影射的是对于尼希米和以斯拉的宗教改革要求犹太人"离绝"外邦妻子这种做法的异议,彰显外邦女子曾有的贡献,提醒人们对于异族应该同情和宽容②。本卷的神学主题是,人进入天国不是靠地位、名望与血统,而是靠一生遵行神的旨意,信守真理。另外,《路得记》的民俗学和人类学方面的价值也非常大。

"简而言之,《路得记》所呈现的不是不同学派之间的一种简单争执,更不是律法主义和无法无天之间的对垒。此处的中心问题是一个有关律法的解释学问题,预表的是福音书中将要浮现的主要难题。它牵涉到对于权柄、社会经济和政治制度的一种诠释。就其本质而言,路得是边缘人物,因为她被边缘化了。这是一部为了每个时代和每个地点的少数派的经卷。它的信息是革命性的,因为它朝向以hesed——即慷慨、同情和爱心——为标志的解决之道。根据《路得记》,律法的中心是 hesed,即爱。爱救赎一切。那么僵局打开,外邦人不再是外邦人,寡妇不再是寡妇,不育的(或认为如此的)妇女生产,失去的财产重回家族或氏族,中断的故事

---

① Andre LaCocque, *Ruth: A Continental Commentary*, Minneapolis: Fortess Press, 2004, p. 1.
② 同上书,第 2 页。

得以接续,并且以'大卫'的降临达到高潮。意义更为深刻的是,律法不再是控制和权柄(有时是操控)的手段,而是和平、修和与平等的工具。所有的律法范畴都被根据一种放大性的和非限制性的规范而来的诠释所超越。这就是《路得记》让人联想到对耶稣的诠释的因由。"[1]

通过《圣经》对于圣约的表述,我们可以看到两个可能的重点:一是,作一个神圣的民族所导致的隔离主义(《以斯拉记》和《尼希米记》等);二是,作耶和华面向全世界的祭司来侍奉所导致的普世主义(巴比伦的《以赛亚书》、《路得记》和《约拿书》)。后巴比伦囚掳时期的犹太教中的这两个看来矛盾的重点植根于同样有效的不同概念之中;两者各自表达出了后巴比伦囚掳时期的犹太人共同体应该做的一个方面。但是这个时期的犹太教过度强调应召成为一个神圣的民族,而拒斥了她的世界使命。

《约拿书》的普世主义是对于这个时期占据主导地位的狭隘民族主义的一种猛击。在围绕《约拿书》的各种意见中,我们认为无论是"寓言说"还是"历史说"都无关宏旨。重要的是,以色列人就像约拿一样,曾经奉命作耶和华派往其他民族的使者,但是拒绝了使命。约拿的态度,就像他等待预言的尼尼微的陷落这个场景所传递的那样,是对后巴比伦囚掳时期犹太人盛行的态度的一种讽刺。他敦促人们认识到,耶和华的慈悯是普及所有民族的。

七、仍然留居巴比伦的犹太人的
情况——《以斯帖记》

《以斯帖记》同样属于后巴比伦囚掳时期,很可能源于波斯时期的后期。《以斯帖记》所反映的"那个世界是巴比伦囚掳之后和希腊化时期之前散居波斯时期的犹太人的世界。确实,它是从那个背景中唯一幸存下来的文献"[2]。

该卷因其不曾具体提及上帝和其中所描绘的生气勃勃的民族主义精神而独具特色。该卷的盛名植根于其与犹太人狂欢节般的普珥节的关系之中。该卷的主旨是表达犹太人对强大的压迫者的胜利。同时也提供了巴比伦囚掳之后仍然客居异地的犹太人生活状况的一些资料,在有关巴比伦囚掳之后的犹太人生活方面,与前述提供回

---

① Andre LaCocque, *Ruth: A Continental Commentary*, Minneapolis: Fortess Press, 2004, pp. 26 - 27.

② Timothy K. Beal, *Esther*, in *Ruth and Esther*, Collegeville, Minnesota: The Liturgical Press, 1999, p. ix.

归后的犹太人生活的那些经卷互为补充。

早在基督教反犹太教和现代反犹主义之前很久,《以斯帖记》就讲述了一个反犹太教的故事,一个有关犹太人从政府支持的灭绝"非我族类"计划中幸存下来的故事。它还包含一个性别歧视的故事,其中妇女作为"他者"的投射与犹太人作为"他者"的投射相平行。"如此这般,它明显触及当代有关性别歧视、种族中心主义和民族认同之间的关系问题。"[①]

八、《历代志》史观的历史

作为这个部分的结束,我们要谈一谈所谓的《历代志》视角的历史。《历代志》视角的历史构成《旧约》历史文献中的第三大板块,包括《历代志上》、《历代志下》、《以斯拉记》和《尼希米记》。这个板块的经卷被认为是巴比伦囚掳之后以色列人共同体中的祭司群体的产物。其主要目的是重新诠释"摩西五经"与"申命历史"(《申命记》史观历史——《约书亚记》、《士师记》、《撒母耳记上》、《撒母耳记下》、《列王纪上》、《列王纪下》)中上帝与人打交道的历史,直指后巴比伦囚掳时期犹太人的生活状况和需要。

这个板块的历史叙述始于亚当,通过以斯拉时代加以回溯。这个视角的犹太人历史的重释,有意识地把巴比伦囚掳前后的历史时期联系起来,努力让挣扎中的归回犹太人相信,他们是亚伯拉罕、以撒、雅各和摩西等人构成的历史连续统的一部分。其中的祭司重心显而易见:犹太民族主要关切的必须是崇拜耶和华、谨守礼仪的纯正、进行恰当和丰盛的献祭,犹太民族必须是一个神圣的民族。尽管这样的理想从未达到,但却作为民族的目标确定下来。此外,这个历史视角还强调圣殿应当成为重建的民族的核心,提出建立神权政治或者祭司政治的希望,其中大祭司充当耶和华的代理人,领导以色列人。

及至尼希米和以斯拉的工作结束,以色列民再次成为拥有土地的圣约共同体。原先渴望的民族政治和宗教中心的新圣殿已经成为现实。所复建的国家得到波斯宗主的承认。借助"妥拉",从神学上说耶和华统治他的子民,而大祭司则是耶和华的官方代表。耶和华的这些子民是否证明真心顺从"妥拉"和所理解的耶和华的其他要求,固然是一个持久的重大宗教问题,但是对犹大地的犹太人而言,许多梦想已经实

---

① Timothy K. Beal, *Esther*, in *Ruth and Esther*, Collegeville, Minnesota: The Liturgical Press, 1999, p. x.

现,只在期待耶和华到来的伟大日子而已。

在犹太人这个冲突和重建的时期,政治上的主宰者是波斯帝国。这个主宰者证明是具有弹性的,准许犹太人自由地发展他们自己的宗教观念和进行宗教实践,几乎没有什么干预①。事情一直如此发展,直到公元前 333 年亚历山大大帝到来,随之犹太人进入《新约》前夜的希腊化时期。

第三节 诗歌经卷和《诗篇》

一、诗 歌 经 卷

以色列民族世代居住的迦南或曰巴勒斯坦地区是两河流域兴起的帝国与尼罗河三角洲兴起的帝国争夺世界霸权的必经之地,这决定了其命运多舛。千百年间,以色列人对于在埃及为奴、旷野漂泊、兄弟阋墙、南北分裂和被掳异国等诸多泣泪成谷的苦难经历,以及对于逃出埃及、进入迦南、立国建殿和归回故土等诸般上帝拯救大能的体验,一一化作人生智慧和对耶和华的感恩戴德,成就千古传诵的不朽名作。

就像在古代中国、古代埃及、美索不达米亚和迦南等地的情况一样,在以色列民族中,诗歌体也是最早的一种文学创作形式。上文提示的《旧约》历史书中就保存了许多诗歌,例如《旧约》中的《摩西之歌》(出 15)、《井之歌》(《民数记》21:17—18)、《底波拉之歌》(《士师记》5 章)、《弓歌》(《撒母耳记下》1:17—27)、《耶和华战记》(《民数记》21:14)等。但是论到以色列民族诗歌的集中体现,则当属《旧约》中的一些诗歌经卷。这类经卷除了上文已有涉及的《耶利米哀歌》之外,还有《约伯记》、《诗篇》、《箴言》、《传道书》、《雅歌》。其中的《诗篇》又往往被归为崇拜文学,而《箴言》、《约伯记》和《传道书》被归为智慧文学。

希伯来人诗歌的特点是对偶和韵律。韵律侧重于思想上的意韵,不重音韵;对偶则是重复运用相似的意义形成思想上的意韵传情达意。希伯来人诗歌的对偶大致上

---

① Henry Jackson Flanders, Jr. and Buce C. Cresson, *Introduction to the Bible*, New York: John Wiley & Sons, 1973, p.234.

可分为三大类:"全对仗"、"部分对仗"和"形式对仗"。据学者研究,尽管因希伯来文与中文结构不同,无法像中文那样写出《璇玑图》之类的回文诗,但是仍然能够依照希伯来二十二个字母作出"字母诗"或"藏头诗"。因为语言的障碍,希伯来诗歌的一些技巧在中文译文中是无法体现的①。

二、爱情礼赞——《雅歌》

《雅歌》呈现在读者面前的是一位未名的男子和一位未名的女子之间热烈的爱情对话,充满强烈的情欲意像。《雅歌》语言的爱欲本质令一些人对于它跻身《圣经》正典感到迷惑。《圣经》学者对本卷的诠释有不同的方法,主要有"寓意说"、"预表说"、"戏剧说"、"自然说"、"礼仪说"和"情歌说"等。《雅歌》尽管难以归类,众说不一,但是传统上通常归为"智慧文学"之列。像"智慧文学"中的其他作品一样,本卷的主旨也在教导,即教导人们像炽烈的男女之爱一样爱上帝。

对于《雅歌》,犹太教和基督教的诠释者都采纳一种寓意解释。在犹太教的释经中,女子(代表以色列民)要求男子(代表耶和华)带她入洞房(1:2—4),被寓意解释为描绘以色列人出埃及。至于女子自惭脸黑(1:5—6),则被寓意解释为以色列人在旷野拜金牛犊的罪行与耻辱("黑")。基督教改造了这种诠释策略,以符合自己的神学特点。在基督教的寓意释读中,男子代表耶稣基督,而女子可以代表教会或教徒。就像在犹太教中的诠释一样,基督教同样认为《雅歌》中的细节具有寓意。

及至启蒙运动时期,特别是到了19世纪,随着柏拉图思想对释经学影响的减弱,《圣经》学者们不再把咏赞情爱的经卷看作不相宜的。在过去一个半世纪内,诠释者们认识到,《雅歌》不仅可以寓意解释为上帝与其子民之间的爱,更应该返璞归真,承认它是对男女之爱的礼赞。

三、崇拜文学——《诗篇》

《诗篇》是以色列民族重要的宗教诗歌的汇集,收有诗歌150篇,大多为祷告和赞

---

① Henry Jackson Flanders, Jr. and Buce C. Cresson, *Introduction to the Bible*, New York: John Wiley & Sons, 1973, pp. 236 – 238.

美诗。希伯来《旧约》称《诗篇》的希伯来词有"颂赞之书"的意思,字根与"哈利路亚"相同,因此,天主教"思高本"《圣经》称《诗篇》为《圣咏》。一般认为,《诗篇》取法"摩西五经"分为五卷,有"大卫五卷诗"之意。

学者们根据《诗篇》的内证认为,《诗篇》不是一次编成的诗集,也非出自一人之手,极有可能是由几个世纪的若干诗集和个人作品编辑而成。今天这个形式的《诗篇》定型于巴比伦囚掳之后所罗巴伯所重建的圣殿乐师之手,然后在圣殿的各种仪式和各地会堂中使用。至于《诗篇》五卷的定型情况,《死海古卷》研究提供了新的材料,即《诗篇》前三卷中的诗篇序列比《诗篇》后两卷的那些诗篇序列要固定得多。这证明《诗篇》的后两卷固定下来的时间要晚于前三卷①。正如学者指出的:"主导着《历代志》历史视角的圣殿之爱和圣殿崇拜是《诗篇》在以色列人中受到珍视的背景。尽管各个诗篇的源头散布在整个以色列人的历史之中,但是它们的最后结集和编排却是属于巴比伦囚掳之后的事。这些诗篇是在所罗巴伯的圣殿中使用的以色列人的祈祷文和赞美诗。通过这些诗篇(为犹太-基督教传统中的人们所熟知和热爱),以色列人表达出了他们信仰的每个方面。因此,研读《诗篇》是一个人切入犹太教的崇拜生活的最佳途径。"②

按照主题或内容可以对《诗篇》进行不同的分类③,大致如下:(1) 颂赞之诗歌,即敬拜的人对神的大能或拯救的颂赞。其中又可分为赞美诗、个人赞美和团体赞美。(2) 求告的诗歌,即人在需要之时和困难之中向神的呼求。其中又可分为个人的求告、全体的求告和信靠的求告。(3) 君王诗歌,即主题为神与受膏君王之间关系的诗歌。此类诗歌中的大部分写于巴比伦囚掳之前,其中有些所描写的王和王国异常完美,具有"弥赛亚诗"的特点,常为《新约》作者所引用。(4) 杂类诗歌,即诗体上无独特结构的其余诗歌。根据这些诗歌内容、目标等共同之处可以分为来圣殿朝拜的人所唱的"进殿诗"(第15、24 篇等)、教诲下一代人的"智慧诗"(第1、37、49、73、127、128、133 篇等)、讲神谕的"先知诗"(第12、50、60、75、81、82、110 篇等),以及"朝圣诗"(第120、134 篇等)和"混合诗"(第119 篇等)。

---

① 参见王新生:《〈死海古卷〉中的〈圣经〉古卷对于〈旧约〉文本研究的意义述评》,载《复旦学报》(社科版)2003年第4期。

② Henry Jackson Flanders, Jr., Robert Wilson Crapps, David Anthony Smith, *People of the Covenant: An Introduction to the Old Testament*, New York: John Wiley & Sons, 1973, p. 437

③ 参见 Henry Jackson Flanders, Jr. and Buce C. Cresson, *Introduction to the Bible*, New York: John Wiley & Sons, 1973, p. 239;Henry Jackson Flanders, Jr., Robert Wilson Crapps, David Anthony Smith, *People of the Covenant: An Introduction to the Old Testament*, New York: John Wiley & Sons, 1973, p. 438;Philip S. Johnson (ed.), *The IVP Introduction to the Bible*, Inter-Varsity Press, 2006, p. 102.

在把握《诗篇》的价值和功能方面,学者们通常侧重它在以色列人崇拜中的地位。一方面是巴比伦囚掳之后以色列人重建以圣殿为中心的崇拜仪式的宗教努力中《诗篇》成书这个背景;另一方面则是《诗篇》本身几乎应用在圣殿崇拜仪式中的每个方面。《诗篇》第24篇提供了《诗篇》在崇拜中如何应用的例证。这篇诗歌是一首著名的朝圣诗歌,在立耶和华为王的庆祝仪式中使用,而耶和华在以色列民中住在圣殿之中。

该篇的第1—2节经文是赞颂造物主上帝的合唱,是抬着耶和华的某种象征在耶路撒冷攀爬圣殿山的朝圣队列所唱:

> 地和其中所充满的,世界和住在其间的,都属耶和华。他把地建立在海上,安定在大水之上。(24:1—2)

接着以第一个独唱(第3节)和第二个独唱(第4—5节)之间应答轮唱的形式进一步唱到:

> 谁能登耶和华的山? 谁能站在他的圣所? (24:3)就是手洁心清,不向虚妄,起誓不怀诡诈的人。他必蒙耶和华赐福,又蒙救他的神使他成义。(24:4—5)

朝圣者们的合唱把自己等同于寻求耶和华的人:

> 这是耶和华的族类,是寻求你面的雅各。(24:6)

该篇的其余经文则继续1—6节的立耶和华为王的主题。在暂停之后(细拉),大概是队伍抵达圣殿大门之际,合唱继续响起,要求守门人开启大门,以便在其中立耶和华为王:

> 众城门哪,你们要抬起头来! 永久的门户,你们要被举起! 那荣耀的王将要进来。(24:7)

面对守门人提出的"荣耀的王是谁呢?"的挑战,朝圣者们齐声唱答:

> 就是有能力的耶和华,在战场上有能的耶和华。(24:8)

外门打开后,朝圣的队列鱼贯而入,临近内门之际再次要求:

> 众城门哪,你们要抬起头来! 永久的门户,你们要把头抬起! 那荣耀的王将要进来。(24:9)

面对内门的守门人"荣耀的王是谁呢?"的挑战,朝圣者们的回答宣示了他们的信仰：

> 万军之耶和华，他是荣耀的王！（24：10）

最后想必是朝圣的队列进入圣殿，伴随着一片歌声，以崇拜的象征形式立耶和华为王①。

就像我们尝试诠释的《诗篇》第24篇所表明的那样，整部《诗篇》表达了以色列人寻求耶和华和来到耶和华面前的各种各样的情绪。在他们看来耶和华是应当赞颂和感谢的神：

> 你们要赞美耶和华！要称谢耶和华，因他本为善，他的慈爱永远长存。（106：1）

耶和华是陷于苦难中的人们的确实庇护：

> 住在至高者隐密处的，必住在全能者的荫下。我要论到耶和华说："他是我的避难所，是我的山寨，是我的神，是我所倚靠的。"（91：1—2）

耶和华是他的子民的引导者和安慰者：

> 耶和华是我的牧者，我必不至缺乏。他使我躺卧在青草地上，领我在可安歇的水边；他使我的灵魂苏醒，为自己的名引导我走义路。我虽然行过死荫的幽谷，也不怕遭害，因为你与我同在；你的竿，你的竿，都安慰我。（23：1—4）

耶和华是崇拜者在不能理解自身的生存难题时求问的对象：

> 我的神，我的神！为什么离弃我？为什么远离不救我，不听我唉哼的言语？我的神啊，我白日呼求，你不应允；夜间呼求，并不住声。（22：1—2）

人在崇拜中来到耶和华身边，坦白自己的罪：

> 神啊，求你按你的慈爱怜恤我，按你丰盛的慈悲涂抹我的过犯。求你将我的罪孽洗除净尽，并洁除我的罪。（51：1—2）

总之，《旧约》中恐怕没有哪部经卷能够像《诗篇》一样直接描绘人与上帝在绝望、信赖、膜拜、私下、感恩、哀伤和死亡等各种各样的场合下的会遇。人类生活的主要要

---

① Henry Jackson Flanders, Jr. and Buce C. Cresson, *Introduction to the Bible*, New York: John Wiley & Sons, 1973, pp. 240 - 241.

义正是通过《圣经》对上帝与人之间的各种会遇的叙述反映出来①。

第四节　智　慧　文　学

古代世界肥沃新月地带的人们对于生活的艰难现实的关切,几乎达到排除思辨思想的地步。无论从地域上说还是从观念上说,希伯来人都属于这个世界。像希腊哲学那样的思辨对于这些人而言是极端异己的。希伯来人最接近思辨思想的部分是他们对于智慧的关切。

传统上所罗门一直被视作希伯来人的"智慧之父"。他固然对智慧运动和传统的形成起到推动作用,但是他并不是智慧运动的始作俑者。所罗门在智慧方面的工作具体情况不详,可能在于收集、整理和编纂智慧教训。智慧文学和传统所具有的非历史的(并非植根于具体历史事件之中)和国际性的性质使其与其他希伯来文献明显区别开来②,这一点无疑也解释了它为什么较后才进入正典之中。

希伯来人是渐渐把智慧理解为像先知职分和祭司职位那样的上帝礼物的。只是当智慧以一种人格化的形式与"妥拉"等同起来之后,才清除了从宗教上得到接受的障碍。最终智慧成为与耶和华等同的一种人格化的力量,即他对人的指导和他的律法。进入希伯来人的耶和华信仰语境之后,智慧成为宗教理解和宗教宣信的一个主要方面。

就《旧约》中的使用情况来看,"智慧"并不像通常那样局限于聪明睿智和学富八斗。它是关涉成功生活的一种由伦理和宗教原则所引导的实践知识,是一种与世界的道德秩序保持均衡的能力。包括才智、精明、机智、健全的判断和道德理解。《旧约》的"智慧"几乎无所不包。但就《旧约》神学而言关键的是,尽管智者研究、观察和沉思,但是无论从什么角度而言,耶和华才是智慧的赐予者。

《旧约》中的智慧文学有实践的和半思辨的两个基本类型。前者的例证是《箴言》,后者的例证是《约伯记》和《传道书》。其他的"智慧"片段则散见于历史书和其他经卷之中。智慧传统对于《旧约》文学产生了重大影响。

---

① Henry Jackson Flanders, Jr. and Buce C. Cresson, *Introduction to the Bible*, New York: John Wiley & Sons, 1973, p. 242.

② Cyrus H. Gordon and Gary A. Rendsburg, *The Bible and the Ancient Near East*, New York / London: W. W. Norton & Company, 1997, p. 324.

一、《箴　　言》

在《旧约》智慧文学的两种类型中,实践智慧产生出半思辨的智慧。就像《箴言》所展示的那样,实践智慧的目标是幸福、成功的美好生活。这样一种心满意足的生活是可以通过遵循智者和圣人的准则去生活而达到的。尽管这听起来有点世俗,但是对希伯来人而言,耶和华既是智慧的源泉,又是老生常谈的智慧的赐予者。

《箴言》形形色色的格言警句固然可能暗示着以色列人智慧历史中的某种东西,但其实本身是由几个来源不同的箴言集构成。其中的一些直接归于所罗门(1:1),另一些则是通过"犹大王希西家的人所誊录的"方式间接传的所罗门智慧(25:1);甚至一些径直就不是源于以色列人,而是归于某些与希伯来人的诸部落没有直接干系的某些人物,例如"亚古珥的言语"(30:1)和"利慕伊勒王的言语"(31:1)等。

基于这种视角,被长期误解的《箴言》22:20的正确读解明晰起来。这节经文"和合本"译作"谋略和知识的美事,我岂没有写给你吗?",相较之下各个英文译本和"现代中文译本"译出希伯来文数字"30"的译法——"我为你写下了三十条,其中有属于知识和规劝的话"——更忠于原文。据研究,包含这句经文的经段与埃及的分为三十节的《亚曼尼摩比智训》(*The Wisdom of Amenemope*)同源,甚或后者本身就是前者的源头,确保了希伯来原文的数字应为"30"无疑[①]。更有甚者,《荷马史诗》(《奥德赛》16:158;24:128)中对于妇女美德的标准与《箴言》31:10—31中"才德的妇人"的描述极为相符,因此《箴言》中这段在古代近东独一无二的经文可能具有地中海而非犹太源头[②]。

尽管《箴言》源头众多,而且总体上不是按照时间先后安排的(在该卷的某些部分有一些确凿的证据表明存在刻意的安排,但是在另一些部分则丝毫没有这样的迹象),但是《箴言》整体目的在该卷中有清晰的表述:

> 要使人晓得智慧和训诲,分辨通达的言语,使人处事领受智慧、仁义、公平、正直的训诲,使愚人灵明,使少年人有知识和谋略,使智慧人听见,增长学问,使聪明人得着智谋……(1:2—5)

[①] Cyrus H. Gordon and Gary A. Rendsburg, *The Bible and the Ancient Near East*, New York / London: W. W. Norton & Company, 1997, p. 324.

[②] 同上书,第107页。

在《箴言》中智慧被人格化为上帝的首个造物：

> 在耶和华造化的起头，在太初造万物之先，就有了我。从亘古，从太初，未有世界以前，我已被立。没有深渊，没有大水的泉源，我已生出。大山未曾奠定，小山未有之先，我已出生。(8：22—25)

因此智慧是人的有力指导：

> 众子啊，现在要听从我，因为谨守我道的，便为有福。要听教训，就得智慧，不可弃绝。听从我，日日在我门口仰望，在我门框旁边等候的，那人便为有福。因为寻得我的，就寻得生命，也必蒙耶和华的恩惠。得罪我的，却害了自己的性命；恨恶我的，都喜爱死亡。(8：32—36)

随着智者痛斥恶行，他们的社会意识和关切得到放大：

> 耶和华所恨恶的有六样，连他心所憎恶的共有七样，就是高傲的眼，撒谎的舌，流无辜人的血，图谋恶计的心，飞跑行恶的脚，吐谎言的假见证，并弟兄中布散纷争的人。(6：16—19)

总体而言，《箴言》属于智慧文学中的乐观主义传统。《箴言》号召人们遵守智者的训诲，以获得幸福、有益和敬神的生活。作智者有好报。智者是有宗教情感的、有道德的，而且是成功的。因而，属于耶和华的人是智慧的和有福的。尽管这种告诫有效，是生活的坚实指导，但是以色列人中有许多人仍然未能应用这些教导。许多人还迈出了画蛇添足的一步，认为智者的劝告既然给予美好的生活以指导，那么美好的生活必然随着遵循老生常谈的智慧而来。甚至某种类似于"申命神学"的东西渐渐被应用到老生常谈的智慧中。一种清晰的断裂出现在"智"与"愚"之间。愚蠢成为智慧的邪恶对应物。"智"者最终与兴旺、幸福和健康以及长久的、硕果累累的生活画上等号；而"愚"者则是贫穷的、不幸的、疾病缠身的、夭折的和一无所成的。在此基础上演化出一种过于简单地解释耶和华赏罚基础的体系。"智慧"成为神的审判的唯一基础。敬神的程度变得可以通过确定一个人的兴旺、健康和财富等等来决定。虽然《旧约》中没有任何明文肯定这样的体系，但是经中某些经卷对这种体系的一些诘难披露了一个事实，那就是这种体系在以色列人中是的确存在的。

对生命、对生命关系和难题的沉思，导致对智慧传统中这种"非此即彼"体系的挑战的出现。一种与《箴言》和"智慧《诗篇》"(例如《诗篇》第 1 篇)的通常诠释相矛盾的主题出现在《传道书》和《约伯记》中；后两者通常被认为属于智慧文学中的悲观主义传统。

二、《传道书》

《传道书》是一篇探析生命的意义,尤其是生命在宗教背景中的意义的论文。所采取的是假托一个大卫血统的统治者"就我所知"进行讨论的形式。该卷的基调和世界观总体上是怀疑和悲观的。该卷作者显然熟悉希腊思想,例如《奥德赛》(19:592—593)"地上凡事皆有定期"的思想在《传道书》(3:1—8)中得到更加充分地表达①,提示着该卷成书于后巴比伦囚掳时期中一个相当晚的日期。

"传道者"断言,传统上有关上帝掌管世界的立场与经验不符,就是说,遵循智慧并不保证美好的生活,反之亦然。当他寻求生活的目的和意义的时候,发现只是走入死胡同。他得出一切都是虚无的结论:

> 虚空的虚空,虚空的虚空,凡事都是虚空。人一切的劳碌,就是他在日光之下的劳碌,有什么益处呢? 一代过去,一代又来,地却永远长存。(1:2—4)

《传道书》中这样的虚无主义和怀疑主义的结论并没有令"传道者"背弃耶和华而去,反而断言上帝对世界和人类享有国权,而且在这方面可能比其他任何《旧约》作者都来得更加直接。这是因为《传道书》在撼动不充分的和轻易回答的信仰基础之后,为更加深层次的信仰预备了道路。

"传道者"认识到,上帝不是人类的一些轻易的程式就能把握的,无论这些程式是神学的还是虔信的。上帝之道在很大程度上是超越了人类的知识范围的一种奥秘:

> 神造万物,各按其时成为美好,又将永生安置在世人心里。然而,神从始至终的作为,人不能参透。(3:11)

就"传道者"而言,上帝是未知的和不可知的。从信仰的角度来看,这样的立场在有关启示(上帝的自我交通)的可能性和现实性方面无疑是彻头彻尾的悲观主义。同时这样的立场对于另一种错误,即认为上帝在启示中完全展现自身、虔信者知道有关上帝应该知道的一切的宗教自我主义,又是一种警示。显然"传道者"饱受此类宗教自我主义之苦。所以,作为一种回应,"传道者"宣称上帝是不能在神学或历史中被真正认识到的,而在以色列人中这两者总是紧密联系在一起的。"传道者"宣称,历史不

---

① Cyrus H. Gordon and Gary A. Rendsburg, *The Bible and the Ancient Near East*, New York / London: W. W. Norton & Company, 1997, p. 107.

是形成令人满意的上帝教义的基础。不过，并不能仅仅因为上帝是不可知的，就假定上帝不存在。上帝就是上帝，但是上帝之道是高深莫测的，而且上帝在人类事务中的活动也是不可觉察的。人必须学会接受这个生存事实。这就意味着人要为自己的生活负责。人必须在异己和不友好的环境中充分展开生命。尤其是，要做一个现实主义者：

> 我知道世人，莫强如终身喜乐行善，并且人人吃喝，在他一切劳碌中享福，这也是神的恩赐。（3：12—13）

> 我见人莫强如在他经营的事上喜乐，因为这是他的份；他身后的事，谁能使他回来得见呢？（3：22）

尽管如此，快乐和所得不能过于轻易地被当作乐观主义的机缘，痛苦和艰难也不应催生深深的悲观绝望。"传道者"否定义人兴旺、恶人今生受罚这条经验法则的有效性（8：14）。他宣称生活在很大程度上徒劳无益，但是仍然强烈地把生命作为一种美好的礼物加以肯定，认为是应该加以享受的（5：18）。即便人及其目的最终化为乌有，但是上帝的旨意——尽管不为人所知——却得到成全。学者们认为，《传道书》的这种发问式的信仰构成该卷某种存在主义维度的基础①。在"传道者"心中，无论人是否能够觉察上帝在历史中的行动，上帝毕竟还是上帝。因而，作为某种带有不可知论特色的信仰者，人应上帝之召过其生活，甚至要在日常事务中发现意义。这种寓于活动之中和活动本身的价值感，是《传道书》最引人入胜的主题之一。因为：

> 凡事都有定期，天下万务都有定时。生有时，死有时；栽种有时，拔出所栽种的也有时；杀戮有时，医治有时；拆毁有时，建造有时；哭有时，笑有时；哀恸有时，跳舞有时；抛掷石头有时，堆聚石头有时；怀抱有时，不怀抱有时；寻找有时，失落有时；保守有时，舍弃有时；撕裂有时，缝补有时；静默有时，言语有时；喜爱有时，恨恶有时；争战有时，和好有时。（3：1—8）

正是认识到自己无力改变和控制人类事务，所以"传道者"说：

> 弯曲的不能变直，缺少的不能足数。（1：15）

不仅如此，圣人无力解释生命及其关系也被尖锐地提了出来：

> 我专心求智慧，要看世上所作的事。（有昼夜不睡觉，不合眼的。）我就看明

---

① Henry Jackson Flanders, Jr., Robert Wilson Crapps, David Anthony Smith, *People of the Covenant: An Introduction to the Old Testament*, New York: John Wiley & Sons, 1973, p. 480.

神一切的作为,知道人查不出日光之下所作的事;任凭他费多少力寻查,都查不出来,就是智慧人虽想知道,也是查不出来。(8:16—17)

不过,在《传道书》中智慧并没有被当作无用的东西丢弃到一边,因为"智慧胜过勇力"(9:16)。这位传道者同意,尽管智慧不能提供所有的人生答案,但是较之其他途径,智慧之途的确引导人们在生活中发现更多的享乐和满足。

传道者的教导"好像刺棍","又像钉稳的钉子"(12:11),刺激那些从不思考的人进行深入的思考。在某种意义上,《传道书》在《圣经》中对那种沾沾自喜、缺少反思的信仰起着平衡器的作用。因为它迫使《圣经》读者直面周围的黑暗,而这是真正的宗教不可或缺的要素①。

从《圣经》神学的角度来看,尤其重要的是,《传道书》"跋"对"凡事都是虚空"进行了回应。首先,有第二个声音告诉自己的儿子说,传道者所说的一切都是真的,时不我待:

> 你趁着年幼,衰败的日子尚未来到。就是你所说,我毫无喜乐的那些年日未曾临近之先,当记念造你的主。不要等到日头、光明、月亮、星宿变为黑暗,雨后云彩反回;看守房屋的发颤,有力的屈身,推磨的稀少就止息;从窗户往外看的都昏暗,街门关闭,推磨的响声微小,雀鸟一叫,人就起来,唱歌的女子也都衰微。人怕高处,路上有惊慌;杏树开花,蚱蜢成为重担;人所愿的也都废掉,因为归他永远的家,吊丧的在街上往来。银链折断,金罐破裂,瓶子在泉旁损坏,水轮在井口破烂;尘土仍归于地,灵仍归于赐灵的神。传道者说:"虚空的虚空,凡事都是虚空。"(12:1—8)

就文学作品中有关人渐渐衰老和临近死亡的描述而言,很少有比《传道书》中这段极富色彩的寓意笔调之作更加生动感人的了。实证主义哲学家孔德曾经提出著名的人生三阶段说:人在青年时期是美学家,人在中年时期是道德学家,而等到老年时期则变成宗教学家。《传道书》中的此段经文一开始便以"父亲"的口吻教诲"儿子",要在青春尚在之时就要礼赞上帝,不要年轻气盛地自诩自己能够掌握自己的命运而别无他求,不要等到青春和壮年消失、年老体衰之时——"我毫无喜乐的那些日子"——才成为"宗教学家",才感悟到自己原来并非"自造",而是有上帝这个造主。

对这段经文中的具体意象,可以有"微观"和"宏观"两种不同的诠释。就"微观"

---

① Henry Jackson Flanders, Jr. and Buce C. Cresson, *Introduction to the Bible*, New York: John Wiley & Sons, 1973, pp. 247 - 248.

而言,随着年龄的老迈,人的容颜和眼力会出现衰退("日头、光明、月亮、星宿,变为黑暗"),身体的病痛也会随着年纪而增加、经常反复发作("雨后云彩反回"),手脚发抖("看守房屋的发颤"),弯腰驼背("有力的屈身"),牙齿渐渐落尽("推磨的稀少就止息");同时,老年人的声音自低沉浑厚转为孩童般尖高("雀鸟一叫"),说话能力出现衰退("唱歌的女子也都衰微"),耳不聪、目不明("响声微小"、"往外看的都昏暗"),青丝褪尽变为满头白发("杏树开花"),行动变得迟缓、艰难起来("人怕高处,路上有惊慌"),就像蚱蜢到了冬天,本来小巧的身躯也再难跳跃("蚱蜢成为重担");更有甚者,青年的豪情、中年的壮志都已成为追忆("所愿的也都废掉"),只剩下慢慢等死("归他永远的家"),随之所有的荣华富贵也必将随之化为尘土①。

就"宏观"而言,《传道书》的这段经文首先用日月星辰象征人生一切美好的东西,用"黑暗"、"云"与雨象征其反面(12:2);接着描绘出一幅从前繁荣、现已衰落的庄园画面,其中先前"看守房屋"的家奴、"有力的"主人都今不如昔,料理家务的"推磨的"女子也已经减少(12:3);本来庄园的女主人有唱歌的丫头陪伴左右,悠闲地从窗户往外看着"往来无白丁"的红火日子,无奈家道衰落、门可罗雀——"街门关闭",面对满目的凄凉、昏暗,只好黎明即起、亲力亲为(12:4);而庄园男主人已经白发飘飘——宛如"杏树开花",体态臃肿——像吃得过饱的蚱蜢一样拖曳而行,男"人所愿的也都废掉",雄风不再(希伯来"蚱蜢"一词与"做爱"一词发音相似),死亡临近(12:5);死之将近的光景,犹如银链吊顶的金灯轰然坠地碎裂,犹如本来充满生计的水井旁和泉水旁空余破裂的水罐和损坏的提水转轮,总之生命的绳索已断(12:6),一切归为虚无(12:7—8)。

值得注意的是,尽管传道者的上述视角囊括了"凡事",但是短语"阳光之下"限定了它的境遇,即并不是从天堂的视角来看的"凡事",所以我们认为不妨理解为"凡间之事";倘若从神的视角来看,"凡事"皆有目的和意义。人们从《传道书》数次暗指《创世记》2—3章的语言可以看出,传道者是从堕落的结果这个角度来描述世界的。"跋"中的第二声音想要向他的儿子指明某种超越"阳光之下"的视角,教导他的儿子要"敬畏神"、"谨守他的诫命"、期待即将到来的审判:

> 我儿,还有一层,你当受劝戒:著书多,没有穷尽;读书多,身体疲倦。这些事都已听见了。总意就是敬畏神,谨守他的诫命,这是人所当尽的本分。因为人所作的事,连一切隐藏的事,无论是善恶,神都必审问。(12:12—14)

---

① 参见《圣经(启导本)》,香港望道书楼,1989年,第964页。

据研究,《传道书》"凡事都是虚空"的思想受到埃及"中王国时期"杰作《琴者之歌》的影响,其中出现在宴饮场合的游吟歌手演唱万事虚空、未来不定、唯有吃喝玩乐的主题。好在《传道书》以一种良好的希伯来模式得出结论,说一千道一万,最好还是敬畏上帝①。"为了避免传道者的悲观主义的思想,古代和现代的读者都要谨记这个训诫、接受这种态度。简言之,《传道书》是一部破除偶像的经卷。倘若有人力图从神之外的任何来源寻求生命的意义,归根结底将会失败。因此,要敬畏神。"②

三、《约 伯 记》

《约伯记》与《传道书》同属一个传统,但与后者在世界观和具体结论方面却不尽相同。《约伯记》中约伯的那些"朋友"谨守的是正统的"非此即彼"的智慧立场。《约伯记》的目的之一就是挑战这种正统观点,而且这种挑战在《约伯记》中得到有效的阐述。

《约伯记》的"序"与"跋"部分是散文体,主体部分是诗歌体。这个特点导致一些诠释者把该卷分割为两个部分。"序"中之所以讲述约伯的故事,是因为要引入约伯的经历所呈现出来的难题,而这个难题成为《约伯记》的主题。而"跋"则是为这个故事打圆场。不过,绝大多数《圣经》学者认为这个"跋"是后来添加的。有一种解释认为,这个"跋"与其说支持约伯的立论,不如说支持约伯的那些"朋友"的立论③。

不过,与之相关,有学者提醒人们不可对《圣经》经卷任意肢解。如《汉谟拉比法典》,可谓博大,但是开头和结尾都是诗体,中间法条部分是散文体,具有明显的 ABA 结构。这对读解包括《圣经》经卷在内的其他古代近东经卷提供了某种启发。尽管《约伯记》开头和结尾是散文体,中间为诗体,仍然是一种 ABA 结构。同样,《但以理书》开头和结尾部分是希伯来文,中间部分是亚兰文,也保持一种 ABA 结构。"一种蓄意而为的 ABA 结构的可能性值得我们予以最为郑重其事的考虑,而且应该遏阻我们迫不及待地肢解文本。"④

---

① Cyrus H. Gordon and Gary A. Rendsburg, *The Bible and the Ancient Near East*, New York / London: W. W. Norton & Company, 1997, pp. 62 - 63.

② Philip S. Johnson (ed.), *The IVP Introduction to the Bible*, Inter-Varsity Press, 2006, p. 107.

③ Henry Jackson Flanders, Jr. and Buce C. Cresson, *Introduction to the Bible*, New York: John Wiley & Sons, 1973, p. 248.

④ Cyrus H. Gordon and Gary A. Rendsburg, *The Bible and the Ancient Near East*, New York / London: W. W. Norton & Company, 1997, pp. 78 - 79.

概而言之,《约伯记》的故事所说的是一个异常善良的人约伯经受上帝允许下的撒但试探的经过。《约伯记》开篇伊始就告诉我们约伯这个人不但富有,而且"完全正直,敬畏神,远离恶事"(1:1)。耶和华显然认可约伯,因为他赐给约伯"七个儿子,三个女儿……七千羊,三千骆驼,五百对牛,五百母驴,并有许多仆婢"(1:2—3)。按照通常的心态,人们怎么也不会想到灾难会降临到这样的义人身上。然而在"天庭",撒但怀疑约伯侍奉上帝的动机,指控他是为了从上帝那儿得到利益才作正直的义人。为了证明约伯是无条件的正直、虔信,上帝准许撒但试探约伯。结果,撒但"击打"义人约伯,使他相继失去了家人和财产(1:13—22),"在这一切事上,约伯并不犯罪,也不以神为愚妄"(13:23)。

约伯因为在历经牲畜被掳、仆人被杀、儿女死于非命之后仍然不失其义人本色,上帝甚感欣慰:

> 耶和华问撒但说:"你曾用心察看我的仆人约伯没有? 地上再没有人像他完全正直,敬畏神,远离恶事。你虽激动我攻击他,无故地毁灭他;他仍然持守他的纯正。"(2:3)

撒但并不甘心,进一步"击打约伯,使他从脚掌到头顶长毒疮。约伯就坐在炉灰中,拿瓦片刮身体"(2:7—8)。在痛苦不堪中,约伯勇于追问"为什么?"一个人敢于相信上帝坐视义人毒疮遍身而不管不顾吗? 难道他约伯没有乐善好施、充当"瞎子的眼"、"瘸子的脚"和"穷乏人的父"吗? (29:15—16)一个公义的上帝如何忍心取走作为他的慰籍的友谊? 约伯妻子对约伯所提的建议,表明约伯困境之深,以及传统上对他的境况所作回答的徒然:

> 他的妻子对他说:"你仍然持守你的纯正吗? 你弃掉神,死了吧!"

然而,约伯不可能屈服于命运。约伯尝试理解他自己的窘境,以及并不符合正统的赏罚模式的上帝,这构成了《约伯记》的核心。《约伯记》中的对话是富有戏剧性地安排的。在三轮争论中,约伯的三位朋友(以利法、比勒达和琐法)针对约伯的反应提出建议。第一轮争论的主题是上帝的公义。以利法、比勒达和琐法各自详细展开这个主题,力图让约伯相信自己有罪。约伯显然清楚地理解他们的企图,但是在每个朋友陈明观点之后都断言自己是无辜的。第二轮争论的主题是恶人的命运。在第二轮中,约伯的朋友们更加尖锐,话锋转向主张神的审判的真理性和原则。约伯再度申明自己无辜。第三轮争论的主题是约伯的罪性。在这轮争论中,约伯的朋友们撕去各种伪装,公然认为约伯有罪,但是约伯复又肯定自己无辜。

在三轮争论中,核心是三位名义上来安慰约伯的朋友一再试图让约伯相信,痛苦是因为对上帝所犯下的某种罪过而受的惩罚：

> 请你追想,无辜的人有谁灭亡? 正直的人在何处剪除? 按我所见,耕罪孽、种毒害的人都照样收割。神一出气,他们就灭亡;神一发怒,他们就消没。(4：7—9)

约伯的朋友们以为约伯是一位邪恶的、不敬神的罪人,是一个善于伪装的罪人,最后被上帝揭破。一位叫做以利户的青年也附和约伯的朋友们有关约伯必定有罪的论断。约伯仍然坚持肯定自己无辜,继续申辩说,他并没有做任何该当如此重罚的事情,但是坦承自己有疏离上帝之感。出于痛苦,约伯发出呐喊：

> 我本完全,不顾自己,我厌恶我的性命。善恶无分,都是一样,所以我说：完全人和恶人他都灭绝。(9：21—22)

> 惟愿我能知道在哪里可以寻见神,能到他的台前;我就在他面前将我的案件陈明,满口辩白。(23：3—4)

从肉体的折磨和心灵的痛苦之中迸发出来的约伯的思想,就像在上帝之锤和生活之砧间飞溅的火花。面对死亡和无法确保再生的前景,他试图从自己受苦的无意义的虚空中发现意义。约伯对上帝加以质疑的大胆之举显露了《约伯记》的严肃性。《约伯记》不只是涉及神学讨论,而是讨论信仰的可能性。面对像约伯那样的遭遇的时候,还有可能信仰上帝吗? 尽管这部经卷除了引入撒但外,未能解释无辜的义人约伯为什么受苦,但是它的确宣告了生活中上帝的实在性。义人约伯的经历使智者的那种"非此即彼"教义大成问题。约伯善良而"智慧",但是他却受苦。问题的中心不是约伯之苦,这种苦只是触及宗教的基本本质的手段。问题的实质是人与上帝的关系。究竟为什么侍奉上帝或需要宗教? 约伯一度认为,而且他的那些朋友仍然认为,人们侍奉上帝以便自己蒙福而不是遭难。但是约伯最终对此提出了质疑。

显然《约伯记》的作者相信约伯在捍卫自己的无辜方面是正当的;受苦不是罪过的一种证据。他寻求对自己受苦受难的一种解释是一种信仰行为,而不是公然反抗。约伯的抱怨既不是对允许他受苦的上帝的拒绝,也不是向命运低头,而是从痛苦境况中寻求道德性的上帝与他深信的个人纯正之间的关联。与约伯的那些朋友不同,该卷作者拒绝对受苦作轻易的解释,而且痛斥那些谴责约伯发出"为什么"疑问的人们。上帝自己在对以利法所说的话中维护了他的仆人约伯：

> 我的怒气向你和你的两个朋友发作,因为你们议论我,不如我的仆人约伯。(42：7)

面对约伯的疑问,上帝在《约伯记》的高潮部分现身说法。上帝在旋风中向约伯表明,与耶和华的无限和大能相比,他约伯自己是有限的和无力的。约伯从而获得真理。人侍奉上帝不是为了获得物质或身体上的福乐,"非此即彼"学说的核心是错误的。人对上帝的侍奉是承认上帝是上帝,而人不是上帝。无条件地信赖上帝是人与上帝之间唯一的恰当关系。尽管受苦受难的问题仍然未决,但是真理得到肯定,约伯的所有生活都被置于一种全新的视角之中。

> 约伯回答耶和华说:"我知道你万事都能作,你的旨意不能拦阻。谁用无知的言语使你的旨意隐藏呢?我所说的是我不明白的;这些事太奇妙是我不知道的。求你听我,我要说话;我问你,求你指示我。我从前风闻有你,现在亲眼看见你。因此我厌恶自己,在尘土和炉灰中懊悔。"(42:1—6)

从神学而言,约伯忏悔不是因为他的朋友证明是正确的,而是因为忏悔是一个人面对神的时候所应该做的。不过,《约伯记》散文体的"跋"却似乎回到被拒斥的"非此即彼"的因果报应说。受到维护的主角约伯重新获得家庭和财产,"比他从前所有的加倍"(24:10)。显然《约伯记》的作者保留这个古老的材料作为故事的结尾,是不想让约伯陷于绝望之中而不顾。不过,需要指出的是,人们不应因为这个"申命"视角的结尾而伤及该卷整体的主要冲击力。

作为对上述相关内容的某种小结,我们发现下述评论颇有引述价值:"一些《圣经》经卷带有国际特色而非希伯来特色,智慧文学尤其如此,它不是强调膜拜,而是具有普世适用性。……《箴言》是对源头不同的几个文集的一种编纂。……另一部具有国际韵味的智慧文学经卷是《约伯记》,背景是以色列东南方向沙漠地区的乌斯。其中的人物没有以色列人,经卷的文字也不是标准希伯来文,而是外约旦沙漠边缘的某种希伯来方言的反映;而且其主题,就是义人为什么受苦的问题,也是普世的。另一方面,某位巴比伦囚掳时期或之后的犹太作者可能拿这个著名的故事为我所用。如此一来,《约伯记》显得是一种面向以色列人的信仰信息,而以色列人在公元前6世纪的经验还有待解释。正如我们先前所见,《列王纪》的作者把公元前586年的那些事件归罪于先前玛拿西朝的那代人;而先知以西结直指公元前586年的那代人是有罪的一代。一些时间以后,《约伯记》的作者提供了他自己的神学解释:存在某种义人受苦这回事。就是说,尽管以色列民族经历苦难,但是这个民族是一个义人的民族。如果你信上帝,他将恢复你的财富,就像上帝在公元前538年恢复以色列民一样。"[1]

---

[1] Cyrus H. Gordon and Gary A. Rendsburg, *The Bible and the Ancient Near East*, New York/ London: W. W. Norton & Company, 1997, p.324.

第六讲　两经之间　上帝无言

——希腊化时期犹太人政治和思想的新趋势

巴比伦囚掳之后巴勒斯坦犹太人的某种国际视野和普世主义要素的浮现,使犹太人的心态在某种程度上超越了巴比伦囚掳之前囿于巴勒斯坦和以色列民族的局限。这使以色列人中的某些派别和人物随着历史和时局的变化,以更加开放的姿态接受和回应外来文化的冲击成为可能。而在这个过程中,希腊化时期和随后的罗马时期提供了巴比伦囚掳回归后某些超出民族之外的新鲜要素进一步发酵的环境,最终酿造出耶稣基督普世的"天国"理想佳酿,而这种普世理想又通过保罗等使徒的工作切实地走出巴勒斯坦和犹太民族,在世界各个民族中传播开来。

第一节　希腊文化的影响与
塞琉古王朝的统治

一、犹太人对希腊化的两种态度

巴勒斯坦希腊化时期(公元前 333—前 167 年)最为重要的人物无疑是马其顿国王菲力二世之子亚历山大大帝。菲力二世素有统一希腊城邦和把小亚细亚的希腊城市从波斯人的控制下解放出来的雄心壮志。对这种雄心的耳濡目染,以及亚里士多德所灌输的对希腊思想、文化和制度的赞赏,再加上内在的超凡领导能力,一起铸就了立志把希腊文化在所征服地区发扬光大的亚历山大大帝这位世界征服者。

在两次击败波斯军队之后，亚历山大南下进攻埃及的途中于公元前 333 年占领巴勒斯坦。亚历山大的军事天赋使其在登上马其顿王位不到十二年的时间内征服了从达达尼尔海峡到印度河的广大地界，并且把希腊文化传播到这一广大地区。这一文化后来被罗马人于公元 1 世纪所继承，而且成为地中海世界文化发展的基础。"这个过程的顶峰不是奥古斯都和托勒密王朝的终结，而是耶稣的传教。"①在很大的程度上，亚历山大的征服决定了后来诞生的早期基督教所传播的地域。

尽管"亚历山大那种想把希腊文化与已有数千年传统且已成定式的东方文化进行混合的想法简直是异想天开"②，但是热衷希腊文化的亚历山大大帝当年的确试图通过教育和示范的方式和平地推行在他看来具有自明真理的希腊文明，并借此濡染和改革所征服地区的文明。在其短暂的统治期间，亚历山大大帝对犹太人颇为友好，以至于犹太人在亚历山大城的五个城区中占据两个，人口达到一百万以上。当然，他们受到希腊文化影响的程度也较早先其他异族文化的影响为大。一方面，亚历山大大帝所营造出来的这种希腊文化具有史无前例的宗教和种族宽容精神；另一方面，它作为新型世界关系的一种希望也得以溢注到犹太地的政治、经济旋流之中，为犹太人提供了与世界修好的机会③。

"希腊化时期宗教变化的单一最大原因恐怕是在旧世界和亚历山大的征服及其后继者所建立的王国开启的新世界各处希腊人和非希腊人迁居的加大。"④犹太人最初对巴勒斯坦各地模范居住区的希腊移住民保持怀疑态度，但是这些移民最终表明只是希腊主义的劝化者而已，他们风趣、友好、和平。在三代人的过程中，上层犹太人在日常生活中借用了大量的希腊语汇，而且为子女起希腊人的名字。那些文化人，特别是耶路撒冷的祭司们更是比常人受到希腊文化的影响。尽管他们没有放弃自己的宗教，但是也非常欢迎外来的希腊文化的一些外在特质。例如，在希腊文化影响的顶峰时期，祭司甚至在祭坛上的燔祭只做到一半的时候，急急忙忙地赶往某些体育场观看那里举行的希腊运动员的表演。这只是事情的一个方面，当然存在强大的"逆流"："无论是犹太人还是其他的民族并不总是彻底地接受希腊文化。……且在他们的内

① A. B. Bosworh, "Alexander the Great and the Creation of the Hellenistic Age", Glenn R. Bugh (ed.): *Cambridge Companion to the Hellenistic World*, Cambridge University Press, 2006, p. 10.
② 陈恒：《希腊化研究》，商务印书馆 2006 年版，第 16 页。
③ 有关亚历山大大帝"仁慈"或"残酷"的观点综述，参见陈恒：《希腊化研究》，商务印书馆 2006 年版，第 11—12 页。
④ Jon D. Mikalson, "Greek Religion—Continuity and Change in the Hellenistic Period", Glenn R. Bugh (ed.): *Cambridge Companion to the Hellenistic World*, Cambridge University Press, 2006, p. 209.

心深处隐藏着推翻其统治者的仇恨。"①

与上层犹太人和祭司欢迎希腊化形成对照的是,平民百姓接受外国文化总是缓慢的。而且文士和拉比也在踩刹车。带着对犹太教托拉和生活方式不折不扣的忠信,他们抵制希腊主义及其方式,活跃在"那地的沉默者"——守成的犹太"虔敬派"(hasidim)中间。写于这个时期的《但以理书》骄傲地描绘了抵制巴比伦化的年轻主角但以理,显然是要把他树为抵制塞琉古王朝所推行的希腊化的一个典范。

二、塞琉古王朝的激进希腊化运动

亚历山大大帝英年早逝之后的一百年间,巴勒斯坦地区成为统治叙利亚的塞琉古王朝和统治埃及的托勒密王朝交兵争夺的战场,希腊化过程有所减缓,但是并没有中断。期间巴勒斯坦的最初统治者是托勒密王朝,该朝对巴勒斯坦的统治确立于公元前 301 年,一直没有间断地持续到公元前 219 年。在托勒密朝统治期间,犹太人没有受到宗教限制,生活没有受到多大妨碍。托勒密王朝统治巴勒斯坦时代见证了犹太人口在埃及的增长,在亚历山大市犹太人更是形成人口的多数。而且正是为了满足这个时期说希腊语的埃及犹太人的需要,才有希腊文《旧约》译本——《七十子译本》——的应运而生。与其同时,塞琉古王朝在安条克三世时期力量蹿升,先是在公元前 219 年短暂地夺取巴勒斯坦的控制权,不料于公元前 217 年得而复失。及至公元前 198 年他才获得对巴勒斯坦的长久控制。从公元前 198 年到公元前 167 年,塞琉古王朝统治巴勒斯坦的犹太人,但是并非和平统治。

安条克三世奉行一种扩张政策,而且在汉尼拔的敦促下,进而入侵希腊。此时,先前在与迦太基的战争中痛感武力重要性的罗马进入历史画面;罗马奉行的政策是不允许地中海世界形成任何挑战力量。安条克三世的雄心,以及希腊临近罗马这一地缘因素,导致罗马与塞琉古王朝双方之间的对垒。罗马人在希腊的温泉关之战击败安条克三世,随后追击到小亚细亚,并于公元前 190 年在马格内西亚(Magnesia)给予致命打击。安条克三世所背负的沉重战争赔偿导致其在巴勒斯坦的那些反应。他不仅加重了犹太人身上的税赋,而且采取了宗教干预这样的新政,包括对犹太人的大祭司职位征收个人特权税,等于要标价出卖大祭司职位。

---

① 陈恒:《希腊化研究》,商务印书馆 2006 年版,第 17 页,参见第 204—205 页。

在安条克三世亡故,以及经历相对平安的塞琉古四世(公元前187—前175年)之后,安条克四世(伊皮法尼斯)登上塞琉古王朝的宝座。罗马仅凭向他传递信息就足以阻止他有任何扩张帝国的轻举妄动,这一方面是因为这些讯息他不敢不听,另一方面是因为马格内西亚战役之后曾在罗马作了几年人质的他养成了对罗马权力的真正尊重。对外扩张无力的安条克四世,转而致力于原先没有尝试过的内部统合;希望借此把希腊主义强加在他的帝国的人民身上,以整合和强化自己的统治权力。这导致塞琉古王朝与犹太人之间的冲突。

犹太人之所以反对安条克四世用希腊文化统一帝国的努力,是因为他干涉了犹太人的宗教信仰。面对反对,安条克变本加厉地强调他的整合方案中的宗教内容适用于犹太人。他不仅禁止犹太教的仪式和犹太人向耶和华献祭,下令用希腊宗教——宙斯崇拜和奥林匹斯万神殿中的其他神祇崇拜——取代犹太人的宗教,而且令犹太人尤其不能忍受的是犯下渎神之罪:根据大多数史料佐证,他不仅洗劫了犹太人的圣殿、进入至圣所,而且在犹太人的圣殿祭坛上用猪向宙斯献祭。为了根绝犹太教,他严禁犹太人施行割礼,宣布任何允许儿子施行割礼的犹太人母亲将与儿子一道被砍头示众。他严禁犹太人守安息日,任何犹太人倘若藏匿"托拉"被发现,一律问斩[1]。

在某种意义上,安条克·伊皮法尼斯在推行希腊化方面失之操之过急。因为正如前文所述,在他"大行其道"之前,在巴勒斯坦城市的犹太人中间,特别是在那些受过教育、家庭富裕的上层犹太人中间,已经出现对希腊主义的一种自愿而迅速的适从。甚至那些犹太教祭司也像平常的犹太人一样开始模仿希腊人的着装,热衷希腊体育项目。大祭司职位也已经沦为向塞琉古王朝统治者出价最高者的囊中之物,甚至有时由希腊人担任[2]。

当然,犹太人中也存在一些不遗余力地反对希腊文化侵蚀犹太教信仰的人群、即"虔敬派"(Hasidim)。因而,实际上犹太人中间出现了分裂。面对塞琉古王朝的宗教要求,一些犹太人没有抗争,予以默认;而另一些犹太人,特别是那些不属于贵族的犹太人和乡下的犹太人,坚守摩西律法,公开反对强行的希腊化,最后甚至为此付出生命代价也在所不惜。

---

[1]　参见 Henry Jackson Flanders, Jr. and Buce C. Cresson, *Introduction to the Bible*, New York: John Wiley & Sons, 1973, p.256。

[2]　参见 David S. Noss, *A History of the World's Religions*, 11th ed., Upper Saddle River, NJ: Prentice Hall, 2003, p.455;陈恒:《希腊化研究》,商务印书馆2006年版,第214页。

第二节 《但以理书》——启示文学的先声

一、启示文学的先河

尽管教会通常认为《但以理书》是但以理于公元前 6 世纪写于巴比伦,但是有许多学者基于经文中希伯来语、波斯语、希腊语和亚兰语杂陈的内证,主张《但以理书》正是写于塞琉古王朝压迫犹太人的上述黑暗时代,很可能是《旧约》经卷中的最后一卷①。当然也有一种调和观点,认为"《但以理书》1—6 章包含的故事涵盖从公元前606/605(1:1)到居鲁士公元前 539 年占领巴比伦之后的一个时期。……第 6—12 章的异象则聚焦于安条克四世公元前 169—前 165 年对犹太人的逼迫"②。

该经卷的作者通过整合一个名叫但以理的人及其身处困厄仍然忠信的朋友们的故事,用带有启示文学风格的语言激励人们面对艰难时事仍然要忠信耶和华。如是观之,但以理所见的异象,尤其是《但以理书》7—12 章,是对塞琉古王朝统治下的悲剧境况和敦促忠信者保有希望的一些象征表达。那些异象所肯定的是上帝掌控一切,并且终将获得胜利,忠信到底的人也必将如此:"至高者的圣民,必要得国享受,直到永远永远。"(7:18)

属于启示文献的作品有时被称作"逼迫果实",因为宗教逼迫往往导致其形成③。《旧约》中的《但以理书》就像《新约》中的《启示录》一样,就是《圣经》中典型地带有这种文学类型色彩的代表④。《但以理书》中典型的启示文学风格可以说是"承前启后"的:"承前"是说这种风格在《以赛亚书》第 13—14 章和 24—27 章、《以西结书》第 1 章和 28—39 章、《撒迦利亚书》第 9—14 章以及《约珥书》第 2—3 章中已经有先例;"启

---

① 参见 Henry Jackson Flanders, Jr. and Buce C. Cresson, *Introduction to the Bible*, New York: John Wiley & Sons, 1973, p. 258;Henry Jackson Flanders, Jr., Robert Wilson Crapps, David Anthony Smith, *People of the Covenant: An Introduction to the Old Testament*, New York: John Wiley & Sons, 1973, p. 497.

② Philip S. Johnson (ed.), *The IVP Introduction to the Bible*, Inter-Varsity Press, 2006, p. 128.

③ Henry Jackson Flanders, Jr., Robert Wilson Crapps, David Anthony Smith, *People of the Covenant: An Introduction to the Old Testament*, New York: John Wiley & Sons, 1973, pp. 495 - 496.

④ 参见 Henry Jackson Flanders, Jr. and Buce C. Cresson, *Introduction to the Bible*, New York: John Wiley & Sons, 1973, pp. 258 - 259.

后"是说一些没有列入"正典"的、《但以理书》之后的"外典"经卷或"伪经"经卷，其实都是《但以理书》的余韵，诸如《以诺书》、《十二族长遗训》、《摩西升天记》、《巴录书》和《禧年书》等。

《但以理书》反映出以色列人宗教发展中的一些重要转折。诸如天使观念、个人死而复活的信仰和殉道者具有替代性效力的观念等都悉数包含在该卷之中，好像他们已经成为以色列人共同体所接受的观念。更为重要的是，末世审判显然已经成为犹太教历史观的一个组成部分。《但以理书》肯定了上帝在世上统治时代正在临近的信仰，劝勉以色列人毫不动摇地准备迎接这个日子的到来。在该书写作的年代，这意味着忠信者要拔剑战斗在耶和华一边。圣约共同体有责任通过积极参与而分享上帝的国权对所有民族的统治。如此一来，尽管作为写给一个具体时代的经卷，《但以理书》带有重新坚定困厄时代耶和华子民的信心这一独特目的，但是该卷进而意在宣示耶和华对历史具有国权，而这种神学观念的落实则会激发人们对耶和华的信心和委身。

二、对马加比起义的理论支撑

《但以理书》的主旨是，最好的信心应该寄予耶和华，耶和华掌控了与邪恶最后对决的局面，而且会以其自己的时间宣告他的王国。倘若关于本书成书的时代成立的话，作者理应是虔敬派的一员，抵制安条克·伊皮法尼斯的压迫和渎神政策，意在仰仗其著述助马加比起义一臂之力。运用某个但以理忠信耶和华、成功反对巴比伦暴君的著名故事，该卷作者力图鼓励犹太人坚定度过时艰的信心。如果遭受安条克逼迫的犹太人能够像当年的但以理那样展现信仰方面的坚毅、忍受牺牲方面的勇气，他们就会成功守护那些坚信耶和华最终胜利的人们的丰富传统。面对困厄的时候充满信心地委身耶和华是分享耶和华最终凯旋之荣耀所必需的。尽管该卷并没有允诺马加比抵抗运动即刻获得成功，但是该卷对未来的信心想必强化了犹太人反对叙利亚安条克王朝暴政的意志。

《但以理书》一方面表明耶和华如何援助忠信的犹太人战胜敌人，另一方面诠释属于耶和华及其追随者未来的凯旋。《但以理书》主要分为两个部分，有关但以理及其朋友们的五个故事(1—6)和但以理所见的四个启示异象(7—12)。

《但以理书》1—6章戏剧性地讲述了巴比伦囚掳时期供职于巴比伦朝廷的四位犹太青年的历险故事。就像当年流落埃及的约瑟一样，这些身居异乡的以色列人令人印象深刻地为他们的俘获者释梦：

> 王对但以理说："你既能显明这奥秘的事，你们的神诚然是万神之神、万王之王，又是显明奥秘事的。"(2：47)

他们仍然忠实于自己的宗教教义，守犹太律法。他们对于耶和华的忠信最初赢得职位的提升，但是后来招致他们巴比伦君王的不满。即便如此，这些犹太虔信者仍然矢志不渝。

> 即便如此，我们所侍奉的神，能将我们从烈火的窑中救出来。王啊，他也必救我们脱离你的手；即或不然，王啊，你当知道我们决不侍奉你的神，也不敬拜你所立的金像！(3：17—18)

以色列青年的这种虔敬甚至引发俘获他们的外邦君王对以色列人的神发出喝彩：

> 因为他是永远长存的活神，他的国永不败坏，他的权柄永存无极。他护庇人、搭救人，在天上地下施行神迹奇事，救了但以理脱离狮子的口。(6：26—27)

在《但以理书》整个第一部分，在臣服于暴君的芸芸众生这个大背景上，四个青年人显得格外特立独行。神学上所要表明的是，耶和华的智慧和大能以其自己的过程胜过巴比伦和波斯的君王。尘世帝国的主人来去匆匆，只有耶和华及其国度永存。按照神的大能运行的国度胜过那些依凭军事力量的王国。用"一块非人手凿出来的石头"(2：34)，上帝粉碎了这个世界上那些暂时的强权。

《但以理书》7—12章所包含的那些异象是对耶和华异象荧屏上的四个帝国的依次检视。巴比伦人、玛代人、波斯人和希腊人均以各种清晰的意象予以象征，但是注意焦点落在作者的希腊时代。这些章节彰显的是，虔敬的犹太人在安条克·伊皮法尼斯的暴政压迫下所经历的痛苦与但以理及其朋友所遭遇的各种考验大有可比之处。巴比伦囚掳时期那些被掳之民的英雄行为被树为面对安条克·伊皮法尼斯的犹太人所应效法的楷模。

在第一个异象中，"四个大兽从海中上来"，分别代表巴比伦、玛代、波斯和希腊强权。"头有十角"的第四个大兽象征前后相续的塞琉古王朝统治者。四兽中最为可怕的这个大兽"长起的一个小角"代表安条克·伊皮法尼斯，统治犹太人的怪兽。耶和华("亘古常在者")判决这个怪兽的死刑，并且把永恒王国赐予"一位像人子的"，即在逼迫下保持忠信的"至高者的圣民"(7：18)。借此作者告诉挣扎中的犹太人，希望寄予耶和华的行动，耶和华掌控信赖他的人们的命运。

对《但以理书》的这位启示文学作者而言,仅就主题进行一个强有力的启示陈述是不够的。因而上帝审判安条克的观念一再用附加异象加以重复。第二个异象代表希腊(公山羊)对玛代-波斯帝国(有两角的公绵羊)的胜利。据认为,这种象征可能是因为波斯属于绵羊座星座(波斯王的头盔上有金质绵羊头徽),而叙利亚属于公山羊座星座(希腊拥有叙利亚塞琉古帝国的大部分)的缘故。公山羊的"大角"是亚历山大大帝,"正强盛的时候折断"(英年早逝),继之从角根上长出"四角",代表亚历山大的帝国被瓜分为四。这四个角中,"有一角长出一个小角",即安条克·伊皮法尼斯,一个会横行霸道三年的暴君(公元前168—165)。

在第三个异象中,以"七十个七"重述的是耶利米对长达七十年的巴比伦囚掳的预言。解释异象的天使加百列揭示,巴比伦、波斯和希腊强权已经被耶和华所粉碎,耶和华同样必将最终毁灭安条克及其高压统治。耶和华对于历史保有国权。第四个异象是对耶和华这种终极胜利主题的继续。它涵盖的是从波斯王古列第三年直到超越安条克·伊皮法尼斯之外、"到了定期,事就了结"的时期(11:27)。在启示文学的意象中,历史经由亚历山大、托勒密和塞琉古王朝到安条克·伊皮法尼斯。在应有的时间,塞琉古压迫者"到了他的结局,必无人能帮助他"(11:45)。

这些异象所带来的冲击令但以理迫不及待地追问启示文学的一个典型问题:"这奇异的事到几时才应验呢?"(12:6)他所获得的保证和忠告是:

> 你且去等候结局,因为你必安歇。到了末期,你必起来,享受你的福分。(12:13)

"犹太正典经卷中最后完成的是《但以理书》,连同大量相似风格的外典经卷,表达了炽烈的弥赛亚盼望。"①《但以理书》作为《旧约》中成书最晚的一卷经卷既是以色列人的一个实足历史高潮,又是《旧约》和《新约》之间的一个适当纽带②。该卷的作者完全理解,耶和华的权柄授予的是那些改变和净化了的上帝之民,即"至高者的圣民"。在耶和华统治那些深信其对历史拥有权柄的虔信民族的时候,圣约得以彰显。这样的观念是耶稣有关教导论及的、也是《新约》所肯定的上帝统治到末日的王国观念的基础。

两经之间的时代见证了犹太教分化为散居地区的犹太教(diaspora Judaism)

---

① David S. Noss, *A History of the World's Religions*, 11th ed., Upper Saddle River, NJ: Prentice Hall, 2003, p. 456.

② Henry Jackson Flanders, Jr., Robert Wilson Crapps, David Anthony Smith, *People of the Covenant: An Introduction to the Old Testament*, New York: John Wiley & Sons, 1973, p. 502.

与巴勒斯坦地区的犹太教。前者在观念和实践上主要带有希腊色彩,后者的观念则更正统,实践上更严格。双方都强调个人的虔敬、祈祷、禁食和施舍。犹太教的高度伦理理想吸引了许多外邦人加入犹太教,特别是加入散居地区形式的犹太教。巴勒斯坦犹太教提供了耶稣基督的生活背景和早期教会的滥觞。在某种程度上,最初作为犹太教异端的基督教传到外邦,依靠的则是散居地区的犹太教已有的基础。

第三节 马加比起义与犹太人党派的兴起

一、马加比起义与哈西蒙尼王朝

犹太人揭竿而起的契机出现在公元前 167 年,导火索是塞琉古王朝的专员到一个名叫莫丁(Modin)的山村,监督犹太教老祭司马提亚斯向宙斯献祭。马提亚斯不仅拒绝向宙斯献祭,而且杀死了想代而献祭的一个犹太人和当时在场的塞琉古王朝的官员和士卒,随后在五个儿子的拥戴下率众逃入山中。此后,又有不少志趣相投的各地犹太人纷纷加入。于是马提亚斯的一个名叫犹大·马加比的儿子开始领导针对塞琉古王朝的游击战。反抗的星星之火很快出现燎原之势。犹大·马加比在成功地统一起各地的反抗力量之后,在公元前 164 年进而掌控耶路撒冷,清洁圣殿后重新献给耶和华,成为犹太教"光明节"的由来。

公元前 161 年犹太战争之后,起义领导权转给犹大的兄长约拿单,之后又传给五兄弟中幸存到最后的大祭司西门。有研究认为,伊皮法尼斯及其继任者因为面临比帝国东部的犹太人起义更大的危难,所以最终塞琉古王朝于公元前 142 年与犹太人签订和平协议,承认他们的自由,并同意不予课税。这时领导犹太人获得独立的是犹大·马加比的兄弟和后继者西门。西门于公元前 141 年建立起犹太人的哈西蒙尼王朝。西门死后,其子约翰·胡肯奴继承王位及大祭司之职。其间把脱离叙利亚辖制而与罗马结盟的以土买(即《旧约》中的以东)、撒玛利亚和比利亚(外约旦地区)并入版图,疆域与大卫统一王国时期的大以色列相若,史称犹滴。直到公元前 63 年以庞贝率军进入巴勒斯坦为象征的罗马帝国到来之前,犹太人一直享受着宗教和政治的高度自治。主要形成于马加比时期的《外典》或曰《后典》提供了了解该时期以色列人的宗教发展的一些亮光①。

然而,追求更大权力的贪欲导致腐败,而且约翰·胡肯奴以剑相指,迫使以土买人信奉犹太教的做法,在历史上开了恶劣的先例。尽管在此点上犹太人的手脚好像伸得有些过长,做得有些过分,但是犹太人的独立时期毕竟一直持续到公元前 63 年,而且倘若不是犹太人自己不同党派之间爆发倾轧,犹太人的独立或许延续得更长一些。就像本书上文所论及的犹太人兄弟阋墙导致大卫王所缔造的统一以色列王国一分为二,最终分别亡于亚述和巴比伦帝国一样,同样的亡国悲剧再次上演。

二、犹太人的最初党派——撒都该人和法利赛人

这场悲剧的上演与撒都该人和法利赛人这两个犹太人党派的兴起与纷争密切相关。在犹太地无法闭关锁国的后巴比伦囚掳时代,那些祭司,至少是那些上层祭司恰恰是"国际主义者"。祭司通常以保守和不够宽容著称,但是巴比伦囚掳之后的犹太教祭司则有所不同,因为他们是当权派。大祭司成为国家的宗教和民事领袖,征收赋税、聚敛贡金,与大祭司家族的其他成员一道发财致富。他的行为只是略微受到犹太公会的节制,在绝大多数方面实际上集大主教、总理、司库等职务于一身。这意味着上层祭司总是担心经济事务和国际关系的稳定。这造成一种心理影响,就是力图压缩宗教要求的范围,以便把与异族强权的摩擦最小化。因为,新观念的酝酿和改革尝试总会使关系复杂化,威胁到公共稳定。他们由之演化出来的实践规则就是"多一事不如少一事":成文妥拉中没有的宗教观念要加以拒斥,有望改进对外关系和国内生活水平的文化创新则要大加鼓励②。

犹太人重要的撒都该人党就是兴起于这样一个宗教利益集团。这个富有的、贵族式的和有些属世的群体脱离了大众的希望,相信体现在成文妥拉、特别是"摩西经卷"中古代先祖的"合理的"观点。因而,他们在宗教领域拒斥当时普遍流行的天使信念、全新的启示观念、特别是来世肉体复活的概念③。然而,在文化问题上他们对外来思想观念如此开明,以至于为他们赢得了"希腊派"的名声,言下之意他们是希腊生

---

① Henry Jackson Flanders, Jr. and Buce C. Cresson, *Introduction to the Bible*, New York: John Wiley & Sons, 1973, p. 260.

② David S. Noss, *A History of the World's Religions*, 11th ed., Upper Saddle River, NJ: Prentice Hall, 2003, p. 459.

③ "撒都该人说,没有复活,也没有天使和鬼魂;法利赛人却说,两样都有。"(《使徒行传》23:8)

活方式的积极宣传者和倡导者。他们把与外族强权妥协当作保持法律和经济稳定的手段,希望以此保全他们的犹太机制免于毁灭。

撒都该人的妥协姿态与前面提及的、被称作"那地的静默者"的"虔敬派"在宗教上是不相容的。在犹太人的独立战争中,"虔敬派"很快集结起来,与犹大·马加比并肩作战。他们对政治没有兴趣,对国际主义或希腊文化更是兴味索然。他们唯一的精神追求就是犹太人的宗教。从这些人中诞生出强有力的法利赛人党,这是绝大多数文士、拉比和许多下层祭司所属的犹太人党派。

法利赛人像撒都该人一样忠于成文妥拉,但是他们把它当作活生生的传统而不是僵死的东西,认为需要不断地挖掘这种传统对当时社会的适用性。要想一丝不苟地遵守妥拉,首先必须加以诠释,然后使之具有可适用性。为此,他们极为重视与成文妥拉相辅相成的口传宗教传统,即文士和夫子(拉比)们的那些注释、诠释和注疏。他们对待异族文化的态度并不像撒都该人那样自由;然而在接受那些足以补充和扩展成文妥拉的一些观念方面,他们事实上则是相当自由的。对他们而言,整个妥拉是一体两面,其口传形式的一面有时比成文形式的一面更为重要。

他们认为撒都该人与之妥协的那个世界注定在劫难逃,上帝立意摧毁它并带来新时代。法利赛人拥护包含死后复活和末日审判的弥赛亚概念。但是他们的梦想受到一些非常现实的考虑的约束。世界末日只有当上帝认为时机成熟的时候才到来,他们认为自己在末日之前时期的首要职责是忠于"成文的"和"非成文的"律法。这意味着不仅要研究古经和"传统",而且还要有道德顺从、洁净仪式,尤其是作为"向主活着"之结果的灵性增长和发展。这意味着过一种不断祈祷的生活,过一种记念死者的生活,因为自然希望死者是足够的义人,在最后审判的时候配享复活和奖赏。这不仅意味着在地上为了从世俗强权获得解放而斗争,因为那限制了一个人过服从上帝旨意的喜乐生活的自由,而且意味着宁愿为信仰而死,也不会在神圣信仰方面妥协①。

当约翰·胡肯奴及其马加比家族的继任者们变得过于迷醉专制权力和过于同情撒都该人之观念的时候,法利赛人从原先的支持统治家族转向激烈反对的立场。法利赛人的零星反叛招致狂暴的镇压和血腥的屠杀。当轮到法利赛人占上风的时候,他们同样以血腥杀戮予以报复。结果,最后导致内战。双方陷入僵局后,那时驻扎在叙利亚的罗马将军庞贝受邀仲裁此事。公元前63年,庞贝从叙利亚过来,迅速占据了这个国家。犹太地沦为罗马的一个行省,随之进入罗马帝国时期。

---

① David S. Noss, *A History of the World's Religions*, 11th ed., Upper Saddle River, NJ: Prentice Hall, 2003, p. 460.

第四节　罗马时期的弥赛亚期盼、末日审判观念与新兴党派

一、罗马任命以土买人大希律为犹大地的王

罗马人借仲裁之际,摇身一变成为巴勒斯坦的新主人,此举令犹太人极为不悦。随后瞬息万变、令人不知所措的政治变动又增加了人们的挫折感和义愤感。尤其令人深感愤慨的,是一个名叫安提帕特的以土买人为了赢得罗马人的赏识和个人利益而进行的幕后活动。尽管这个安提帕特宣信犹太教,但是他不属于犹太人的哪个支派,并不为犹太人所接受。当他让罗马人任命马加比家族的一员胡肯奴二世作为犹太教大祭司的时候,只是勉强赢得了犹太人的认可。但是当庞贝的继任人尤利乌斯·恺撒(Julius Caesar)任命安提帕特为犹太地巡抚的时候,犹太人无法接受一个以土买人做犹太地的世俗领导和大祭司的政治上司这个事实,敌对情绪增加。公元前40年,安提帕特之子大希律(其钟爱的妻子是一位马加比公主)被奥古斯都·恺撒选为犹太地的王。

尽管这位被称作大希律的人为巴勒斯坦带来一定的和平与繁荣,确保了犹太人在帝国中的一些特权(包括免除兵役),重建大理石的美丽圣殿(第二圣殿),但是因为他同样恢复了希腊和罗马神庙,以及生性残酷无情,犹太人仍然非常痛恨他。特别是鉴于以土买人是以色列人巴比伦囚掳之后在巴勒斯坦的主要敌人,而且是在哈西蒙尼王朝时期皈依了犹太教的失败民族,现在摇身一变成为以色列人的王,所以以色列人的不合作甚至对立就好理解了。当公元前4年大希律暴死于某种恶疾的时候,犹太人自然欢欣不已。与此同时,宗教局势中一些重要的因素也开始发酵。

二、苦难中的犹太人的弥赛亚盼望日强

从罗马人占领巴勒斯坦到公元70年耶路撒冷被毁灭,弥赛亚期盼有增无减地占

据了苦难中犹太人的身心。他们的内心深处有这样一种感觉,如果上帝真的眷顾他的特选子民,就会很快采取行动。犹太人期盼从无端的苦难中得到超自然解放的热切渴望,因启示文学的如潮涌现而增长。其中的绝大多数启示文学作品都是遵循马加比起义早期成书的《但以理书》的模式。

弥赛亚盼望的中心是,相信神的介入会在世界秩序方面带来剧变。通过弥赛亚,上帝会聚拢"属于他的",无论是活着的还是死去的,并且与他们一道永远生活在福乐中。这使"时代末日"或"世界末日"成为一个必须的观念。"末日"的预兆是最后的邪恶,诸如战争、战争流言、苦难、恐惧、饥馑和瘟疫,以及一些更加邪恶的统治者获得世界权力等等。明察秋毫的人会从中发现"末日迹象"。在最后一刻,随着"最后号角"的吹响,弥赛亚会出现在云端,四周有天使环绕。他会是一个超自然的位格,"像人"的某位,会被称作"人子"。他还享有其他尊名,诸如"所选的那位"、"大卫的子孙"、"主的受膏者"、"公义的审判者"与"和平之君"等。许多犹太人认为,在他出现的时候,世上的义人将升到他那里,死人将会从坟墓中复活。

起先犹太人认为,只有公义的犹太人才能得入弥赛亚的怀抱,但是后来的弥赛亚期盼也把希望给予那些外邦人中的义人,他们也属于得到拯救之列。另外,犹太人在这个阶段接受了琐罗亚斯德教有关所有人的灵魂(无论好坏)都要召集起来接受最后审判的观念①。在弥赛亚的御座之前,人们会被分成得到拯救的人和失败的人。恶人会被送到永远燃烧的地狱之火中,好人将进入与他们的主和王同在的蒙福状态。对这种蒙福状态的理解多种多样。一些人认为,人们可以在世上的复乐园(人间乐园)中享受到这种蒙福状态;另一些人认为,这种状态存在于七重天中较低层中的一层(上帝与其随从天使在最高一层)。还有一些人综合了各种理解,描绘出一个人间乐园和一个天上乐园。前者的中心在新耶路撒冷,弥赛亚及其特选的人将在最后审判之前的一个千年期居住其中;后者将由最后审判之后那些得到拯救的人居住。天上乐园被热情洋溢地描述为一个绿草遍地、水流潺潺、果树成荫的地方,义人们会一起饮宴,永远喜乐地歌颂上帝的荣耀。

我们所描绘的这个时期有许多虔诚的犹太人,一方面苦难是如此巨大,另一方面信心却如此坚定,所以成全这些梦想很快就被看作合情合理了。当然,并非所有的犹太人在这些事上的想法都一样。许多人只是半信半疑地认可这些观念,另一些人则干脆认为这全是徒劳无益的想象。

---

① 参见 David S. Noss, *A History of the World's Religions*, 11th ed., Upper Saddle River, NJ: Prentice Hall, 2003, p. 461。

三、犹太人的新兴党派——奋锐党人、希律党人和爱色尼人

在犹太人这个时期的政治舞台上,老党派仍然发挥作用。撒都该人比以往更加热衷政治,而在犹太人公会中占多数的法利赛人则自视为犹太教的真正承担者。与其同时,两个带有不同政治倾向和一个没有任何政治倾向的新党派应运而生。其中新兴的希律党人是一个小派别,因支持希律家族而得名。他们作为一个党派出现在公元6年,那年奥古斯都应一个犹太人代表团的要求,罢黜了大希律的儿子亚基老犹大分封王的职位,指定罗马巡抚取而代之。希律党人并非不爱好希腊-罗马文化,但是他们宁愿用任何代价换取自治。

一个与之极为不同而且人数更多的新兴党派是奋锐党。他们是热衷于抵抗罗马政策的极端派。加利利北部地区是他们的基地和堡垒。作为一个有组织的群体,他们在公元6年首度在某个加利利人犹大的领导下起而造罗马人人口普查的反,登上犹太人的政治舞台。犹大率众袭夺了当时加利利的最大城市西弗利,并作为自己的总部。罗马将军瓦鲁斯(Varus)动用两个军团血腥镇压了起义,并焚毁了西弗利城,但是未能窒息奋锐党人武装斗争的火种。奋锐党人认为,臣服于罗马意味着舍弃唯一的上帝;深信拿起刀剑可以加速弥赛亚的到来,甚至在他们中间发现弥赛亚。罗马人称这些超级爱国者为"匪徒"或"强盗"。

第三个新党派爱色尼人完全不涉及政治。他们生活在巴勒斯坦各地,一些人在村落里,一些人在旷野中。为了预备弥赛亚的到来,他们抽身离开在他们看来已腐败的文明社会,遁入隐修生活之中。他们禁食、祈祷,严格守安息日,经常按照规定的净仪洁净自己,还同吃、同住、同劳动。他们实行非暴力,温顺地等待世界末日。

正如有关《死海古卷》研究所揭示的那样,历史上他们的主要群体早在公元前2世纪就撤退到死海西岸边上库姆兰(Qumran)附近的一个平顶山上,以便在这个与世隔绝的荒芜地方心无旁骛地钻研经书和虔心崇拜。这个社群的创建者是犹太律法的注疏家,被称为"公义的夫子"。按照《死海古卷》中著名的《训规手册》(Manual of Discipline)的描述,他们形成一个决信来世之约的共同体。作为宣信或忏悔之后的一种洁净仪式,他们施行洗礼,而且当个人觉得灵性上需要的时候自己也可以进行。他们称呼自己为"道"的追随者和"光明之子",因为他们把自己理解为处于"光明君王"的统治之下,因而反对"黑暗天使"下的"黑暗之子"。

　　学者们认为,尽管这些概念以某种方式占得早期基督教徒相关观念之先机,但是它们带有琐罗亚斯德教而非犹太教的色彩。这个社群的领导权——直到其在犹太战争期间被罗马军团于公元 68 年完全毁灭——是由一群选出的祭司和平信徒行使的。当然对《死海古卷》在这方面与早期基督教的可能关系的研究,尚无权威定论。但是从施洗约翰与库姆兰爱色尼社群的可能关系来考虑耶稣传教时的宗教背景,无疑为我们的思考多少提供了一个新的视角。

第七讲　耶稣基督　纳新吐故

——"同观福音"与耶稣基督的改革

第一节　加利利传教之前的耶稣

一、耶稣诞生的世界

首先,耶稣诞生于一个不久前落入罗马帝国统治下的世界,这个事实对理解耶稣的言行和相关内容十分重要。就像我们在前文《旧约》部分所表明的,犹太人命运多舛,一次又一次地遭受异族统治的牛轭束缚;然而,这次罗马对犹太人的统治最终显得比以往任何一次外族的统治都要令犹太人难以忍受。这在很大程度上归因于这样一个事实,就是罗马人是高高在上的行政统治集团,他们对所征服地区的民众只有纯粹的管理热情,没有任何同胞情谊。当年的希腊人与罗马人有很大的不同,他们是富有想象力和负责任的民族,能够进入当地的精神世界,尊重其观念。但是犹太人与罗马人简直行同水火,双方几乎没有什么交集,放弃了相互理解的努力①。

耶稣时代巴勒斯坦的政治分野

大约在耶稣诞生的时候,为罗马统治巴勒斯坦的大希律(希律大帝)亡故,他的三个幸存下来的儿子按照遗嘱瓜分了巴勒斯坦。奥古斯都·恺撒把犹太地、撒玛利亚、以土买分配给了希律·亚基老,把加利利和比利亚分配给了希律·安提帕,把加利利

---

① 参见 David S. Noss, *A History of the World's Religions*, 11th ed., Upper Saddle River, NJ: Prentice Hall, 2003, p. 489。

海东北地区分配给了希律·腓力。不过,亚基老并没有像大希律的其他两个儿子那样立刻获得自己地区的治权。奥古斯都的谨慎后来被证明是有道理的,因为亚基老在施行了九年无能而残酷的统治之后,沦为因数项重罪在罗马皇帝面前接受审判的阶下囚,最后被发配到高卢。他的位置被称作巡抚的罗马官员所取代,向罗马叙利亚省的总督负责①。

一任接着一任来来去去的巡抚们从耶路撒冷西北的海岸城市该撒利亚统治犹太地。尽管他们允许犹太人享有基于政治考量所允许的民权和宗教自由,但是坚持对犹太人的宗教进行某种遥控。例如,他们把象征犹太人大祭司权力的圣袍存放在安东尼亚塔楼中,只有当大祭司主持仪式的时候才拿出来。这意味着他们可以通过示意乐于把圣袍拿给谁而控制大祭司的任命。他们还不时力图把顶头有鹰状饰物的战标和上有罗马皇帝神像的盾牌引入耶路撒冷,但是每次都激起犹太人的愤怒,结果巡抚们通常基于保一方平安的考虑而作罢。

加利利的局势

希律·安提帕治下的加利利的人口构成非常复杂,因而犹太人的激烈情绪与犹太地相比较并不那么普遍。人口中除了来自沿海的腓尼基人和来自内地的叙利亚人之外,还有说希腊语的人群。在某些地方,这些外邦人的比例高过犹太人。此外,约旦河对岸有十个按照希腊城邦模式联合起来的自治城市,即底加波利(十座城的意思)。底加波利尽管处在比利亚,但是它们并不直接受制于希律的权威。底加波利城邦是亚历山大大帝国际新秩序构想在巴勒斯坦的体现。这些城市的存在有助于解释为什么希律·安提帕奉行一种国际主义政策。他所抱的希望是,世界文化的逐渐注入会帮助其辖区的人民顺服于他的统治。但是当希律·安提帕开始把犹太人的一些重要城镇打造为希罗城市的时候,犹太人心理上受到的搅扰却不可谓不大。

这些文化冒险之一就是重建拿撒勒西北三英里处的加利利最大城市西弗利(Sepphoris)。"安提帕在西弗利的建设项目是与拿撒勒的耶稣的一个潜在连接点。难以想象,生活在拿撒勒附近的约瑟和耶稣不会在建设突飞猛进期间在那里找到工作。"②不过这座城市的光辉很快被加利利海西岸的新城提比哩亚所盖过。希律·安提帕以当时罗马皇帝提庇留的名字命名这座有大理石立柱的罗马广场城市,是安提帕急于取悦罗马人的一种标志。

倘若不是被迫为这一切买单的话,加利利的许多犹太人本来可能会接受、甚至会

---

① 参见 John Drane, *Introducing the New Testament*, Minneapolis: Fortress Press, 2001, pp. 32 – 35。

② 参见 John McRay, *Archeology and the New Testament*, Grand Rapids, Michigan: Baker Book House, 2003, p. 175 – 176。

欢迎希腊化建设。先前不得不为行政花费交付直接个税(小部分留给安提帕,大部分流入远方的罗马),已使犹太人感到赋税繁重,现在竟然要被迫缴纳沉重的关税。不仅进出这个地区的商品要交关税,而且在本地区城间运输的货物、从田间到集市的货物都要交关税。此外,桥梁和港口还要征收通行税。更有甚者,还有令人恼怒的盐税。于是犹太人逐渐痛感自己是在为自己的屈从付出代价。"所以,当公元6年叙利亚总督居里扭下令对巴勒斯坦的居民进行人口普查,以便制定更加完备的估税形式的时候,人民中间立刻出现了敌对反弹……沸腾的情绪迅速高涨为暴动。"[①]

犹太教不同派别的姿态

正如上文所述,某个叫犹大的加利利人在一位被称作撒都(Zaddok)的法利赛人的协助下,组织起奋锐党。很多热血人士聚集在他的周围,形成一支义军,随时准备按照"耶和华外无神,圣殿税外无税,奋锐党外无友"的原则作战。他们是一些决死之士。尽管罗马把数千奋锐党人钉死在十字架上,希望借此残酷的刑法根绝这个运动,但是该运动仍然继续秘传。

耶稣一生都面临着奋锐党起义运动所造成的现实。尽管人们并不普遍认可耶稣的十二门徒中有两个奋锐党人(奋锐党人西门、加略人犹大)的说法,但公认其中至少有一位是奋锐党人,即奋锐党人西门。当罗马巡抚彼拉多按照犹太人的传统让犹太人在耶稣和强盗巴拿巴中选一个人释放的时候,他们选择的是他们明知是奋锐党人的巴拿巴,而不是耶稣。而且总体上而言,耶稣所号召的和平路线所针对的就是奋锐党人为代表的极端路线。这是确当理解耶稣言行的一个重要视角。

当然并非加利利的所有犹太人都支持奋锐党人的事业。爱色尼人就原则上反对暴力,法利赛人出于审慎的考虑也不诉诸暴力。身陷变幻莫测的一个世界,法利赛人确立的原则是,在条件允许的情况下尽可能按照传统生活。他们感到加速弥赛亚的到来,同时避免犹太教在乖张、邪恶的一代人那里灭绝的唯一方法,就是在连接传统和日常生活细节的宗教实践方面一丝不苟,对那些不遵行他们所诠释的律法的人们大加声讨。耶稣传教过程中所面对的一种阻力正是法利赛人的这种诉求,反对法利赛人的律法主义则是我们正确理解耶稣言行的另一个视角。

相比而言,撒都该人在加利利的影响要小得多,但是更加保守。与法利赛人随着变化了的环境愿意为了防止犹太人共同体出现宗教解体而改变古老的习俗不同的是,他们认为古老的膜拜仪式和妥拉律法是不刊之论,有点"天不变道亦不变"的意

---

① David S. Noss, *A History of the World's Religions*, 11th ed., Upper Saddle River, NJ: Prentice Hall, 2003, p. 490.

思。但是撒都该人与法利赛人同样反对宗教懈怠、机会主义和极端主义。

同时,不容忽视的一个事实是,普通百姓、甚至大多数普通百姓已经受到"世界"的影响,他们在这些问题上相当宽容、随和,只保持着松懈的、模糊的宗教信仰。另一方面,也有许多人自认为是严格的犹太教徒,参加犹太会堂的活动,敬重律法和先知,守犹太人的节期和禁食,每年到耶路撒冷圣殿过逾越节。对于更加苛刻的法利赛人而言,这些还不够。倘若不远离仪式性的污秽,不严格遵守饮食律例和什一奉献,不饭前洗手,不仪式性地洁净身体、衣服、锅碗瓢盆和市场上的食物,不守安息日不工作的定制,那么仍然是不洁净的,仍然不能视作虔敬。然而,在普罗大众中有许多热诚的犹太人坚信,即便一个人在遵守"古人的遗传"方面不是狭隘的律法主义者,仍然可以是深深虔敬的人和真正具有宗教情怀的人。"耶稣的父母好像正是属于这样一群人。"①

二、耶稣诞生及其婴儿期的叙事

"同观福音"都认同的一点是,耶稣传教始于施洗约翰的使命,并从之演化而来。《马可福音》以叙述施洗约翰的工作开篇;尽管《马太福音》和《路加福音》以耶稣诞生及其婴儿期的故事开始(以及唯有《路加福音》记载的耶稣童年的一个事件),但是它们跳到由施洗约翰的故事引入的耶稣公开传教活动,一下子跨越了将近三十年。在耶稣接受施洗约翰的施洗,以及经历了魔鬼在旷野试探之后,便开始了耶稣在加利利的传教叙述。

"耶稣诞生的日期无法精确确定。只是迟至公元6世纪中叶,基督教徒才开始用'主前'和'主后'来理解时间。今天可用的信息表明,当年计算日期的那些修士把(耶稣诞生)那年定的不够早。还应当加上的一点是,我们没有《圣经》经文材料来确定耶稣诞生的月份和日子。至于罗马天主教会所定的12月25日这个日期和亚美尼亚(正教会)所定的1月6日这个日期起源较晚,反映的是《新约》以后时代的需要和决定。"②尽管如此,学者们还是根据《马太福音》(2:1)和《路加福音》(3:1—3,23)算出耶稣更加准确的诞生年份,即公元前6年至公元前4年之间。

早期教会的兴趣首先在于耶稣受难,其次是他的工作和教导,然后才是他的诞

---

① David S. Noss, *A History of the World's Religions*, 11th ed., Upper Saddle River, NJ: Prentice Hall, 2003, p. 491.
② 同上书,第 492 页。

生。这点得到四大福音、保罗书信和其他《新约》经卷的印证。有关耶稣诞生的家庭情况,《马太福音》和《路加福音》两者都肯定:耶稣由已经许配约瑟的童女马利亚所生(耶稣在这个意义上的父母双方都具有大卫血统);耶稣诞生在大希律做犹太王时的犹大伯利恒;耶稣在加利利的拿撒勒长大成人。在这些共同资料之外,它们又各自有一些独立的细节。

《马太福音》的开篇是从亚伯拉罕经大卫到耶稣的一个家谱,通过亚伯拉罕和大卫把耶稣置于上帝对以色列人应许的道统之中。也许是便于记忆,这个族谱被分成各有十四代的三个部分。《马太福音》贯穿在耶稣婴儿时期的故事,以及贯彻在整部福音中的是,通过引述经典强调《旧约》的一些概念在耶稣生活中得到成全。

在族谱之后,《马太福音》记载了约瑟在梦中获悉耶稣将要诞生;东方的三王(三博士)来朝拜"犹太人的王"——他们把预表耶稣是君王、祭司和人类救主的金子、乳香和没药作为礼物献给耶稣,及其因为梦中得到警告而在回途避开耶路撒冷和希律王的故事;圣家庭(母、父和子)逃往埃及,躲避希律在伯利恒的杀婴暴行;在另一个梦的指引下,耶稣父母在亚基老继大希律成为犹大王之后前往加利利的故事。《马太福音》的叙述强调的是耶稣生于童女、耶稣的大卫祖先、上帝对圣婴的眷顾,以及《旧约》片段与整个叙事的关系。

《路加福音》则是在一个"序"之后,把耶稣与施洗约翰两人的成胎和诞生故事混合在一道,从而较早确立起两者之间的联系。后来,《路加福音》所呈示的是,耶稣的布道基于施洗约翰奠定的基础之上。

施洗约翰和耶稣的诞生在《路加福音》中叙述成一种非同寻常的事件。约翰生于年迈而原先不育的父母,耶稣则生于一个童女。在圣殿向祭司撒迦利亚宣布约翰诞生的讯息之后,随之天使则向马利亚报告耶稣将要诞生和她的表姐伊丽莎白怀孕的消息。在马利亚前往看望伊丽莎白时,伊丽莎白腹中的婴儿跳动,被认为是约翰尚在出生之前对他的上主的颂赞。交织在相继的故事中的则是四个以它们的拉丁首字母而闻名的美丽诗篇《尊主颂》(《路加福音》1:46—55)、《撒迦利亚颂》(《路加福音》1:67—79)、《荣耀颂》(《路加福音》2:14)和《西面颂》(《路加福音》2:29—32)。所有这些颂歌都是称颂上帝为以色列人所行的功绩,以及将要为以色列人所行的功绩。

根据《路加福音》,在施洗约翰诞生六个月之后,因为罗马人要求登记上册(人口普查),约翰带马利亚前往伯利恒,在那里耶稣诞生。附近的牧羊人从天使那里听到"大喜的消息":"今天在大卫的城里,为你们生了救主,就是主基督。"(《路加福音》2:11)他们便前往伯利恒拜望耶稣。随之,经文叙述耶稣在第八天根据传统行了割礼。大约四十天之后,约瑟和马利亚来到圣殿履行两个义务:首先是为了救赎目的把耶稣作为家庭的长子在圣殿仪式性地献给主；其次为马利亚因生育而带来的不洁期的终结而献祭。在这个场合，一个年迈的老翁和一个年迈的老妪都赞颂婴儿耶稣是以色列长久期待的那位。之后，耶稣的父母带着耶稣回到家乡拿撒勒。

"尽管考古学没有与耶稣直接相关的发现，但是涉及与耶稣相关的人物、事件和地点的发现，有助于人们对福音书的理解。近来一些考古证据提供了有关耶稣诞生这个古老的恼人问题的新亮光。根据《路加福音》2：2，耶稣诞生在居里扭作叙利亚巡抚、行报名上册之事的时候。……路加在其福音和《使徒行传》5：37 中所提及的报名上册，已经得到所发现的古代蒲草纸人口普查表的例证。"①

《路加福音》还单独记有耶稣大约十二岁时在一次逾越节上所发生的事。在耶路撒冷，耶稣参与到与拉比们的讨论之中，没有同父母一道随人群回加利利。等父母发觉此事，三天后找到耶稣的时候，耶稣面对焦急的父母说："为什么找我呢？岂不知我应当以我父的事为念吗（或作"岂不知我应当在我父的家里吗"）？"（《路加福音》2：49）

《路加福音》一直忍到第三章，在叙述耶稣受了约翰的施洗之后，才提及耶稣的族谱。《路加福音》的耶稣族谱把耶稣的血统经大卫和亚伯拉罕一直追溯到亚当。为了符合作者的目的，耶稣不仅是上帝向以色列所作应许的成全，而且是世界的救主；因而，人类的传统起源才是耶稣族谱的恰当开端。

《路加福音》下述简单而富有启发的经文可以看作对有关耶稣这一部分内容的一个总结："耶稣的智慧和身量（"身量"或作"年纪"），并神和人喜爱他的心，都一起增长。"（《路加福音》2：52）

尽管《马太福音》和《路加福音》两部福音在耶稣生前三十年的内容方面尽可能地简短，但是不仅提供了耶稣诞生的父母和家庭背景，而且提示着比它们公开涉及的耶稣与那地、那族和那国的关系更多的内容。

三、耶稣改造性地继承了施洗约翰的衣钵

"同观福音"和"第四福音"这四大来源都在施洗约翰和耶稣的布道之间确立了明确而重要的连接。约翰开启了一个十分成功的布道使命，激发了大批人的跟从。耶稣受了约翰的洗，而且在约翰遭到希律·安提帕杀害之后，自己开始与约翰的追随者

---

① John McRay, *Archeology and the New Testament*, Grand Rapids, Michigan: Baker Book House, 2003, pp. 54－155.

们一起布道。尽管耶稣的教导与约翰的教导选取了不同的方向,但是两者被包括希律·安提帕在内的许多人视作某个共同运动的一部分。

《路加福音》说,约翰在"恺撒提庇留在位第十五年"的时候开始传教,按照当代的计算方法应该是在公元27—29年之间。约翰的样子就像一个苦行者:"这约翰身穿骆驼毛的衣服,腰束皮带,吃的是蝗虫、野蜜。"(《马太福音》3:4)即便他自己没有意识到,人们想必会联想到古代先知以利亚,耶稣就把约翰比作以利亚(《马太福音》11:14)。三部同观福音都把约翰的布道视作是在成全《以赛亚书》40:3的经文:"在旷野有人声喊着说:'预备主的道,修直他的路。'"

"耶稣只是随着约翰的布道而进入公众场景这个事实提示的是,我们可以通过检视福音书对施洗约翰的主张和活动的叙述,了解耶稣布道的某些轮廓。"①约翰布道的中心是犹太人盼望已久的耶和华审判的日子即将来到,因此敦促所有的人为此做好准备。人们吹嘘有亚伯拉罕作为他们的祖先是没有意义的。通过着装、饮食习惯和对以色列人的宗教领袖的无所畏惧的谴责,约翰展现出与当时的习俗和生活方式的决裂,以及对曙光将露的末世时代的坚信。他宣示了这样一个时代的伦理价值,并且要求所有社会阶层的忏悔者展现他们真心忏悔的成果。他号召人们到约旦河进行洗礼,以作为人们委身的外显证据。

据研究,"施洗约翰很可能一度与库姆兰社群成员有关联,后者几乎肯定是爱色尼派;爱色尼人与《死海古卷》有关,而《死海古卷》则是发现在与库姆兰社群关联的洞穴中。约翰与这群人有许多共同之处……约翰对社群和忏悔的理解不同于库姆兰人群,这一点并不能论证他不可能一度与这个共同体有联系,只能说明他可能本来就与他们有分歧。正是这个分歧可能导致他被这个教团所驱逐或自愿离开。"②

约翰因为反对希律·安提帕娶兄弟腓力原先的妻子、两兄弟的侄女希罗底而遭到监禁。在希律·安提帕的妻子希罗底为希律准备的庆生宴会上,希罗底的女儿莎洛美跳舞取悦继父。当希律醉后发誓答应她的任何要求之后,莎洛美在母亲的指点下索要施洗约翰的头颅。迟疑间安提帕履行了自己的誓言,施洗约翰遂被斩首。于是施洗约翰这个人的生命终结,但是他的影响却没有。

约翰所开启的运动很受欢迎,传播广泛。《使徒行传》记载大约公元前55年的以

---

① Paul J. Achtemeier, Joel B. Green, Mariannne Meye Thompson, *Introducing the New Testament: Its Literature and Theology*, Grand Rapids, Michigan: William B. Eerdmans Publishing Company, 2001, pp. 209 – 210.
② John McRay, *Archeology and the New Testament*, Grand Rapids, Michigan: Baker Book House, 2003, pp. 160 – 161.

弗所已有约翰的门徒存在,而且经外记载表明之后许多世纪这个运动都存在,甚至在当今的美索不达米亚地区还有某种形式的存在。尽管约翰否认他自己是弥赛亚,对人们预言"有一位能力比我更大的要来"——"他要用圣灵与火给你们施洗"(路3:16),但是他的布道还是形成了运动。毫无疑问,他的有效布道和民众的广泛追随促进了人们对耶和华的日子临近的盼望和期待。耶稣正是以其独特的方式建基于这种满怀盼望的期待之上。

对四大福音作者而言,耶稣的布道是从他在约旦河中接受约翰的施洗开始的(《马太福音》3:13—17;《马可福音》1:9—11;《路加福音》3:21—22;《约翰福音》1:29—34)。基督教会无疑视之为一个契机,即,在约翰预言将要来的那位会以圣灵施洗之后,在耶稣的洗礼上就出现了圣灵的展现,随之耶稣意识到圣灵是在指导他。就早期教会而言,圣灵做工的证据是对事件或经验的一种确证。

当耶稣来到约翰那里,要求接受施洗的时候,起先约翰不想让耶稣参与这种象征忏悔的活动之中。因为,倘若像约翰认定的那样,耶稣与上帝有特殊关系,那么耶稣就没有什么可以忏悔的:

> 当下,耶稣从加利利来到约旦河,见了约翰,要受他的洗。约翰想要拦住他,说:"我当受你的洗,你反倒上我这里来吗?"(《马太福音》3:13—14)

但是耶稣向约翰一再保证要参加洗礼,这样就做了上帝所要求的:

> 耶稣回答说:"你暂且许我,因为我们理当这样尽诸般的义。"于是约翰许了他。(《马太福音》3:15)

一般认为,耶稣之所以这么做,是因为他想与那些准备完全洗心革面、注定成为他的最初信徒的人们打成一片。福音书表明,耶稣与上帝的特殊关系不是他与别人隔离的根据,而是他完全融入绝大多数平常民众之中去的强大理由。从神学上说,耶稣受洗是迈向通往十字架之路的第一步,后者才是他整个生活的高潮和目标。当后来福音书把他的死当作其中上帝的旨意比约翰那时更加得到履行的"洗礼"来提的时候(《马可福音》10:38),这个主题变得更加彰显。

福音书表明,耶稣受约翰施洗是展现耶稣与上帝关系的确当本质之起点。根据《马可福音》,在受洗的时候,耶稣听到"声音从天上来说:'你是我的爱子,我喜悦你!'"(1:11)这是两段希伯来经文中相关表述的一种混成。首先,这是《诗篇》2:7的一种回响:"你是我的儿子,我今日生你。"在原初的语境中,这个说法指的是古代犹大国的列王,他们被当作上帝的人格代表实行着统治;但是及至耶稣时代,这个说法被广泛理解为预言了弥赛亚的到来。其次,这是对《以赛亚书》42:1经文中受苦的仆人形象的暗指,其中那位仆人被描述为"我所扶持、所拣选、心理所喜悦的"。只是这种"上帝仆人"的概念在耶稣之前并没有与弥赛亚盼望联系起来①。

因而,耶稣受洗的故事摆出了主导耶稣其余叙事的两个关键主题。在受洗故事中,一是再次确认耶稣作为将会开启上帝国的人与上帝具有特殊关系;二是耶稣得悉,要成为上帝所应许的拯救者,意味着某种与绝大多数人的预期大为不同的东西,包括把受苦和侍奉作为生活的本质部分来接受,这在实践上是件困难的事。但是当耶稣面临如此挑战的时候,福音书告诉人们,耶稣得到上帝的人格临在的支持,在施洗故事中被描述为圣灵象征性地以鸽子的形状降临在耶稣身上:"耶稣受了洗,随即从水里出来。天忽然为他开了,他就看见神的灵仿佛鸽子降下,落在他身上。"(《马太福音》3:16)

四、耶稣经受试探

无论圣灵的降临和天上的声音是否只有耶稣自己经验到,但是就像同观福音所表明的那样,这个契机是决定性的,耶稣的布道就是始于和演化于这个契机。耶稣在受洗时的这个非同寻常的经验使他确信,自己的一生具有神所托付的使命。在圣灵的引导下,耶稣进入旷野,经历了一个痛苦的决疑时期。耶稣内心的挣扎聚焦于,他作为神所膏立者在世上到底扮演什么角色的问题。他新近对神的呼召的委身,需要通过清晰审视所承担的角色和恰当的表达方式来拓展。

耶稣所经受的所有试探都有两面性。每个试探都既与耶稣可能采用的表现模式相关,又与某种对大众颇有吸引力的诉求有关。福音作者把那些试探当作耶稣与撒但的直接交锋,耶稣在其中取得了胜利。但是试探故事中所提出的问题在耶稣后来的布道中一再出现,因为每个试探都是诱惑耶稣以某种本来可以回避受苦和谦卑服侍的方式来布道,而耶稣明白受苦和谦卑的服侍恰恰是上帝的行事方式。

第一个试探是魔鬼想诱惑耶稣利用与上帝的关系来把周围的石头变成食物,以满足因为有一段时间禁食而产生的饥饿:

> 当时,耶稣被圣灵引到旷野,受魔鬼的试探。他禁食四十昼夜,后来就饿了。那试探人的近前来,对他说:"你若是神的儿子,可以吩咐这些石头变成食物。"耶稣却回答说:"经上记着说:'人活着,不是单靠食物,乃是靠神口里所出的一切

---

① 参见 John Drane, *Introducing the New Testament*, Minneapolis: Fortress Press, 2001, p. 55.

话。'"(《马太福音》4：1—4)

无疑,世界上有大量食不果腹的人民,他们会欢迎任何来源的食物。那时耶稣自己确实已经在沙漠中禁食多日,想必已经饥肠辘辘。此外,古代的经上通常把到来的新时代描绘为人人得饱足的物质繁荣时代(《以赛亚书》25：6—8；40：9—10；《以西结书》39：17—20)。况且耶稣后来在不同场合的确让饥饿者得以果腹,可见他对饥寒交迫的人民的需要并非无动于衷。如是观之,耶稣有大量的充分理由考虑第一个试探的前景。但是他明白,一个经世的奇迹制造者的名望与受苦和服侍不是同一回事,倘若把声誉只是建立在这样的基础上,则会否弃上帝所召唤的行事和为人本质。正是靠神口里向过去历史关头的以色列人所说出的那句话(《申命记》8：3),耶稣战胜了诱惑。总之,学者们认为,这个试探的本质是让耶稣以经世的手段带来弥赛亚时代,显然耶稣既拒绝了经世的弥赛亚的角色,也拒绝了通过奇迹般地满足人们的身体饥饿的需要而赢得追随者。耶稣经受试探的"旷野的传统地点就在犹大旷野中的耶利哥以西"①。

第二个试探是魔鬼想要耶稣戏剧性地从圣殿的顶上跳下去而毫发无损,以达到哗众取宠的效果:

> 魔鬼就叫他进了圣城,叫他站在殿顶上,对他说:"你若是神的儿子,可以跳下去,因为经上记着说:'主要为你吩咐他的使者用手托着你,免得你的脚碰到石头上。'"耶稣对他说:"经上又记着说:'不可试探主你的神。'"(《马太福音》4：5—7)

倘若耶稣从殿顶跳到满是人群的圣殿庭院而毫发无损、"闲庭散步",肯定会戏剧性地向全民展现他具有特殊的大能。耶稣深知,这种奇迹般的、异乎寻常的举动对他的人民具有特殊的吸引力。比绝大多数人更了解犹太教的保罗就说,他的人民的特点是"要神迹"(《哥林多前书》1：22)。对耶稣而言,至少有一个古代预言暗示弥赛亚会以这样的戏剧性方式"忽然进入他的殿"(《玛拉基书》3：1),连同魔鬼所提及的上帝会保护那些随时接受信仰试炼的人们这样一个应许(《诗篇》91：9—16),都是尝试第二个试探中所涉及的惊人绝技的有力论据。如果耶稣真是弥赛亚的话,难道不应该通过试试这些应许应验与否来印证自己所接受的呼召吗?其实,耶稣不担心奇迹和超自然之举,在他生活的其余部分他行了许多超自然的奇迹。但是他拒绝了把他所

---

① John McRay, *Archeology and the New Testament*, Grand Rapids, Michigan: Baker Book House, 2003, p.161.

传的信息纯粹建立在这种耸人听闻的举止上的诱惑,再次援引古代经上的话(《申命记》6：16)来支持他的判断。《诗篇》91章的语境清楚表明,有关安全和保证的应许只是对那些准备顺服上帝旨意的人们有效,对耶稣而言服从上帝的旨意所意味的是服侍和受苦,而不是随意把上帝的应许用于达到自己的目的。至于这个试探发生的地点,考古研究表明,"目前的圣殿山平台不可能是福音书所叙述的那个平台,因为希律圣殿已经在罗马战争中被毁"[1]。

第三个试探是魔鬼用世上万国的政治权力引诱耶稣：

> 魔鬼又带他上了一座最高的山,将世上的万国与万国的荣耀都指给他看。对他说："你若俯伏拜我,我就把这一切都赐给你。"耶稣说："撒但退去吧！因为经上记着说：'当拜主你的神,单要侍奉他。'"于是魔鬼离了耶稣,有天使来侍候他。(《马太福音》4：8—11)

政治弥赛亚这个前景的诱惑无疑是所有诱惑中最有力的,因为这恰恰是那个时代人们对弥赛亚的期许。人们还普遍相信,在即将到来的新时代他们将统治其他的万民,这就是为什么魔鬼用那样的措辞来诱惑耶稣的时代背景。但是耶稣再次意识到,统治世界列邦的前景与他要开启的新社会相去太远。这不是说耶稣对他的人民的痛苦境地和渴望自由的深切期望无动于衷,因为他自己就生活在罗马帝国的统治之下,必须通过劳作来交付罗马人的赋税。但是出于两个原因,他拒绝了政治弥赛亚的角色。

首先,耶稣拒绝了魔鬼答应给他政治弥赛亚角色的条件。根据福音书的叙事,魔鬼提出与耶稣分享国权。倘若耶稣接受魔鬼对作为整体的宇宙拥有权柄,那么作为交换,耶稣会得到有限的政治权威。这是耶稣所不能接受的。因为他自己的委身,以及后来要求追随者所作的同样委身,只是上帝。承认魔鬼在生活的任何领域的权能,就会否定上帝的终极权柄。其次,魔鬼向耶稣所提出的前景是像罗马帝国那样借助帝国的威权和荣耀来统治。耶稣深知,上帝国的本质与罗马帝国那样的威权完全不同。上帝的价值和标准永远不可能从外面施加,唯有当人们自由抉择自己与上帝的关系、自由抉择如何创造最能反映上帝的行事方式的新社会的时候,方能得到最有效的滋养。

第三个诱惑并非无以拒绝,耶稣就是坚定地这么做的。这意味着耶稣拒绝政治上的弥赛亚角色,拒绝基于从罗马的牛轭下获得自由的民族渴望而赢得追随者。他

---

[1]　John McRay, *Archeology and the New Testament*, Grand Rapids, Michigan: Baker Book House, 2003, p. 162.

不会尝试把一种新的威权强加在世界之上,借以取代罗马帝国及其以前的那些帝国的威权。从基督教神学而言,"上帝国"不会是某些宗教狂热分子所希望的暴政和残酷统治,而是某种全新的存在,源于那些本身作为其中一部分的人们的全新内在本质,而这种新人则形成于人们以一些全新的方式发现上帝、身体力行那个借助爱心力量和贴心服侍改造世界的愿景之时①。

总之,尽管对于耶稣成功抵御传道伊始的这些主要试探的叙述表明,他在履行使命方面忠心遵从上帝的旨意,但是没有回答"他将是怎样的弥赛亚?"这个问题。这个问题需要他的行动和所遵循的教导来回答,而不是一开始就以语言上的肯定来回答。此时他的角色并不完全清楚,耶稣尚需遵循圣灵一步一步的引领。

第二节　耶稣在加利利传教

一、传 教 伊 始

《马可福音》(1:14)和《马太福音》(4:12)说,耶稣在施洗约翰遭到希律·安提帕逮捕之后开始在加利利传道。一个有趣的现象是,耶稣开始在囚禁约翰的那同一个人所统治的土地上传教、布道;而且最初的调子听起来与约翰同出一辙:"天国近了,你们应当悔改。"(《马太福音》3:2;4:71)同样有趣的是,尽管犹太人的宗教中心是在犹太地的耶路撒冷,但是耶稣选择人口中犹太人占少数的外邦人的加利利作为主要的传教地区。显然耶稣选择自己的家乡地区作为传教工作的中心是有意而为之,这里处于犹太教权威的边缘地区,人们对新观念和新思维比犹太地的人更加开放。当他确实向着耶路撒冷进发的时候,伴随着他的是一种不祥的意识,就是他与那些拥有权威的人们的正式对峙将导致他遭到拒斥和死亡②。

施洗约翰通告的、耶稣始终贯穿在整个布道和说教中的临近的"天国"概念植根于《旧约》所确立的犹太人观念。尽管这个概念在不同作者和不同时代的用法不同,但它的基本重点落在耶和华作王的国权或统治上面,而不是落在一个领土帝国方面。

---

① 参见 John Drane, *Introducing the New Testament* , Minneapolis: Fortress Press, 2001, p. 57.
② Henry Jackson Flanders, Jr. and Buce C. Cresson, *Introduction to the Bible* , New York: John Wiley & Sons, 1973, p. 319.

及至约翰和耶稣时代,这个术语基本上被理解为指一个特殊的日子,其时耶和华将干预历史进程、以他自己的旨意确立一个伟大的新时代。许多人无疑把这个古代的、启示性的意象缩略成某些政治的和经世的维度,其中他们民族的和个人的渴望得以成全。他们承认,属灵的和道德的要求或许是分享那个伟大时代利益的先决条件,但那会是民族和宗教得到维护、得以解脱许多重负的伟大的日子。

施洗约翰把即将到来的耶和华时代视作按照律法和先知的最高标准审判不义者的时代,也是义者得荣耀的时代。他把上帝描绘为带着激怒的大能而来、落在不思悔改的人们头上的定数。耶稣采用了同样的术语,而且在约翰所奠定的基础上树立起属灵的王国概念。他把它说成是"近了"的、"当下"的和最终圆满的。尽管审判不是从这个概念而行使,但是耶稣强调上帝的爱是允诺给救赎每一种人的。在耶稣的布道中忏悔的人得到宽恕和重生,既成为上帝国的国民,又成为借助其存在而使世界蒙福的道德革命者。耶稣宣布,完全不同的新时代从上而来。上帝的国将在那些与他有一种爱的顺从关系的人中发现。

同观福音清楚表明,耶稣在加利利传教,一些人接受,一些人拒绝。对耶稣的拒绝很早就在他的家乡拿撒勒开始了。在家乡的会堂中,耶稣引用《以赛亚书》第58和61章内容,并且把自己认作预言中向穷人传解救的好消息、宣传主的日子的那个人的成全。他表达了自己预期会遭到许多犹太人拒绝、受到一些外邦人接受,之后被迫永远离开家乡。随着同观福音的展开,人们知道耶稣的敌人的敌意日增,同时耶稣也日益得到普通人的接受。事实上耶稣的首批门徒就是来自普罗大众。他们是与父亲在加利利湖上打渔为生的两对兄弟:约拿之子西门(彼得)和安得烈,西庇太之子雅各和约翰。后来,遭人厌弃的税吏利未(马太)又加入到耶稣内圈门徒之中。

二、登山宝训

"《马太福音》用教导、布道和治疗三个动词来归纳耶稣贯穿在加利利的传道活动。"[1]根据福音书,耶稣公开传教之后,有许多人跟从:

> 耶稣看见这许多的人,就上了山,既已坐下,门徒到他跟前来。他就开口教训他们说……(《马太福音》5:1—2)

---

[1] Paul J. Achtemeier, Joel B. Green, Mariannne Meye Thompson, *Introducing the New Testament: Its Literature and Theology*, Grand Rapids, Michigan: William B. Eerdmans Publishing Company, 2001, p. 99.

就耶稣传教的重要训诲而言,其集中表述莫过于《马太福音》5—7 章了。作为耶稣登山时所讲的训诲性言论的汇集,这部分经文通常称为"登山宝训"、"山上宝训"或"登山训众",内容涉及与传统犹太教和当时大众观念形成对照的伦理、道德和信仰,历来被公认为基督教伦理思想的基石。

对《马太福音》来说,耶稣言辞精辟、振聋发聩的宝训的重要性堪比摩西在西奈山向会众颁布上帝的律法。然而,"《马太福音》并不仅仅把耶稣表现为大卫后裔、亚伯拉罕后裔和一位新摩西,而且强调耶稣是上帝之子"①。"宝训"内部有关律法所言与耶稣所教之间的对比清楚表明,一个"比摩西更伟大"的人物已经到来,而且所教导的比摩西所宣布的律法对人的要求还要高。"宝训"的重点不仅把耶稣的教导与摩西律法相对照,而且与犹太人当时的流行态度、偏好、价值标准和社会关系相对照。

> 虚心的人有福了;因为天国是他们的。哀恸的人有福了;因为他们必得安慰。温柔的人有福了;因为他们必承受地土。饥渴慕义的人有福了;因为他们必得饱足。怜恤的人有福了;因为他们必蒙怜恤。清心的人有福了;因为他们必得见神。使人和睦的人有福了;因为他们必成为神的儿子。为义受逼迫的人有福了;因为天国是他们的。(《马太福音》5:3—10)

这段训诲通常被称为"八福"或"真福八端"。其中的前七节经文确立了天国公民的特质,以及具有这样品性的人所蒙受的福分,传递的是与当时形成对比的生活观。前七福一道所刻画出的是这样一种人格形象:他自感需要并乐于助人,而非自鸣得意和自满自足;他为自己的罪性、不幸和社会的诸罪而哀恸,而非流于肤浅的寻欢作乐;他对上帝的训诫和指导表现温顺,而非自高自大、一意孤行;他满怀消除不义和匡扶正义的激情,而非无动于衷地任由世上的错误存在;他悲天悯人、宽大为怀,而非咄咄逼人地主张自己的权利;他一心一意地委身上帝和天国,而非三心二意地一仆侍多主;他致力于人和上帝之间、被疏远的人与满怀敌意的人之间的和睦,而非制造矛盾、挑拨离间。这种人蒙受的是无法估量的喜乐,一种世俗的人无法谋求的喜乐。

然而,具有属灵喜乐本质的福分并非真正的公民所期待的一切。这种类型的人不能指望从这个世界得到豪放和热烈的拥抱,必须做好遭受逼迫、奚落和诬告的准备,这也是一种福分:

---

① Paul J. Achtemeier, Joel B. Green, Mariannne Meye Thompson, *Introducing the New Testament: Its Literature and Theology*, Grand Rapids, Michigan: William B. Eerdmans Publishing Company, 2001, p. 98.

人若因我而辱骂你们，逼迫你们，捏造各样坏话毁谤你们，你们就有福了。应当欢喜快乐；因为你们在天上的赏赐是大的；在你们以前的先知，人也是这样逼迫他们。(《马太福音》5：11—12)

尽管这样的人在世上可能面对人们的如此对待，但是耶稣用"盐"和"光"的比喻表明了这样的人对于世界真正意味着什么，并期许他们做黑暗社会中的明灯、滚滚浊流中的砥柱：

你们是世上的盐；盐若失了味，怎能叫它再咸呢？以后无用，不过丢在外面，被人践踏了。你们是世上的光；城造在山上，是不能隐藏的。人点灯，不放在斗底下，是放在灯台上，就照亮一家人。你们的光也当这样照在人前，叫他们看见你们的好行为，便将荣耀归给你们在天上的父。(《马太福音》5：13—16)

对于一个会腐败变质的社会而言，他们就像盐一样起到防腐剂的作用；他们就像光一样，照亮否则漆黑一片的地方。

不过，耶稣紧接着提醒说，这样的人的言行与平素的犹太人不同，但不是要废弃犹太人的律法，而是要贯彻律法的真正精神：

莫想我来是要废掉律法和先知；我来不是要废掉，乃是要成全。我实在告诉你们，就是到天地都废去了，律法的一点一画也不能废去，都要成全。所以无论任何人废掉这诫命中最小的一条，又教训人这样作，他在天国要称为最小的；但无论何人遵行这诫命，又教训人遵行，他在天国要称为大的。我告诉你们，你们的义，若不胜过文士和法利赛人的义，断不能进天国。(《马太福音》5：17—20)

这段经文把耶稣与两个对立阵营区隔开来。他既不是一个轻视律法的自由思想家或唯信仰论者，也不是一个宣称最高道德在于墨守传统和《旧约》律法的法利赛人。倘若天国公民的义大大超过以律法守护者自居的法利赛人，事实上就是律法和先知教导的"开花结果"。耶稣对律法的成全表现在他致力于把公民提升到完全超越律法条文所及范围的一种成熟道德水准。因而，关于义，天国的公民与法利赛人有着极为不同的姿态。

在《马太福音》随后的经文(5：21—48)中，耶稣用事例说明了两种姿态的差异之处。道德规范，无论是正式的还是非正式的，对于社会的存续而言都是必须的。耶稣作为例证所使用的各个特定规范都代表在那条规范接受的时代对人而言的一种进步。而且各个规范对于共同体的生活而言仍然都是重要的。但是，与各个规范都是关涉特定的行为不同的是，耶稣把重点放在那些决定这些行为的态度方面。律法就

某事有一种说法,而耶稣说出的则更为深刻:

> 你们听见有吩咐古人的话,说:"不可杀人。"又说:"凡杀人的,难免受审判。"只是我告诉你们,凡向兄弟动怒的,难免受审判。(5:21—22)

> 你们听见有话说:"不可奸淫。"只是我告诉你们,凡看见妇女就动淫念的,这人心里已经与她犯奸淫了。(5:27—28)

> 又有话说:"人若休妻,就当给她休书。"只是我告诉你们,凡休妻的,若不是为淫乱的缘故,就是叫她作淫妇了;人若娶这被休的妇人,也是犯奸淫了。(5:31—32)

> 你们又听见有吩咐古人的话,说:"不可背誓,所起的誓,总要向主谨守。"只是我告诉你们,什么誓都不可起……你们的话,是,就说是;不是,就说不是;若再多说,就是出于那恶者。(5:33—37)

律法禁止杀人、奸淫和背誓,耶稣谴责愤怒、仇恨、淫念的滋生和靠发誓取信于人所表现出来的缺乏品德,即防患于未然地谴责造成这些罪恶的原因和动机。

同样,律法说到伸张正义的报复,但是耶稣要求人们放弃报复之心:

> 你们听见有话说:"以眼还眼,以牙还牙。"只是我告诉你们,不要与恶人作对;有人打你的右脸,连左脸也转过来由他打。有人想要告你,要拿你的里衣,连外衣也由他拿去。(5:38—40)

不仅如此,还要提高一步,做到爱自己的仇人,对"好人"、"歹人"一视同仁:

> 你们听见有话说:"当爱你的邻舍,恨你的仇敌。"只是我告诉你们,要爱你们的仇敌;为那逼迫你们的祷告。……你们若单爱那爱你们的人,有什么赏赐呢?……比人有什么长处呢?就是外邦人不也是这样行吗?所以你们要完全,像你们的天父那样完全。(5:43—48)

《马太福音》5:21—48对伦理法则的例证强调的是耶稣关切人们的内在情绪、态度和动机,而律法关切人们的公然行为。耶稣非但没有摧毁做出有价值贡献的律法,而是把宗教带入人们最内在的心灵领域。人的内心深层之处,单凭律法是永远无法穿透的。耶稣把上帝的品德本身作为公民道德追求的旨归。

作为上述主题的一种必然延伸,《马太福音》6:1—18强调了人们行为背后的动机。天国公民的行为完全是为了天父的缘故,而不是为了得到同胞们的喝彩。这可以视作"你们的光也当这样照在人前,叫他们看见你们的好行为,便将荣耀归给你们天上的父"(5：16)这一劝勉的展开。耶稣警告说：

> 你们要小心,不可把善事行在人的面前,故意叫他们看见;若是这样,就不能得你们天父的赏赐了。(6：1)

耶稣通过施舍(6：2—4)、祷告(6：5—15)和禁食(6：16—18),例证了"假冒为善的人"与天国公民之间的对比。耶稣清楚表明,这些重要功修中每一个都可以故意哗众取宠而为之,也可以用行善者与上帝之间某种心有灵犀的暗中方式而为之。出于博得他人喝彩与赞誉的行为对人类也可能非常有益,但是出自如此动机的行为属于平常人的行为,而不属于天国公民的行为。对于恐怕自己的行为出于自私动机的人,耶稣建议,他应该伪装自己或隐藏自己的善行。天国公民渴望属灵的和社会的诚实,时刻警惕自己有任何口是心非、假冒为善的倾向。

这部分经文还包含祷告范例,就是人们普遍知道的、全世界基督徒通用的"主祷文"(6：9—15)。在祈求主的旨意在地上实现之后,要求每天伸出援手和宽恕别人。在要求从上帝获得个人宽恕方面,要求同样扩及他人。只有这样抱有宽恕之心,才能得到天父的宽恕,才能得到天上的真财宝,而不是地上"有虫子咬,能锈坏,也有贼挖窟窿来偷"的财宝,倘若依靠这种假的财宝,就如同"侍奉玛门"(6：19—24)。

《马太福音》6：25—34 是对每天为生计劳苦的普罗大众做的指导,他们不必侍奉玛门,而要靠对主的信心。耶稣宣示,天国的居民不应当为物质关切所奴役。那些使人分心的物质要求,可能对于生存而言是必须的,但是也必须置于上帝的国权之下。在举出上帝甚至关爱"天上的飞鸟"(6：26)、"野地里的百合花"(6：28)这样的实例之后,在劝勉人们应当挣脱与日常经济压力相连的忧虑、摆脱对那些本会朽坏的尘世财宝的欲望之后(6：31),耶稣说：

> 这都是外邦人所求的;你们需用的这一切东西,你们的天父都是知道的。你们要先求他的国,和他的义;这些东西都要加给你们了。(6：32—33)

接着,《马太福音》7：1—6 否定的是对他人的一种自以为是的、论断人的态度——"你们不要论断人,免得你们被论断"(7：1),要求人们要严于律己、宽以待人,切莫"五十步笑百步",更不要"一百步笑五十步"——"为什么看见你弟兄眼中有刺,却不想自己眼中有梁木呢?"(7：4)。

《马太福音》7：7—11 则劝勉天国居民祈求神援助他们满足自己力所不及的需要。只要"祈求……寻找……叩门",就会从慈爱的天父那里得到回应;尽管天父所提供的并不一定是人所求的东西,但一定是最好的东西。

> 所以无论何事,你们愿意人怎样待你们,你们也要怎样待人;因为这就是律法和先知的道理。(7:12)

关心他人的福祉决定了天国居民与同胞们的关系。这条箴言的正面表达,而不是负面表达,正是耶稣教导的天才之处。这在西方伦理学上被奉为"金箴"或"金科玉律",所表达的是天国居民对上帝本质的经验,因而是他与他人的一切关系的指南。这与中国文化中的恕道有异曲同工之妙:"己欲立而立人,己欲达而达人;己所不欲,勿施于人。"

《马太福音》7:13—23 在登山宝训结束之前摆出了天国居民在表达耶稣的道德方面所面临的三种危险。首先,"找着的人也少"的"窄门"与"进去的人也多"的"宽门"之间的对照描绘的是在重要的天国居民身份面前,有可能出现某种并非锲而不舍地尝试、倒是呈现一种无精打采姿态的危险。其次,天国居民还得到防范假先知的警示,因为假先知把立意很好的人们引导到错误的路途。第三,总是存在这样一种危险,就是具有与天国居民身份相似的外表、规划和言语,但是远离和不符天父真正的指导,即宣信而没有实践保证。

因此,登山宝训以"两个根基"的简单比喻结束:

> 所以凡听见我这话就去行的,好比一个聪明人,把房子盖在磐石上。雨淋,水冲,风吹,撞着那房子,房子总不倒塌;因为根基立在磐石上。凡听见我这话不去行的,好比一个无知的人,把房子盖在沙上。雨淋,水冲,风吹,撞着那房子,房子就倒塌了,并且倒塌得很大。(7:24—27)

难以想象还有比这更尊重人的道德和宗教自主权的结论了。听到并实践耶稣教导的人的生活建立在磐石之上,坚不可摧;对耶稣的教导充耳不闻的人的生活建立在沙堆上,因为根基浮动将连环垮塌。耶稣的登山宝训亲近人、奉告人、劝解人;但任凭听众按照自己的意志做出回应。耶稣只是逼近人的心理和意志之门,要迈出的下一步属于听者。

正如有关研究者所言:"耶稣的教导不是律法,而是一种自由伦理。因此,耶稣并不是给追随者加上法则和规矩的重负,而是给予他们借以塑造自己生活的原则和指导。这些原则更为关乎人之所是,而不是人之所为;不是因为行为对于耶稣而言并不重要,而是因为耶稣意识到,人的所作所为依赖于他们的内在动机和自我理解。"①

---

① John Drane, *Introducing the New Testament*, Minneapolis: Fortress Press, 2001, p. 166.

三、善 用 比 喻

比喻是耶稣传教布道中惯用的、也是最有效的手法之一。登山宝训结尾处"两个根基"的简单比喻只是冰山一角。在福音书记载的耶稣的言论集中，他不仅使用明喻("像筛麦子一样"，《路加福音》22：31)、隐喻("那个狐狸"，《路加福音》13：32)，还使用顿呼("耶路撒冷啊！耶路撒冷啊！"《马太福音》23：37)、夸张("人到我这里来，若不爱我胜过爱自己的父母、妻子、儿女、弟兄、姐妹，和自己的性命，就不能作我的门徒"，《路加福音》14：26)、格言("你们不要论断人，免得你们被论断"，《马太福音》7：1)、双关("你是彼得，我要把我的教会建立在这磐石上"，《马太福音》16：18)、幽默("所以你施舍的时候，不可在你前面吹号，像那假冒为善的人"，《马太福音》6：2)和诗歌("你们的仇敌要爱他，恨你们的要待他好。咒诅你们的要为他祝福，凌辱你们的要为他祷告"，《路加福音》6：27—28)。

耶稣修辞性的言论非常丰富，但是以比喻和比喻性的故事为其最有效的布道工具。它们通常用来描绘上帝所做工的本质、人的类型或者作为天国居民特质的行为。耶稣显然发现比喻修辞很适合表达他想传递的真理，不仅易记易懂，而且促使听者做出某种回应。

耶稣的比喻通常以提示相似性和可比性的话语开始。同观福音把耶稣的比喻集锦置入加利利传教的背景之中(《马可福音》4：1—34；《马太福音》13：1—52；《路加福音》8：4—18)。马太有关耶稣比喻的汇集记录在《马太福音》第三个讲道中，其中有几个明显的比喻范例。

> 天国好像人撒好种在田里；及至人睡觉的时候，有仇敌来，将稗子撒在麦子里就走了。到长苗吐穗的时候，稗子也显出来。田主的仆人来告诉他说："主啊！你不是撒好种在田里吗？从哪里来的稗子呢？"主人说："这是仇敌作的。"仆人说："你要我们去薅出来吗？"主人说："不必，恐怕薅稗子，连麦子也拔出来。容这两样一齐长，等到收割；当收割的时候，我要对收割的人说，先将稗子薅出来，捆成捆，留着烧，惟有麦子要收在仓里。"(13：24—30)

上文以"麦子与稗子的比喻"而著名。正如耶稣自己所解释的，其中的"好种"是"天国之子"，"撒……在田里"表示天国之子散布"世界"各地。哪里有"麦子"哪里就有撒但的活动，要把"稗子"撒在麦子中间。在收获之前，因为麦子和稗子的貌似，还难以区分"好"麦子和"坏"稗子。及至它们生长到收获季节,成熟的本质暴露出来,良莠不齐,好坏最终得以区分。然后各有各的归宿。狭义上,麦子与稗子之分犹如作为天国之子的真信徒与有名无实、假冒天国之子的假信徒之别;广义上,麦子与稗子之分犹如进天堂的好人与入地狱的坏人之别——天使("收割的人")在世界末日审判的时候("收割的时候")按照上帝("主人")的旨意把义人("麦子")与恶人("稗子")区分开来,恶人入地狱(稗子薅出来"丢在火炉里"),"那时义人在他们父的国里"("惟有麦子要收在仓里")。

接下去,"芥菜种与树的比喻"(13:31—32),以及"面酵的比喻"(13:33—35),两者都是以"天国好像……"开始的,要点在于表明由小到大的增长。芥菜种的故事强调的是外在的或广延的增长,而面酵的故事则是强调深入的、不可见的增长。都是从微不足道之物,衍生出某种重要的和颇具特点的某物。

"隐藏珍宝的比喻"(13:44)和"无价珍珠的比喻"(13:45—46)也同样以"天国好像……"引入,两者都是强调天国对于发现者所具有的无与伦比的价值。拥有天国,值得放弃别的一切。两个比喻之间的差异在于,前者是发现者好像走运的人在不经意间偶然碰到,后者是发现者好像一个梦寐以求无价之宝的鉴赏家终于得偿所愿。

耶稣布道比喻中其余两个比喻,即"渔夫撒网的比喻"(13:47—48)和"家主的比喻"(13:52),在开篇方面也大致类似。前者的要点和"麦子与稗子的比喻"相似;后者意在表明,能拿出新旧东西来的家主好比天国里的犹太教文士,既能引经据典地利用律法,又能推陈出新地接受耶稣的新教导。

至于不经表达相似性而直接开篇的比喻性的故事,在同观福音中也有不少。置于《马太福音》有关耶稣用比喻讲道的经文之始的"撒种者的比喻"就是很好的例证:

> 有一个撒种的出去撒种;撒的时候,有落在路旁的,飞鸟来吃尽了。有落在土浅石头上的;土既不深,发苗最快;日头出来一晒,因为没有根,就枯干了。有落在荆棘里的;荆棘长起来,把它挤住了。又有落在好土里的,就结实,有一百倍的,有六十倍的,有三十倍的。(13:3—8)

撒种者所撒出的种子落在四种不同的土壤上。落在路旁的被飞鸟吃掉,自然没有发芽、生长的机会;落在石层上面浅土里的种子发芽早、长势喜人,但是因为扎根不深很快会被烈日烤死;落在荆棘丛中的则被荆棘窒息而死;只有落在好土里的,才可以结出三十倍、六十倍,甚至一百倍的果实。这个比喻中的"种子"代表天国之道,种子所落的"田地"代表听道人的心田。道种在不同的心田里,生长情况会有极大不同。从神学上说,这个比喻想必帮助耶稣的门徒在面对失意和挫折的时候,把目光投向未来而不是现在。就像基督教教会每代人那里的情况一样,这个比喻也必定激起过早期教会的希望①。

就耶稣的比喻所传递的讯息而言,"在最广的含义上,那些比喻的主题是'天国'近了。很多比喻以'天国好像……'开头就清楚表明了这一点"。具体而言,"当它们被放到一起考察的时候,可以看出它们的讯息集中在四个主题,各自强调'天国'的某个特定方面,及其对于作为天国一分子的人们的生活的影响"②。这四个主题分别是,"天国及其统治者"、"天国里的人民"、"天国与共同体"和"天国的未来诸方面"③。

四、行 使 神 迹

耶稣布道不仅"言传"而且"身教"。他所行神迹作为传教使命的有机组成部分被记录在同观福音中,大约有三十件,被当作上帝大能的展现和上帝国已经到来的迹象。

耶稣生活在一个对奇迹大感兴趣的时代。犹太人、希腊人、罗马人和其他民族都寻求和追随奇迹制造者。在经受试探的时候,耶稣就面临展示奇迹来赢得民众追随的诱惑。在他传道的起点上,他既拒绝使用此等技法俘获民众,又拒绝使用神的大能来提升自己的威望或满足个人的需要。在整个传道过程中,使用神的大能给他带来了很多困难。耶稣看到,因奇迹而受吸引的民众错失了他传教的基本目的。有一次,耶稣被那些蜂拥赶来看他施行奇迹的人们所包围,他对门徒们说:"我们可以往别处去,到临近的乡村,我也好在那里传道;因为我是为这事出来的。"(《马可福音》1:38;《路加福音》4:43)追随奇迹上演的人们显然阻碍而不是促进了耶稣的布道,因为后者要求代价高昂的委身和心甘情愿的受苦和牺牲。第四福音《约翰福音》记下了一个有趣的、提供信息的说法:"有许多人看见他所行的神迹,就信了他的名。耶稣却不将自己交托他们……"(《约翰福音》2:23—24)尽管如此,耶稣在世的时候,人们吵吵闹闹地要求特殊的奇迹展示,以作为他们跟从做门徒的诱因。在耶稣生命的最后一幕,福音书记载了祭司长和文士们说了这样的话:"现在可以从十字架上下来,我们就信他。"(《马太福音》27:42;《马可福音》15:32)

---

① 参见 Henry Jackson Flanders, Jr. and Buce C. Cresson, *Introduction to the Bible*, New York: John Wiley & Sons, 1973, p. 331.
② John Drane, *Introducing the New Testament*, Minneapolis: Fortress Press, 2001, p. 128.
③ 同上书,第 128—134。

事实上，尽管神迹对于成全耶稣的使命而言带来的是麻烦，但是耶稣还是行了不少神迹。显然，在耶稣看来，神迹是天国强有力的临在的迹象，它们本身不是目的。它们证明上帝有能力改变忏悔者的心与灵。具有重要意义的是，在所记载的几乎每个神迹中都凸显了充满祷告的信仰所扮演的角色。"照你的信心"、"你的信心"或类似的说法是奇迹故事的有机组成部分。耶稣使用奇迹是要肯定人们所展现的信仰，而不是诱使人们信仰。那种由神迹煽动起来并靠神迹予以维持的信仰是最靠不住的，随时可能化为泡影。就耶稣到家乡拿撒勒之行，福音书记载说："耶稣因为他们不信，就在那里不多行异能了。"(《马太福音》13：58；《马可福音》6：5—6)

耶稣出于对受苦受难的百姓的巨大同情行了许多异能。百姓的具体需要一次又一次地引发耶稣采取行动。耶稣行异能是出于这种悲天悯人的驱使，这种心理定向把耶稣与出风头的人区分开来。他的目的是宣示和展示天国，但是这么做的时候他一次又一次地遇到他无法忽视的人类需要。

耶稣行异能的故事包含三个重大要素：行异能的环境或场景、奇迹本身和随后的事件。有时故事还保留有耶稣的重要语录。同观福音中记有四种不同类型的奇迹。首先一类是医治各种各样的身体疾患，诸如眼盲、口哑、麻风、偏瘫、枯手和高烧等。第二类是驱邪，为人赶出附身的魔鬼等。

公元1世纪时有许多据说能够为人驱鬼的驱邪师，其中一些是法利赛人(《马太福音》12：24、27)。人们普遍用来自下界的魔鬼作祟或附体说明那些否则无法解释的神秘现象或人们的诡异行为。神秘性和诡异性的程度显然与所涉及的魔鬼数量有关，同观福音中提到的事例中的魔鬼数量从一个到六千个不等。据信，魔鬼由撒但或上帝的权柄掌控。在一次赶鬼事件中，法利赛人阴险地把耶稣对于魔鬼的权柄归于鬼王别西卜：

> 当下有人将一个被鬼附着，又瞎又哑的人，带到耶稣那里；耶稣就医治他，甚至那哑巴又能说话，又能看见。众人都惊奇，说："这不是大卫的子孙吗？"但法利赛人听见，就说："这个人赶鬼，无非是靠着鬼王别西卜啊！"(12：22—24)

这里存在一个重要的对照。按照耶稣敌人的解释，耶稣之所以能够赶鬼是因为耶稣是众恶之王撒但的使者；而对耶稣而言，他赶鬼的大能则是上帝的国到来的证据。据认为，耶稣所行的绝大多数驱邪异能显然都是指向各种形式的心理或情绪疾患①。

---

① Henry Jackson Flanders, Jr. and Buce C. Cresson, *Introduction to the Bible*, New York: John Wiley & Sons, 1973, p. 333.

第三类奇迹是让死人复活。同观福音中只有两例此类奇迹,就是救活睚鲁的女儿(《马可福音》5:21—43;《马太福音》9:18—26;《路加福音》8:40—56),以及救活拿因城里寡妇的独子(《路加福音》7:11—17);另外《约翰福音》还有一例,就是救活拉撒路(《约翰福音》11:1—44)。第四类奇迹则与大自然有关。这方面的三个例子是耶稣止息风浪(《马可福音》4:35—41;《马太福音》8:23—27;《路加福音》8:22—25)、耶稣用五饼二鱼让五千人吃饱(《马可福音》6:31—45;《马太福音》14:13—21;《路加福音》9:10—17)、耶稣履海(《马可福音》6:47—52;《马太福音》14:23—33)。

对于福音书中有关奇迹的记载,当代人的态度从下述引文中可见一斑:"福音书中最为引人注目的一些部分是耶稣像人们通常所知的那样施行奇迹的故事。他医治病人(《马可福音》1:29—34),行使对自然力的权柄(《马可福音》4:35—41),而且在有些场合使人死而复活(《马可福音》5:21—43;《路加福音》7:11—17;《约翰福音》11:1—44)。在与耶稣相关的所有主题中,这是对近些世纪以来阅读福音书的读者们而言最成问题的问题之一。一般而言,理解耶稣有关上帝和天国的教导并不困难,而且即便是那些不能接受其教导的真理性的人们仍然可以尊重他的理想,甚至可能真诚地把其中的一些付诸实践。一旦涉及奇迹,许多人,包括一些基督教徒,发现难以想象在福音书中所记载的那些故事会实际上发生过。"①

然而,"当我们潜入古代历史长河中的时候,令人瞩目地发现,其证据毫不含糊地支持这样一种信念,就是耶稣被广泛地认为施行了福音书中所提及的那些惊人之举。这证据不仅来自福音书本身,而且来自非基督教传统的史料。"②当然,对史料的诠释也依赖解释系统;即便史料支持存在一种信念,并不等于支持所信的东西本身。

实际上,除了个人对诸如"奇迹"、"死亡"、"自然"和"魔鬼"等等的定义之外,个人的哲学和神学观也在很大程度上左右着对待奇迹记载的态度。没有人会否认,人们在对待世界本身、在对待外在世界和内在世界方面的观念存在极大差异,也不会否认在1世纪与20世纪,乃至21世纪之间存在极大差异。同样也不会否认,1世纪的人们在理解方面比现代人更加缺乏因果观念。在理解耶稣所施行的奇迹方面,重要的不是它们从当代科学和理性的角度判断是否真的发生过(对此人们自然可以做出判断),重要的是这些奇迹对于耶稣和福音使徒而言意味着什么。在理解《圣经》有关叙事的时候我们应该注意到,对于耶稣和福音使徒而言,那些奇迹意味着天国的临在和信仰的大能。那些奇迹肯定的是耶稣的能力异乎寻常,超出了常人的理解,但是对于

①　John Drane, *Introducing the New Testament*, Minneapolis: Fortress Press, 2001, p. 139.
②　同上书,第143页。

那些有信仰的人而言则是显而易见的。对于充满信心的人们而言,耶稣所行的异能揭示了在耶稣基督身上发现的上帝之爱和大能。至于不信的人,则另当别论。这也是信仰与学术的分野。

五、挑 战 权 威

上文提及,耶稣在施洗约翰被囚禁之后,开始传布约翰具有冲击力的同一个主题:"天国近了,你们应当悔改。"尽管耶稣与约翰在同一片土地和同一个统治者时期传教,但是与约翰遭到斩首不同的是,没有耶稣早期遭受世俗当局敌视或反对的证据。很可能耶稣尚是"无名小卒",因而最初可以享受与犹太权威和罗马权威保持和平的一段时期。然而,随着耶稣在民众中受欢迎的程度开始增长,犹太教宗教领袖们的反对也随之而来。至于希律·安提帕,他对耶稣的注意则是迟至耶稣加利利传教晚期的事了。

根据《马可福音》,耶稣最早遭到的拒斥恰恰来自他自己的家乡拿撒勒的民众。因为在他们眼中,耶稣"是那木匠"、"是马利亚的儿子,雅各、约西、犹大、西门的长兄",而且他的妹妹们也住在那里,"他们就厌弃他"(《马可福音》6:3)。为此,耶稣曾经大发感慨:

> 大凡先知,除了本地、亲属、本家之外,没有不被人尊敬的。(《马可福音》6:4)

尽管自此之后,没有证据表明耶稣再回过自己的家乡,但是耶稣并没有气馁,继续进行传教,并且派遣门徒进行几次至关重要的传教之旅。同观福音中充满了传教沿途爆发的争论。耶稣所遭受的最早的、也是主要的敌对来自文士和法利赛人,后来祭司层和撒都该人也卷入其中。他们对于耶稣的不悦主要集中在耶稣的教导和行为的某些具体方面:即他公开而有意地与税吏和罪人交往;他公然藐视与安息日、禁食和仪式性的洗濯相关的犹太习俗和规矩;他竟然赦免得到医治的一些人的罪而犯下渎神之罪。

按照法利赛人的标准,耶稣所受到的绝大多数指控的确成立。但是耶稣针对每一个指控都为自己的行为辩护,并且通过尊重和诉诸上帝的一种更高的旨意来为他偏离法利赛人的规范提供合理性证明。而且他还用大量方式表明,他并不是拒斥犹太教法学家对书面的和口头传统的所有应用。他定期参加犹太会堂的活动。他指点一位刚刚痊愈的麻风病人去祭司那里,以成全犹太教法有关洁净的要求。他在自己的教导中大量引用犹太人的经书。耶稣把自己置于这样一个地位,他尊重犹太传统中最为精华的那部分,承认只是当犹太教法学家的解释或传统的解释违背律法的本质或原有精义的时候才有冲突。就像古代先知一样,他切入宗教的核心,毫不迟疑地以"只是我告诉你们……"来传布上帝的旨意。

对于他与税史和罪人交往过密这一指控(税史因为已经卖身罗马而遭到蔑视,几乎所有在律法方面与法利赛人的立场不同的人都被归为罪人),耶稣回应说:

> 健康的人用不着医生,有病的人才用得着;我来本不是召义人,乃是召罪人。(《马可福音》2：17;《马太福音》9：12—13;《路加福音》5：31—32)

当耶稣的门徒被指控"作不可作的事"——安息日"他门徒行路的时候,掐了麦穗",违反了守安息日的规定的时候,耶稣起而用大卫当年违反禁令吃了除了祭司之外人人都不可吃的陈设饼的先例为门徒辩护(《马可福音》2：23—26)。大卫的合理性证明就是耶稣本人的合理性证明:相较之下,神圣使命更为重要。他还号召人们注意上帝创立安息日的初心:

> 安息日是为人而设立的,人不是为安息日设立的;所以人子也是安息日的主。(《马可福音》2：27—28)

后来耶稣为自己在安息日医治当时并非"急诊"的"那枯干一只手的人"提供合理性证明的时候,肯定那天是行善的日子(《马可福音》3：1—6;《马太福音》12：9—14;《路加福音》6：6—11)。

同观福音传递的清晰印象是,耶稣不是一个谨小慎微地实行法利赛人的禁食和洗濯仪式的人,而且不鼓励门徒恪守这些习俗。在为门徒不守习俗所确立的禁食律例辩护的时候,耶稣诉诸禁食时刻的独一无二性和他所承担的使命的本质(《马可福音》2：18—22;《马太福音》9：14—17;《路加福音》5：33—39)。他使用了三个修辞性的说法来确立自己的论点:倘若在新郎在场的婚庆场合进行带有忧伤蕴含的禁食是不合适的;倘若用新布缝补旧衣服,结果可能导致旧衣服破得更大;倘若把新酒装到已经老化的旧皮袋里,皮袋恐怕裂开。耶稣借助这三个意象传递了两个观念:首先,对他的门徒而言,禁食不合场合,因为他的临在和天国的到来要求的是庆贺而不是忧伤;其次,他所传福音的全新性质是旧有形式在本身不出现损伤的情况下容纳不下的,要求有与之相适应的新的表达模式。

针对有关他的门徒没有仔细洗手就吃饭,因而按照"古人的遗传"标准来衡量属于仪式上不洁的批评,耶稣明确了几点。其中最为关键的是他的如下论断:

> 从外面进去的,不能污秽人,惟有从里面出来的,乃能污秽人。……因为从里面,就是从人心里发出恶念、苟合、偷盗、凶杀、奸淫、贪婪、邪恶、诡诈、淫荡、嫉妒、谤讟、骄傲、狂妄;这一切的恶,都是从里面出来,且能污秽人。(《马可福音》

7：15、21—23)

耶稣在这里再次展现了他一贯的特点,强调内在的本质胜于外在的形式,真正要紧的是善良的行为。他所强调的远远大于律法,是律法所触及不到的。

让犹太权威当局倍感冒犯的是,耶稣所表现出的拥有赦罪权柄的姿态。当耶稣提供证据表明,即便按照他们的标准来衡量,他自己拥有赦罪权柄也成立的时候,他们的敌视更加强化。一个很好的相关例证是耶稣在迦百农治愈一个瘫子(《马可福音》2：1—12;《马太福音》9：1—8;《路加福音》5：17—26)。按照当时人们普遍的理解,疾患和其他不幸都是因罪而起。犹太人的这个观点我们在《旧约》智慧书部分涉及过。在这个特定的故事中,耶稣目睹人们的信心便赦免了瘫子的罪——"耶稣见他们的信心,就对瘫子说:'小子! 你的罪赦了。'"(《马可福音》2：5)对此,文士们认为耶稣犯下渎神之罪:"这个人为什么这么说呢? 他说僭妄的话了! 除了神以外,谁能赦罪呢?"(《马可福音》2：7)旋即,耶稣吩咐瘫子起来,拿着褥子当众回家了。当本来瘫痪在地的那人按照耶稣所吩咐的起来行走的时候,见证者们有足够的证据认为耶稣有赦罪的权柄,但是耶稣的那些指控者们的恼怒只是有增无减。

随着耶稣在加利利布道的推进,他遭到的敌视在增高。除了上述遭到与鬼王别西卜合作的指控之外,耶稣还遭到精神失常的指控,"他们说他癫狂了"(《马可福音》3：21)。《约翰福音》也有经文记载人们指控耶稣说:"他是被鬼附着,而且疯了"(《约翰福音》10：20)。尽管耶稣在加利利的普罗大众中的追随者继续增长,但是他也遭遇到一定程度的拒斥。据《马太福音》和《路加福音》记载,耶稣谴责哥拉汛、伯赛大和迦百农各个加利利村庄说"你有祸了!"因为它们仍然不悔改(《马太福音》11：20—24;《路加福音》10：12—16)。

最终,不可避免的事情发生了。耶稣的声望及其受到的反对达到这样一种程度,最终引起了加利利和比利亚(Perea)的分封王希律·安提帕的注意(《马可福音》6：14—16;《马太福音》14：1—2;《路加福音》9：7—9)。希律住在加利利海西岸的提比哩亚,一听到有关耶稣的报告,他的第一反应是:"施洗的约翰从死里复活了"。这些或许还有别的原因促使耶稣长短不等地几次退出加利利。

第三节　耶稣从加利利到耶路撒冷

在相当详细地叙述约翰被希律处死,而声望日隆的耶稣被希律认为是约翰复活之后,同观福音指出耶稣数次从加利利退入周围的境地。尽管事件的确切顺序我们已经无法复原,但是认定耶稣在前往耶路撒冷之前至少四次进入加利利四周的境地传教应该是没有问题的①。这四次分别是前往加利利海东岸希律·腓力领地的某个地方、腓尼基人的城市、散落在加利利海东面和南面区域的十个希腊城市、某个靠近该撒利亚腓力比的地方。

有关耶稣数次退出加利利的原因不乏观点。其中具有代表性的有:耶稣在加利利的工作完毕,需要开辟新天地;他力图向外邦人传教;他退隐到更加阴凉的山区是为了摆脱加利利海周围的炎热;他需要某种休息;他为了前面等待着的艰巨、考验人的经历而预备和训练十二门徒;他害怕某些走火入魔的狂热追随者的可能行为;他想避开犹太宗教领袖们日益增高的敌视;他想抽身离开已经盯上他的希律·安提帕的领地。所有这些因素都可能是导致耶稣退出加利利的因素,但是最后一个因素是得到经文最为明显支持的因素。

一、第 一 次 退 出

耶稣第一次退出加利利所到达的目的地是某个乘船可以到达的地方(《马可福音》6:31—53;《马太福音》14:13—34;《路加福音》9:10—17),对此《约翰福音》也有提及(6:1—21)。故事叙述中的几个术语和短语把这次目的地指向加利利海东岸,应该是在希律·腓力的领地。耶稣用五饼二鱼让五千多人吃饱的奇迹是四大福音都有记载的极为鲜有的事件之一,因此可以推断是耶稣传教中极为重要的时刻。

基于摩西为旷野中的以色列人提供吗哪作为食物的媒介作用(《出埃及记》16;《民数记》11),以及对于以利沙用二十个大麦饼让一百人吃饱事件的放大(《列王纪下》4:42—44),耶稣借五饼二鱼所行的奇迹事件一直被诠释为例证了比摩西和以利沙更伟大的先知已经出现。有些人视之为一种借喻,旨在确立耶稣是"生命的粮",以符合第四福音对于"迹象"的诠释(《约翰福音》6:35)。还有一些人在这个故事中读出了团契餐的原型,甚至某种与最后的晚餐相关的"弥赛亚宴"。另有一些人认为那是效法耶稣榜样的民众参与的一个盛大的共同节日,假设绝大多数人因为人群的缘故而不愿意拿出已经自备的食物,但是当耶稣祈祷并与那五千多人分享五饼二鱼的时

---

① Henry Jackson Flanders, Jr. and Buce C. Cresson, *Introduction to the Bible*, New York: John Wiley & Sons, 1973, p. 338.

候,人群受到他的精神感召,彼此分享他们所携带的食物,展现出一种美好的团契①。

然而,人们吃饱之后所发生的事情对于确当理解这个故事而言好像更加重要。《马可福音》说:

> 耶稣随即催门徒们上船,先渡到那边伯赛大去,等他叫众人散开。他既辞别了他们,就往山上去祷告。(《马可福音》6:45—46)

基于经文可以推定,五千多人吃饱之后,一定发生了戏剧性的事件。局面好像达到失去控制的程度,十二门徒想必也一道跟着鼓噪。所以耶稣才先让门徒离开,然后再遣散人群,最后到山中祷告。第四福音《约翰福音》增加的一些话大大澄清了众人吃饱之后突然间空气中弥漫着什么的问题:

> 众人看见耶稣所行的神迹,就说:"这真是那要到世间来的先知。"耶稣既知道众人要来强逼他作王,就独自又退到山上去了。(《约翰福音》6:14—15)

在耶稣通过施行奇迹让五千多人吃饱这个戏剧性的行动之后,人们的弥赛亚希望迸发出来,几乎达到一发而不可收的地步。这应该是对于这个叙事的最令人满意的解释了。直到耶稣被钉死十字架之前的那个星期日,在耶路撒冷才复又出现另一个戏剧性地表达群众高涨情绪的公众欢呼时刻。

根据福音书的记载,即便在耶稣遣散群众、在山中独自祷告返回加利利西岸之后,仍然有许多原先在人群中的人去会见耶稣。他治疗和帮助他们,但他的行动却是有节制的。民众所渴望的那种政治弥赛亚与耶稣对他的角色或角色表达方式的理解不相符合。

二、第二次和第三次退出

《马太福音》和《路加福音》都表述了耶稣第二次(《马可福音》7:24—30;《马太福音》15:21—28)和第三次退出的故事。它们说耶稣向北、转向西,离开加利利到达腓尼基人的城市推罗和西顿,这个地区是先知以利亚当年逃避亚哈王和拜巴力的宗教官员所前往的地方(《列王纪上》17:8)。一个属于叙利亚腓尼基族的妇人请求耶稣赶鬼离开她的女儿,耶稣的回答事实上是说,他的布道是面向以色列人的("让儿女们

---

① Henry Jackson Flanders, Jr. and Buce C. Cresson, *Introduction to the Bible*, New York: John Wiley & Sons, 1973, p. 339.

先吃饱;不好拿儿女的饼丢给狗吃")。面对这样的回答,妇人仍然不肯放弃说:"主啊! 不错;但是狗在桌子底下,也吃孩子们的碎渣儿。"(《马可福音》7:28)耶稣被一个非犹太人如此的信心展现所触动,宣布他把魔鬼已经赶出,妇女回家果然看到孩子已经痊愈。耶稣医好外邦妇人的女儿,打破了以色列人与外邦人之间的樊篱。

《马可福音》的经文暗含的意思是,耶稣一从腓尼基人的境界回到加利利海,就直接前往底加波利境内——散落在加利利海东面和南面区域的十个希腊城市。无论他是直接到了那里还是从别处转往那里,他的确在那里度过一段时间,而且他的一些经历被记载下来(《马可福音》7:31)。尽管那个区域外邦人占主导,但是耶稣显然在那里也非常有名,大量的人来到他那里要求医治。根据《马太福音》,耶稣在那里所行的异能到如此程度,以至于那里的人民"就归荣耀给以色列的神"(《马太福音》15:31)。伴随着提及许多异能,福音书还讲述了耶稣让四千人吃饱的故事(《马可福音》8:1—10;《马太福音》15:32—39),与早先五千人吃饱的故事相似,但是场景、听众以及饼、鱼和筐的数量都不同。在教会的记忆中,耶稣在外邦人中间行了许多与在犹太人中间所行的相似的异能,但是耶稣布道的重心无可争议是在犹太人身上。

三、第四次退出

耶稣曾经暂时回到加利利海西面的马加丹境内(《马太福音》15:39)或大玛努他境内(《马可福音》8:10)。"法利赛人和撒都该人来试探耶稣,请他从天上显个神迹给他们看。"(《马太福音》16:1)在与法利赛人和撒都该人交锋之后,他上船前往加利利海东岸。

在这次退出的过程中,耶稣达到一个意义重大的传道高峰(《马可福音》8:27—33;《马太福音》16:13—23;《路加福音》9:18:22;《约翰福音》6:68—69)。背景是某个靠近该撒利亚腓力比的地方。该撒利亚腓力比坐落在希律·腓力领地内的黑门山南端附近。

根据同观福音,耶稣向公众展现的是一位夫子的角色,邀请人们成为他的门徒,个人没有宣称自己是弥赛亚。他担当夫子的职能,行使异能,用一种与其他拉比不同的表达方式说话。他的标准口头禅"只是我对你们说……"让人感到新奇,但是其中并未暗示他是弥赛亚、上帝之子或其他带有神性的称号。他的门徒们跟从他,听他的教诲,观察他的行动。诚然他们可能私下讨论过耶稣身份的本质。像施洗约翰一样,耶稣宣布上帝的国近了,即便还没有出现,也是在向着它的最完全实现迈进。这个教导渗透在他布道的每个方面。但是他的身份到底如何,是另一个伟大的夫子,还是一个先知,是古代先知的转世,还是弥赛亚的前导,抑或他本身就是弥赛亚？这些都是萦绕在门徒脑际和需要解答的问题。

弥赛亚或"受膏的"那位,一直是犹太人长期以来的期盼;但是就弥赛亚的本质而言,犹太人没有达成一致看法。因此,这个术语在人们的头脑中十分模棱两可。在《旧约》的一些晚期经卷中,这个词用来指耶和华指定的理想统治者或君王;作为秉承圣灵的人,他会是一位犹太人的救星和公义统治的开创者。大卫王及其统治时期被深深地嵌入在人们对未来的希望之中。及至耶稣时代,弥赛亚这个词在人们心中已经变得更加重要,也成为犹太教几个派别的神学重心。概而言之,这个称号拥有强烈的民族主义内涵,适用于一个带着上帝的大能而出现的救世主;他会开启政治舞台上革命性的新时代,其中以色列的后裔将是最大的受益者。一些与弥赛亚相关的期盼包括一个先于弥赛亚本身到来的一个先行者。

"人子"是与犹太人的一些期盼相关的又一个意义重大的术语。耶稣偏好用这个术语指称自己。四大福音中惟有他自己使用"人子",只有一个例外。耶稣之所以喜用这个术语,可能是因为这个术语适用于几个可能的内涵。《旧约》中"人子"这个表达方式的使用各种各样：用作"我"的同义词,指代"人"或"人类",指代禀赋上帝所赋予的永恒国权来统御地上人民的某个人。耶稣在绝大多数情况下用《旧约》"人子"含义中的前两个。在某些地方,特别是在传教后期出现第三种用法,但是使之适合他自己的解释[1]。

当耶稣在该撒利亚腓力比附近单独与数个月来一直跟从他的那些门徒们在一起的时候,促膝交谈间诞生了著名的"该撒利亚腓立比宣言"：

> 耶稣到了该撒利亚腓立比的境内,就问门徒说："人说我人子是谁[有古卷无我字]？"他们说："有人说是施洗的约翰;有人说是以利亚;又有人说是耶利米,或是先知里的一位。"耶稣说："你们说我是谁？"西门彼得回答说："你是基督,是永生神的儿子。"(16：13—16)

显然人们一致认为耶稣是某位所描述的先知,而且倾向于认为他是人们所期待的、在主到来的日子之前重现的古代先知中的一位。但是门徒们的想法则更进一步,彼得率先宣布了耶稣是基督,即弥赛亚。尽管门徒口中的弥赛亚与大众心中的弥赛亚无疑有很大程度上的相交,但是耶稣对门徒们的回答喜出望外,欣然接受,并且进

---

① Henry Jackson Flanders, Jr. and Buce C. Cresson, *Introduction to the Bible*, New York: John Wiley & Sons, 1973, p. 344.

而褒扬彼得,肯定教会将建立在他们刚刚表达的信念上:

> 耶稣对他们说:"西门巴约拿,你是有福的! 因为这不是属血肉的指示你的,乃是我在天上的父指示的。我还告诉你,你是彼得,我要把我的教会建造在这磐石上;阴间的权柄,不能胜过他[权柄原文作门]。我要把天国的钥匙给你;凡你在地上所捆绑的,在天上也要捆绑;凡你在地上所释放的,在天上也要释放。"当下耶稣吩咐门徒,不可对人说他是基督。(《马太福音》16:17—20)

耶稣清楚表明的是,门徒得出他是弥赛亚的结论并非来自他的授意("不是属血肉的指示"),而是来自上帝的启示("天上的父指示"),门徒们对耶稣弥赛亚身份的认定是对这种神圣启示的信仰回应。耶稣进而肯定,门徒们所表达的有关基督的天启和人对这个天启充满信心的回应是他的人民(教会)所基于其上的基础。罗马天主教会则把"你是彼得,我要把我的教会建造在这磐石上"作为教皇制度的《圣经》经文证据。

这个至关重要的时刻是耶稣与十二门徒关系的转折点。他吩咐他们不可向别人透露他是基督(弥赛亚)。然后在门徒们所宣信的他的弥赛亚身份之外,又追加了一个弥赛亚受难的概念:

> 耶稣指示门徒,他必须上耶路撒冷去,受长老、祭司长、文士许多的苦,并且被杀,第三日复活。彼得就拉着他劝他说:"主啊! 万不可如此! 这事必不轮到你身上。"(16:22)

弥赛亚和受难概念即便对于门徒而言不是完全矛盾的,按照他们的思维模式也是难以理解的。对他们而言,弥赛亚所向无敌,用所禀赋的上帝的力量会推翻一切反对势力。但是耶稣借助这种强烈对比,在他的教导中引入了一个全新的要素——"许多的苦"。在这个重要的关节点上,耶稣致力于向他的门徒们表明在"天上的父"之下他的角色的本质。在有记载的耶稣布道过程中,一直存在着耶稣的思想与人们的期待之间的对比。

耶稣进而强调,不但他要受苦和死亡,而且对门徒们说:"若有人要跟从我,就当舍己,背起他的十字架。"(《马太福音》16:24)同观福音在此处和其他地方,特别是在耶稣受难的叙事中一致认为,巴比伦的以赛亚所颂扬的"受苦的神仆"(《以赛亚书》53)是耶稣自己牢固树立在脑海中的楷模。不过,有学者指出,弥赛亚形象和"受苦的神仆"形象之间的不相若性如此之强,显然十二门徒从来没有成功地把它们关联起来①。对于

---

① Henry Jackson Flanders, Jr. and Buce C. Cresson, *Introduction to the Bible*, New York: John Wiley & Sons, 1973, p. 345.

当时抱有强烈的物质主义和民族主义希望的人们而言,这一点同样超出了他们的能力。在他们看来,荣耀之路怎么样也不会是一条遭拒、受苦和死亡之路。

认定耶稣就是弥赛亚的"该撒利亚腓立比宣言"之后大约一个星期,耶稣"登山变像"(《马可福音》9:2—8;《马太福音》17:1—8;《路加福音》9:28—36)。在福音书对这一奇妙、神秘的体验的叙事中,摩西和以利亚(可能分别代表律法和先知)向门徒显现,与耶稣说话。"他们在荣光里显现,谈论耶稣去世的事,就是他在耶路撒冷将要成的事。"(《路加福音》9:31)摩西和以利亚对于耶稣前面有难的一致见证,以及从云彩里传出来的声音——"这是我的儿子,我所拣选的[有古卷作这是我的爱子],你们要听他。"(《路加福音》9:35),想必使耶稣、彼得、约翰和雅各在未来等待着他们的磨难面前更加坚强。

随后在回答门徒有关《玛拉基书》为什么说以利亚必须先来的问题的时候,耶稣认定施洗约翰就担当着以利亚的角色。

四、南下耶路撒冷

有关耶稣在最后一次退出加利利与抵达耶路撒冷附近这段时期传教活动的细节和重点,福音书之间彼此存在差异。耶稣好像把注意力放在门徒身上,就某些主题对他们进行教导,诸如自我牺牲、抵制追求显位的欲望、不要吹毛求疵地褊狭、神之爱、基督徒的兄弟情谊、宽恕和爱心等等。

在这个节点上,《路加福音》插入了一个篇幅可观的"特殊断面"(9:43—18:14)。它带有材料汇集的印记,而非井然有序的事件和教训安排。统摄这部分材料的主题是耶稣的这样一种意识,他正处于前往耶路撒冷赴死的道路上,而且正在为了未来而预备门徒。

在这个"特殊断面"中,有些教导和事件与《马太福音》和《马可福音》类似,但是语境不同。其中有耶稣差遣七十个门徒,结对传布有关天国已经到来的福音。还有耶稣与律法师的一席对话,其中耶稣把律法总括为:

> 你要尽心,尽性,尽力,尽意,爱主你的神;又要爱邻舍如同自己。(路10:27)

对这个总结,耶稣还补充了"好撒玛利亚人"的比喻。在这个比喻中耶稣更加直接地谈论如何做一个邻居,而不是谁是邻居的问题。还有一些比喻和材料与《马太福音》中的"登山宝训"相似,包括"模范祷文"(the Model Prayer)在内。还有法利赛人对耶稣与鬼王别西卜合作的指控,以及一组有关"法利赛人有祸了"的训诲等材料。

其中还有别处没有记载的一些教导,这点使《路加福音》的这个断面变得非常重要。独有的教导包括耶稣直接针对奋锐党人那样的行事方式所提的警告:

> 正当那时,有人将彼拉多使加利利人的血搀杂在他们祭物中的事,告诉耶稣。耶稣说:"你们以为这些加利利人比众加利利人更有罪,所以受这害吗? 我告诉你们,不是的;你们若不悔改,都要如此灭亡。从前西罗亚楼倒塌了,压死十八个人,你们以为那些人比一切住在耶路撒冷的人更有罪吗? 我告诉你们,不是的;你们若不悔改,都要如此灭亡。"(13:1—5)。

这表明耶稣"先知先觉"地意识到,倘若犹太人像其中提到的两个事件中那样,仍然继续以阴谋、暴乱来实现政治野心,必然导致国家像后来公元 70 年所应验的那样遭到提多的毁灭。换言之,犹太人若是仍然不断地追求地上的王国,不改弦更张,不追求上帝的国的话,他们只有走上灭亡一途。

这个断面还保留了许多有关上帝之爱的富有意义的、美好的教导和例证。这里所传递的上帝形象是极为眷顾人和答应人的求助祈求的上帝。《路加福音》第 15 章针对有关耶稣与罪人同席吃喝的指控,用三个著名的比喻加以回应。第一个"迷羊的比喻"与《马太福音》18:12—14 的比喻相平行。至于第二个"失钱的比喻"和第三个"浪子的比喻"则是《路加福音》所独有的。不过,所有这三个比喻都是旨在传递耶稣和"天国"对于罪人的姿态。尽管罪人不在犹太教的那些宗教领袖们的关心之列,但他们却是上帝充满爱心地苦苦找寻的对象。当一个罪人得到挽回的时候,就应该欢喜,因为神所寻求的目标达到了,因为挽回了具有重大价值的东西,或者因为破裂的关系得以修复。

其中最为感人的是"浪子的比喻"。这是一个有关父亲和两个形成对照的儿子的故事。小儿子按照犹太教律法向父亲要到了三分之一的家业,但是很快挥霍一空,只好在远离家人和朋友的异乡替别人"到田里去放猪",同时也玷污了家族的名声。按照当时的标准,这个儿子已经完全异化了自己,已经完全脱离了家庭。但是通常此类故事中的结尾却成为《路加福音》这个故事中的一个全新的开始。这个儿子忏悔,希望回到父亲的家中作"一个雇工"。一看到远处过来的儿子,他的父亲(故事中刻画的上帝)立刻迎上去拥抱这个儿子,像欢迎贵宾一样欢迎浪子回头,并且立刻恢复了作为儿子身份的所有象征。

故事并未就此结束。一直保持忠信和公义的大儿子抗议他父亲对待他那位浪子弟弟的态度好过自己。他为这种不公平而感到愤慨,而且有充分的理由。故事中的这位大儿子栩栩如生地代表了文士和法利赛人的典型态度,他们在第15章叙述的开始"私下议论"耶稣像兄弟般地对待税吏和罪人。耶稣进而明确了一点,对于上帝而言,所有流行的规范和模式都要让位于宽恕罪人的恩典。上帝之爱超越了人之所谓的体面与正义的界限。作为(天)父的快乐源于忠信、顺从的儿子,但是当迷失的儿子失而复得的时候,则享受到无边的喜乐。

《路加福音》还添加了几个比喻、教训以及耶稣到达耶路撒冷之前的事件。"不义管家的比喻"几乎就是以故事的形式传递《马太福音》"登山宝训"中"你们不能既侍奉神,又侍奉玛门"(《马太福音》6:24)这个宣言。《路加福音》对于耶稣有关律法、天国和离婚的教训的表述,与"登山宝训"中的话语也相当平行(《路加福音》16:16—18)。在有关离婚的话题方面,《路加福音》略去了《马太福音》中两次出现的"为淫乱的缘故"(《马太福音》5:32),径直说:"凡休妻另娶的,就是犯奸淫……"(《路加福音》16:18)。《马可福音》在这点上的处理也是如此(《马可福音》10:11)。事实上,耶稣的重点在于上帝创造两性的初衷,而不是按照某些根据允许离婚的规条。另外,"财主与拉撒路的比喻"(《路加福音》16:19—31)和"法利赛人与税吏的比喻"(18:9—14),展现了耶稣对于社会底层人们的一贯关切。前一个比喻中,穷富在来世被完全颠倒过来;后一个比喻中,谦卑、悔改的税吏的祈祷得到上帝的答应,而自义的法利赛人的祷告则没有。

> 因为凡自高的,必降为卑;自卑的,必升为高。(《路加福音》18:14)

同观福音共同记载了有关耶稣前往耶路撒冷的最后旅程的材料。当耶稣西行,从约旦河到圣城耶路撒冷山地的时候(《马可福音》10:1;《马太福音》19:1),一个年轻的财主表达了追随耶稣的渴望,但是最终表明他不愿意为了成为门徒而放弃他所拥有的(《马可福音》10:17—22;《马太福音》19:16—30;《路加福音》18:18—30),只贪恋在地上先得的产业,而不重视后来天上的财宝。耶稣不禁感叹:

> 倚靠钱财的人进神的国,是何等的难哪!骆驼穿过针的眼,比财主进神的国还容易呢。(《马可福音》10:24—25)

> 然而有许多在前的将要在后,在后的将要在前。(《马可福音》10:31)

"葡萄园的工人"比喻(《马太福音》20:1—16)弃绝了那种为了个人获得奖赏而成为门徒的动机,而且教导人们说,后进入天国的与先皈依的人都按照上帝的旨意得到相同的荣耀。耶稣再次强调他的受难就在前头(《马可福音》10:32—34;《马太福音》20:17—19;《路加福音》18:31—34)。他平息了门徒间有关在天国里他们谁具有

最高层级的辩论,指出层级和权威属于这个世俗的王国,而不属于他的王国:

> 只是在你们中间,不是这样;你们中间,谁愿为大,就必作你们的用人;在你们中间,谁愿为首,就必作众人的仆人。因为人子来,并不是要受人的服侍,乃是要服侍人,并且要舍命,作多人的赎价。(《马可福音》10:43—45)

在耶利哥附近,在开始从死海谷地一路上升到耶路撒冷的路程之前,耶稣治愈了一个名叫巴底买的盲人并且与税吏长撒该用餐(《马可福音》10:46—52;《马太福音》20:29—34;《路加福音》18:35—19:10)。《路加福音》告诉读者,随着门徒们临近耶路撒冷,他们期待天国很快出现,但是耶稣讲述了"银锭比喻"(《路加福音》19:11—27),旨在提醒门徒,天国到来的时候还没有到,需要一个等待时期。

同观福音有关耶稣受难之前的传道,以"银锭比喻"结束。接下去的经文把耶稣置于耶路撒冷城附近,准备开始展开其生命的最后华章。耶稣向着耶路撒冷而来,已经有一段时日,现在他终于到达了。他有关天国的信息得要带给这座城市,但是他也完全意识到会得到怎样的最终反应。尽管如此,就耶稣的道而言,耶路撒冷是无法回避的。只有在那里他的使命才得以完满。

第四节 耶稣受难与复活

一、荣 入 圣 城

同观福音记载耶稣传教过程中只有一次进入耶路撒冷,是在他生命的最后一周中。第四福音则提及耶稣传道过程中先前曾有几次进入圣城。一般学者认为,同观福音没有提及耶稣其他到访耶路撒冷的事件并不能排除它们的可能性。各部福音都是对于耶稣布道的一种概说,假定耶稣在最后的受难周之前数次去过圣城并非不合情理。耶稣与朋友住在耶路撒冷和耶城附近,以及他所说的"我多次……"(《马太福音》23:37;《路加福音》13:34),倾向于支持耶稣还数次造访过耶路撒冷及其周围。只不过同观福音所记载的一次与其他几次不同而已,因为耶稣这次到达圣城是他向以色列人传道的顶点和成全。

尽管《马可福音》把耶稣最后的那些事件安排在三天的时间框架内,《马太福音》

安排在两天的时间框架内,但是同观福音暗含着耶稣在被钉死在十字架之前一个星期到达耶路撒冷附近这个事实。耶稣在耶路撒冷所待的时间有可能长于一个星期。综合来看,耶稣最后一周的事件顺序大致如下。

进入耶路撒冷

所有四大福音都记载耶稣最初进入耶路撒冷的盛况,喧闹的人群拿绿色的棕榈枝为他铺在路上。这个事件不仅对于耶稣而且对于早期教会也必定意义重大,所以每年都作为"棕榈主日"来庆祝。

逾越节前几天,耶稣来到距离耶路撒冷很近的一个村庄,很可能是伯大尼。伯大尼位于橄榄山的东坡,离耶路撒冷只有数英里。《马可福音》(14:49)和《路加福音》(21:37)说,"耶稣每日在殿里教训人"。自从耶稣荣入圣城的那一天开始,人群就充满了热情和期待。耶路撒冷挤满了从罗马世界各地前来的成千上万的犹太人,他们来庆祝上帝把他们的祖先从埃及人的奴役下解救出来。他们的内心澎湃着再次得到拯救的渴望——要从罗马的奴役下获得解放。同时耶路撒冷还有许多从该撒利亚来的罗马守军,要维持节日秩序。

熙熙攘攘的人群中有耶稣的门徒,以及熟悉耶稣布道的加利利人。耶稣敏锐地意识到民众渴望从经济剥削和政治压迫下解放出来。但是耶稣也意识到他压倒一切的使命针对的是民众及其领袖的灵性状况。因此关键时刻是耶稣与民众领袖(倘若不是民众本身)之间的对垒。耶稣以一种象征性的方式进入耶路撒冷,以先知模式向那些有宗教洞察力的人展现了自己弥赛亚角色的独特本质。他骑着驴子进入耶城的形象寓意深刻,《马太福音》(21:5)诠释为强调耶稣的谦卑,以及《撒迦利亚书》(9:9)有关神的代表和平进入耶路撒冷预言的应验。因此,未来的"王国"既在耶稣心中又在民众脑际,但是两者所期待的"王国"的本质是极为不同的。三部同观福音全都记载有民众沿途的咏赞:"和散那!奉主名来的是应当称颂的!那将要来的我祖大卫之国是应当称颂的!高高在上,和散那!"(《马可福音》11:9—10)他们还用自己的衣服和棕树枝铺路。一到圣殿,耶稣便医治盲人和伤残人。

清洁圣殿

《马可福音》把耶稣清洁圣殿的时间放在他戏剧性地进入耶路撒冷的下一日。《马太福音》和《路加福音》则把这个事件放在进入圣城的同一日。不过三部福音都把清洁圣殿与诅咒不结果实的无花果树联系在一起,以色列人的既有宗教就像有结果子的希望却毫无结果的无花果树,因而被判为当受诅咒的。

当耶稣到达圣殿的几个庭院中的一个庭院、很可能是外邦人的庭院的时候,耶稣戏剧性地逐出了那些与朝圣者做生意的兑换银钱的人和出售用于献祭的鸽子的人。

即便古代的拉比都谴责过在祭司垄断管理的这些交易中近乎敲诈勒索的行为。耶稣在支持他对圣殿当局的抨击时援引了《以赛亚书》(56：7)和《耶利米书》(7：11)："经上记着说：'我的殿必成为祷告的殿'，你们倒使它成为贼窝了。"(《马太福音》21：13)通过异乎寻常的行为，耶稣无疑赋予他的清洁圣殿以象征，就像先知们就大日子的到来所预料的那样，那时即便外邦人也要在圣山崇拜耶和华。

　　实际上，就像犹太史学家约瑟福斯在其著作中所描述的那样，1世纪的犹太教已经到了非改革不可的时候。他清楚地表明，普通民众对于圣殿的祭司和撒都该人没有信心，1世纪时犹太教的两大支柱圣殿献祭和遵从妥拉对于他们的实际生活水平也没有太大干系，因为对于那些没有经济能力的普通百姓而言，圣殿中的那些日常膜拜就像过去前王国时期那样是边缘性的。但是作为献祭和妥拉权威体现的圣殿却是祭司阶层的根基。首先，不但各种律法的实施(特别是挽回祭等)保证了祭司阶层从中渔利，而且祭司及其家庭无法消费掉的那些按照律法奉献在圣殿的那些牺牲(牛肉和羊肉等)，也可以拿到市场上公开出售牟利。其次，圣殿周围地区是国家财富的汇聚地，控制和保护圣殿无异于控制和保护一种巨大的财富来源。为了交换膜拜的利益，祭司们不但为各种贩卖祭品的商人发放许可，而且向那些可以把外币兑换成当地钱币的商人发放许可。在耶稣眼中，祭司和撒都该人已经沦为披着宗教虔敬外衣的堕落小贩和钱商，圣殿已经沦为那些牺牲了宗教的表里如一要求的人们的"贼窝"。耶稣清洁圣殿的行为就是对于这整个制度深恶痛绝、力图正本清源的具体表现①。

　　尽管耶稣的行为针对的是圣殿的渎神行为，但是这无疑把自己置于一个先知的位置，既挑战祭司在一些问题上的权威，又威胁到圣殿可观的经济来源和圣殿的膜拜仪式。如果再考虑到耶稣对门徒所说的"将来在这里没有一块石头留在石头上"这番话(《马太福音》13：2)，撒都该人和犹太公会的其他领袖为什么发现必须采取制约耶稣的措施就清晰起来了。

与犹太当局的冲突

　　在最后的一个星期，耶稣显然每日都到耶路撒冷和圣殿，并且不断陷入与犹太教领袖们的争执之中。《马可福音》所记的五个冲突事件被《马太福音》和《路加福音》所秉承，而且还有自己的附加。

　　第一个事件关乎耶稣的权柄(《马可福音》11：27—33；《马太福音》21：23—27；《路加福音》20：1—8)。犹太公会拥有对于犹太地的犹太人的宗教和政治权柄，只对

---

① 参见 George E. Mendenhall, *Ancient Israel's Faith and History: An Intrudction to the Bible in Context*, Louisville, Kentucky: Westminster John Knox Press, 2001, pp. 215 – 217.

上帝和罗马负责。公会的一些高级官员质问耶稣的资格,要他说出自己言行的权柄何在。或许他们想迫使耶稣宣称自己是弥赛亚。耶稣把有关权柄的讨论从官方层面提升到神圣层面。耶稣用拉比典型的"以问制问"的风格追问诘难他的那些人对于施洗约翰权柄来源的看法,要他们回答是来自神还是来自人。

耶稣充分意识到:一方面,公会没有授权施洗约翰去传道或施洗,不能说施洗约翰以神的权柄而行,即他们没有承认约翰的使命有神的起源;另一方面,公会也不愿意说约翰的权威来自他自己,因为民众认定约翰是上帝的先知。面对这种两难,他们只好以不知道来搪塞。事实上,这个回答使公会的人失去了在先知身上辨认上帝临在的资质和能力,从而也使耶稣避免了在这个问题上进一步遭到盘问。另外,耶稣对于权柄问题的处理方式满足了两个目的,一是把耶稣的传道与施洗约翰联系在一起,二是为耶稣提供了护身法宝——倘若他们回答约翰的权柄是来自上帝的话,自然也证明了耶稣的权柄,因为约翰见证了耶稣的权柄。就像施洗约翰和所有其他先知的权柄一样,耶稣神性权柄是否有效的最后决定取决于观察者,而不取决于官方的承认。

通过运用一些比喻(《马可福音》12:1—12;《马太福音》21:28—22:14;《路加福音》20:9—19;《路加福音》14:16—24),耶稣描绘出一幅欢迎宗教上受排斥的人进入上帝的国、拒绝自感优先享受上帝应许的人们进入上帝的国的惊人画面。他还刻画了那些宣称拥有天国的位置却拒绝履行上帝的旨意的"合格"宗教领袖们的嘴脸。耶稣的要点是,最终主导的是上帝的权柄而不是宗教领袖的权柄。

第二个事件是有关应该不应该纳税给恺撒的问题。这个问题具有政治内涵,来自法利赛人和希律党人。他们通常彼此不合,而且在这个问题上他们也有区别:希律党人支持每年向恺撒交纳丁税,因为否则希律家族的统治者就要完全依赖罗马;法利赛人藐视丁税,因为这提示着犹太人向罗马的臣服。自从加利利的犹大于公元6年领导针对丁税的起义之后,纳税问题一直是一个暴烈的问题。

法利赛人和希律党人一起接近耶稣,在恭维和奉承耶稣"是诚实人"、"不徇情面"和"不看人的外貌"之后图穷匕见,向耶稣提出了"纳税给恺撒可不可以"的爆炸性问题。倘若耶稣按照摩西律法否定纳税给恺撒的有效性,那么耶稣就面临是煽动分子的指控;倘若肯定纳税的有效性,那么耶稣就会招致来自那些痛恨纳税的普通犹太人的麻烦。"耶稣看出他们的恶意",但是没有回避问题。耶稣手中拿着上税的银钱问众人,上面的像是谁的。当听到人们说是恺撒的像的时候,耶稣说:

这样,恺撒的物当归给恺撒;神的物当归给神。(《马太福音》22:21)

耶稣再次把纯粹的犹太人对恺撒是否承担义务的问题提升到对上帝承担义务的问题高度。就像前面有关圣殿税的交付问题一样，耶稣强调一个人有义务支持那个他处于其中、并从中得益的整体。不过，耶稣看到犹太人的未来更多地是由犹太人对于上帝的回应所决定，而不是由罗马所决定。

耶稣对于这个问题的回应并没有完全解答个人对于国家义务方面的所有问题。它也没有解决基督教徒对于国家行为或统治者的行为的恰当回应问题。耶稣的宣言决不是提供了一副解决所有公民与国家关系问题的万应良药。不过，它清楚地肯定天国的公民是他的国家的受益者，因而要对国家承担义务，无论表现形式如何。耶稣的这个口号同样呼吁信徒对自己承担的对于上帝的义务要敏感和回应，他从上帝那里的受益远远大于从国家那里的受益①。

第三个事件是撒都该人向耶稣提出的一个神学问题。撒都该人因为自己不能理解，而否定复活信念。他们把法利赛人的复活概念理解为一种物质的复活。对耶稣而言，撒都该人提出了一个经常用来为难法利赛人的难题。撒都该人讲了一个假设的故事，就是兄弟七个从长到幼遵守"续嫁夫兄弟婚"的模式要求（《申命记》25：5）依次娶了同一个妇女的故事，然后问耶稣："当复活的时候，她是七个人中哪一个的妻子呢？"

耶稣严肃地回答了复活问题，而且在他的回答中明确了两点。首先，耶稣说撒都该人没有理解他们唯一承认具有约束力的妥拉律法；其次，耶稣纠正了他们对上帝大能的限制。耶稣暗示，复活的躯体不同于尘世的躯体，但是忠信者的确保持个体存在。为了支持这两点，耶稣援引了妥拉中《出埃及记》3：6的经文，其中上帝说："我是亚伯拉罕的神，以撒的神，雅各的神。"这段经文的含义由耶稣的话得以澄清："神不是死人的神，乃是活人的神。"（《马可福音》12：27；《马太福音》22：32；《路加福音》20：38）

第四个事件是一个文士向耶稣提出最大的诫命问题。这个问题是犹太教学者长期讨论的一个带有专门宗教性质的问题。根据法利赛人的算法，有613条律法诫命。拉比们认为其中一定有某种优先等级。文士所问的"诫命中哪是第一要紧的呢？"这个问题要求的是分辨出其他律法都要服从的那条律法。皆大欢喜的是，耶稣和文士在《申命记》6：4—5和《利未记》19：18之间的结合方面达成一致：

第一要紧的，就是说："以色列啊，你要听，主我们的神，是独一的主。你要尽

---

① Henry Jackson Flanders, Jr. and Buce C. Cresson, *Introduction to the Bible*, New York: John Wiley & Sons, 1973, p. 357.

心、尽性、尽意、尽力爱主你的神。"其次就是说:"要爱人如己。"再没有比这两条诚命更大的了。(《马可福音》12:29—31)

在这段经文上面,《马太福音》又增加了"这两条诚命是律法和先知一切道理的总纲"。这个总结通常被称作"爱的律法"。

《路加福音》把耶稣和文士之间的这个对话安排在耶稣传道较早的时期,而且增添了"好撒玛利亚人"的比喻,以回答文士所提的"谁是我的邻舍?"这第二个问题(《路加福音》10:25—37)。耶稣的故事所关切的是做一个好邻舍,而不是把人际关系纳入邻舍和非邻舍范畴。

第五个事件是耶稣向盘问者们提出问题(《马可福音》12:35—37a;《马太福音》22:41—46;《路加福音》20:41—44)。耶稣问他们,大卫在《诗篇》110:1中称弥赛亚为"主",他们何以说弥赛亚是大卫的子孙?因为他们没有道成肉身概念,所以无法回答。显然这个问题的答案不是在这个或者那个,而是在两者之中,只是盘问者们无以回答而已。在那时犹太人的普遍思想中,弥赛亚无需是大卫的后裔,就像巴·科可巴(Bar-Cocheba)没有如此宣称、但是仍然被2世纪的拉比亚基巴(Rabbi Akiba)和其他人当作弥赛亚来接受这个事实所证实的那样。可以想见,到那时巴比伦囚掳之后数个世纪的通婚已经使绝大多数犹太人至少父母中有一方具有大卫血统。即便如此,弥赛亚身份的标准是神的任命和圣灵的膏立,而非血统。

按照《马太福音》的说法,对于这个问题,宗教领袖们哑口无言,就不再盘问耶稣:"他们没有一个人能回答一言。从那日以后,也没有人敢再问他什么。"(《马太福音》22:46)

耶稣谴责法利赛人和文士把犹太人引向绝路

耶稣对于民众拒绝他的使命深感不安,随之迸发出对耶路撒冷及其居民的哀叹。民众对于耶稣所发出的要求他们忏悔和相信神的引导的呼吁充耳不闻、加以拒绝。耶稣不仅视之具有宗教意义,而且视之具有至关重要的政治意义。因为错误理解宗教的真正本质和上帝的王国,民众走上一条通往民族毁灭的不归路。奋锐党人的"王国"概念会是他们的一种选择,而且这样的走向只会造成极大的灾难。

在同观福音的这个部分,耶稣为普通民众的灵性匮乏而谴责那些宗教领袖。他在一系列"你们这假冒为善的文士和法利赛人有祸了!"的陈述中(《马太福音》23:1—36;《马可福音》12:38—40;《路加福音》20:45—47),痛斥法利赛人和文士的行为,鞭挞他们宗教上的伪信和道德上的自满。在耶稣看来,他们的罪行在于言行不一,在于用琐细的宗教要求束缚民众而窒息了信仰自由的发扬,在于随时夸示自己的显赫和特权,在于遮挡人们对于天国的视线,在于败坏皈依者新发现的信仰,在于用诡辩术阉割原则,在于一心掩盖内心的腐败,在于歌颂过去改革先知的同时杀害当代的先知。这帮"瞎眼领路的"(《马太福音》23∶16)来领导犹太人,好比"盲人骑瞎马,夜半临深池",引向的是地狱而不是天国。

正是预感到犹太民族的危险前景,预感到圣殿将要被毁,耶稣禁不住为耶路撒冷哀哭:

> 耶路撒冷啊,耶路撒冷啊!你常杀害先知,又用石头打死那奉差遣到你这里来的人。我多次愿意聚集你的儿女,好像母鸡把小鸡聚集在翅膀底下,只是你们不愿意。看哪,你们的家成为荒场,留给你们。(《马太福音》23∶37—38)

> 你们不是看见这殿宇吗?我实在告诉你们:将来在这里,没有一块石头留在石头上不被拆毁了。(《马太福音》24∶2)

耶稣之所以哀哭,是因为这样的命运是可以避免的,也是不必要的;耶稣之所以哀哭,是因为尽管他竭尽全力想把犹太民族引导到从他们的主那里得救,但是民众不听不从。民众厌恶耶稣有关忏悔的呼吁,只给耶稣留下一条路,就是为犹太民族本可避免的无谓悲剧而哀哭。同时,犹太人的顽梗也为耶稣最后义无反顾地走上十字架,用死而复活的终极手段劝化民众埋下伏笔。

尽管耶稣最初苦口婆心地劝告,最后甚至不惜牺牲自己,力图用自己的宝血擦亮犹太人被蒙蔽的双眼,但是犹太人一直在建立地上王国的道路上执迷不悟,效法奋锐党人武装对抗罗马的策略。尽管公元6年加利利人犹大领导的犹太人起义迫使罗马当局对犹太人的宗教采取了软硬兼施的策略,但是由于双方都没有走耶稣所倡导的"爱人如己"的和平道路,随着犹太人与罗马统治者之间矛盾的激化,犹太人在公元66年尼禄统治末期再次发动起义。犹太人和罗马双方都抱定殊死较量的决心,战事异常惨烈。保卫耶路撒冷的犹太人的抵抗更是惊天地泣鬼神。由于力量悬殊,内部倾轧[1],公元70年耶路撒冷终被罗马将军提多彻底毁灭。耶稣一语成谶,不幸而言中,令人欷歔。

"在无以言表的大屠杀中,耶路撒冷被夷为平地,而用钉十字架的方式处决了大量犹太俘虏的提多则离身回往罗马,满载着运到美丽凯旋门下的战利品。上面刻有提多名字的凯旋门仍然骄傲地矗立在罗马广场的废墟上,无言地见证罗马的强权和犹太人的英勇。"[2]

---

① George E. Mendenhall, *Ancient Israel's Faith and History: An Intruduction to the Bible in Context*, Louisville, Kentucky: Westminster John Knox Press, 2001, p.215.
② David S. Noss, *A History of the World's Religions*, 11th ed., Upper Saddle River, NJ: Prentice Hall, 2003, p.463.

这次罗马人的镇压不仅摧毁了耶路撒冷城,而且消除了犹太人宗教生活的原有中心。犹太人及其宗教被打散。随着圣殿被毁,城外会堂与宗教中枢的联系不复存在,统一号令和民族凝聚大不如前。事实上,公元 70 年之后犹太人口大量流散,几乎形成整个民族离开巴勒斯坦的大迁徙。一些往东逃往巴比伦地区,一些向东南方向逃入阿拉伯沙漠①,一些投奔地中海地区的亲朋好友。而那些没有亲朋好友可以投奔的犹太人则移居叙利亚、小亚细亚、罗马、埃及、北非和西班牙的犹太人聚居区。

更为重要的是,随着圣殿被毁,赖以为生的上层撒都该人离开了历史舞台,之后奋锐党人、爱色尼人和希律党人也逐渐湮灭在历史之中。唯有拉比组成的党派法利赛人和一个被称作基督徒群体的新兴犹太教异端幸存在历史舞台上,并且注定在随后的世纪中发挥影响。从前者中发展出了以妥拉律法和《塔木德》经为中心的拉比犹太教和随后的犹太教,从后者中发展出兴盛的基督教。在耶稣基督的教导基础上建立起来的基督教,对犹太教进行了推陈出新的改革,传播和影响远远大于由之脱胎而出的犹太教母体。这从另一个角度印证了当时面临犹太民族和犹太教何去何从的历史关头耶稣有关超越民族恩怨的和平道路思想的前瞻性。

同观福音的末世论

耶稣有关耶路撒冷命运的预言涉及一个主题,就是末世论(《马可福音》13:1—37;《马太福音》24:1—25:46;《路加福音》21:5—36)。《马可福音》提供了同观福音有关末世论的最早版本。《马可福音》的绝大多数遣词造句表明,耶路撒冷和圣殿屹立不倒,但是注定要毁灭。《马太福音》和《路加福音》则总体上显露出这样一种立场,就是在耶路撒冷和圣殿覆灭之后,基督复临和世界末日之前,有一个时期。大致而言,后面两个福音沿袭《马可福音》,但是添加了其他来源的资料。《马太福音》中耶稣的第五个主要讲道就属于此列。

有关末世论的部分是同观福音中争议最大的一个部分。诠释之难,部分在于其中有两个抑或三个主题。耶稣在预言了宏伟的殿宇将要毁灭之后,《马可福音》和《马太福音》中门徒向耶稣所提的几个问题提示多重性的主题。《马可福音》中所提的是"什么时候有这些事呢?这一切事将成的时候,有什么预兆呢?"这样一个二重性的问题(《马可福音》13:4)。《马太福音》中所提的是"什么时候有这些事?你降临和世界的末了,有什么预兆呢?"这样一个三重性的问题(《马太福音》24:3)。

整个这部分中的材料意在为面临未来的艰苦岁月的耶稣门徒提供鼓励。至于末

---

① 这些生活在阿拉伯沙漠绿洲中的犹太人部落后来与基督教一起对另一个一神论宗教伊斯兰教的兴起产生了重要影响。

了,无论是耶路撒冷的陷落,还是世界末日,耶稣追随者的姿态都是清楚的。他们要预备好自己,要有耐心,要警醒,要努力,要忠信耶稣的呼召,警惕假弥赛亚的蛊惑。耶稣告诉门徒,耶路撒冷城将在现有这代人的有生之年陷落,但是人子到来的时间和世界的末了,甚至连他自己都不知道。尽管有极为艰难的时日要去面对,但是忠信者应该在期待人子的降临中获得喜乐。圣殿的毁灭是上帝的审判。事实上,上帝将会在所有的未来之中。

《马太福音》在《马可福音》的相关内容上面又有所增添(《马太福音》24:37—25:46),包括警醒的家主的故事,"忠心有见识的仆人"的故事,"十童女的比喻","按才受托的比喻",特别是对于"万民受审判"的描绘,其中审判的标准是看对充满需要的人有没有真诚的、无私的爱心。结果,没有助人爱心的"这些人要往永刑里去",有助人爱心的"那些义人要往永生里去"(《马太福音》25:46)。

二、捕 前 叙 事

同观福音的其余部分提供了一个连续和连贯的有关耶稣受难的故事,从起初针对他的密谋一直到他的复活(《马可福音》14—16;《马太福音》26—28;《路加福音》22—24)。这部分材料理应是与耶稣生平相关的最早记录。它提供了教会最早时期传布耶稣复活的时候最为需要的故事,因为它不仅赋予耶稣的使命以有效性,而且开启了教会自身向全世界布道的使命。"从而,钉十字架和复活对教会本身的存在而言是基本的,而且处于教会所有布道的中心。"①

耶稣被捕之前的事件

有关耶稣的受难叙事以上层祭司、长老和文士密谋偷偷逮捕耶稣并予以处决开始。因为逾越节和除酵节在即,耶路撒冷城充满了民众,所以法利赛人和撒都该人的领袖们决定把行动推迟到节后,以免"百姓生乱"。

接下去是犹太官方采取进一步行动之前的一个插曲,同观福音叙述了一个妇女在伯大尼的"长大麻风的西门"家里用珍贵的香膏惊人地浇在耶稣头上的故事。抹膏是对于皇家和死者所施行的一种常见行为。这位妇女打破盛满珍贵香膏的玉瓶,一股脑地把香膏浇到耶稣头上的举动是一种效忠举动。妇女的此种行为引来耶稣门徒

---

① Henry Jackson Flanders, Jr. and Buce C. Cresson, *Introduction to the Bible*, New York: John Wiley & Sons, 1973, p. 362.

发出一片浪费指责,认为应该把这么多香膏换银子周济穷人;但是耶稣为她挡开批评,认为她那是为他安葬的事才把香膏浇在他身上。妇女浇膏的举动明显过度,但是过度的举动表达的是那位妇女洋溢的爱,耶稣温情地称之为"一件美事"。

接着发生了一件对于准备谋害耶稣的那些上层祭司们而言喜出望外的事件,就是耶稣最为亲近的门徒之一找到他们,主动提出要把耶稣交给他们。加略人犹大接受了三十块钱,"从那时候,他就找机会要把耶稣交给他们"。对于犹大的此等行为的动机,同观福音没有给出任何解释。所以许多学者发挥想象力,试图给出各种解释。有的把犹大的行为归结为贪恋金钱,有的把犹大的行为归结为因妒生恨,等等。一种颇具吸引力的理论认为,加略人犹大是一位奋锐党人,想通过把耶稣交给犹太当局迫使耶稣动手,这样耶稣就会公开传布他自己的弥赛亚身份,肯定自己拥有神的权柄,拯救民族和驱逐罗马人,只是未想到耶稣会被钉死在十字架上。这也成为某些西方影片的主题。

无论加略人犹大出卖耶稣的真实动机如何,同观福音用伯大尼的妇女用整瓶香膏浇在耶稣头上的举动与犹大为了三十块钱与祭司长同流合污的行为之间的对比,突出了贯穿耶稣受难叙事之中的忠心与背叛的张力。

最后的晚餐

耶稣预先安排与门徒吃一顿特殊的晚餐(《马可福音》14:12—25;《马太福音》26:17—29;《路加福音》22:7—23),派一些门徒到耶路撒冷做最后的准备。至于这顿晚餐是否就是逾越节晚餐存在广泛争论。特别是第四福音把这次晚餐和钉十字架置于逾越节之前的那一天,更增加了这种不确定性。无论在这个问题上采取何种立场都难免受到批评。无论这次晚餐是否在逾越节那一天,逾越节和除酵节在即而且影响到节日期间的晚餐吃法应该是确定的。所有四大福音一致的地方是,那次餐饭是在周四的晚间,耶稣周五被钉十字架。固然对于第四福音而言逾越节在安息日到来,对于同观福音而言逾越节在周五到来,但是鉴于犹太人一天的计算方法是从日落到日落,而不是从子夜到子夜,晚餐和钉十字架仍然发生在犹太人概念的同一天。

那次晚餐对于耶稣、耶稣的门徒和早期教会都意义重大。在古代近东世界吃饭时间相当重要,因为一起吃饭向参加者传递的是一种彼此的归属感和合一感。犹太人的逾越节大餐所庆祝的是耶和华把以色列人从埃及为奴之境解放出来并且与作为一个民族的以色列人签订圣约这个大事。年复一年地追述上帝的拯救活动,所澄清的是犹太人身为何人、当为何行的记忆。逾越节晚餐是与所有过去、现在和未来的以色列人分享认同经验。许多世纪以来,"主的晚餐"(the Lord's Supper)对于基督教徒而言具有类似的意义。

耶稣有关自己即将赴死的意识铸造出这次晚餐的一些细节,而且使这次晚餐在人们的记忆中不同于耶稣之前与门徒共进的晚餐。在令人费解地说出自己将被其中的一位出卖这番话后,

> 耶稣拿起饼来,祝福,就擘开,递给门徒,说:"你们拿着吃,这是我的身体。"又拿起杯来,祝谢了,递给他们,说:"你们都喝这个,因为这是我立约的血,为多人流出来,使罪得赦。"(《马太福音》26:26—28)

这段经文被理解为耶稣设立了基督教的圣餐制度。其中耶稣提及"血",唤起人们对犹太教的献祭仪式的意识;其中耶稣提到"约",让人们想起先知耶利米有关上帝与其子民另立新约的话语(《耶利米书》31:34)。"血"和"约"两者放到一起提示这样一点,耶稣把自己即将到来的死亡视作某种献祭形式,藉此订立上帝的新约,尤其是关乎"天国"的新约。当然那时餐桌上没有人理解他这番话的旨趣。不过,耶稣死后不久,想必十二门徒有所领悟,而且自此成为教会和个体基督徒的再生点和复生点。它是耶稣教导的爱、施舍、死亡、背负十字架和受苦的基础。它是耶稣基督所宣布和例证的基督教信仰、盼望和未来的一个有机部分。

客西马尼园

在耶稣离开吃最后晚餐的房间之前,《路加福音》(《路加福音》22:24—38)记载了《马可福音》和《马太福音》置于其他语境之中的一些教训。耶稣对比了世上的高位与门徒中基于侍奉的领导权柄。耶稣预言,他的门徒很快将面临与先前布道所得到的友好接待不同的敌视环境。

一离开在橄榄山吃最后晚餐的上房,《马可福音》和《马太福音》记载耶稣陈明的一点,就是他所有的门徒在那夜将变得张皇失措、四处逃散。彼得吹嘘说,即便所有人消散、"跌倒",耶稣也可以指望他彼得的忠信。针对彼得这种大表忠心的姿态,耶稣预言那晚彼得将三次不认主。不过,《路加福音》在耶稣对彼得所说的一席话中保留了一个充满希望的说法:"你回头以后,要坚固你的弟兄。"(《路加福音》22:32)

橄榄山上一个叫作客西马尼的园子是所记耶稣生活中最感人时刻出现的场景。耶稣带着彼得、雅各和约翰到客西马尼园的深处,而把除了不在场的加略人犹大之外的其他门徒留在园子入口附近。耶稣对身边的三个门徒坦陈心绪不定,告诉他们自己"甚是忧伤,几乎要死"。在要求三个门徒留在原地静观之后,耶稣就在园子中"稍往前走,俯伏在地祷告",看看是否可能免去即将到来的苦难:

> 阿爸,父啊!在你凡事都能,求你将这杯撤去。然而,不要从我的意思,只要

从你的意思。(《马可福音》14：36)

经文中的"阿爸"原文是一个亚兰词，是小孩子用来称呼父亲的。耶稣三次祷告"阿爸"撤去"这杯"——他的被拒、受苦和死亡的命运。就像耶稣传道之初受到试探一样，他的使命的本质和他的灵魂本身现在正在经受试炼。他最终得出结论，尽管他渴望与受难相反的情况，但是他所求索的上帝旨意高于一切。这些个人极痛都是耶稣自己在门徒睡眠的时候独自承受的。在那些来逮捕他的人们到来之前，耶稣获得了从此坚定不移的平静和力量。

值得注意的是，耶稣在此以子女的口吻称呼上帝为"阿爸"，而且在传教过程中鼓励其他犹太人这么做。以"阿爸"这种称呼来称呼上帝尽管在前巴比伦囚掳时期有先例，例如《何西阿书》11：1—11等中的观念和意象，但是在耶稣时代的犹太教中却是闻所未闻。在犹太教之前的传统中，人神关系的主旨是上帝创造了人并且拣选以色列人做他的特选子民，但是耶稣时代的犹太教在某种意义上忘记了人神关系的这一传统。耶稣所垂范的这种"新"做法显然表明，历史上的耶稣致力于恢复犹太教丧失已久的早期耶和华主义的视角[①]。实际上，有关以色列人由上帝所造这一犹太人的较早上帝观念，作为初期基督教自我理解的一部分得到复兴，例如《约翰福音》就说："凡接待他的，就是信他名的人，他就赐他们权柄，作上帝的儿女。"(1：12)

三、被 捕 和 受 难

有关叙事进而展开耶稣被捕的故事(《马可福音》14：43—50；《马太福音》26：47—56；《路加福音》22：47—53)，说耶稣刚刚平复下来，加略人犹大就伙同祭司长、文士和长老等一群人到来，"并有许多人带着刀棒"[②]。犹大通过与耶稣亲嘴的方式向赶来的众人披露了耶稣的身份，因为那时亲嘴是向受到尊重的老师致以敬意的一种约定俗成的标志。面对要逮捕耶稣的众人，一位门徒(彼得)奋起抵抗，拔刀砍下了大祭司的仆人(马勒古)的耳朵。耶稣秉持一贯的和平主义态度，认为"凡动刀的，必死于刀下"(《马太福音》26：52)，所以他不仅劝阻门徒武力反抗，而且"摸那人的耳朵，把他治好了"(《路加福音》22：51)。与此同时，耶稣也谴责了犹太当局不敢光明正大地

---

① 参见 George E. Mendenhall, *Ancient Israel's Faith and History: An Intrudction to the Bible in Context*, Louisville, Kentucky: Westminster John Knox Press, 2001, p. 219.

② 有观点认为带"刀"的应该是罗马士兵，带"棒"的应该是保护圣殿的武士。参见 David S. Noss, *A History of the World's Religions*, 11th ed., Upper Saddle River, NJ: Prentice Hall, 2003, p. 504.

在他每天平和讲道的圣殿之中抓人,而是乘天黑风高、"明火执杖"才敢"如同拿强盗"般地抓捕耶稣的色厉内荏行径。在抓捕者咄咄逼人的姿态和耶稣不抵抗态度面前,门徒无所适从,只好按照人性最基本的冲动分头逃命而去:"当下,门徒都离开他逃走了。"(《马太福音》26:56)

根据四大福音,耶稣受犹太公会审判在先,受罗马巡抚彼拉多审判于后。第四福音讲述"那队兵和千夫长并犹太人的差役就拿住耶稣,把他捆绑了,先带到亚那面前"(《约翰福音》18:12—13)。亚那是非常有实力的人物,他从大祭司的职位上卸任后有五个儿子和一个女婿相继接班。他无疑是大祭司背后的强人。在同观福音中,耶稣被直接带到亚那的女婿大祭司该亚法面前(《马可福音》14:53;《马太福音》26:57;《路加福音》22:54)。而在黎明前(鸡叫前),西门·彼得在三个不同的场合否认与耶稣"一伙",不敢认主。

耶稣在该亚法和犹太公会面前受审(《马可福音》14:55—72;《马太福音》26:59—75;《路加福音》22:55—70)主要发生在夜间,多少带有"尾闾审判"的意思,因为犹太律法显然禁止公会在夜间做出正式判决。犹太教律法要求,要指控一个人,至少要有两个证言一致的见证人。犹太公会的领袖们难以找到证言一致的假证人控告耶稣。最后,终于有两个证言一致的假证人作证说,听到耶稣说他会毁掉圣殿,并且在三天中重建起来。这个指控显然是虚假的,但同时又是阴险的,因为耶稣谈论过圣殿遭到毁灭的时代(《马可福音》13:2;《马太福音》24:2;《路加福音》21:6),况且第四福音记载耶稣说过:"你们拆毁这殿,我三日内要再建立起来。"(《约翰福音》2:19)不过,因为"总得不着实据",大祭司只好自己起身盘问耶稣,但是耶稣仍然保持静默。然后大祭司干脆直接问:"你是那当称颂的儿子基督不是?"(《马可福音》14:61)耶稣给出了肯定的回答,这是在他有记载的传教过程中唯一当众承认自己是弥赛亚的一次。耶稣还预言说:"你们必看见人子坐在那权能者的右边,驾着天上的云降临。"(《路加福音》23:2)就像大祭司在听到有人对神说出"僭妄的话"时的惯常表现一样,该亚法撕裂衣服,指控耶稣渎神。公会的其余人员一致判定耶稣该死。一些公会成员和差役开始唾弃耶稣、殴打耶稣,以及用别的办法差辱耶稣。

日出之后,犹太公会聚会,正式对昨晚的审判做出判决。因为犹太人在罗马帝国时期,只有罗马当局拥有执行死刑的权力,所以原告犹太公会和被告耶稣都被带到罗马巡抚彼拉多面前。在公会审判和彼拉多审判之间,《马太福音》(27:3—10)还插叙了想把三十块钱退还给祭司长和文士的加略人犹大自缢身亡的故事。

彼拉多对于犹太人采取高压政策,非常不得人心。他曾一度冒犯犹太人的宗教,试图带着顶上有罗马鹰标或皇帝头像的旗杆进入耶路撒冷。他把犹太人为圣殿交付的钱款用于建造改善耶路撒冷供水的水道这样的世俗项目。他对犹太人身怀戒心，无情镇压对于他的行动的任何公开反抗，尤其是对犹太人企图操控他感到极为愤恨。尽管存在巡抚和臣民之间的敌对，但是彼拉多代表罗马、代表罗马司法，而且有责任维持所辖地方的和平。

《路加福音》援引了犹太人在彼拉多面前对于耶稣的三项指控：

> 我们见这人诱惑国民，禁止纳税给恺撒，并说自己是基督、是王。（《路加福音》23：2）

指控暗含的意思是耶稣犯有煽动、叛逆和暴乱罪。犹太领导层在这里变更对耶稣渎神的原有指控，显然意在把耶稣说成是一个对国家构成威胁的政治人物。对于此等指控，巡抚好像有所怀疑，问耶稣说："你是犹太人的王吗？"这种问话含有一定程度的揶揄。至于耶稣"你说的是"这一回答，尽管不是一种承认，但无异于一种肯定答复。对于进一步的发问，耶稣则一概保持沉默。

《路加福音》（23：4—16）记载了彼拉多对于指控耶稣的人们所说的一番话，就是他在耶稣身上没有发现什么罪名。但是犹太领袖们越发极力指控耶稣，说他在整个犹太地、甚至在加利利挑动百姓。一听到加利利这个不在他的司法管辖之下的地区，彼拉多想起那里的分封王希律·安提帕正在耶路撒冷过节，便把耶稣的案子转到希律手上。加利利的统治者很高兴见到耶稣，因为他听说过他，一直希望能见到他行神迹。同观福音还记载希律·安提帕在另一个语境中说耶稣是施洗约翰复活（《马可福音》6：16；《马太福音》14：2；《路加福音》9：9）。对希律·安提帕的问题，耶稣同样不作回答。希律便给耶稣穿上华丽的衣服戏弄他，兵丁们则轻蔑地对待耶稣。最后希律复又把耶稣送回到彼拉多那里，仿佛说："这是你的问题。我在度假。"希律的这一伎俩暗含彼拉多可以意会的一种黑色幽默，缓解了两者之间先前的敌意（《路加福音》22：12）。

耶稣一被送回来，彼拉多就再三对犹太民众解释，他和希律都没有发现耶稣犯有所控罪名，所以只能责打耶稣一顿，然后释放他。但是犹太民众纷纷反对彼拉多的决定。

三大同观福音悉数记载了彼拉多力图脱身事外的最后一招："巡抚有一个常例，每逢这节期，随众人所要的，释放一个囚犯给他们。"（《马太福音》27：15）特别是《马太福音》还提到彼拉多坐堂的时候夫人打发人给他传话："这义人的事你一点也不可管，因为我今天在梦中为他受了许多苦。"（《马太福音》27：19）所以，彼拉多让犹太民众在耶稣和一位因为参与起义而受到谋杀指控的囚犯巴拉巴之间做出取舍。祭司长和长老教唆民众要求释放巴拉巴。面对民众的取舍，彼拉多问他们："那么样，你们所称为犹太人的王，我怎么办他呢？"（《马可福音》15：12）这个问题表明彼拉多并未真的把有关耶稣自立为王的指控当一回事。对于彼拉多的问题,民众大声喊道:"把他钉十字架!"彼拉多复又追问他们:"为什么呢? 他作了什么恶事呢?"(《马可福音》15：14)对此问题,民众仍然以一片"把他钉十字架!"来回答。

《马太福音》不仅记载了彼拉多夫人的有关警告,而且还有彼拉多在众人面前仪式性地洗手的一幕:

> 彼拉多见说也无济于事,反要生乱,就拿水在众人面前洗手,说:"流这义人的血,罪不在我,你们承当吧!"众人都回答说:"他的血归到我们和我们的子孙身上。"(《马太福音》27：24—25)

彼拉多"金盆洗手"意在表明他自己与耶稣基督这位义人的死亡无干。再加上《圣经》经文所透露出的彼拉多曾经三番五次设法释放耶稣的尝试,成为后来有些基督教派同情彼拉多、把耶稣之死的责任完全推到犹太人身上的一个重要原因;直到今日科普特教会仍然把彼拉多和他的妻子称为圣徒。同样,这个故事以及犹太人在耶稣受难中扮演的角色使后世的一些基督教徒认定犹太人犯有"弑神之罪",这个罪名直到 20 世纪才由教皇约翰·保罗二世为犹太人洗清。历史上,犹太人所背负的"弑神之罪"成为导致某些基督教国家排犹浪潮的一个最为重要的原因。

有研究认为,彼拉多明知耶稣无罪,但是因为受到自己历史上开罪犹太人之处颇多的牵累,不敢擅自释放耶稣,怕的是犹太人行使权利,到恺撒那里上告他,结果:

> 彼拉多要叫众人喜悦,就释放巴拉巴给他们,将耶稣鞭打了,交给人钉十字架。(《马可福音》15：15)

有趣的是,在叙利亚文与亚兰文的一些古代《新约》版本中,被释放的巴拉巴也叫耶稣,读作巴拉巴·耶稣。这得到基督教教父奥利金(俄利根)和哲罗姆(耶柔米)的印证。另外,《马太福音》中两次提到"那称为基督的耶稣"(27：17、22)似乎也在力图与另一个耶稣区别开来。犹太民众选择了"强盗"巴拿巴·耶稣而不是"和平君王"基督·耶稣,就意味着他们选择了奋锐党人的道路,而拒绝了耶稣倡导的"爱人如己"的天国之路。

四、钉十字架和埋葬

作为罗马士兵眼中一位受人唾弃的罪犯,耶稣失去了绝大多数的民权和人权,所以他们肆无忌惮地戏弄耶稣来取乐(《马可福音》15：16：20;《马太福音》27：27—31)。兵丁们把耶稣带进衙门院子里,即彼拉多离开该撒利亚的官邸后在耶路撒冷的行辕,上演了一出捉弄一位假国王的闹剧。他们给耶稣穿上紫色的王袍,给他戴上用荆棘编成的王冠,又把一根像权杖的芦苇塞到他的手中。之后,他们假装效忠地跪在耶稣面前,嬉笑着喊道:"恭喜,犹太人的王啊!"然后原形毕露,把唾沫吐在耶稣脸上,并且用那根权杖样子的芦苇抽打耶稣的头。整个场面活脱脱一出模仿臣子向国王效忠的滑稽剧。戏弄够了以后,兵丁们又给耶稣换回原有的衣服,带出去钉十字架。

一个名叫西门的古利奈人(希腊人)路过的时候,被罗马兵丁强迫背起耶稣的十字架(《马可福音》15:21;《马太福音》27:23;《路加福音》23:26),而十字架通常是由罪犯自己背负的。耶稣一路劝告沿途为他哭泣的耶路撒冷妇女不要为他哭泣,而是要更多地为她们自己和儿女哭泣(《路加福音》23:27—31)。在各各他(骷髅地),兵丁在把耶稣钉十字架之前拿苦胆调和的酒给耶稣喝,但是耶稣不肯喝。亚细亚式的钉十字架,是把钉子钉入受刑人的手,有时还钉入受刑人的脚,就像耶稣被钉十字架的情况那样。时常还在受刑人臀部位置的十字架立木上钉上木块,帮助支撑身体的重量。一旦在地上稳稳地把犯人固定到十字架上,有时把手腕绑扎到十字架上,就要把十字架树立起来,放到地上或岩石上的眼中固定下来。在这样树立的位置上,受害者要么因为鲜血从肢体创口流尽而死,要么因为饥渴或精疲力竭而亡。有时受刑人要在这种令人极为痛苦的处决方式下煎熬几天才气绝身亡。当一息尚存的时候,受刑人可以与四周的人交谈。

大约上午9点钟,"巳初的时候",耶稣被钉十字架,同时被钉十字架的还有两个"强盗"(一般认为是奋锐党人或革命家),"一个在左边,一个在右边"。彼拉多命人把写有"犹太人的王,拿撒勒人耶稣"名号的牌子安在耶稣的十字架上(《马可福音》15:26;《路加福音》23:38;《马太福音》27:37;《约翰福音》19:18)。第四福音还说彼拉多和犹太人的祭司长对钉在十字架上、标明处死耶稣原因的牌子怎么写发生了争论(《约翰福音》19:20—22),最后彼拉多还是坚持写上了"犹太人的王",而不是祭司长主张的"他自己说我是犹太人的王"。

人群中有人,包括祭司长、文士和长老,对十字架上的耶稣戏谑地说:

> 他救了别人,不能救自己。以色列的王基督,现在可以从十字架上下来,叫我们看见,就信了。(《马可福音》15:32)

那些兵丁也加入到嘲笑耶稣的行列,而且为了打发时间,"就拈阄分他的衣服"。那两个同耶稣一道被钉十字架的强盗最初的时候也参与到嘲弄耶稣的大合唱之中,但是其中的一个后来改变了心意,开始申斥另一个说:他们自己被钉十字架罪有应得,而耶稣是无辜的。大约"申初"的时候,也就是下午3点钟左右,耶稣"气就断了"。

综合四大福音,耶稣气绝之前在十字架上所说的七句话如下:

"父啊,赦免他们! 因为他们所作的,他们不晓得。"(《路加福音》23：34)

(耶稣对那位悔改的强盗说)"我实在告诉你,今日你要同我在乐园里了。"(《路加福音》23：43)

(耶稣对他的母亲说)"母亲,看你的儿子!";(对所爱的门徒说)"看你的母亲!"(《约翰福音》19：26—27)

"我的神,我的神,为什么离弃我?"(《诗篇》22：1;《马可福音》15：34;《马太福音》27：46)

"我渴了!"(《诗篇》69：21;《约翰福音》19：28)

"成了!"(《约翰福音》19：30)

"父啊! 我将我的灵魂交在你手里!"(《诗篇》31：5;《路加福音》23：46)

同观福音还提到与耶稣被钉十字架相连的一些现象。三部福音都提到"从午正到申初(从中午 12 点到下午 3 点),遍地都黑暗了"。在耶稣断气的时候,《马可福音》和《马太福音》都记载分割至圣所和圣所的"殿里的幔子从上到下裂为两半",对于福音使徒而言这无疑具有深意。按照犹太教,除了大祭司在赎罪日可以进入幔子所遮挡的至圣所之外,其他人不能进入,因为上帝的灵在幔子后面。对于一般祭司和普通犹太人而言上帝是隐藏的和遥远的。但是如今通过基督的工,上帝与人之间的幔子除去,上帝向一切的人敞开了。《马太福音》还说到地震、坟墓敞开和圣徒的身体"多有起来的"。三部福音都包含耶稣断气的时候一个罗马百夫长的感叹:"这真是神的儿子了!"(《马可福音》15：39;《马太福音》27：54;《路加福音》23：47)它们还全都提及从加利利跟从耶稣而来的妇女们在场。

耶稣被安葬在亚利马太的约瑟新开凿的岩洞墓穴中,这个富有的约瑟是犹太公会的成员,也是耶稣的门徒。星期五下午,安息日开始之前,耶稣的躯体被移入墓穴,并且用大石头堵住墓门。《马太福音》还记载了祭司长和法利赛人要求彼拉多派罗马兵丁对耶稣坟墓封石妥守的故事(27：62—66)。安息日期间所有的人都休息了。

五、空墓和复活

按照最早成书的《马可福音》的说法(16：1—8),抹大拉的马利亚、雅各的母亲马利亚还有撒罗米这三个妇女过了安息日,星期日的早晨买了香膏到耶稣坟墓那里去膏耶稣的身体,不料却发现墓门洞开,耶稣的身体不见了,墓中只留下了裹尸布。附近穿白袍子的少年人(天使)告诉她们耶稣"已经复活",并且指点她们"告诉他的门徒和彼得",耶稣在加利利等着他们。所见到的空墓情景让这些妇女"又发抖"、"又惊奇"地"从坟墓那里逃跑"。一般认为,这是《马可福音》仿照希腊悲剧结尾的"短结尾形式",至于现在形式的《马可福音》的其余部分(16:9—20)则是后来的文士为了与另外三大福音的复活见证相协调而续作的,成为《马可福音》的"长结尾形式"①。

在《马可福音》简短的记载之外,《马可福音》和《路加福音》保留了有关耶稣复活的其他一些故事。《马太福音》增加的内容有三点:一是那些妇女遇到复活了的耶稣,耶稣亲自向她们重申了门徒们要到加利利与他相会的指令;二是犹太公会得到耶稣身体消失的报告后收买守墓的罗马兵丁,让他们公开说是有人趁着他们睡觉的时候盗走了耶稣的身体;其三是耶稣在加利利的一座山上向十一个使徒(叛徒犹大已死)显现,而且为了消除有些人的疑惑和明确门徒的使命,耶稣对他们说:

> 天上地下的所有权柄都赐给我了。所以,你们要去使万民作我的门徒,奉父、子、圣灵的名给他们施洗。凡我所吩咐你们的,都教训他们遵守,我就常与你们同在,直到世界的末了。(《马太福音》28:18—20)

《路加福音》则不惜篇幅地记述了一个复活见证,就是门徒中有两个人在去一个名叫以马忤斯的村子的路上与耶稣同行了"约有二十五里",直到吃晚饭的时候耶稣擘开饼递给他们,他们才认出耶稣。这两个门徒赶回耶路撒冷报告自己的经历,而且从十一使徒那里得知耶稣之前"已经现给西门看了"。正说话间,耶稣突然来到他们中间。为了消除人们的"愁烦"和"疑念",证明自己不是"魂",而是有血有肉的人,耶稣"就把手和脚给他们看",并且"在他们面前吃了""一片烧鱼"充饥。然后耶稣就经上有关他的使命、受难和复活的话教导他们。

> 于是耶稣开他们的心窍,使他们能够明白圣经。又对他们说:"照经上所写的,基督必受害,第三日从死里复活,并且人要奉他的名传悔改、赦罪的道,从耶路撒冷起直传到万邦。你们就是这些事的见证。我要将我父所应许的降在你们身上,你们要在城里等候,直到你们领受从上头来的能力。"(《路加福音》24:45—49)

---

① 参见 Paul J. Achtemeier, Joel B. Green, Mariannne Meye Thompson, *Introducing the New Testament: Its Literature and Theology*, Grand Rapids, Michigan: William B. Eerdmans Publishing Company, 2001, pp. 142-143; John Drane, *Introducing New Testament*, Minneapolis: Fortress Press, 2001, pp. 199-200.

　　综合起来看,耶稣复活之后做了最为重要的几件事:首先,耶稣显身门徒,解除多马代表的信奉"眼见为实"的人们的疑念;其次,耶稣教诲门徒,打开那些大多是文盲的门徒明白《圣经》的心窍;第三,耶稣指示门徒,要他们把心窍打开后所理解的道传到世上的万邦;第四,耶稣安定门徒,要他们耐心等待圣灵的降临,获得传教的能力。《圣经·新约》的其余部分,就是圣灵降临之后门徒到万邦传教(《使徒行传》),教训他们遵守凡耶稣所吩咐的("使徒书信"),直到世界末了(《启示录》)的文本见证。

第八讲　因信称义　教传外域

——《使徒行传》与早期教会的建立

　　耶稣身后教会在最初数周、数月和数年内情况的一手资料出自《使徒行传》。《新约》中的其他许多文献的成书较早,提供了教会在各地的可观信息,教会所面临的那些问题,以及教会对无数环境条件和意识形态影响所做出的反映。然而只有《使徒行传》从较广的视野尝试诠释教会的内在发展和地理拓展。

　　《使徒行传》作为该卷的名称起于2世纪末,但在某种意义上却是一个名不副实的名称。该卷作者无意记录十二使徒的传教,其主要关切点是圣灵指导教会发展方面的工作。与《路加福音》一道,《使徒行传》本来构成通常称作《路加福音-使徒行传》的一部两卷本经卷的上下卷。两者篇幅相若,而且都是写给一个名叫提阿非罗的人。作者在两者之中都汇聚了几个资料来源。《使徒行传》的某些部分用第一人称,表明作者参与到故事叙述的事件之中。该卷成书事件通常认为是在公元80—90年之间。

　　纵观整个《使徒行传》,路加特别关切的是引导教会及其领袖做出重要的、约束性决定的圣灵或者耶稣之灵。他不遗余力地揭示圣灵是如何预想并为教会采取的每一重大步骤预做准备的;强调圣灵是早期基督教见证者们的真正力量源泉,是所有的信徒都可以依傍的。耶稣之灵的奇妙工作铸就了一部热情洋溢的教会历史。因此,该卷有时被称作"圣灵行传"。

　　《使徒行传》还仔细地叙述了教会与犹太教之间关系的本质。教会之初是犹太教中的一个派别,而且一直在其中挣扎,直到被犹太教明确拒斥。路加在这个问题上的兴趣很可能是要向犹太人和罗马当局表明:耶稣及其追随者并没有违反罗马法律而建立一种新宗教;相反,早期教会的领袖们都是守法的犹太人,他们把自己的信仰视作犹太人宗教的合法成就,是犹太人宗教古代期盼的成全;他们是真正的犹太人,是真实的以色列人。在有关犹太教拒斥耶稣弥赛亚身份的故事叙述中伴随着另一个主题,就是福音摆脱褊狭的巴勒斯坦犹太教,一步一步地达到一种扩及全人类的普世教

会。福音最终到达外邦人和犹太人、大老粗和文化人、上层人和下层人,到达地中海
世界各个社会阶层的人。

　　该卷关乎教会在末世取向方面的转变。对耶稣即将复临的期待(这种期待要求
人们匆忙地立刻行动)转变为一种长期观念,即转变为在时间允许的情况下把教会推
展到地极的大胆战略。在"四大福音"中,耶稣从加利利到达他旅程的终点耶路撒冷;
在《使徒行传》中,教会在耶稣之灵的指导下从耶路撒冷经由犹太地到达撒玛利亚和
地极(《使徒行传》1:8)。该卷的终局是保罗在罗马等待审判。

　　从路加在早期教会传播方面的地理视角来看,《使徒行传》首先关乎耶稣复活、委
派使徒传教和升天(1:1—11),其次关乎耶路撒冷的教会(1:12—7:60),第三关乎在
犹太地、在撒玛利亚和沿海城市的教会(8:1—11:18),第四关乎安提阿、塞浦路斯和
加拉太的教会(11:19—15:35),第五关乎保罗等到爱琴海周围的国度(15:36—20:
38),第六关乎保罗到罗马(21:1—28:31)。

第一节　早期教会及其传道(1:1—2:47)

一、教会的雏形

　　耶稣升天之后,大约一百二十名门徒形成普世教会由之发展而来的最初基督教
共同体。那时的教会没有正式的结构,只有使徒率领①。根据《使徒行传》,信徒们早
期承认彼得作为领袖和代言人。把他们聚合在一起的是三个至关重要的经验:他们
见证了活着的和复活了的耶稣基督,他们确凿无疑地得到耶稣的指导——不仅在耶
路撒冷等待所允诺的圣灵的降临,而且"在耶路撒冷、犹太全地和撒玛利亚,直到地
极"见证耶稣基督。他们在世界舞台上构成了一群新人。尽管他们与之前的共同体
和同时代的共同体、特别是犹太教有着无数联系,但是他们从决定的意义上是一种全
新的共同体。这个新兴共同体的秩序和形式有待那些最适合他们独特需要的那些经
验铸造出来。

---

① 参见 Henry Jackson Flanders, Jr. and Buce C. Cresson, *Introduction to the Bible*, New York: John Wiley &
　　Sons, 1973, p. 382。

起先这个共同体没有专名,只是一些耶稣的"门徒"、信奉"这道"的人(9:2;19:9、23;24:22)或信奉"主的道"、"神的道"的人(18:25—26)。后来他们被称作"拿撒勒教党"(24:5),最后才被称作"基督徒":

> 门徒称为基督徒是从安提阿起首。(11:26)

> 亚基帕对保罗说:"你想稍微一劝,便叫我作基督徒啊?"(26:28)

尽管这个新的共同体是耶稣的追随者并且肩负着复活的耶稣所赋予他们的使命,但是他们是犹太人,并且委身于犹太教。他们与其他犹太人的差别只是在于,他们完全相信耶稣就是弥赛亚,是对律法和先知的成全,而且很快会在这个世界上复临。他们从未想到前面等待着他们的是与犹太教的紧张关系和最终分裂。他们像忠信的犹太教徒一样持受犹太教的信仰,继续在犹太教会堂和圣殿之中崇拜。他们献祭、祷告、遵守犹太教的节期。他们是一些坚持认为耶稣就是弥赛亚的虔诚犹太教徒。鉴于犹太教没有铁板一块的结构,容纳了无数观点各异的派别,可以想见,作为一个特定的群体从犹太教中分裂出来并不是最早期的教会的一种考虑①。

源于希腊语 ekklesia 的"教会"一词很快被用在这个新兴共同体身上。希腊人早就用这个词指涉做出正式决定的公民集会。在《七十子希腊文本》中,这个词被用来翻译 Qahal 这个希伯来词语,后者指以色列人的一种正式集会。在希腊语中,ekklesia 的意思是"应召出来"参加聚会。基督徒无疑发现这个术语表达了他们对于自身的一种理解,即"应召出来"形成一种信主的共同体,并且按照五旬节上主的灵的指导在世界上继续他的使命。他们要完成耶稣开创的未竟事业。上帝主权的新时代在他所委派的"教会"中得以继续。

二、耶稣复活与圣灵降临

耶稣的复活与五旬节圣灵的降临为早期基督教共同体提供了激情和动力。门徒们本来就相信耶稣是弥赛亚(基督),但他是上帝决定的弥赛亚,尚不是某一种或几种流行的弥赛亚理论的体现。倘若门徒对于耶稣死亡之前的弥赛亚身份还有任何保留的话,他的死而复活消除了一切怀疑。复活这个无与伦比的事件是神对于耶稣的弥赛亚身份

---

① 参见 Henry Jackson Flanders, Jr. and Buce C. Cresson, *Introduction to the Bible*, New York: John Wiley & Sons, 1973, p. 383。

的确证。他们相信基督在"神的右边"登基作王;一个新的时代已经开启;上帝的国是一种当下的现实性。教会奉基督的派遣把新时代到来的信息传播到地极。如此一来,复活彻底改变了一切。那些评估宗教问题的通常标准在上帝之复活了耶稣的临在面前相形失色。被以色列人的领袖钉上十字架的那个人是耶和华所膏立的拯救以色列人和全人类的救赎者。当来自犹太教的敌对出现的时候,彼得和约翰对犹太公会说:

> 他是你们匠人所弃的石头,已成了房角的头块石头。除他以外,别无拯救。因为在天下人间,没有赐下别的名,我们可以靠着得救。(4:11—12)……我们所看见、所听见的,不能不说。(4:20)

《使徒行传》以复活了的耶稣就"神国"教导门徒开篇(以保罗传布"神国"和"主耶稣基督的事"结尾),嘱令他们在耶路撒冷等待,直到"受圣灵的洗";并且委派他们作他的见证,直到地极。耶稣升天之后,门徒们回到耶路撒冷,并且通过摇签的传统方法,在巴撒巴和马提亚之间选定马提亚为使徒,填补叛徒犹大自杀后在十二使徒中留下的空缺。值得注意的是,之后教会的所有重大决定都是在圣灵的指引的证据下做出的,不再使用摇签这种机械方式。

该卷的第二章讲述圣灵在五旬节降临以及彼得在这个场合的讲道。圣灵是耶稣的礼物,兑现的是他的允诺(《马可福音》1:8,13:11;《马太福音》3:11,10:20;《路加福音》3:16;《约翰福音》16:13;《使徒行传》1:5、8,3:33、38)。此外,彼得的讲道表明圣灵的降临应验了先知约珥的预言(2:16—21),就像耶稣的复活和为王应验的是大卫的预言一样(2:24—36)。如此,圣灵的新时代已经来临。意味深长的是,圣灵降临的时机正是在五旬节收获季节。在《新约》时代,五旬节庆祝的是与耶和华缔结圣约和在旷野得赐律法。后期教会必定把五旬节圣灵降临的经历诠释为耶和华选民的一次新集会,一种新的圣约,一个在耶和华的圣灵指导下的新时代。

圣灵降临这件令人"惊讶希奇"的事发生在门徒们聚集在从整个地中海世界来参见五旬节的人们面前的时候。人群中有犹太人、新进犹太教的人、敬畏神的人和受到犹太教吸引但尚未入教的外邦人,其中包括"克里特和阿拉伯人"。背景可能是在圣殿地区或附近。

> 五旬节到了,门徒都聚集在一处。忽然,从天上有响声下来,好像一阵大风吹过,充满了他们所坐的屋子;又要舌头如火焰显现出来,分开落在他们各人头上。他们就都被圣灵充满,按照圣灵所赐的口才说起别国的话来。(2:1—4)

此处"舌头……分开……说起别国的话"与《创世记》(11:1—9)中有关上帝在巴别"变乱天下人言语"有某种呼应,都是神的旨意使然。但是那时"从天下各国来"的犹太人并不理解,"听见门徒用众人的乡谈说话,就甚纳闷,都惊讶希奇",甚至有人讥诮"他们无非是新酒灌满了"。彼得五旬节讲道首先直指这种讥诮:"你们想这些人是醉了,其实不是醉了,因为时刻刚到巳初。"然后,彼得以《使徒行传》所展示的早期教会"六经注我"的一般布道模式,援引《希伯来圣经》(日后所称的《旧约》)"讲论基督复活","故此,以色列全家当确实地知道,你们钉在十字架上的这位耶稣,神已经立他为主、为基督了。"最后,有三千人响应彼得悔改和受洗的呼吁,加入教会。

五旬节圣灵降临是教会生活中一个独一无二和形成支点的时刻,是她授权的时刻,是体现圣灵临在的时刻。圣灵的降临预示了这样一个新时代的曙光,其中耶稣之灵充满那个信他的共同体的妙体。根据《使徒行传》,圣灵先是降临在门徒为代表的纯正犹太人身上,然后降临到犹太人与外邦人混居而形成的撒玛利亚人身上(8:14—17),然后降临到那些在哥尼流家中听彼得布道的人为代表的外邦人身上(10:44—47),这与教会的整个发展是一致的。

传道弥散在《新约》的各处经文中。事实上,《新约》本身就是传道的一个工具。这不是说《新约》是一系列的布道,而是说《新约》的中心围绕着上帝在耶稣身上的救赎之工,这是教会宣示的主题。无论是在"四大福音"中,还是在《使徒行传》、保罗书信、约翰文献,抑或在《新约》的其他部分,神在耶稣身上的救赎都是压倒一切的主题。

早期教会就耶稣向世界所作的宣示,通常称为"宣讲福音"。耶稣宣讲"上帝的国",教会宣讲耶稣就是基督(弥赛亚)和上主这一信念。一般认为,《新约》绝大多数布道和宣讲内容的通常梗概如下:首先,上帝在耶稣事件中成全了经上的应允。其次,上帝在耶稣的传教、死亡和复活中作工,耶稣的受难和死亡是为有罪的人类所做的救赎工作,他的复活是上帝对其使命和讯息的确证。第三,上帝已经把耶稣擢升为"主和基督"。基督将在荣耀中凯旋归来,并施行审判。第四,呼吁人们悔改、信主和受洗,他们将得主的赦免和上帝圣灵的降临。

第二节　犹太地、撒玛利亚和沿海城市的早期教会

《使徒行传》在五旬节圣灵降临故事之后,讨论了耶路撒冷教会的本质,以及早期教会的一些经历,然后转而追溯导致外邦人皈依的那些重要步骤。在每一个步骤中,圣灵都是指导性的和推动性的力量。

一、教会在耶路撒冷(《使徒行传》2：42—8：1)

信徒团契

响应彼得五旬节布道而皈依的那三千人都受了洗。尽管洗礼一直与新入犹太教者有关,而且是许多犹太人和非犹太人宗教群体的起始仪式,但是施洗约翰和耶稣门徒在他们的主布道期间所施行的洗礼方式成为任何皈依基督教信仰的人所接受的和所期待的行为。在一些场合,圣灵在悔改的信徒受洗的时候降临;在另一些情况下,圣灵则在受洗以后的某个时机降临。

按照《使徒行传》的说法,受洗之后新老皈依者"都恒心遵守使徒的教训,彼此交接、擘饼、祈祷"(2：42)。使徒布道中对于教诲的关切,可能源于他们对于基督教导的忠信。一条强大的纽带把信徒们统一起来,彼此享受非凡的团契生活。他们的团契的一个高度表达方式是"主的晚餐"仪式中的经历,或家中彼此"擘饼"的做法,就像耶稣与他的门徒在最后的晚餐上所做的那样。对于他们的生活模式而言重要的还有祈祷,无疑也是基于耶稣的垂范和对门徒的劝勉。信徒的人数不断增加。

他们彼此之间的责任感演化为经济上的相互依赖。为了满足团契内成员们的需要,一些富足的成员卖掉了自己的个人财富和财产,把所得让使徒加以恰当地在成员之间分配。分享如此有效,以至于"内中也没有一个是缺乏的"(4：34)。不过,这种给予和分享的和美展现方式也是团契内部出现最早裂隙的一个契机。有一个叫亚拿尼亚的人和他的妻子撒非喇效法巴拿巴卖了田产,实际上"把价银私自留下几份",却佯装把银钱悉数拿到使徒面前。这样的弄虚作假遭到谴责,被认为"是欺哄神了",随着这件事情在众人面前败露,夫妻两人相继扑倒断气(4：32—5：11)。这一团契中不和谐的最早实例是后来出现的那些分裂的噩兆。

壮大和遭迫害

继团契内部开始出现摩擦之后,很快出现了来自犹太当局的迫害。在某种程度上早期教会可谓内外交困。与犹太教宗教领袖们的最初麻烦出现在彼得和约翰到圣殿祷告的时候,在圣殿的"美门"医治了一个跛脚的乞丐。面对目睹医治奇迹而惊讶不已的众人,彼得断言与亚伯拉罕、以撒和雅各同在的上帝大能同样在上帝复活了的仆人耶稣身上,并且为那些门徒们所继承。因大量的人们加入教会而"满心忌恨",因彼得指责犹太人及其宗教领袖为上帝的仆人耶稣之死负责而"极其恼怒",犹太公会逮捕了彼得和约翰。在犹太公会为自己进行的辩护中,彼得义无反顾地重申医治的奇迹归于拿撒勒人耶稣基督——尽管犹太公会把他送上十字架钉死,但是上帝已经让他复活了。面对瘸子已经痊愈的证据,以及不想因为鲁莽从事反而让使徒行使医治奇迹的美名进一步传扬,犹太公会禁止两个使徒以耶稣的名义讲论或教训人。彼得无所畏惧地回答说:"听从你们,不听从神,这在神面前合理不合理,你们自己酌量吧!我们所看见、所听见的,不能不说。"(4:19—20)在又遭受一番恐吓之后,两位使徒获得释放。

使徒们继续奉耶稣的名义治病救人和宣讲福音,一些人遭到大祭司的囚禁,另一些遭到犹太公会的禁锢(5:17—42)。在犹太公会面前彼得再次发出无畏之言。恼羞成怒的犹太公会"想要杀他们",但最终只好把使徒们毒打一顿了事,因为听从了迦玛列的一番劝告:

> 他们所谋的、所行的,若是出于人,必要败坏;若是出于神,你们就不能败坏他们,恐怕你们倒是攻击神了。(5:38—39)

《使徒行传》到目前为止显然有两个运思方向:一是犹太当局日益敌视,二是教会人数和勇气日增。路加不断重复的一句话就是"门徒增多"。犹太公会感到压力越来越大,因为他们在犹太地宗教问题上的权威受到质疑。这就为早期教会发展中的下一幕搭建了舞台,而这一幕以基督教的第一位殉道者司提反殉道和"福音"传到"地极"而逐渐达到高潮。

说希腊话的犹太人与说亚兰话的希伯来人之争

在早期耶路撒冷教会中有两个特色显明的犹太人基督徒群体:一是说亚兰话的巴勒斯坦犹太人,称作"希伯来派";二是说希腊语的犹太人,无论是巴勒斯坦的还是四散在世界各地的,称作"希腊派"。说希腊话的犹太人基督徒(希腊派)的视野更加宽阔和普世,这可能有助于形成把福音传到全世界这样一个愿景。与巴勒斯坦更具特救论色彩的希伯来派相比,他们对于希腊的和其他的思想和行为模式更为开放。这样的张力在公元前4世纪亚历山大时期事实上就已经出现在犹太教之中,并不是教会所独有。导致基督教团契内部出现裂痕的是一个实际问题。一些说希腊话的犹太人抱怨他们的寡妇在每天的食物分发中受到歧视。显然古代犹太人照顾寡妇的传统也在教会中得到继承。十二使徒解释说,希腊派的人的寡妇受到忽略是因为管理饭食的工作本来就过于繁重,甚至影响到他们的传道。最后从希腊派中"选出七个有好名声、被圣灵充满、智慧充足的人"管理饭食的事,使徒们按照《旧约》中的仪式"按手在他们的头上"予以授权,自己从此则"专心以祈祷传道为事"。

就像路加只是注意十二使徒中的几个使徒一样,他对于"七执事"的注意重心放在司提反和腓力身上,其他五人只是列举名字了事。路加旨在点出希腊要素所提供的方向变迁,这种因素一步一步地推动教会从巴勒斯坦犹太人的取向转到外邦人的取向。早期耶路撒冷教会希伯来派与希腊派之间的张力,最终演化为非犹太人如何被允许进入教会的大问题。

基督教的第一个殉道者司提反

司提反(6:5—8:2)在耶路撒冷希腊派犹太会堂中传播福音特别成功,展现出与十二使徒类似的属灵能力。他能言善辩,他对基督的传讲几乎没有遇到听众的反驳。但是他布道中特有的因素却引发了非基督教徒犹太人的强烈反对,就是他以某种方式质疑圣殿的神圣不可侵犯性或必要性。他很快就被人捉拿到公会去,并受到假见证的陷害。

在当众申诉中,司提反回顾了以色列人的历史,借以表明上帝的那些最伟大的启示是在应许之地之外给出的,并且声言耶和华在以色列人中临在的象征不是在一座小山上固定下来的圣殿,而是体现耶和华及其选民不断前行的会幕。他还抨击他那个时代的犹太领袖就像他们那些“硬着脖颈”、杀害先知的祖先一样。对圣地、圣殿和宗教领袖的如此攻击,导致犹太公会暴跳如雷。旁观的民众瞬间成为暴民,用石头把司提反打死。

这个事变在几个方面都具有重要意义。这是对巴勒斯坦犹太人对待圣殿和应许之地的神圣不可侵犯态度所表现出来的褊狭主义的一种公开挞伐。它开启了本来紧闭的一扇门的门缝,时候一到,这扇门将向着公开接受基督教有关上帝普遍临在的概念而完全打开。它拓宽了犹太公会与教会之间的裂口,并且引燃了四溅在已知世界的基督教徒身上的迫害之火。它是成就第一位基督教殉道者的契机,他在临死的时候为那些杀戮他的人们代祷——“主啊,不要将这罪归于他们。”同样重要的是,司提反的死亡方式对于《使徒行传》故事中一个新人物的巨大影响。在有关司提反殉道的叙事中提到一个年轻人扫罗①(保罗的脚边放着那些用石头击打司提反的人们的衣服,随后扫罗“残害教会,进各人的家,拉着男女下在监里”8:3)。

二、教会在犹太地、撒玛利亚和沿海城市
(《使徒行传》8:1—11:18)

根据《使徒行传》,教会最初并没有按照他们的主所委派的那样,从耶路撒冷到

---

① 扫罗又名保罗(《使徒行传》13:9)。

"犹太全地和撒玛利亚,直到地极";只是在继司提反被用石头打死而来的犹太公会的迫害面前,教会才被迫走出耶路撒冷。尽管十二使徒仍然留在耶路撒冷,好像没有受到迫害,但是基督教徒却四散在犹太地、撒玛利亚和其他地方。

腓力传道

说希腊话的七个执事中的第二位、腓力的故事例证了教会向非犹太人的传播(8:4—40)。腓力把基督徒的见证推向撒玛利亚人和一个埃塞俄比亚太监。

撒玛利亚人是一个混血民族,是公元前722年撒玛利亚陷落之后仍然留在当地的犹太人与亚述帝国从其他地方迁移而来的非犹太人通婚形成的。一方面,撒玛利亚人有无数轻视犹太人的理由:诸如犹太人在"摩西律法"之外又添加了"先知书"和"圣录",犹太人在公元前6世纪在复建耶路撒冷的过程中拒绝撒玛利亚人主动提出的帮助而引发敌意,犹太人在哈西蒙尼王朝时期摧毁了基利沁(Gerizim)山上的一座撒玛利亚人的圣殿等等。另一方面,犹太人厌恶混血的撒玛利亚人,尽可能避免与他们有任何接触。令人相当惊讶的是,腓力在撒玛利亚人中的传道取得了成功。很快彼得和约翰也奉派从耶路撒冷到达撒玛利亚,查验有关信主的撒玛利亚人的报道。他们一到达就把手按在那些撒玛利亚人的头上,圣灵就降临到他们身上。既然他们受了圣灵,从而圣灵证明肯定了他们,教会自然不敢拒绝接受他们。与之相伴随的,还有一个"行邪术"的西门想用钱买圣灵权柄的故事,该典故现已演化为圣职买卖罪的代名词。

第二步与埃塞俄比亚的一位太监有关,其人是埃塞俄比亚女王干大基的代表。尽管他作为一个阉人和含米特人无法改宗,但是仍然前来耶路撒冷崇拜,显然一直对犹太人的宗教深感兴趣。在耶路撒冷他必定遇到过基督教徒的一些讨论及其对于犹太人经卷的解释。正当这位太监在车上念《七十子希腊文本》中的《以赛亚书》53章有关受苦的仆人的时候,腓力受圣灵的指导上到太监的车上。腓力解释那段经文指的是耶稣的时候,太监相信了,并且受了洗,主的圣灵降临到他的身上。

腓力在圣灵的引导下向受到歧视的撒玛利亚人、甚至向一个太监传道并被接受之后,前往亚锁都和地中海沿岸的其他城市,直到该撒利亚。如此观之,说希腊话的犹太人基督徒司提反和腓力在宗教理解方面和外邦人方面都是传播信仰的先锋。

扫罗归主

在开始处理彼得在向外邦人直接传讲福音中的地位之前,路加讲述了扫罗转变归主的故事。对于路加有关外邦人最终广泛皈依,以及福音在世界范围内传开的叙事顺序而言,这个事件的重要性是无与伦比的。尽管先前司提反和腓力在圣灵的引导下极大地摆脱了传统的犹太教限制,但是扫罗才是外邦使命的伟大倡导者。对于路加而言同样重要的是,圣灵改造了教会领袖有关接受外邦人的态度。路加把扫罗的皈依与彼得导致外邦人哥尼流归主的革命梦想并列。它们两者一道形成外邦使命中所迈出的巨大一步。

对路加而言,大数人扫罗的皈依是耶稣之灵的权能的至高例证。扫罗在法利赛人中是一颗冉冉升起的新星。他对于作为上帝对人的至高启示和人类拯救途径的摩西律法忠贞不贰。像耶稣在世时候的那些法利赛人一样,扫罗发现,那位拿撒勒人的追随者们的运动是对摩西和众族长的上帝的一种无法容忍的冒犯。作为一位犹太教学者,必定对于那些渔夫、工匠和无知的百姓宣称揭示神的旨意之举深恶痛绝。作为一个虔诚的法利赛人,他必定发现他们所宣称的是一个即便不是渎神也是令人倍感侮辱的新以色列。崇奉一个被公开钉死在十字架上的领袖为人们所期待的弥赛亚,无异于嘲笑传统的犹太人的希望。

带着一股激情,扫罗加入到那些矢志根除基督教徒的人们之中,并且取得了领导地位。作为宗教裁判权威,他"残害教会,进各人的家,拉着男女下在监里"(8:3)。扩大搜寻那些无法忍受的基督教徒,"扫罗仍然向主的门徒口吐威吓凶杀的话,去见大祭司,求文书给大马士革的各会堂,若是找着信奉这道的人,无论男女,都准他捆绑带到耶路撒冷"(9:1—2)。

在商路汇集、住有许多犹太人的古代重要城市大马士革附近,扫罗经历了完全改变其生活方向的皈依。他所见到的复活了的主的异象,最终被他和早期教会接受为与耶稣向其他门徒的复活显现同等重要的事件。这个事件对于路加的重要意义不仅得到《使徒行传》在三个不同的地方(第9章、22章和26章)叙述这件事的验证,也得到路加把《使徒行传》余下的绝大多数篇幅放在保罗(从《使徒行传》13:13起,扫罗改称为保罗)的传教方面的验证。基督教信仰的死敌已经脱胎换骨,成为基督教信仰的英勇倡导者。

当时,被伴随着异象的强光刺瞎了眼睛的扫罗虚弱地进入大马士革,那里有一个叫亚拿尼亚的基督徒奉主在异象中的指示接待了他。保罗恢复了生机和视力,并且受了洗。当保罗作为向犹太人传播福音的布道者的效率超出了大马士革的犹太人领袖的容忍限度的时候,他们密谋杀害他。多亏了"他的门徒就在夜间用筐子把他从城墙上缒下去",保罗才得以从大马士革逃到耶路撒冷①。

耶路撒冷的门徒们起先害怕接待保罗,担心他设计诱出城中的所有基督教徒,但是巴拿巴接待了他,并且为他赢得了教会的接受。他在耶路撒冷所表现出来的布道天赋再次引发犹太人的敌意,他们力图除掉他。他被迫动身前往该撒利亚和大数。

---

① 根据《加拉太书》1章的说法,保罗在大马士革呆了三年之后才回到耶路撒冷,期间一度前往阿拉伯。

随着人们所恐惧的这位当年领导迫害基督徒的人的皈依,耶路撒冷教会享受到一个时期的和平。

彼得和外邦人的皈依(9:32—11:18)

腓力所开启的沿海城市的布道工作由彼得在吕大、约帕和该撒利亚继续进行,尤其后者一直是几个世纪东地中海地区最为强固的基督教中心之一。彼得在约帕三度见异象,为他接近并劝化一个外邦人做好了准备。在一个反复三次出现的梦境中,主命令彼得吃犹太教律法视为不洁的食物,充分开启了彼得接受罗马百夫长哥尼流的三个密使邀请、拜访他们在该撒利亚的上级的可能性;这意味着教会在摆脱犹太教的选民意识和有关外邦人不洁净的观念羁绊方面迈出了艰难的一步。哥尼流这位敬神的人也有过一个异象,指导他差人到约帕去请彼得。在哥尼流的家中,彼得想起异象中神的启示,克服了在外邦人家中的不适。彼得布道,哥尼流及其全家都皈依了。就像在五旬节和在撒玛利亚的情况一样,圣灵降临到这个外邦人家庭,确证了他们被接纳。彼得在给他们洗礼之后回到耶路撒冷,与教会分享他的奇妙经历。一听到他的报告,教会因外邦人的得救而欢欣鼓舞。

路加在《使徒行传》中叙事至此,好像教会接受外邦人已经水到渠成,但是情况恰恰相反。如何接受他们,是先皈依犹太教,还是直接皈依基督教,成为一个难以解决的问题,而且直到教会成为由外邦人主导的教会,这个问题才算完全解决。外邦人皈依者所呈现的难题是《使徒行传》其余部分的关切点,也是一些保罗书信的关切点。

第三节 教会在小亚细亚、马其顿和亚该亚

外邦人最初进入基督教团契之后,紧接着就是外邦人皈依者的显著增加。一些外邦人入教已经令犹太人基督教徒欢欣鼓舞,但是外邦人基督徒数量的上升造成团契内部新的紧张状况。在犹太人基督徒中间有一些被称作"犹太派"("Judaizers")[1],他们坚信,就像要求加入以色列人的共同体的新入教者行割礼一样,外邦人进入新以色列人的共同体也要求行割礼。他们坚持主张外邦人基督徒行割礼。另一些人对于割礼的要求并不明确,只是严肃地思忖这个问题。问题需要某种解决之道,《使徒行传》的这一部分内容关切的就是引向在该问题上的一种正式妥协方案的那些步骤;只

---

[1] 参见 John Drane, *Introducing the New Testament*, Minneapolis: Fortress Press, 2001, pp. 293 – 294.

是这种妥协对于解决问题有所帮助,但是没有终止争议。

一、教会在安提阿(11：19—27)

在叙利亚的安提阿所建立的教会无意之中把外邦人问题推到前台。随着该教会一步一步地跟从圣灵的指引,外邦人问题达到一种危机的程度,促发了耶路撒冷会议的举行。

安提阿的教会是由那些随着司提反殉道之后出现的迫害而逃离耶路撒冷的门徒建立的。他们经由腓尼基和塞浦路斯到达安提阿,一些人向犹太人传道,另一些来自塞浦路斯和古利奈的人则直接"向希腊人传讲主耶稣"。他们创造性的布道是直接向一般外邦人传教的最早记录,也是为路加叙事顺序中保罗的布道预作准备的一步。

安提阿教会发展迅速,犹太人和外邦人在同等基础上在崇拜中相会。有关这个教会的发展和特征的报道促使耶路撒冷教会派遣巴拿巴前往安提阿查证。巴拿巴为所发现的信仰局面欢欣鼓舞,而且留在那里传教。他还到大数找着因当年在耶路撒冷遭受迫害而归乡的扫罗,带回安提阿一同传教。

> 他们足有一年的功夫与教会一同聚集,教训了许多人。门徒称为基督徒是从安提阿起首。(11：27)

自离开耶路撒冷的那些年间扫罗在做什么我们并不知情,但是他受到安提阿基督徒的热情接待,而且在一年之后获选陪同巴拿巴到耶路撒冷,把安提阿教会的赈灾"捐项"送到那里饱受饥馑之苦的基督教徒手中。

在叙述巴拿巴和扫罗从耶路撒冷返回安提阿之前,《使徒行传》谈及希律王(希律·亚基帕一世)对教会的迫害。希律·亚基帕统治着他的祖父大希律(希律大帝)曾经统治的绝大部分领地。他为了讨好犹太人,"下手苦害教会中几个人,用刀杀了约翰的哥哥雅各"。不仅如此,"他见犹太人喜欢这事,又去捉拿彼得……收在监里"(12：1—4)。随后,作为主的使者所施行的审判,彼得奇迹般地逃脱牢笼,而亚基帕"为虫所咬"死亡。耶路撒冷教会成员继续增加,"神的道日渐兴旺,越发广传"(12：24)。

巴拿巴和扫罗从耶路撒冷返回的时候,把巴拿巴的侄子约翰·马可("称呼马可的约翰")带到安提阿。年轻的马可显然从耶稣时代就与基督教领袖有联系,他母亲在耶路撒冷的家很可能是教会定期聚会祈祷的地方(12：12)。三个人回到安提阿后,圣灵很快敦促教会派遣巴拿巴和扫罗执行一项特别任务。在禁食、祷告、按手之后,他们奉派开始了三次布道旅行中的第一次旅行。安提阿已经成为前进中的教会的一个重要中心。

二、第一次传道旅行(13—14)

有约翰·马可作为助手,巴拿巴和扫罗见证了巴拿巴的整个海岛故乡塞浦路斯,从撒拉米一直到西海岸的帕弗。塞浦路斯传道所记录下来的最为重要的事件是首邑帕弗的方伯士求保罗的认可和信道。圣灵所展现的让敌对行法术的巴耶稣或"以吕马"的"眼睛立刻昏蒙黑暗"的大能令他折服。

有趣的是,路加在记载福音使徒离开塞浦路斯前往小亚细亚南部海岸旁非利亚的别加的时候,改变了以往称呼使徒们的提法。之前他一直使用"巴拿巴和扫罗"的提法,但是从《使徒行传》13∶13开始则改称扫罗为"保罗",并且把保罗放在前面,就像"保罗和他的同人"所表明的那样。这种变化的真正原因无人知晓,反映的可能是保罗在传道旅行中取代了巴拿巴的主导地位。

一到达别加,约翰·马可便离开群体,返回家乡耶路撒冷(《使徒行传》中同样没有说明原因)。从别加,保罗和巴拿巴向北旅行到海拔更高的大数山脉地区,到达坐落在海拔 4000 英尺高原上的彼西底的安提阿①。保罗在《加拉太书》4∶13 中说:"你们知道我头一次传福音给你们,是因为身体有疾病。"尽管有许多迹象表明了当时的环境,但是至于促使保罗从旁非利亚湿润的沼泽地区来到高海拔地区的疾病为何,人们却不得而知。他们在安提阿与特庇两城之间所拜访的那些城市处于一个辽阔的、称作"加拉太"的罗马行省,这个行省的名称得自公元前 3 世纪进入这个地域之一隅的一支高卢人。不过,保罗和巴拿巴所拜访区域的居民却是弗吕家人(Phrygians),在宗教膜拜中情绪的过度流露是他们的特点。

犹太人长期以来一直居住在安提阿,保罗在他们的会堂中宣讲耶稣是贯穿在他们民族历史中的上帝救赎之工的成全。他声言,基督在赦罪中提供了自由,而这是摩西律法所不具备的。听众对他的传道反映是复杂的。许多犹太人、新皈依犹太教的人和敬畏神的人们被他的信息所吸引;但是犹太人的一些领袖很快对保罗及其信息表现出激烈敌视。外邦人的兴趣给保罗留下了深刻印象,便在安提阿坚定决心,把更

---

① Henry Jackson Flanders, Jr. and Buce C. Cresson, *Introduction to the Bible*, New York: John Wiley & Sons, 1973, p. 399.

多的精力放到他们身上。在传教过程中他从这一刻开始按照自己下定的决心向外邦人传教,但遵循一个程式,就是"先向犹太人传教,也向希腊人传教"。凡是有犹太人的地方,保罗总是先寻找犹太会堂;当遭到自己的人民拒绝的时候,他转向感兴趣的外邦人。在没有犹太人的地方,他直接向外邦人传教。

保罗和巴拿巴被犹太教的敌对力量赶出彼西底的安提阿。他们沿着大道向东经过以哥念、路司得和特庇。他们在每个城市的布道都很成功,但是从彼西底的安提阿尾随而来的犹太教领袖们却一路追索他们。弗吕家人情绪的反复无常非常明显:在以哥念,使徒差点被他们私刑处死;在路司德,先是因为保罗治好了生来瘸腿的人,宙斯庙的祭司和众人便把保罗和巴拿巴当作希尔米神和宙斯神,旋即他们经不住从彼西底的安提阿和以哥念来的犹太人的挑唆,差点用石头把保罗打死。

在路司得的传统中,据说希尔米神和宙斯神曾经驾临这个地区,并且奖赏了一对好客的贫穷夫妻。保罗利用众人把他们当作神的机会,传讲一个主宰自然和众神的上帝,而这个唯一的神就是他医治病人的权能来源。他声言,崇拜其他神是徒劳无益的。路司得必定有一些人皈依,因为后来保罗重访该城,以"坚固门徒的心,劝他们恒守所信的道"(14:21—22)。

保罗和巴拿巴为了坚固皈依的信徒们的信心,从特庇原路折返,一路经路司得、以哥念和彼西底的安提阿,通过别加返回叙利亚的安提阿。他们就教会派遣他们所做的工作向教会进行了汇报,述说"神藉他们所行的一切事,并神怎样为外邦人开了信道的门"(14:27)。

三、耶路撒冷会议(《使徒行传》15:1—35;《加拉太书》2:1—10)

保罗和巴拿巴向外邦人的成功布道形成了一种危机局面。一些犹太派的人开始惹出事端,批评安提阿教会没有替外邦皈依者施行割礼。安提阿教会也意识到耶路撒冷和流散地的犹太派的这一势头。要避免严重的决裂,必须对这个问题有所处置。对外邦人问题有所解决的时机到了。保罗、巴拿巴和安提阿的其他一些人被派往耶路撒冷教会,去讨论这个问题。尽管有争论,但是一般认为《使徒行传》15章和《加拉太书》2:1—10是从不同的观点对同一个会议的处理。

迫在眉睫的问题有两个方面。一是,上帝对亚伯拉罕所发出的诫命(《创世记》17:9—14)对于外邦人加入教会来说是否具有约束性。二是,倘若不要求外邦人信徒遵守犹太人的所有律法,特别是那些与食物洁净与不洁净有关的律法,教会中犹太人与外邦人是否具有兄弟关系的问题。

在耶路撒冷,会议以保罗和巴拿巴"述说神同他们所行的一切事"开始,之后几个属于法利赛教门的犹太派正式要求给外邦基督徒行割礼,要求他们遵守摩西律法(15:5)。《加拉太书》2:1—10表明,一些领袖举行了非正式会议,达成分别作见证的协议:一些人向犹太人作见证,保罗和巴拿巴向外邦人作见证,没有要求割礼。

在使徒、长老和整个教会举行的一次大型的和正式的会议上(15:6—29),出现了公开辩论。彼得、巴拿巴和保罗发言之后,最后耶稣的兄弟雅各发言。彼得提醒众人,圣灵指导他,要不加区分和限制地接受外邦人。彼得强调神的恩典救赎犹太人和外邦人,指出犹太人把自己都背负不起来的律法重轭强加到外邦基督徒的颈项上是荒谬的。保罗和巴拿巴重述了神在外邦人中所行的迹象和神迹。然后,犹太派不敢质疑的人物雅各引述了先知支持神对于外邦人的眷顾。他站在保罗一边,提出外邦人只要"禁戒偶像的污秽和奸淫,并勒死的牲畜和血",就可以了。对此,与会众人表示赞同,并且修书一封表达共同的判断,拣选"称呼巴撒巴的犹大和西拉"与保罗和巴拿巴一道送往安提阿。信中说:

> 使徒和作长老的弟兄们问安提阿、叙利亚、基利家外邦众弟兄的安。我们听说有几个人从我们这里出去,用言语搅扰你们,惑乱你们的心。(有古卷在此有"你们必须受割礼,守摩西的律法。")其实我们并没有吩咐他们。所以我们同心定意拣选几个人,差他们同我们所亲爱的巴拿巴和保罗往你们那里去。这二人是为我主耶稣基督的名不顾性命的。我们就差了犹大和西拉,他们也要亲口诉说这些事。因为圣灵和我们定意不将别的重担放在你们身上,惟有几件事是不可少的,就是禁戒祭偶像的物和血,并勒死的牲畜和奸淫。这几件你们若能自己禁戒不犯就好了。愿你们平安!(15:24—29)

尽管犹太派在割礼这个主要问题上失分,但是他们也得到人们一定程度的迁就,就是确立了最起码的饮食和道德要求。对路加而言,重要的是达成了一致。然而,从长期效果而言,这次妥协好像没有什么结果。保罗并没有向各地教会强调这些要求,而是有意无意地忽略了它们。尽管教会内犹太派和外邦基督徒之间的张力暂时得以缓解,但是紧张关系后来再次出现。在整个小亚细亚,甚至直到亚该亚的哥林多,割礼和以肉向偶像献祭问题一直如影随形般地困扰着保罗①。

---

① 参见《加拉太书》5:1—15;《哥林多前书》9—10。

安提阿教会收到耶路撒冷教会的信后欢欣不已。就像保罗和巴拿巴一样,犹大和西拉以他们的布道坚固了众弟兄。

四、教会在马其顿和亚该亚(《使徒行传》15:36—18:22)

与耶路撒冷教会就接受外邦人加入基督教团契达成作业协议之后,保罗和巴拿巴得以自由地拓展他们的传教事业和巩固已有的成果。正当他们筹措再次造访第一次传道旅行期间建立的那些教会的时候,他们之间出现了严重的争执。首先,巴拿巴坚持让他的侄子约翰·马可再次加入他们的队伍,但是保罗拒不接受他,因为他曾经在第一次传道旅行的时候在别加放弃过传教事业(15:37—41)。其次,当一些从耶路撒冷来的犹太基督徒到访的时候,巴拿巴曾经"因怕奉割礼的人",而不像往常那样与外邦基督徒同桌吃饭①。保罗对巴拿巴行为的严厉谴责可能提示的是,保罗不仅把约翰·马可,而且把巴拿巴当作所拟议的传教使命的一种潜在障碍。无论原因到底如何,他们分道扬镳,各自传教。巴拿巴带上马可,回到塞浦路斯;保罗选择西拉为伴,开始遍及加拉太和之外地区的第二次旅行传道。自此巴拿巴从记载下来的叙事故事中消失,但是马可却再次出现。尽管再没有作为团队工作的记录,但是保罗后来提到巴拿巴是他传教大业的伙伴②。

至于西拉,除了他是奉耶路撒冷教会的派遣,把耶路撒冷会议的决议信送抵安提阿的两个代表之一以外,此前我们对他几无所知。在《使徒行传》叙事中,他在第二次传教旅行中陪同保罗一直到哥林多,此后没再提及。不过,他的名字作为致意人之一出现在保罗致贴撒罗尼迦人的两封书信《帖撒罗尼迦前书》和《帖撒罗尼迦后书》的致意语中,又分别作为伙伴和信使出现在后来的《哥林多后书》1:19和《彼得前书》5:12中。

保罗和西拉在第二次传道旅行中从陆路行遍加拉太地区,坚固第一次传道旅行期间所建立起来的那些教会。在路司得,一个名叫提摩太的年轻人加入到传教团队之中。提摩太是一位没有受割礼的半个犹太人——父亲是一个外邦人(可能不是基督徒)、母亲是一位犹太基督徒。意识到提摩太不仅要在外邦人中传教,而且要在犹

---

① 参见《加拉太书》2:11—13。
② 参见《哥林多前书》9:6。

太会堂之中传教,保罗在他们离开路司得之前采取权宜措施,为他的这位新伙伴行了割礼。

尽管西拉加入到有记载的保罗传教事工的时间相对较短,但是提摩太追随保罗却有相当长的时间。他出现在八封保罗书信当中,这还没有算上提摩太作为收信人的那两封教牧书信《提摩太前书》和《提摩太后书》。在加拉太西部,保罗想转移到亚细亚传教,但是被"圣灵"所禁止。他想转而向北,进入庇推尼,但是再次被"耶稣的灵"所禁止(16:6—7)①。既不能向右转,也不能向左转,他们只好仍然沿着大路走,一直到路的终点特罗亚。

《使徒行传》强调,尽管有圣灵的引导,但是直到保罗在特罗亚看到一个马其顿人敦促他到马其顿——"请你过到马其顿来帮助我们!"——的异象,目的地才明确。因而,带着福音跨过爱琴海被视作耶稣之灵的指导。既然《使徒行传》中第一个"我们"段落始于此,终于腓立比,那么一个较为顺理成章的推测(尽管没有明确证据)是,路加在特罗亚或之前加入到传教的团队之中。

在马其顿(《使徒行传》16:11—17:14)

保罗在爱琴海地区的伟大传教活动始于在特罗亚登上前往马其顿的船只。第二次传道旅行中,保罗的传教工作是在爱琴海的西岸,第三次传道旅行则是在东岸的亚细亚省。爱琴海传教成就了使徒保罗的主要贡献。正是在那里,基督徒的使命稳固地移到外邦人的手中。路加的材料强调的是:尽管福音使徒强调耶稣是对犹太教的成全,但是犹太人仍然拒绝福音,而那些没有犹太取向的外邦人则越来越受到福音的吸引。

在爱琴海西岸的尼亚波利登陆以后,一行人沿着罗马大道(the Via Egnatia)向内陆行进了大约十英里,到达腓立比。鉴于早前在罗马已有教会建立起来,所以不能说保罗在腓立比的工作是欧洲的第一个教会见证②。然而,那却是保罗在欧洲传教工作的开始。

腓立比作为马其顿的一座山城,扼守罗马通往亚洲的通衢大道。公元前168年马其顿被并入罗马版图后分为四个部分,腓立比位居首位。公元前146年马其顿全境合并为罗马的一个行省。公元前31年屋大维打败安东尼,并于公元前27年登上罗马始皇帝的宝座,即该撒·亚古士督(《路加福音》2:1)。在屋大维治下,腓立比被定为驻防城。在罗马帝国的历史上,驻防城被认为是罗马本土的延伸,通常具有三种

---

① 路加在同义词的意义上使用"圣灵"和"耶稣的灵"。

② Henry Jackson Flanders, Jr. and Buce C. Cresson, *Introduction to the Bible*, New York: John Wiley & Sons, 1973, pp. 405 – 406.

功能,一是作为占领区的军事堡垒,二是作为罗马穷人移居地,三是作为退伍军人安居地。

随着士兵和其他人口的增加,腓立比的规模也出现了快速增长。鉴于城中没有犹太会堂,犹太人应该寥寥无几。城外的干吉大河(Gangites)两岸,却有少量犹太人和其他受到犹太教吸引的人们聚会,进行安息日崇拜和研经。在这一小群人中,女性地位突出,保罗劝化的第一个皈依者就是来自亚细亚推雅推喇城的一个成功的女商人吕底亚——"一个卖紫色布匹的妇人"。她一旦皈依,立刻对"传教团"殷勤招待。

在路加的记载中,敌对总是伴随着成功而来。有关马其顿的故事也不例外。叙事表明,保罗一行在腓立比遭到敌视的原因是保罗从一个精神错乱的使女身上驱除了"污鬼"。本来她的那些主人们一直从这位被污鬼附体的使女的法术中"大得财利"。保罗"奉耶稣基督的名"驱除污鬼之后,"使女的主人们见得利的指望没有了",便诉诸煽情的"骚扰"罪名,挑起当地罗马人对于保罗这些"原是犹太人"的"外人"的敌视。结果,保罗一行被抓去见官。当地官长不由分说,命人剥去他们的衣服,一阵棍打,投入大牢。这样对待罗马公民是违反罗马法律的。翌日早晨,惊悉保罗具有罗马公民身份的地方官长,愿意接受保罗提出的要求,领他们离开监狱,"礼送出境"。

保罗要求官长领他们离开监牢,以示为他们平反昭雪的举动,很可能更多的是出于保护新的腓立比基督教徒免于破坏法律指控的考虑,而不是出于他自己得自由和抚慰自己受创的尊严。《使徒行传》记载,此前圣灵在夜间曾经引发大地震动,"监门立刻全开,众囚犯的锁链也都松开了"。但是保罗与西拉并没有逃走,导致深受感动的狱卒及其全家的皈依。尽管《使徒行传》再没有透露该地教会除此之外的成长情况,但是该地的传教工作想必非常成功,保罗后来提到该地教会对于他传教使命的长期、慷慨和充满爱心的支持就是明证[①]。

离开腓立比之后,保罗、西拉和提摩太一行沿着罗马大道向南进入港口城市帖撒罗尼迦[②]。该城背山、面海,位于亚波罗尼亚至庇哩亚的大道上。公元前315年由卡桑德(Cassander)重建,并且以妻子帖撒罗尼迦——亚历山大大帝妹妹的名字——加以命名。陆路和海路的联系之便使之成为一个商业和战略中心。在罗马时期经济繁荣,成为马其顿省的都城。它是一个强大的海军基地,而且在首次内战期间是庞培和

---

① 参见《腓立比书》4:14—16。
② 在后使徒时代,该城成为东部基督教会的强大堡垒之一,被称为"正教城"。

元老院一方的总部所在地。由于该城在屋大维和安东尼为一方与布鲁都(Brutus)和卡修斯(Cassius)为另一方的争斗中效忠前者,前者获胜后该城于公元前42年成为自由城。保罗在罗马帝国的那些商业中心建立基督教这一政策的智慧在帖撒罗尼迦得以展现和成功实现(帖撒罗尼迦前书1:8)。

作为自由城市,帖撒罗尼迦在内政方面享有自治(《使徒行传》17:6—8)。在保罗第二次传道旅行之前,大量的犹太人业已因商业机会而涌入该市。他们的显要、财富和影响从几个方面显示出来:(1) 他们建有会堂(《使徒行传》17:1);(2) 有相当数量的希腊人接受了犹太人的信仰或者参加会堂活动;(3) 他们能够轻易地影响该城的群众(《使徒行传》17:4)。相较于腓立比,该城的犹太人口要多得多。保罗利用犹太会堂,从经上向人们传讲耶稣就是弥赛亚。一些犹太人和外邦人被劝化归主。然而,不仅在犹太人的领导层中出现了强烈的敌对,而且一群暴民控告保罗和西拉宣示另一个叫做耶稣的君王,违背了恺撒的法律。保罗及其一行转而前往庇哩亚——"弟兄们随即在夜间打发保罗和西拉往庇哩亚去。"

庇哩亚的犹太人更加开放,"贤于帖撒罗尼迦的人"。保罗和西拉再度成功地用圣经接触到在会堂中的犹太人和外邦人,其中"有希腊尊贵的妇女"。当帖撒罗尼迦的犹太人到达,开始挑动庇哩亚的犹太人的时候,保罗立刻被信徒经海路送到雅典,暂时留下西拉和提摩太。尽管离开了马其顿,但是保罗在腓立比、帖撒罗尼迦和庇哩亚留下了新教会。

在亚该亚(《使徒行传》17:15—18:18)

从马其顿到亚该亚省之后,保罗在著名的雅典城等待西拉和提摩太(17:15—34)。雅典位于阿提卡半岛上,是古希腊的重要城邦,希腊文明的中心地。城中有一著名山丘,上有雅典卫城。市区有斯多葛派哲学家们聚会的画廊,有苏格拉底被判死罪的名为亚略巴古的审判厅。其居民喜欢新奇之事(17:21),热衷众神崇拜。在一位罗马讽刺作家的笔下,"在雅典发现神比发现人更容易"。

保罗抵达雅典时,雅典人不仅热衷当时的意识形态,而且继续研究古代先贤们的那些教导。黄金时期留下来的那些建筑瑰宝仍然完好无损,雅典卫城脚下的集市仍然是人们发表演说和聆听演说的好去处。求知之士仍然络绎不绝地来到该城,请教那里的老师,参与那里五花八门的"课外活动"。几代人以来,该城一直没有产生出什么激动人心的伟大思想观念,辩论和说教变得相当学究和迂腐。然而,"雅典人的骄傲"仍然是一个活生生的现实。

公元1世纪的希腊人对新观念、新神祇,甚至新奇的折中命题都表现得兴致勃勃。置身古老而尊贵的雅典,保罗必定激动不已,但是当他在集市上看到那些林林

总总的神祇偶像的时候,"心里着急",忍不住就雅典人的偶像崇拜与他们进行了激烈的交锋:

> 于是在会堂里与犹太人和虔敬的人,并每日在市上所遇见的人辩论。还有以彼古罗和斯多亚①两门的学士与他争论。(17:17—18)

保罗大谈"耶稣和复活"。因为希腊词"复活"是阴性形式,希腊人听起来好像他在谈论一对新的神祇。也许是出于求知,也许是出于猎奇,雅典人邀请被他们视作"胡言乱语的"保罗到亚略巴古讲述他的新颖宗教观念。保罗接受邀请,抓住了这个千载难逢的、向雅典人的统治议会详细解说基督的大好机会。亚略巴古的人通常在毗连雅典卫城的玛尔斯山(Hill of Mars),即亚略巴古山上那座由岩石砌成的穿窿建筑中聚会。倘若《使徒行传》记载不虚的话,保罗在亚略巴古所发表的重要演说(《使徒行传》17:22—31)是下足了功夫的。

保罗演说的总体战略,透露出他对于赢得雅典人同情倾听的殷切期盼。保罗先是迎合亚略巴古的人,恭维雅典人拥有其无数神坛所证明的宗教情怀。然后他以雅典人树立的"未识之神"的祭坛作为出发点,陈明他们"所不认识而敬拜的"那一个神"不住人手所造的殿",因为作为"天地的主",正是他"创造宇宙和其中万物"。为了支持这个唯一的属灵的神对于所有的人都是可及的,保罗显然援引了希腊诗人Epimenides 和 Aratus②。他把这个神描述为道德的神,描述为呼召人们预期最后审判而悔改的神。无论保罗藉由提到神使"所设立的人……从死里复活"可能创造出什么魅力,正是在此点上保罗戛然而止。无论保罗自己是否结束了演讲,亚略巴古的人显然结束了他的演讲。他们讥诮保罗,把他轰出议事厅。

倘若保罗谈论不朽的话,也许情况会有所不同,因为死而复活这样一个东方观念对于雅典人而言是完全不能接受的。尽管《使徒行传》说到"有几个人贴近他,信了主",但是就保罗而言,总体上得到的回应注定是灾难性的。《哥林多前书》2:1—4 明确显示,保罗在亚略巴古成为笑柄大大伤害了他的自我——保罗"又软弱,又惧怕,又甚战兢"地到达哥林多。就目前所知,保罗在雅典没有建立任何教会。

在哥林多(《使徒行传》18:1—18)

保罗从雅典沿着把伯罗奔尼撒半岛与希腊的其余地区分割开来的 Saronic Gulf 西行,直到连接该国这两个地区的狭窄地峡。然后他向南转,跨过 3.5 英里宽的地峡

---

① 即西方哲学史上的伊壁鸠鲁派和斯多葛派。
② Henry Jackson Flanders, Jr. and Buce C. Cresson, *Introduction to the Bible*, New York: John Wiley & Sons, 1973, p. 408.

进入依偎在 1900 英尺高的哥林多卫城山北麓的哥林多。哥林多卫城山巅一度有一个庙宇,因为数以百计与阿芙罗狄蒂(爱与美女神)崇拜相关的女祭司的性活动而举世闻名。数个世纪以来,当船上的货物或船只本身在陆路上从地峡的一边运输到另一边期间,水手们在哥林多度过他们的临时滞留时间。哥林多这个城市名字与伤风败俗和荒淫无耻同义。历史上哥林多曾于公元前 146 年被罗马的 Lucius Mummius 所毁,公元前 44 年尤利乌斯·恺撒(Julius Caesar)命令把哥林多重建为罗马的驻防城。到保罗抵达的时候,该城已经发展为一个充满活力的商业中心,混杂有许多传统和种族。

保罗抵达哥林多之前不久,因为罗马皇帝革老丢(Claudius)从罗马城驱逐犹太人,导致哥林多的犹太人激增。保罗"投奔"、结交了新从罗马而来的犹太人亚居拉和百基拉夫妇。他们与保罗一样,"本是制造帐棚为业"。他们之前已经或者很快成为基督徒,与保罗一道在犹太会堂中作见证。尽管建立起来教会,但是那里的犹太人的敌视——"抗拒、毁谤"——很快促使保罗再度"往外邦人那里去"。教会在犹太会堂附近的一座外邦人房屋里聚会,渐渐"管会堂的基利斯布和全家都信了主"。在得到安定人心的异象之后,保罗重拾雅典受挫之前的那股信心,在哥林多工作了一年半的时间。与此同时,犹太人的敌视达到空前高度,他们把保罗送上公堂,正式指控"这个人劝人不按照律法敬拜神"。新到任的亚该亚方伯迦流把这项指控视作犹太人应该自行解决的一桩宗教争执,"就把他们撵出公堂"。犹太人试图在罗马当局面前把基督教抹黑为非法宗教的行径没有获得成功,这对路加而言非常重要。《使徒行传》显然把这看作罗马当局对于基督教运动的一种尽管间接却带有某种官方意味的承认。

保罗在哥林多又盘桓了一段时间之后,才在亚居拉和百基拉的陪同下前往叙利亚。在地峡东部的港口城市坚革哩,保罗还愿,剪了头发。到了亚细亚的以弗所后,保罗辞别亚居拉和百基拉,途径该撒利亚和耶路撒冷,回到叙利亚的安提阿。

保罗驻留哥林多和在那里建立的教会不仅对于路加而言十分重要,而且对于《圣经》经卷的发展而言也十分重要。在保罗第一次传道旅行之际,保罗写下了《帖撒罗尼迦前书》和《帖撒罗尼迦后书》,很有可能还有《加拉太书》。保罗后来给哥林多教会至少写了四封书信,其中有两封书信,或四封书信中的一些部分,在使徒书信《哥林多前书》和《哥林多后书》之中得以保留下来①。

---

① Henry Jackson Flanders, Jr. and Buce C. Cresson, *Introduction to the Bible*, New York: John Wiley & Sons, 1973, p. 410.

第四节　致加拉太人和帖撒罗尼迦人的书信

一、《加 拉 太 书》

保罗书信中尚存的最早书信是致加拉太人和帖撒罗尼迦人的书信。要想确定其中哪一个更早,显然是不可能的,因为不仅学术观点各异,而且支持各自的证据也相当平衡。鉴于保罗第二次传道旅行中犹太派问题的直接性,我们权且把《加拉太书》置于最先。这些,以及本书随后提到的那些书信,都是保罗在不能亲自指导某些教会的情况下,仍然力图继续牧养那里的教会的一种尝试。

《加拉太书》像保罗书信中的其他书信一样,遵循希腊和罗马书信的常见格式:向收信人表示致意和感谢,书信的主体,以及个人的问候话和发表的言论。就像其他保罗书信一样,保罗在《加拉太书》中显然使用了秘书或书记员。《加拉太书》的独特之处在于,保罗在书信的结尾处亲笔书写了结束语,向读者证明他作为书信作者的真实性:"请看我亲手写给你们的字是何等大呢!"(6:11)举凡保留下来的保罗书信,都是写来努力解决教会中的一个或多个问题,处理教会中的一个或多个状况的,当初并非在刻意书写后世人们所称的《圣经》经卷。这些书信都是活生生的,生气勃勃的,富有针对性的。

对于该信出于保罗之手,从未有过真正的质疑。但是有关该信写作的地点和日期内中没有交代,所以《圣经》研究方面产生了有关该书写作时期的"北加拉太说"和"南加拉太说"。《加拉太书》是一封致"加拉太的各教会"的书信,很有可能就是保罗和巴拿巴在罗马帝国的加拉太行省南部第一次传道旅行的时候所建立起来的那些教会。如果《加拉太书》第2章与《使徒行传》第15章所谈论的是同一次耶路撒冷会议的话,该书信应该是在耶路撒冷会议之后的某个时间写就。人们提出许多可能的写作地点,但是第二次传教旅行时的哥林多和第三次旅行时的以弗所好像得到的支持最多。倘若如此,那么该卷书信应该成书于大约公元50—54年[①]。

---

① Henry Jackson Flanders, Jr. and Buce C. Cresson, *Introduction to the Bible*, New York: John Wiley & Sons, 1973, p.412.

无论该卷成书的时间和地点存在多少争论,但有一点是明确的,就是有关教会中出现混乱的消息成为写作此封书信的契机。因为坚持强加割礼和其他摩西律法在外邦皈依者身上,一些教会人员搅扰了教会团契。领头的可能来自耶路撒冷教会的犹太派,但此点并不明确。对于保罗而言,这样强调律法意味着与某种他此前向那些教会所传的不同的一种福音,即"别的福音"。因而这封书信是保罗捍卫他自己对于基督教福音的理解,是保罗针对任何律法主义而发出的基督教自由的伟大宣言,堪称"基督徒的自由宪章"。关键点是犹太律法与圣灵引导的基督教徒之间的关系,这个问题在公元 1 世纪的绝大多数时间内一直分化着教会。问题是:外邦基督徒是否免于《旧约》律法的约束?圣灵总括性地为保罗回答了这个问题:因信而凭神恩得救,而不是凭律法得救。主宰这封保罗书信的正是这个主题。

保罗的敌手们还抨击他作为使徒的资格,这封信捍卫他的使徒身份,指出这种身份是从耶稣那里获得的。促发这封信的另一个问题是某些教会成员的行为,他们任由新获得的自由沦为自由放纵或唯信仰论。对此,保罗也进行了有力抨击。如此,保罗写作此信的时候是在两条战线上作战:一方面是犹太律法主义者,另一方面则是肉体放荡者。

《加拉太书》的梗概如下:(1) 问候和书信的契机(1:1—10);(2) 维护其使徒权威(1:11—2:21);(3) 因信称义而不是因律法称义(3:1—4:31);(4) 福音中的自由(5:1—6:10);(5) 结束语(6:11—18)。

保罗在这封书信中以惯常的问候模式开篇:"保罗……写信给……愿恩惠和平安……"但是他如此着急地奔向主题,以至于省略了其他大多数书信中紧跟问候语之后的要素:对收信人的感谢和感恩。他直接从问候语跳跃到指责加拉太人"这么快"舍弃了他向他们传布的基督中的自由。

维护其使徒权柄(1:11—2:21)

保罗面对两项指控:一是"要得人的心",即一心渴望名望;二是宣称具有的使徒身份实际上是可疑的。保罗认为前者是无稽之谈(1:10),并且奋力捍卫他的使徒身份以及向加拉太人所传的福音(1:11—2:21)。他强调,他所传的福音和所蒙神召都独立于人的权柄。他的权柄之源是上帝,而且他所传的福音是神向他的启示,不是经过人的中介(1:11—12)。他进一步指出,他原先非但不是十二使徒之一,反而是教会的残酷迫害者。有关他是从使徒那里获得权柄的指控是站不住脚的,因为在他遇到任何一位使徒之前三年就皈依基督了。当他去耶路撒冷的时候,他见到的只有彼得和主的兄弟雅各(1:13—24)。十四年之后,他再度遇到他们。但是即便那时,他也不敢强迫他的外邦人同伴提多行割礼。相反,雅各、彼得和约翰承认,彼得蒙召向外邦人传教与他们蒙召向受割礼的人们传教是并行不悖的。他们明白,他不会放弃对于"福音真理"的委身(2：1—10)。保罗在这个讨论中的要点是,他和他所传的福音独立于使徒和耶路撒冷教会。

后来在安提阿(2：11—21),保罗宣称自己奋起指责彼得和巴拿巴,说他们为了讨好从耶路撒冷来的一些犹太人,而离开本来与外邦人一道进餐的餐桌。当着他们的面,保罗指责他们口是心非,因为他们把施行摩西律法加在信仰基督这个福音之上。保罗在此点肯定称义方面的上帝恩典:与上帝的正确关系基于对基督的信仰而不是律法之工。

因信称义而不是因律法称义(3：1—4：31)

保罗进而详细展开由他与西门·彼得和巴拿巴的对峙所引发的主题。当保罗想到什么就说什么,不是系统地而是激昂地把他的论点一吐为快的时候,保罗的情绪暴露无遗。这部分经文的穿透力在于,作为得救的手段,对基督的信先行取代了对律法的行。不管行律法在过去占有什么地位,现在已经被对于基督的信仰所取代。

在这方面,他诉诸加拉太人自己的亲身感受。保罗点拨说,他们在信仰之时,圣灵的大能就已经赐给他们,与行什么没有任何干系(3：1—5)。唯恐他们自己的例证不够说明问题,保罗还指导他们注意摩西律法出现数百年之前就因信得救的亚伯拉罕的范例(3：6—18)。因此,亚伯拉罕的那些真正子孙属于信仰的一脉,而非律法的一脉。保罗进而断言,圣约和应许先于摩西和律法。亚伯拉罕对上帝的信靠提供了以色列人由之演进而来的一种关系。而且这种原有的信仰关系"不能被那四百三十年以后的律法废掉"(3：17)。圣约和应许属于那些具有这种信仰关系的人们。

随之,保罗宣布了律法的临时功能,借此人们确信自己的罪性,并且从而准备接受"因信耶稣基督""所应许的福"(3：19—25)。因为先前已经确立这样一个要点(3：10—14),即人们不能践行"律法书上所记一切之事"而造成律法导致一种"被咒诅"状态,所以现在保罗转而解释律法的贡献。在他看来,律法就像陪伴未成年的孩子去见老师的一个看守人或奴仆。信仰一旦到来,就达到成熟,孩子也就不再需要守护人。现在凭着对基督的信,他们都成为上帝之子。如此一来,

> 并不分犹太人、希腊人、自主的、为奴的,或男或女,因为你们在耶稣基督里都成为一了。你们既属乎基督,就是亚伯拉罕的后裔,是照着应许承受产业的了。(3：28—29)

在宣示了这份平等宣言之后,保罗在第4章中继续讨论在基督中的儿子名分,并且强调自由的、成熟的儿子企图重回儿时或奴仆状态的荒谬性。保罗动之以情,回忆

先前加拉太人对他个人的关爱,并且表达了让他们重回福音信仰,拾回早先具有的那种喜乐的愿望。随后,作为这段经文内容的结尾和下段经文内容的起头,保罗插入一个根据《创世记》第19章亚伯拉罕的两个儿子以实玛利和以撒的故事而来的"比方"(4:21—31)。使女夏甲所生的以实玛利是"行"之子。保罗把以色列人归为律法言辞的奴隶一类,他们就像以实玛利,是为了应许之子以撒而被抛在一边的。以撒完全凭着上帝的恩典而生,是自主妇人之子,归为"在上的耶路撒冷"即教会一类,这个教会是由自由的人所构成的。这个比方的结构如下:夏甲=使女=西奈山=律法=肉="现在的耶路撒冷"=奴隶之母;撒莱=自主之妇=应许=信仰=灵="在上的耶路撒冷"=自由人之母①。

福音中的自由(5:1—6:10)

这部分经文劝勉加拉太人坚守他们在基督中的自由,继续蒙受上帝的恩典。他们必须坚定地抗衡试图让他们重回律法桎梏之下去的任何人。他用割礼作为例证(5:1—12)。如果他们为了得救而顺从割礼,那么他们是在拒斥上帝的恩典,使自己背负整个律法。那些坚持主张割礼的人令保罗怒不可遏,以至于他希望这等人把他们自己阉割了——"割绝了"(5:12)!

在他们的自由中,加拉太人面对着放纵和骄傲的可怕危险(5:13、16—26)。要免于这些危险,需要自觉自愿地侍奉圣灵。他把"灵"与"肉"相互对比,即宣布了某种选择:侍奉上帝的圣灵还是臣服于律法、血气和骄傲。仁爱是圣灵引导的中心穿透力,而且在基督中重要的是"使人生发仁爱的信心才有功效"(5:6)。保罗还补充说,"全律法都包含在'爱人如己'这一句话之内了。"(5:14)而且,"圣灵所结的果子,就是仁爱、喜乐、和平……"(5:22)。圣灵在仁爱方面的引导与基督教团契中人们之间彼此负责的承诺相连(5:25—6:10)。他们应当成为彼此的"奴仆"。他们各自"担当自己的担子"(6:5),就一道"互相担当"起各人的重担(6:2)。

在这封书信的结尾,保罗亲手写下验证他是作者的大字(6:11),并且向犹太派再次开火,强调比行割礼和未行割礼更加"要紧的是作新造的人":

> 凡希图外貌体面的人,都勉强你们受割礼,无非是怕自己为基督的十字架受逼迫。他们那些受割礼的,连自己也不守律法。他们愿意你们受割礼,不过要藉着你们的肉体夸口。但我断不以别的夸口,只夸我们主耶稣基督的十字架。因这十字架,就我而论,世界已经钉在十字架上;就世界而论,我已经钉在十字架

---

① Henry Jackson Flanders, Jr. and Buce C. Cresson, *Introduction to the Bible*, New York: John Wiley & Sons, 1973, p. 416.

上。受割礼不受割礼都无关紧要,要紧的就是作新造的人。凡照此理而行的,愿平安、怜悯加给他们和神的以色列民。(6：12—16)

随后,他提到自己所带着的耶稣的印记(6：17),并且以祝福结束这封书信:"弟兄们,愿我主耶稣基督的恩常在你们心里。阿们!"

二、《帖撒罗尼迦前书》和《帖撒罗尼迦后书》

保罗写给帖撒罗尼迦教会的两封书信应该是在第二次传道旅行途中写于驻留哥林多期间。鉴于《使徒行传》说到保罗在遇到罗马帝国亚该亚省的方伯迦流之前在哥林多驻留了大约一年半,而且在希腊德尔斐(Delphi)发现的碑文印证了迦流公元52—53年任亚该亚方伯,这些书信的日期便被定在大约公元51年或52年。历史上没有人真正质疑过《帖撒罗尼迦前书》出自保罗之手,但是对于《帖撒罗尼迦后书》则存在争议,不过总体的论点支持保罗是作者。

保罗致信帖撒罗尼迦教会的契机是,当年保罗突然离开马其顿前往雅典、留下提摩太和西拉,之后不几个月那里的教会开始发展。保罗的伙伴可能在雅典与他回合,但是提摩太被派回帖撒罗尼迦(《帖撒罗尼迦前书》3：1—3)。当提摩太后来与保罗在哥林多重逢的时候,汇报了帖撒罗尼迦城教会的情况。当初把使徒保罗驱离那城并且后来在庇哩亚给他造成麻烦的那些犹太人,现在已经说服外邦人占主体的帖撒罗尼迦会众中的一些人,让他们相信保罗是一个自私自利、野心勃勃的骗子,原先让他们误入了歧途。不过,并不是那里所有的基督徒都相信针对保罗的指控。提摩太还报告说,很多人面对逼迫仍然坚守信仰和仁爱,而这令保罗大感宽慰和喜乐。尽管使徒保罗为提摩太所报告的那些不快而忧心,但是他自信通过唤回他先前与他们建立的深厚和快乐的关系,定能消弭问题。

因为当年突然间离开帖撒罗尼迦,保罗未能像所愿的那样指导那里的新基督徒。在他离开之后,即便算不上逼迫,那里的教会也至少面对着可观的搅扰。特别是,那里的教会中滋生出一种对于基督复临的错误理解。保罗为教会中面对谬妄的指控和虐待仍然坚定持守信誉的人们喝彩,并且指出他们已经化入其中的那个丰富宗教传统。耶稣、教会,甚至他保罗自己都经受过这种"苦害"(1：6,2：14—16)。他劝勉他们在信仰方面不屈不挠,并且进而指出,他们在世上的生活方式值得外人效法(4：12),"可以讨神的喜悦"(4：1)。他们的生活应该成为工作方面、性事方面和彼此相爱的楷模(4：3—12,5：11)。

正在到来的"主的日子"是帖撒罗尼迦书信的主要议题。可以想见,西拉和提摩太在他们有关基督复临方面的讨论中所使用的犹太教式的末日意象在人们听起来多么陌生。希腊的理性主义取向,以及人格的身心或灵肉之分,无疑致使肉体复活和主的复临成为令希腊人最为难以把握的两个概念。在《帖撒罗尼迦前书》中,保罗再次向阅信人确保,那些在基督复临之前死去的人们不会错过任何东西。事实上,"那在基督里死了的人必先复活。以后我们这活着还存留的人必和他们一同被提到云里,在空中与主相遇"(4:16—17)。不过,他敦促人们在生活中做好这个事件到来的准备,但是不要过于关心事件的精确时间点。基督复临,"好像夜间的贼一样"(5:1),而且必将是审判的日子,但"救我们脱离将来忿怒"的是耶稣自己(1:10)。

保罗致帖撒罗尼迦教会的第一封书信看来并没有解决问题。那里的教会好像反而出现了基督已经复临的观念,并且用冒充保罗及其同伴名义的书信来支持这个观念(《帖撒罗尼迦后书》2:1—2)。一些人已经放弃工作,等待末日。犹太人也已经增加了他们的逼迫。保罗写第二封信是要进一步解决问题,很可能就是在第一封信写成几个星期之后。保罗说,事实上基督复临是一个"尚未"事件,并且提及"离道反教的事",其中"沉沦之子"显现出要"自称是神"(2:3—4)。保罗曾经与帖撒罗尼迦教会的人们讨论过这个主题(2:5),现在敦促他们好好想想当年的那些教诲。不过,《帖撒罗尼迦后书》中并没有重申这些教诲。至于谁是"沉沦之子"、"不法的人",有各种说法,但是无一确定。保罗说,"沉沦之子"、"不法的人""是照撒但的运动",而且"主耶稣要用口中的气灭绝他"(2:8)。"不法的人"还没有显现,就像基督复临还没有到来这个事实所佐证的那样。至于那些歇业、坐等基督复临的人,保罗说,"若有人不肯作工,就不可吃饭。"(3:10)

有意思的是,保罗在他的那些书信中再未详述这个教义。而且与提摩太同列两封致帖撒罗尼迦教会书信致意人之列的西拉,突然在《使徒行传》和保罗后来的那些书信中销声匿迹。有人思忖,是否西拉和这个主题有关,是否保罗以为这人和该议题不适合西方的皈依者①。

《帖撒罗尼迦前书》梗概如下:(1)问候(1:1);(2)个人问题(1:2—3:13),包括盛赞帖撒罗尼迦基督徒为楷模(1:2—10),忆述自己与他们的关系(2:1—3:10),为他们祈祷(3:11—1);(3)劝勉和指导(4:1—5:22),包括道德考量(4:1—12),主的复临(4:13—5:11)和杂项指导(5:12—22)。

---

① Henry Jackson Flanders, Jr. and Buce C. Cresson, *Introduction to the Bible*, New York: John Wiley & Sons, 1973, p. 419.

《帖撒罗尼迦后书》梗概如下：(1) 问候(1：1—2)；(2) 感谢他们(1：3—4)；(3) 解释帖撒罗尼迦城教徒所受的患难(1：5—12)；(4) 主的复临(2：1—17)；(5) 结尾的诉求(3：1—15)；(6) 祝福和亲笔问安为记(3：16—18)。

第五节　爱琴海周围的教会

保罗的第三次传道旅程(《使徒行传》18：23—20：38)从叙利亚的安提阿,经过加拉太地区和弗吕家,坚固那里的信徒,并且到达亚细亚的以弗所。在讲述保罗在以弗所的传道之前,路加引入一个亚历山大的犹太人亚波罗,他在保罗到达以弗所之前不久离开了那里。亚波罗能言善辩,谙熟犹太人的《圣经》,"心里火热",而且"将耶稣的事详细讲论教训人,只是他单晓得约翰的洗礼"(《使徒行传》18：25)。刚从哥林多来到以弗所的百基拉和亚居拉便给他详细讲解神的道,弥补他在有关耶稣知识方面的缺欠。当亚波罗想要到亚该亚省传教的时候,他们写信给那里的门徒接待他。亚波罗用犹太人的《圣经》宣示耶稣是弥赛亚,其讲道在亚该亚,特别是哥林多的犹太人中十分有效。就目前所知而言,保罗和亚波罗从未谋面,但是保罗公开感激他的传道(《哥林多前书》1：3)①。

一、保罗在以弗所的前前后后(《使徒行传》19—20)

保罗在以弗所几乎度过三年时光,而且他在那里的工作成为他生涯中的一个重要篇章。不过,路加只是以一种几乎概括的方式讲到保罗的到访,而把主要的着墨点放在保罗即将离开那座城市之前的一些戏剧性事件。

以弗所是罗马亚细亚省方伯所在的首邑和繁荣的沿海商城。该城以亚底米庙和法术书籍闻名于世,这些带来了好运和成功。这两个要素都牵涉《使徒行传》有关保罗在以弗所的故事。那庙是古代世界的七大奇迹之一,而且是世界范围的亚底米崇拜的中心。由希腊人引入亚细亚之后,亚底米崇拜好像很早就与弗吕家的大母神西

---

① Henry Jackson Flanders, Jr. and Buce C. Cresson, *Introduction to the Bible*, New York: John Wiley & Sons, 1973, p. 421.

普琳(Cybele)崇拜汇流,结果出现离开希腊原形的决定性变化。在以弗所,亚底米主要因其多产的能力而著称,由一个胸前缀满乳房的女性形象所象征。销售这位女神形象及其神龛的小复制品是手工匠人和商人可观的收入来源。

保罗一到该城就遇到施洗约翰的十二个门徒。他既向他们讲述约翰所承认的耶稣,又向他们讲述圣灵。他们信了主,并且以耶稣的名义受洗,领受了圣灵,开始"说方言,又说预言"(《使徒行传》19:1—7)①。

有长达三个月的时间,保罗是在会堂中传讲"上帝的国"。后来敌对增强,保罗便移到推喇奴学房"放胆讲道",两年时间里获得巨大成功。随着到访该地的犹太人和外邦人作为基督徒见证人返回他们在亚细亚的故乡,"叫一切住在亚细亚的,无论是犹太人,是希腊人,都听见主的道"(《使徒行传》19:10)。

对以弗所人极具吸引的法术和好运魅力也应验在保罗的见证人身上。保罗的手巾和围裙最终被他们用来治病和驱鬼。一些不信基督的流动犹太驱鬼师也开始在驱鬼活动中用"保罗所传的耶稣"的名义。甚至犹太祭司长士基瓦的七个儿子尝试用耶稣的名义驱鬼,不料东施效颦的结果是被鬼所伤、自取其辱。有关这个事件的传言扩散很广,犹太人和希腊人都开始称颂主耶稣基督的名。结果,许多平素行邪术的以弗所人把"共合五万块钱"的法术书籍集中焚毁,大有"罢黜百家、独尊儒术"之势。

保罗继续在以弗所进行高度成功的布道工作,但是他也开始渴望造访罗马。他的打算是经过马其顿、亚该亚往耶路撒冷去,然后从那去罗马(《使徒行传》19:21)和西班牙。所以他先行派遣两个助手提摩太和以拉都前往马其顿打前站,"自己暂时等在亚细亚"(《使徒行传》19:22)。在保罗等在以弗所的数周或数月期间,好像开始募集钱款(《哥林多前书》16:1—4;《哥林多后书》9:1—15;《罗马书》15:25—28),以作为爱琴海地区的那些教会赠送给贫穷的耶路撒冷教会的礼物。而且据研究,保罗正是在以弗所写下《哥林多前书》(还有可能写下《哥林多后书》的部分内容),以及其他一些书信。他还可能从以弗所冒险前往亚细亚的其他一些城市,诸如歌罗西、希拉波立和老底嘉②。

尽管《使徒行传》没有记载,但是保罗在以弗所和亚细亚好像遭遇到许多不快的经历,包括监禁。在他的信中,保罗讲到"在以弗所同野兽战斗"(《哥林多前书》15:32);在那里遇到许多反对的人(《哥林多前书》16:9);在亚细亚"遭遇苦难","甚至连

---

① 在《使徒行传》中,这里出现的圣灵倾注,与五旬节(2:1—42)、撒玛利亚人的皈依(8:4—17)和革尼流家中外邦人的皈依事件中所出现的相似。

② Henry Jackson Flanders, Jr. and Buce C. Cresson, *Introduction to the Bible*, New York: John Wiley & Sons, 1973, p.425.

活命的指望都绝"（《哥林多后书》1：8—9）。尽管《使徒行传》只述及保罗在腓立比入狱的经历，但是《哥林多后书》11：23 讲到保罗说自己"多下监牢"。据此，有学者推断，倘若保罗在以弗所入狱，那么他的一些"狱中书信"可能源于那里。无论如何，以弗所无疑是保罗劳苦布道的一个重要中心。而且很有可能，保罗在推喇奴学房的每日工作催生了一个学派，后来在进入《新约》正典的第一批经卷——保罗书信——的结集中发挥了作用。

保罗在以弗所的传道工作因其所传之道堵塞了那些依靠制作亚底米神像和神龛的底米丢之流的财路、引发骚乱而终结（《使徒行传》19：21—41）。事情的起因是，基督备受关注导致亚底米遭受冷落，随之银质偶像生意锐减。银匠行会的匠人及其利欲熏心的主人联合起来抗议保罗对于以弗所偶像崇拜的成功消解。根据《使徒行传》的叙述，骚乱者的口实先是他们的手艺和行当遇到威胁——"我们这事业被人藐视"，随后从这经济动机煽起采取报复保罗行动的宗教动机。他们担心，否则"大女神亚底米的庙也要被人轻忽，连亚细亚全地和普天下所敬拜的大女神之威荣也要消灭了"（《使徒行传》19：27）。结果，"怒气填胸"的众人"拿住与保罗同行的马其顿人该犹和亚里达古"，高喊着"大哉，以弗所人的亚底米啊！"涌入该城的大戏园。保罗想进入戏园，直面百姓解决问题，但是一再被劝阻。后来，一方面"那城里的书记安抚众人"，认为亚底米是"驳不倒的"；另一方面，那位"书记"警告他们"不可造次"，应该"照常例"解决问题，否则骚乱指控会危及以弗所"自由城"的地位。这样，民众骚乱两个多小时后最终散去。

事后保罗很快离开以弗所，前往马其顿（《使徒行传》20：1—5），路途中还不忘为耶路撒冷教会募集钱款。在马其顿的某个地方，先期到达的提多与保罗重逢，两人结伴南下亚该亚和哥林多。在停留哥林多的三个月的时间里，保罗写下了其留存下来的书信中最伟大的书信《罗马书》。

离开哥林多之后，保罗选择的前往耶路撒冷的路途是折返北上爱琴海周围地区。穿越马其顿之后，保罗东渡爱琴海到达特罗亚，进而乘船到达米利都。在那里，应邀而来的以弗所教会的长老们与保罗晤别（《使徒行传》20：6—38）。

在保罗环绕爱琴海前往耶路撒冷的途中，来自各种各样教会的代表加入到保罗的行列之中，显然是为了护送那些捐献，以示对于耶路撒冷教会的财物关切和个人关切。随着保罗经过腓立比，《使徒行传》中又开始出现另一个"我们"经段（《使徒行传》20：6），提示着路加在这一群人之中。一离开米利都，保罗的爱琴海传道便画上了句号[①]。

---

① Henry Jackson Flanders, Jr. and Buce C. Cresson, *Introduction to the Bible*, New York: John Wiley & Sons, 1973, p. 426.

二、《哥 林 多 前 书》

据研究,保罗致哥林多教会的书信不止《新约》保留下来的那些。至于他到访哥林多的次数,至少比《使徒行传》所记多一次。鉴于保罗致哥林多人的书信与一些具体的冲突、问题和社会关系如此密切,并且是针对这些所作的指导,它们实际上开启了一扇窗户,让我们得以洞悉公元 1 世纪早期教会的生存状况。这些书信关涉的是一个外邦人占主导的教会在异教徒环境中挣扎求生的情状。

对于保罗作为该卷书信的作者地位和书信本身的统一性,历史上没有出现严肃的质疑。书信的写作地点通常认定为保罗第三次传道旅行中的以弗所,从而日期定在公元 52—55 年之间。写作《哥林多前书》之前,保罗在其第二次传道旅行期间首访哥林多,并且在那里建立了教会(《使徒行传》18:1—18),甚至向这个教会写过一封现已失传的书信(《哥林多前书》5:9)——该书信的部分内容保留在《哥林多后书》6:14—7:1 中。在写过现已失传的那封书信之后,保罗收到从哥林多来以弗所拜访他的"革来氏家里的人"所带来的该教会的报告(《哥林多前书》1:11),以及该教会的一封书信(《哥林多前书》7:1)。在写《哥林多前书》之前的某个时间,保罗已经派遣提摩太进行横贯马其顿和亚该亚之旅,届时将到达哥林多,但是保罗期望《哥林多前书》先于提摩太到达该教会手中(《哥林多前书》4:17,16:10;《使徒行传》19:22)。保罗甚至考虑亲自去哥林多(《哥林多前书》16:6)。

《哥林多前书》的梗概如下:(1) 保罗和所提尼的问安和祝愿(1:1—9);(2) 口头向保罗报告的问题(1:10—6:20),包括教会内的结党纷争(1:10—4:21)和道德懈怠(5:1—6:20);(3) 教会寄来的书信向保罗呈现的问题(7:1—15:58),包括独身、婚姻、离婚、再婚问题(7:1—40),献给偶像的食物问题(8:1—11:1),以及崇拜中的混乱(11:2—14:40)和死者复活问题(15:1—58);(4) 实际的和个人的问题(16:1—24)。

保罗在书信开头偕同所提尼一起问安。所提尼可能是哥林多一所会堂的主管,通常认为与那位在迦流面前听审后遭毒打的是同一个人(《使徒行传》18:17)。保罗在习惯形式的问安和感谢受信人的信实之后,开始着手他想要论及的几个主题中的第一个主题。

第1—4章关乎所报道的哥林多教会内拉党结派的情况。这个教会或出于势利或因个人受到不同教会领袖的吸引而划分为宗派群体:"属保罗的"、"属亚波罗的"、"属矶法的"。但是还有一些人宣称认同基督,构成"属基督的"群体。保罗谴责人们因为纷争而破坏教会的统一性。他肯定基督的卓越,指控他们把人放到只有基督所属的位置(1:10、13、22)。他谴责他们的党争与信徒团契不符(1:10),提出他们是在遵循"人的智慧"而非"神的智慧"(1:17—25)。他断定,基督的十字架这个他们所传布的"愚拙"福音,已经废掉了有血气的人的所有荣耀(1:21、23、26—29)。他用自己在他们中间的传道作为例证(2:1—5)。这样的分化是"属自然的"人的工作,而不是"属灵的"人的工作,与真正的基督工作者的概念不符(3:5—4:21)。

第5—6章谴责教会中的不道德现象,要求立刻整改。教会如此专心党争,以至于忽略了内部状况。教会的道德懈怠要求教会予以应有的注意。首先,团契中有乱伦的事(5:1—13),"就是有人收了他的继母"。这样一种受到希伯来、希腊和罗马习俗谴责的行为,却在这个基督教会中放任自流。对保罗而言,这意味着该教会把自己的道德尺度降到了异教徒之下。他"奉主耶稣的名义"号召教会招聚会众,按照程序惩戒这个人。这对于拯救犯错者和纯洁教会而言都是必须的。其次,保罗申斥教会中因彼此纷争而闹到异教徒的法庭上寻求裁决的人(6:1—11)。他没有责难法庭,而是抨击这些基督徒彼此之间的个人态度。既然那些在基督中的人们应当是团契和人际关系的楷模,那么他们诉诸异教徒法庭来弥合他们的分歧无异于制造丑闻。他告诫他们,宁可被冤枉和受欺骗,也不要给教会招来恶名。第三,一些人借灵肉有别来滥用基督徒的自由。他们认为肉体与一个人的属灵状况无关,借故利用肉体来满足自己的不道德欲望(6:12—20)。保罗强调,在良好的犹太传统中,灵与肉在一个人身上是合二为一的。更何况,肉体是基督的肉体,"岂不知你们的身子就是圣灵的殿吗? 这圣灵是从神而来,住在你们里头的;并且你们不是自己的人,因为你们是重价买来的,所以要在你们的身子上荣耀神"(6:19—20)。

第7—15章包含保罗对于哥林多人给他的信中所提到的那些问题的回应。在第7章中,他讨论了独身、婚姻、离婚和再婚。背景很可能是,一些人提出禁欲主义是基督教徒的正途。就理想而言,保罗感到"男不近女倒好"(7:1)。通过自制,基督徒能够完全投入到迫近的主的复临面前的见证之中。这就是保罗自己的道路(7:7),但是他足够实际地意识到,他的独身是一种"恩赐",在他人那里可能行不通。因此他允准说,与其欲火中烧,不如夫妻婚配。保罗现实地承认性欲的力量,劝导夫妻不要禁欲,除非是彼此同意,而且是在某个具体的时期,之后他们则应当恢复正常的性生活(7:3—6)。

只有没有嫁娶的人和寡妇有克己"恩赐"的时候,保罗才建议他们保持独身状态(7:8—9)。已婚信徒应该保持婚姻,信徒与非信徒的婚姻也应当保持完好,除非非信徒一方选择离开。概因为信徒能够赢得异教徒配偶归信基督(7:12—16)。倘若非信徒配偶一方离开,那么基督徒则是自由的。基督徒应该运用婚姻和其他自己感到为主服务的状态(7:17—24)。尽管基督很有可能的早早复临,以及从异教徒转变为基督徒存在方式的相关困难,使婚姻不是处于好时机,但是如果他们"在主内"婚配,则仍然是可以接受的(7:25—40)。

第8:1—11:1这段经文关乎吃了先前祭过偶像、后来被拿到集市上兜售食物的基督徒。一些有"知识"——知道异教徒的神不是真神——的基督徒毫无疑惧地吃那些食物。另一些没有这样让他们心安的"知识"的人们则担心他们在参与拜偶像。第8章针对的就是因这个状况所形成的那个团契之中的问题。保罗同意"偶像在世上算不得什么",因而吃那些食物无关一个人与唯一真神的关系。但是,既然这个"知识"并非人人皆知的常识,那么基督徒吃这类食物的支配原则应当是心怀对于软弱弟兄的爱。他警戒那些强者说,"你们要谨慎,恐怕你们这自由竟成了那软弱人的绊脚石"(8:9)。

在第9章中,保罗现身说法,用自己作为例子说明应该如何为了自己所牧养的人们的缘故而愿意放弃个人的自由。他说,"向什么样的人,我就作什么样的人。无论如何总要救些人。凡我所行的,都是为福音的缘故,为要与人同得这福音的好处。"(9:22—23)他呼吁人们为了更大的善——福音毫无羁绊地得到推进——自愿克制自己的自由。在第10章中,他警告哥林多人防范自以为是的过度自信;并且言明,实际参与偶像节日就像以色列人在旷野试探神一样,无异于败前之骄。邻人的益处应当优先于合法的事情,即优先于"凡事都可行"。

第11—14章指向崇拜中的失序。在11:2—6和14:35—36中,保罗很忧烦,因为一些信主的妇女过度使用自己新发现的自由,令基督和教会在异教徒的哥林多社会面前失色。这里,保罗的教导是在哥林多的道德和社会的结构这个背景上展开的。受尊重的妇女留长发,离家的时候蒙着头。不体面的妇女剪发,外出的时候不蒙头。这个城市受尊重的妇女在公开场合言行谨慎、内敛。为教会在异教徒世界中的声誉计,保罗号召信教男女行为要符合礼仪和秩序。保罗的劝导不是针对所有时间和所有地点的人们,所针对的是特定背景下的一群人,为的是在他们的居住地发扬光大耶稣基督的名。该地教会得到的号召是,在那个特定的环境下表达福音。11:17—34中则有圣餐传统的最早记录,其中警戒哥林多人不要使之沦为暴饮暴食的节日。这个庆典必须与主的死亡相配。

在第12—14章中,保罗关心的是教会领导者的属灵"恩赐"。他承认"恩赐"的多样性,但是皆来自一个主——"恩赐原有分别,圣灵却是一位;职事也有分别,主却是一位。"就像人一样,基督的躯体具有许多肢体,但只有一个身子。他提到诸如"智慧的言语"、"知识的言语"、"信心"、"医病"、"行异能"、"作先知"、"辨别诸灵"、"说方言"和"翻方言"等恩赐,但所有这些都被用作赞美最高的恩赐——"爱"——的跳板;"爱"才是他劝勉他们所有的人去追求的。有无爱(第13章)决定了其他所有"恩赐"是否有效。这个用之不竭的恩赐应当是所有基督徒追求的目标。他说到讲方言的从属和暂时角色——讲道的恩赐胜过说方言,敦促他们追求无止境的爱(14:1),做所有教化的事(14:26),而且"凡事都要规规矩矩地按照次序行"(14:39)。"因为,神不是叫人混乱,乃是叫人安静。"(14:33)

第15章是保罗对于死后复活最详尽的讨论。他肯定复活对于他向他们所传福音的首要性,并像他自己当日所领受又传给他们的那样阐明主的复活传统(15:1—11)。他把耶稣的复活与不可分离的契约之中信徒的复活关联在一起。他把复活置于福音的中心(15:12—23),作为上帝摧毁死亡和最终掌权的工具(15:24—28)。复活关涉在世上过良善的生活,否则人们可能醉生梦死(15:29—34)。就像"血气的身体"是"必朽坏的"的尘世存在方式一样,复活事件将赋予信徒"不朽坏的""灵性的身体"(15:35—57)。

第16章以一种讲究实际的语调为书信结尾。保罗说到为耶路撒冷教会所募得的钱款,表达了如若需要愿意与他们一道前往耶城的意愿,而且对于哥林多教会所熟悉的司提反、福徒拿都和亚该古等人有所评述。

三、《哥 林 多 后 书》

不知何故,《哥林多前书》并没有像保罗所预期的那样抵达哥林多教会。他进行了《使徒行传》所没有记载的"痛苦访问",而且写了一封严厉的书信,这封书信要么遗失,要么部分保留在《哥林多后书》第10—13章中。很有可能,当时保罗仍然在第三次传教旅行中的以弗所。在那封严厉的书信中,保罗针对批评者捍卫了自己的使徒身份。他派遣提多呈递这封书信之后(《哥林多后书》2:12—13),焦急地等待信差回转,想知道哥林多教会收到那封严厉书信后是否接受他所做的辩护。提多的回程耽搁下来,保罗便从以弗所前往亚该亚。他先是旅行到特罗亚,然后从那里到马其顿,一边旅行一边募集钱款。在马其顿的某个地方,提多与保罗会合,带来哥林多教会接受那封书信的满意报告(《哥林多后书》7:13)。在马其顿,保罗即便不是写下整部《哥林多后书》,也至少写下了其1—9章。日期大致是在公元54年或55年。

该卷书信的主要梗概如下:(1)保罗偕同提摩太问安、致意(1:1—11);(2)回顾保罗与哥林多人的关系(1：12—7：16)；(3) 为耶路撒冷的基督徒募集善款(8：1—9：15)；(4) 维护自己的使徒身份(10：1—13：10)；(5) 结尾和祝福(13：11—14)。

问候和致意之后，保罗在 1：12—7：16 中回顾了他与他们的关系。他述及自己屡屡改变旅行计划。尽管他的那些批评者们把这些变化当作保罗优柔寡断和朝三暮四的证据，但是保罗清楚表明，那些变化都要合理的解释。他声言，他对他们的爱，以及想方设法避免在他们那里出现另一次"忧愁"访问的愿望，促发了那些改变。迟迟收不到他们对于那封严厉书信的反应令他极为忧虑，所以最终离开以弗所，取道马其顿前往哥林多。在马其顿他遇到提多，得到哥林多教会的人接受了那封信的回报后才如释重负(1：12—2：13)。

保罗进而按照他的观察和经历在 2：14—6：10 中讨论了基督徒的布道。福音传道人提供给听者的是支持或反对基督的决定要点(2：14—17)。他宣示了一种新约，这种新约不是像旧约那样凭着叫人死的字句，而是凭着叫人活的精意(3：1—6)。保罗连同上帝的灵本身所提供的所有自由一道，给听者提供了与上帝在基督中永恒的、直接的、密切的接触(3：7—18)。在将真理表明出来方面，他推崇的不是自己，而是基督(4：1—6)。尽管"有这宝贝放在瓦器里"自然产生巨大的压力，但是"常为耶稣被交于死地……自己知道那叫主耶稣复活的，也必叫我们与耶稣一同复活"(4：11、14)。因而，成功的所有功劳归于上帝，而不是归于人。所经历到的上帝临在是为将来的事所付的首付。因为这些理由，传道人的所有生命都委身于一种取悦上帝的渴望。他的目光紧盯着实为永恒的未见之事(4：16—5：10)。对基督的爱掌控着他。作为一个"新造的人"，他被赋予人与上帝修和的职分，因为"神在基督里叫世人与自己和好"(5：11—6：10)。传道人代表基督求人们"与神和好"(5：11—6：10)。

随着热情洋溢地表达了因哥林多人而来的喜乐(6：11—7：16)，以及穿插呼吁基督徒不要与异教徒的生活方式为伍(6：17—7：1)之后，保罗在 8：1—9：17 转向为耶路撒冷的基督徒募捐的问题。保罗呼吁哥林多教会慷慨捐助(8：1—13)，以便不让马其顿教会在这方面专美。他拟定了有效而诚实的善款监护计划(8：16—24)，请求他们在自己到来之前先行开始筹措善款(9：1—5)，勉励他们"随本心"快乐地踊跃奉献，"因为捐得乐意的人是神所喜爱的"(9：6—7)。上帝将赐福耶路撒冷教会和慷慨的哥林多教会(9：8—15)。

第 10—13 章所呈现的是保罗尝试维护他的使徒权柄，因为哥林多的一些批评者对这种权柄颇为质疑。他抨击的激烈程度让人联想到《加拉太书》的某些部分中所表达的愤怒。他公开地否定这样一种指控，就是他在他的那些信中是一个远观者，而不是一个面对面的亲历者。保罗声言，他的权柄来自上帝，而且建议他们把他自己与那些批评他的人进行一下比较(10：1—12)。他诉诸"一点愚妄"，"放胆自夸"自己的那些高昂的和低落的经历(10：13—11：33)。然后细述了十四年前"一个在基督里的人"的异象,这人为了除掉身上的刺而与上帝纠缠不清(12：1—13)。这人得到上帝三次回答,"我的恩典够你用的,因为我的能力是在人的软弱上显得完全"。对此,保罗自己又添加了对神的回答的回应：

> 所以,我更喜欢夸自己的软弱,好叫基督的能力覆庇我。我为基督的缘故,就以软弱、凌辱、急难、逼迫、困苦为可喜乐的,因我什么时候软弱,什么时候就刚强了。(12：9—10)

保罗接着转向第三次拜访的计划(12：14—13：10),最后添加上道别和祝福的话(13：11—14)。

第六节　保罗的罗马之旅

一、《罗　马　书》

1.《罗马书》梗概

作为保罗书信中的最高成就,这封书信的成书是在他大约公元 55 年或 56 年进行第三次传道旅行期间,有三个月留住在哥林多的时候。保罗向丢德口述了这封书信之后(16：22),由坚革哩教会中的女执事非比带往罗马(16：1)。有关这封书信出于保罗之手这一点,史上从未有过真正的质疑。收信的罗马教会是保罗所不熟悉的,但他一心打算在可预见的将来前往访问。

在写这封书信的时候,保罗已经完成他在爱琴海周围地区的传道。为耶路撒冷教会的贫穷基督徒所募集的善款就在手中,保罗无疑希望爱琴海地区外邦人占主导地位的各个教会的慷慨解囊成为教会统一性的象征,并且有助于弥合教会中犹太因素与外邦因素之间的分歧。他计划前往西班牙(《罗马书》15：24、28),但是立意在途中与罗马教会建立关系(《使徒行传》19：21)。可以想见,他希望在罗马的教会能够支持他在地中海西端的工作,就像叙利亚的安提阿教会支持他遍及小亚细亚和地中海地区的传道旅行一样。

该卷书信意在向罗马基督徒介绍保罗及其所传福音,为保罗拟议中的罗马之行预做准备。因为在罗马的教会主要是犹太取向,保罗对于他们而言很可能是值得怀疑的,所以他需要赢得他们的信任。不过,他对于自己路线图中的下一站耶路撒冷之行的结果心中没有底。由于耶路撒冷有他的仇敌,如果他不能安然度过耶城之行这一关,那么这封书信就会成为他在罗马基督徒那里的遗存,一份类似某种神学遗嘱或神学见证的东西(15:25、30—33)。

无从得知到底是谁建立了罗马教会,但是那里自从罗马皇帝革老丢时期就有了基督徒却是个事实。鉴于该地教会出现于彼得和保罗到访之前,其起源可能早于公元50年。尽管该地教会具有犹太倾向,但是其成员主要是外邦人,作为外邦使徒的保罗自然渴望与他们分享自己特别的属灵恩赐(1:11、13,15:14—16)。他对于福音与犹太民族关系的关切形成这封使徒书信中9—11章的主题。

文本证据表明,流传的《罗马书》文本形式不止一种。在不同的稿本中,目前通行文本中的“最后的颂赞”(16:25—27)分别出现在15:33、16:23、16:24和14:23之后,甚至有个稿本略去了这个“颂赞”。尽管问题复杂,但一种合理的假设是,保罗为罗马教会写下1—15章,并抄送以弗所教会,在这个以弗所教会文本中添加了目前文本中的第16章。第16章所提到的绝大多数人在以弗所,而且也是《新约》中最后一次提到这些人。有学者认为正是举荐非比促发保罗添加了第16章的内容①。当然,维护《罗马书》1—16章的完整性的学者也不无理由。

《罗马书》在保罗书信中可谓“特立独行”。其他书信都是因为要应对他所建立和熟悉的具体教会和具体地点出现的问题而作,带有明显的应急和应对的特色,激情多于论说。但致信像罗马教会这样一个不是由他建立、也不熟悉的教会,使他可以摆脱具体教会背景的限制,提炼出自己的神学主题。这个主题就是保罗在论述与犹太教相关的问题的时候所表达的“因信称义”。

用保罗自己在问安、致意和陈明欲访罗马的理由之后对该信主题的概括来说就是:

> 我不以福音为耻;这福音本是神的大能,要救一切相信的,先是犹太人,后是希腊人。因为神的义正在这福音上显明出来,这义是本着信,以致于信。如经上所记:“义人必因信德生。”(1:16—17)

《罗马书》梗概如下:(1) 开头(1:1—17);(2) 对因信称义福音的普遍需要(1:

---

① Henry Jackson Flanders, Jr. and Buce C. Cresson, *Introduction to the Bible*, New York: John Wiley & Sons, 1973, p. 437.

18—3：20)；(3) 因信称义的本质(3：21—8：39)，包括因信称义(3：21—4：25)和称义的结果——得救(5：1—8：39)；(4) 以色列人的爽约与神的信实(9：1—11：36)；(5) 基督徒爱的本质——劝勉人们过爱的生活(12：1—15：13)；⑥ 结尾与个人有关的问题和祝福(15：14—16：27)。

2. 因信称义与爱人如己

在第 1 章第 17 节提到神的义之后，保罗即刻转向讨论事情的另一面——神的忿怒。直到他确立人的普遍罪性和人需要神的拯救这个立论之后，才会在 3：21 中重回神的义这个主题。

对保罗而言神的义是神救赎罪人的活动，无论这人是犹太人还是外邦人。罪阻止人与神建立富有意义的关系。神的忿怒，或神对于人因拒斥他的神圣旨意而发的神圣抵御，对于保罗而言在世界的道德构造中是显而易见的。观察世界就是看清上帝在对抗人们的肆意反叛中的工作。但是当下所见的只是要来的东西的样本。就像外邦人和犹太人的生存状态所证明的那样，人类浸透了罪。

外邦人(1：18—32)把让人可以觉察上帝创造本质的东西扭曲成偶像崇拜的对象，沦为崇拜受造物。毫无感激之心的人们，诉诸空洞的思辨和愚行。就像肉欲罪恶(1：24—28)和反社会罪恶(1：29—31)所例证的那样，这种宗教感的扭曲(1：18—23)产生了社会中的腐败。这种宗教感的扭曲的终极命运则是丧失所有道德感，由之腐化的罪恶不仅大行其道而且受人喝彩(1：32)。犹太人(2：1—3：8)自然也好不到哪里去。尽管犹太人更有知识，但是恰恰做着他谴责的外邦人所做的事情。他们听着律法，却不践行律法，从而像外邦人一样遭受神的震怒。

因而，无论根据良知来判断外邦人，还是根据摩西律法来判断犹太人，两者都没有过关，最终都要接受耶稣基督的福音审判(2：1—16)。犹太人有律法，但是未能履行守法的责任(2：17—24)。犹太人违背了律法，无异于使其所受割礼——立约身份标记——徒然无功，等于未受割礼。外面肉身的割礼不是真割礼，唯一真正的割礼是心里的割礼。真正的犹太人是作里面内心的犹太人和属灵的犹太人(2：25—29)。犹太人有的长处是"神的圣言交托他们"，但是神对他们的应许是有条件的。神仍然信实，但犹太人爽约。

保罗在 3：19—20 中总结了他对外邦人和犹太人都有罪性的断定：

> 我们晓得律法上的话，都是对律法以下之人说的，好塞住各人的口，叫普世的人都伏在神审判之下。所以凡有血气的，没有一个因为律法能在神面前称义，因为律法本是叫人知罪。

为了支持自己有关所有的人"都在罪恶之下"、没有义人的指控,保罗还援引了《诗篇》和《以赛亚书》中的九节经文。在他看来,罪的意识应该属于所有的人。

3. 因信称义的本质

在确立了所有人都需要从充满罪性和充满反叛的状态下被拯救出来之后,保罗转而宣告神在耶稣基督之中为了拯救迷途的人类所做的一切。

保罗在3:21—4:25中宣布:神的义尽管有律法和先知为证,但是在律法以外的耶稣基督中已经显明出来,而且人们通过自己个人的信就可以认领。为了人的救赎,神本身活动在耶稣基督中。保罗用六节经文的篇幅(3:21—26)总结了迄今所言和将要欲言:

> 但如今,神的义在律法以外已经显明出来,有律法和先知为证。就是神的义,因信耶稣基督加给一切相信的人,并没有分别。因为世人都犯了罪,亏缺了神的荣耀,如今却蒙神的恩典,因基督的救赎就白白地称义。神设立耶稣作挽回祭,是凭着耶稣的血,藉着人的信,要显明神的义。因为他用忍耐的心,宽容人先时所犯的罪,好在今时显明他的义,使人知道他自己为义,也称信耶稣的人为义。

为了阐明上帝在耶稣中成就了什么,保罗在这里运用了人类经验中的三个隐喻:法庭、献祭和奴仆。法庭之上,上帝作为法官宽宏大量地宣布罪人的罪免于惩罚,而且他的罪被勾销(称义);奴隶市场上,上帝作为恩人释放了被俘的奴隶(拯救);在圣殿中,上帝作为祭司用血祭抵偿人的罪(赎罪)。所有这一切都是上帝的恩典。上帝采取行动拨乱反正,重新确立人与上帝自己的原初关系。上帝所提供的是一种恩赐;对此,人通过信仰就可以认领。对保罗而言,信仰是一种意志承诺,而且是人宽恕、接受和更新身份的唯一手段。保罗用亚伯拉罕信心为例来支持他的论点——得救总是因着信,而不是因着律法的言辞或割礼。凡有信心的人,无论是犹太人还是外邦人,都是亚伯拉罕的真正后裔(4:1—25)。

在5:1—8:39中,保罗讨论了上帝使人称义的结果。通过信仰基督,人发现崭新的生命。一度与上帝为敌和遭受上帝愤怒的人,凭靠耶稣的牺牲性的死亡,现在与上帝和好了;而且,凭靠耶稣复活的临在和"他的生命",也得到拯救。他的拯救是一种过去的成就、一种当前的实在、一种未来的盼望(5:1—11)。作为亚当的后裔分享死亡的人,凭靠把上帝的恩典释放给世界的耶稣,现在得到和平和永生(5:12—21)。

随之保罗开始描述信者"在基督中"的新生命。为了传达从原罪和律法中解脱出来的意义,保罗运用了洗礼、奴役和婚姻律法作为例证。信者从过去的联合和罪中的奴隶地位中解放出来,结果就可能意识到通过与耶稣基督交通和依顺上帝而在圣灵中的新生命(6:1—7:6)。他还以辛辣的笔法描述了与一个人律法之下的破碎生命相关的痛苦——律法只给这种人带来因无法履行律法而滋生的难以忍受的负罪感;然后,为在耶稣基督之中所发现的庄严释放而欢喜(7:7—25)。

通过第8章,保罗向着该章末尾的强音而运思。他关切的是在圣灵里的新生命中摆脱罪与死亡。律法无法做到的,已经由耶稣中的上帝所成全。信者生活在上帝在圣灵之中临在这种意识中。在复活了的耶稣中生活,就是具有与上帝关系密切的上帝儿子身份,一种与耶稣一道的继承人身份——"与基督同作后嗣"(8:1—17)。但是儿子身份带来苦难,因为耶稣并没有穷尽所有苦难。儿子的确有软弱,但是他可能得到一再保证,就是圣灵援助他并为他代祷。况且,将有所有造物的救赎,甚至包括躯体的救赎(8:18—27)。在给那些爱他的人带来利益方面,上帝本身与那些爱他的人一道工作。上帝是支持信徒的,而不是反对信徒。而且被造秩序中没有什么得到公认的力量能够把他与上帝之爱分开,这种爱是在他的主耶稣基督之中的(8:28—39)。

4. 以色列的爽约与上帝的信实

有学者认为,这三章倘若从《罗马书》中略去不读,也不会影响该卷的连贯性①。鉴于现存的稿本中都保留了这部分内容,而且对保罗的总主题而言又是关系密切的,所以想必作为一个有机部分包括在原来的书信中。很有可能,这个部分是保罗之前准备的某个材料,后来被整合进这封使徒书信之中。在这部分,保罗主要关切的是他的人民对基督的拒斥。

当言及罗马人在基督中的新生命的时候,保罗一再使用"我们"。他想象,犹太人一个一个地成为世界中的这个新共同体中的一员。然而,他冥想这样的共同体所获得的喜乐并没有抚平他替那个老共同体——他的以色列民族——所感到的"伤痛";为了他们之故,保罗表示宁愿自己"与基督分离"也在所不惜(9:1—5)。

在第9—11章中,保罗在这个问题的终极结果方面摸索上帝和以色列民族分别扮演的角色。他大胆断言,即便以色列民族的所有人最终都不相信基督,上帝的圣言也不会落空,因为上帝继续在真正的以色列——信徒的共同体——中实现他的旨意(9:6—13)。即便上帝被认为是任意而行的,也不能被指为不公平,因为他是神(9:14—29)。但是对于保罗而言,上帝在与以色列民族打交道中,并不是任意而行

---

① Henry Jackson Flanders, Jr. and Buce C. Cresson, *Introduction to the Bible*, New York: John Wiley & Sons, 1973, p. 442.

的,因为这个民族"不在信中"(9:30—10:31)。而且,对于保罗而言,以色列民族的拒斥不是最终性的。上帝一如既往地向它敞开胸怀;保罗期盼这个民族、期盼至少这个民族的"余民"能够悔罪,重回主的怀中,(11:1—32),成为接回那棵真正的、唯一的"好橄榄树"上的枝子(11:1—32)。

5. 劝勉人们过彼此相爱的生活(12:1—15:13)

这部分经文的内容关涉基督里的新生活的一些道德蕴涵。信徒的生活必须接受上帝的不断改造,因为他们现在生活在一个与自己过去熟悉的世界不同的世界(12:1—2)。作为"在基督里成为一身"的那些成员,他们的共同体的特征是彼此相爱。他们都是彼此的一部分,而基督是他们的榜样(12:3—13)。他们要爱自己的敌人,"不可为恶所胜,反要以善胜恶"(12:14—21)。

他们还是罗马世界的公民,作为公民应当负责和善良(13:1—7),因为所有律法"都包在'爱人如己'这一句话之内了"(13:8—10)。他们"总要披戴主耶稣基督,不要为肉体安排,去放纵私欲"(1:11—14)。尽管保罗主张"凡物本来没有不洁净的",但是强调强者对于弱者负有责任,而且必须尊重他们没有得到启蒙的信念(14:1—15:6)。他勉励他们都把耶稣基督作为生活中的榜样(15:7—13)。

随后,他以与个人相关的一些问题和祝福结束了这封书信(15:14—16:27)。

二、保罗前往罗马(《使徒行传》21—28)

《使徒行传》没有述及罗马教会的建立情况。在保罗作为囚徒到达罗马之前,该地教会已经存在很长时间。《使徒行传》21—22章记录的不是哪一个新教会的建立,而是导致保罗到达罗马的那些事件。至于保罗抱持的、通过从爱琴海教会为耶路撒冷教会募捐而加强教会凝聚的希望,路加并不关心。除了《使徒行传》24:17表明保罗心系此事之外,就只有保罗书信涉及保罗的这种做法了。从《使徒行传》来看,保罗兑现自己的募捐誓言好像是前往罗马的主要目的(《使徒行传》18:18;21:23—26)。保罗在耶路撒冷展现出他自己仍然是一个热诚的犹太人,当事情演变到他最终作为囚犯被押解到罗马的时候,他的行为表现也是如此。在有记载的事件过程中,保罗的几次辩护演说具有重要意义。

在耶路撒冷(21:1—23:30)

《使徒行传》对于保罗第三次传道旅行途中,如何离开以弗所,如何最终到达罗马的过程叙述的非常详细,包括港口、船只等等,仿佛是一部旅行日记。

保罗离开以弗所,经停推罗、多利买和该撒利亚之后到达耶路撒冷。还在推罗的时候,"被圣灵感动"的门徒劝保罗不要去耶路撒冷(21：4)。在该撒利亚,在有四个说预言的女儿的腓利家中,人们借"圣灵说","苦劝保罗不要上耶路撒冷去"(21：11)。在整部《使徒行传》中,圣灵的引领证据是基督徒应当遵循什么道路的唯一不争的决定要素。在这种情况下,保罗仍然决定前往耶路撒冷好像与教会所理解的上帝启示的意志相冲突,但是保罗仍然义无反顾。

在耶路撒冷,保罗及其随从住在"久为门徒"的塞浦路斯人拿孙的家中。第二天,他们前去拜望雅各,见到了耶路撒冷教会的所有长老。保罗汇报了上帝"在外邦人中间所行之事",众人欢喜不已。然后人们的话题转到保守的犹太派对于保罗的怀疑,指出：根据广为流传的说法,保罗教导住在外邦人中间的犹太人"离弃摩西,对他们说,不要给孩子行割礼,也不要遵行条规"(21：21)。为了证明有关保罗的传闻是无稽之谈,也为了改善保罗在犹太人中的形象,雅各和长老建议保罗为四个因经济原因无法还愿的耶路撒冷犹太人完成还愿过程。出于改善与犹太人的关系这一考虑,保罗同意了。这例证了他在《哥林多前书》9：20 中所表露的意愿："向犹太人,我就作犹太人,为要得犹太人;向律法以下的人,我虽不在律法以下,还是作律法以下的人,为要得律法以下的人;向没有律法的人,我就作没有律法的人,为要得没有律法的人。"

无论保罗希望从这种妥协中获得什么,结果这次都一无所获。在帮助四个犹太人完成还愿过程的七天中,他要不断前往圣殿,这让一些来自罗马帝国亚细亚省的犹太人抓住无事生非的机会;他们借故曾经看到保罗与一个没有行过割礼的以弗所人特罗非摩在一起,就凭臆测,指控保罗"带着希腊人进殿,污秽了这圣地"。有人亵渎圣殿的消息一传出,"合城震动",大批来耶路撒冷庆祝五旬节的犹太人狂怒不已,涌到圣殿抓住保罗。多亏罗马千夫长革老丢吕西亚及其兵丁及时介入,保罗才没有死于暴民的私刑。

面对民众对于保罗的各种各样的指控,千夫长难辨真伪,遂决定带保罗到营楼去审问清楚。在营楼的台阶上,保罗用希腊话向千夫长问话,惊讶不已的千夫长以为保罗是以前带领四千人作乱、逃往旷野去的某个埃及人。保罗讲明自己的身份,告诉他自己生在大数、长在耶路撒冷。之后保罗要求向众人讲话,得到允许。这个在营楼台阶上的讲话是保罗四大讲话(22：3—21;23：1—6;24：10—21;26：2—23)中的第一个,而这四大讲话构成了《使徒行传》21—28 章的内容核心。

根据记载下来的这个讲话(22：3—21),保罗能够摆手让众人安静。当他开始用希伯来语讲话的时候,他们开始倾听。他通过诉诸与众人相同的犹太血统、教育和对律法的热诚,来表明自己与他们是一样的,然后开始叙述归主的经过。他表明,基督在他身上带来的变化不是舍弃犹太传统,而是成全这个传统。他们一直静听,直到保罗提到奉主的派遣"往外邦人那里去"传道。这再次引燃他们的愤怒之火。千夫长便命人把保罗带到营楼中拷问。保罗提及自己的罗马公民身份,使他免于鞭刑。

第二天,千夫长把保罗带到犹太公会面前,这很有可能是因为公会已经做出针对保罗的正式指控。在其第二个演说中(23:1—6),保罗表明自己属于法利赛人,并且用暗度陈仓的技法引入有争议的复活主题,结果犹太公会因这个问题出现法利赛人和撒都该人两个阵营的争论。一些法利赛人文士开始为保罗"仗义执言"。面对这种喧闹场面,千夫长只好又把保罗带回营楼。当夜,主在异象中为保罗宽心,保证他将来在罗马就像在耶路撒冷一样作见证(23:11)。尽管这个异象在《使徒行传》中没有多费笔墨展开,但是其重要性在于向保罗确保,主并没有因为保罗执意到耶路撒冷而舍弃他。

同时,一些犹太人仍然想把保罗置于死地而后快。其中有四十个人以绝食要挟祭司长和长老允许他们设计杀死保罗。多亏保罗的一个外甥把这个消息秘密报告给千夫长,后者派重兵把保罗押解到罗马巡抚所在的该撒利亚。在带给巡抚腓力斯(公元52—60年)的公函中,千夫长介绍说,保罗没有该死、该绑的罪名,有的只是与犹太人的"律法的辩论"相关的指控。在《使徒行传》的作者路加看来,这封公函的重要证据价值在于,证明基督教在罗马官员眼中从来不是一种非法宗教。

在该撒利亚(23:31—26:32)

保罗在两个罗马百夫长和众兵丁的护送下,作为罗马公民被安全转移到该撒利亚。在罗马法律看来,针对保罗的指控如此无足轻重,简直可以获释。但是一步一步地阴错阳差,致使保罗作为囚犯在该撒利亚一呆就是两年多(24:27),然后又开始漫长而累人的向恺撒本人上诉的过程。

在保罗抵达该撒利亚五天之后,"大祭司亚拿尼亚同几个长老和一个辩士帖士罗"紧跟着来控告保罗。在腓力斯面前,他们对保罗提出了一般控告和具体控告。一般控告说保罗是害群之马——"如同瘟疫一般",具体控告说保罗"鼓动普天下众犹太人生乱"、"是拿撒勒教党里的一个头目",甚至"连圣殿他也想要污秽"。保罗在其第三个演说中(24:10—21),否定犹太人可以证明对他的生乱指控(24:12—13),坦承作为拿撒勒派的自己与指控他的那些犹太人所侍奉的神、合乎的律法、拥有的盼望并无二致(24:14—15),宣称那些指控他亵渎圣殿的亚细亚人理应亲自来控告(24:18—19),借此一一回应了三个具体指控。作为结束语,保罗指出,正是他在复活方面的立场导致他被送到腓力斯面前。

巡抚腓力斯宣布案子延期再审,仍然把保罗留在监里。尽管腓力斯及其犹太妻子土西拉看望保罗,并听他讲道,但真正指望的却是想让保罗送他银钱,以换取获释。腓力斯是一个贪赃枉法的罗马巡抚,不但接受别人的贿赂,而且作为得不到保罗银钱的报复,以及为了获得犹太臣民的政治拥戴,不惜逾期囚禁保罗两年以上(24:24—27)。

腓力斯后来由一位较受尊重的巡抚波求非斯都(公元60—62年)接任。新巡抚最初拒绝犹太祭司长要把保罗转到耶路撒冷听审的企图。按照《使徒行传》的说法,大祭司本来密谋在把保罗押解去耶路撒冷的路上暗杀保罗。然而非斯都还是要讨好犹太人,维护那地的治安。在该撒利亚的后来一次听审中,针对保罗对犹太人的指控所作的无罪抗辩,非斯都问保罗既然如此是否愿意去耶路撒冷听审。担心遭到暗算的保罗不敢答应,只好行使每一个罗马公民都具有的特权,直接向恺撒上诉。

后来,当希律·亚基帕及其具有兄妹关系的妻子百尼基氏到访该撒利亚,非斯都把保罗的案子向这位分封王禀告,说犹太人对保罗的指控无非是些围绕犹太人的信仰和一个叫耶稣的人的死活问题,大感兴趣的亚基帕决定第二天到公堂,因为他自己"也愿意听这人辩论"。在这个正式的听审会上,非斯都公开表明,他在保罗的案子中没有发现什么当死的罪,但是在解送保罗前往罗马之前的定罪和有关保罗上诉的"陈奏"方面需要亚基帕的协助(25:24—27)。

保罗在其第四个演说中(26:2—23),不仅陈明了他深深的犹太之根,忆述了他早年对基督徒的迫害之事和后来的归主经过,表明了自己在传道过程中如何谨遵"天上的异象",而且为复活了的基督的大事小情作见证。非斯都认为保罗"癫狂",而亚基帕则感到保罗甚至试图劝他信主、做基督徒,对于后者保罗"供认不讳"。休庭之后,大家都一致认为保罗没有犯下什么死罪,亚基帕甚至补充说:"这人若没有上告于恺撒,就可以释放了。"(26:32)根据《使徒行传》,所有听过保罗案子的罗马官员都同意,保罗没有犯下什么按照罗马法律该死的罪过。

到达罗马(27:1—28:31)

《使徒行传》27:1—28:16中的故事是有关古代船只失事的一则经典叙述。有关记述尽管言简意赅,但显然出自一个目击者之手,为人们罕见地勾画出一幅公元1世纪乘船航行的多彩的画卷。有关船名、航线、港口和一些戏剧性的航行经历都保留在其中。叙事者仿佛在风暴、搁浅和幸存中看到了上帝存在的明证。

叙事说到,解送保罗前往罗马的一行人搭乘一只亚大米田的船从该撒利亚起航,向北沿着地中海海岸到达吕家的每拉，然后在那里换船。接下来的一段行程到达克里特岛南边的佳澳。他们从佳澳向西航行，遇到大风暴，最终船只在马耳他岛附近搁浅。滞留三个月后，他们搭乘一只在该岛过冬的亚历山大船只"宙斯双子号"前往西西里的叙拉古，然后航向罗马港口部丢利。登岸后，他们经由亚比乌大道（the Via Appia）到达罗马，受到犹太人的欢迎。

保罗在罗马就像在其他地方一样"先向犹太人传教"。他向到"寓所"来的犹太人传讲以色列民族所希望的弥赛亚已经到来。自然一些人相信，一些人不信。他还断言，上帝已经把拯救赐给外邦人。《使徒行传》以保罗在软禁中度过两年、等待到恺撒面前听审结束：

> 保罗在他自己所租的房子里住了足足两年。凡来见他的人，他全都接待，放胆传讲神国的道，将主耶稣基督的事教导人，并没有人禁止。（28：30—31）

保罗案子的最终结果不但《使徒行传》没有记录，其他《新约》经卷也没有交代。有关保罗最终结局的学术观点很多，但都缺乏事实支持，因此从没有令人满意地解决过这个问题。具有代表性的观点主要有三种：（1）保罗在公元64年尼禄迫害基督徒期间于罗马殉道；（2）保罗暂时获释，前往西班牙或回到爱琴海地区；（3）保罗无罪获释。

就第二种观点而言，尽管没有《圣经》文本证据支持，但是西班牙有这种传说，而且大约公元95年革利免写给哥林多教会的书信《革利免一书》第5章当中也说到此事。总体而言，学者们认为这些传统的源头还是出于对保罗在《罗马书》15：24所说的打算访问罗马的推测。

第三种观点源于保罗在《提摩太前书》、《提摩太后书》和《提多书》这些"教牧书信"中所提到的旅行。在支持这种观点的人们看来，这些书信暗示保罗重访过他先前在小亚细亚和希腊访问过的一些地方，而且其中还有一些地方《使徒行传》和比这些书信更早的书信中并没有提及，诸如歌罗西、革哩底（克里特）和尼哥波立等。另外，值得注意的是，《使徒行传》并非毫无缺漏地记载保罗的旅行。例如，保罗在《哥林多后书》中就提及《使徒行传》没有记载的许多事件。尽管如此，不过学者们认为，这种观点恐怕更多反映的是解决"教牧书信"中所隐含的那些旅行与《使徒行传》的叙述不相契合这个事实的一种努力，即与其百思不得其解，不如推定保罗在第一次罗马之行后还到过罗马。

在这个问题上目前的主流观点是第一种。这也是尤西比乌《教会史》中的传统观点："有一种古老的传统认为，彼得和保罗在尼禄统治下双双在罗马殉道，大概是在公元 64 年基督徒遭受迫害期间；彼得被钉十字架，保罗被斩首(罗马公民不钉十字架)。"①倘若保罗获释，并且随后传道，那么这对于教会而言是一件相当重要的事件。鉴于没有证据表明此事的确发生过，所以最有可能的情况是保罗死于罗马，而且很有可能是在尼禄迫害基督徒期间②。

① Paul J. Achtemeier, Joel B. Green, Mariannne Meye Thompson, *Introducing the New Testament : Its Literature and Theology*, Grand Rapids, Michigan: William B. Eerdmans Publishing Company, 2001, p. 294.

② 参见 John Drane, *Introducing the New Testament*, Minneapolis: Fortress Press, 2001, p. 350。

第九讲　迫害频仍　夹缝求生

——基督教组织化的外力和过程

第一节　保罗狱中书信

行文至此，《圣经》所余经卷总体上都带有令人不快的背景。这些经卷要么写于囚禁之中(就像保罗书信所余经卷那样)，要么面对宗教的和政治的敌对，要么与异端学说作战，要么出于解决与崇拜、组织、团契和教义相关的难题。从大约公元60年到135年，教会面临许多难以应付的困难和障碍，在寻求建立自身的身份和秩序方面进行了可歌可泣的奋斗。这个时代史称"后使徒时代"。

这个时代开启于耶稣升天三十年之后，其时使徒和耶稣传道的见证者都相继谢世。最初三十年的巨大成就需要加以审视和巩固。老一代领导阶层正在成为过去，而新的领导群体正在兴起。教会及其领袖面临大量棘手问题：人们所引述的耶稣教导中哪些是可信的，哪些则不然？耶稣的教导哪些与犹太教一致，哪些则有重要的差异？教会适当的组织机构应当如何？何时、何处某些与耶稣的精神相异或相反的东西在无意之间潜入到教会的思想和实践之中？教会与犹太教和罗马帝国的关系应当如何？凡此种种，不一而足。在随后的七十年间，教会对许多问题都有了答案，并且确定了未来的航线。期间教会经受住了内外的巨大考验，发展出其文献，确定下其传统。尽管教会在这个阶段不仅收获了胜利和荣耀，也遭遇到失败和耻辱，但是毕竟幸存和发展起来。尤其是形成了对其自身和所负使命的清晰意识。

在本书对《新约》其余经卷的提示方面，保罗"狱中书信"是其中的主题之一。保罗有四封书信写于"捆锁"之中：《腓立比书》(1：12、17)、《歌罗西书》(4：3、10、18)、《腓利门书》(1、9—13、23)和《以弗所书》(3：1,4：1,6：20)。在这些经卷的研究中,一个关键的问题是保罗被"捆锁"或被囚禁于何处。传统上人们一直把罗马当作这些书信的写作地点,因为其中提及"御营全军"和"恺撒家里的人"。但是学者们也不断探索这些经卷写于保罗显然遭受囚禁的其他那些城市的可能性,尤其是以弗所①。

在一些学者看来,鉴于这些书信没有提及《使徒行传》所记载的保罗在耶路撒冷、在该撒利亚和在前往罗马的航船上的戏剧性经历,难以想象罗马是这些书信的起源地。况且,其中他反复表达希望拜访腓立比和歌罗西(《腓立比书》1:24—26,2:24;门22),好像也同他与亚细亚的教会领袖在米利都严肃而感伤的诀别相矛盾(《使徒行传》20:15—37)。另外,《歌罗西书》和《腓立比书》的收信地与以弗所之间的距离比与罗马之间的距离近一千多英里,就保罗在书信中所表达的访问计划而言,如果认定这些书信写于以弗所比认定这些书信写于罗马更容易理解。总之,保罗的"狱中书信"写于狱中是确定的,但是写于何处的狱中则没有定论②。如果写于罗马,这些书信的日期则在公元60—62年之间;如果写于以弗所,则大约在公元56—57年之间;如果写于该撒利亚,则大约在公元58—60年之间。

一、《腓 立 比 书》

腓立比教会是保罗西渡爱琴海之后建立的第一个教会。该地教会刚刚经过以巴弗提之手送给保罗一份礼物。但是以巴弗提不幸染病在身,耽搁了回程。保罗写下这封书信,一方面感谢腓立比教会对他的挂念和慷慨,另一方面解释为什么以巴弗提没有如期返回腓立比。保罗的这封书信大量使用第一人称单数代词("我"出现了上百次),处处洋溢着对这个特定会众群体的喜爱,可能是保罗所有作品中最私密、最亲昵的一封。

该卷的主调是喜乐,但是3:1突然从喜乐的情绪转向对犹太派的猛烈抨击,这导致某些学者推测此处插入的是另一封信的片段。不过,大多数学者认为这点并不影响该卷的一致性,因为这也源于保罗在该卷中所表现出来的收放自如。

---

① Henry Jackson Flanders, Jr. and Buce C. Cresson, *Introduction to the Bible*, New York: John Wiley & Sons, 1973, pp. 454 - 455; John Drane, *Introducing the New Testament*, Minneapolis: Fortress Press, 2001, pp. 360 - 361.

② Paul J. Achtemeier, Joel B. Green, Mariannne Meye Thompson, *Introducing the New Testament: Its Literature and Theology*, Grand Rapids, Michigan: William B. Eerdmans Publishing Company, 2001, p. 381.

《腓立比书》梗概如下：问候、致谢和祷告（1：1—11），有关自己的消息（1：12—26），劝勉腓立比人团结和以身作则（1：27—2：18），保罗的计划（2：19—30），警示（3：1—4：1），劝诫（4：2—9），感激和祝福（4：10—23）。

保罗在这封书信中开篇感谢腓立比教会新近赠送的礼物和长期参与他的传道工作，提到自己还在其他一些场合得到过这个教会的经济支持（《腓立比书》4：16、18；《哥林多后书》11：8—9）。他心怀感激地为腓立比教会祷告：

> 要你们的爱心在知识和各样见识上多而又多，使你们能分别是非（或作"喜爱那美好的事"），作诚实无过的人，直到基督的日子；并靠着耶稣基督结满仁义的果子，叫荣耀称赞归于神。（1：9—11）

保罗还向他们讲述了自己的近况和作为囚徒如何生活（1：12—26）。与人们可能的预期相反，事实上福音"在御营全军和其余的人中"传播开来。他的监狱见证鼓励了他人大胆地作自己的见证。甚至保罗的那些"出于嫉妒纷争"的对手也在他们"出于结党"的见证中更加进取。如此一来，无论是借助朋友还是敌手，无论是出于真心还是假意，福音毕竟得到传播（1：12—18）。他完全希望自己得到拯救，但发现自己陷入奇诡的两难境地。他面临着生而传道、死而归主的两种喜乐："因我活着就是基督，我死了就有益处。"至于他偏爱何种结局，信中并没有宣布，但是他的确表达了与腓立比教会的人们喜乐重聚的愿望（1：19—26）。

接着，保罗劝勉腓立比教会同心同德，为基督徒的生活树立榜样（1：27—2：18）。他们的使命就是"行事为人与基督的福音相称"。就像在著名的马其顿方阵中的士兵那样，他们应该勇敢地"同有一个心志，站立得稳，为所信的福音齐心努力"。他们应当预计到要为基督受苦（1：27—30）。在合而为一中，各自都应当以他人为重，效法道成肉身中的"基督耶稣的心"所树立的无与伦比的榜样。为了过一种存心顺服、以至于死在十字架上的人的生活，基督放弃"自己与神同等"，这应当成为人们人际关系的灵感和指南。保罗以优美的笔触描绘了永恒基督之"降"与"升"的步骤：虚己、顺服、卑微、死亡和最终"升为至高"（2：6—11）。在那段华美经文（2：1—11）的结尾部分，他提出了可能是教会最早的信经："耶稣基督为主"。

保罗把自己的未来计划和盘托给腓立比教会（2：19—30）。他有意派遣提摩太到他们那里，而且自己也想亲自去一下。一度病得要死的以巴弗提已经痊愈，正准备返回腓立比。保罗也免不了对以巴弗提的滞留不归解释了一番。

在劝勉腓立比教会"要靠主喜乐"之后，保罗突然转向对犹太派和其他假教师的激烈谴责（3：1—4：1）。他对那些把信心放在肉体上、坚持割礼的教法主义者们表现出了极大的轻蔑。与这班人的自以为是相对立,保罗发誓说,尽管他自己在作为一个遵循律法的犹太人方面不是犹太派中的任何一个人可以企及的,但是与"因信神而来的义"相比,他的这种资本可以说一钱不值;甚至自省地指出,在因信称义方面也"不是以为自己已经得着了","已经完全了","乃是竭力追求","要得神在基督耶稣里从上面召我来得的奖赏"而已。鉴于所有基督徒的盼望都系于神在基督中的工作,所以他们"应当靠主站立得稳"。

随后保罗转入各种各样的劝勉和训诫(4:2—9)。他不仅吁请两位妇女化解矛盾,号召其他信徒帮助她们,还敦请所有的人行事合理、谦让,并为他们得到神里的平安而祷告。这样,他为腓立比人设立了作为他们追求目标的更高生活理想(4:8)。此外,保罗还对腓立比教会的帮助再次表示感谢,让他们放心他的景况,表明自己靠主知足常乐——"我靠着那加给我力量的,凡事都能作",并且祈求神照他荣耀的丰富在耶稣基督里使腓立比人一切所需要的都充足(4:10—20)。

二、初期灵知主义

随着教会进入和度过后使徒时代,发现自身面临一个难题,就是比以往更加明确地界定可以接受的有关基督和上帝的信念。与上一代人忙于宣示福音,让犹太人和外邦人感受那种因信基督而得的恩典和拯救不同,教会现在不得不投入与那些与教会传统的教导相冲突的流行上帝观念和基督观念的论战之中。教会与犹太派已经斗争了三十年,力图在不牺牲弥赛亚所引入的那个时代的新颖性的情况下,维持与犹太教的连续性。教会的信息已经向所有人——犹太人和外邦人——发出,而且各种各样的人也以各种各样的方式汇入教会。事实上,外邦人基督徒在巴勒斯坦之外的罗马世界的绝大多数教会中已经占据优势。这些外邦人把先前持守的一些哲学和神学概念带入教会,并设法把这些概念与他们对于基督——他们真实地认他为主——的理解满意地关联起来。这些观念中有许多在非犹太世界中是如此普遍,以至于被认为是自明的,因而与有关基督的教导是可以关联起来的。

在这种情况下,教会无论愿意与否,都必须反思其讯息和传统。为了避免统一性的崩溃,教会必须就外部概念中哪些与教会对基督的理解是一致的、哪些是不同和不可接受的做出决断。这意味着要决定什么对于"信仰"而言是"正统的",什么是"非正统的"。这种追求的一个不幸的副产品是"信仰"一词的用法变化。对于保罗而言本来意味着对于上帝的信赖和委身的意志反映的这个词汇,最终变成指代有关上帝和基督的"确当"思想,实际上成为教会可以接受的一套教条或断言。

可以想见,当年教会需要应对的罗马世界的流行观念可谓不计其数。其中的一些观念及其源头可以辨析明白,但是还有一些则不易追根溯源。其中,灵知主义比其他绝大多数观念带来的阴影都要大。这种特定的威胁在公元 1 世纪的时候还不易辨识,因为当时只是"小荷初露尖尖角",它作为一种思想体系只是在接近公元 2 世纪中期的时候才充分展露出来。在长达几乎一个世纪的时间中,教会不得不在教会内外展开与这种"谬妄教导"的某些方面的斗争。在教会中,它是一种异端;在教会外,它是一种争夺人心的信仰。

不幸的是,人们只能主要基于公元 2 世纪成形的灵知主义体系来尝试理解公元 1 世纪形成中的灵知主义①。在《新约》经卷写成的那个时期的绝大多数时间内,在罗马世界很可能流传无数"灵知"观念;尽管一些老师开始整理自己对那些广泛接受的观念之间的相互关系的理解,但是它们的流行都是没有系统性的。那些灵知观念的源头多种多样。它们源于伊朗、埃及和印度的哲学和宗教学说,其中还牵涉到希腊观念。占星术也有所贡献。而且,犹太教和基督教的各种观念对此也有某种影响。当灵知主义羽翼丰满的时候,它形成某种兼容并蓄的东西,一种由无数思想和信仰要素构成的混成品;但是它从未形成一种单一的、统一的思想体系,只不过在其纷杂的多样性之中存在一些共同的重要思路。

灵知主义的基础是一种极端的二元论。一方面,有绝大多数人类都不可知的一个真神,这个真神居于完全脱离受造世界的一个光界之中;另一方面,人生活在一个由一些比这位真神位低、力弱的小神所创造的物质世界中,这些小神们一直掌控受造世界。禁锢于物质性的肉体之中,人就沦为在一个与真神完全脱离的黑暗世界之中的囚徒。然而肉体之中遭禁锢的是一种不朽的灵或星星之火,不断寻求解脱。获得自由的唯一希望是借助"知识"(灵知)的力量,藉此人最终认识他自己是什么,认识他的起源,认识重返光界之路。

在真神和罪恶的世界之间是一系列的中间流射(小神),最纯洁的最接近真神,较不纯洁的依次靠近世界。只有通过来自光界的启示人才能得到救赎"知识"(灵知)。只有与真神性质相同并由真神派遣的一位救世主才能启示真神的知识,把人送回原初的家,把人的精神恢复到真神那里。

明白自己的本质和起源使一个人成为一个"属灵的"人,使其优越于其他"知识"

---

① Henry Jackson Flanders, Jr. and Buce C. Cresson, *Introduction to the Bible*, New York: John Wiley & Sons, 1973, pp. 457 - 460;Joscelyn Godwin, *Mystery Religions in the Ancient World*, San Francisco: Harper & Row Publishers, 1981, pp. 84 - 89.

较少的人。他的肉体也不再像原来作为牢笼般的世界中的囚徒的时候那样重要。因而,具有这种意识形态的"属灵的"人通常致力于以某种方式展现摆脱肉体奴役的自由,要么通过禁欲主义,要么通过放纵肉欲。

尽管正统基督教与灵知主义之间的冲突点无疑众多,但是其中的绝大多数冲突点围绕这样一个中心,就是基督徒对待自己肉体的态度和对待耶稣基督这个人的态度。就道德而言,一些基督徒老师为信徒们提出了严格的行为规范。犹太律法主义的要求与异教徒的禁欲纪律结合在一起。告诫人们禁止婚姻和遵行严格的饮食律例。而另一些教师如此过度强调永恒救赎和基督徒脱离律法的自由,以至于令信徒觉得完全可以按照自己的意愿来对待自己的肉体。

至于耶稣,一些人劝说人们说,基督不可能真的具有人的形体,因为肉体固有地是罪恶的。他只是"好像"拥有身体。支持这种学说的人们被称作"幻影论者"。另一个极端则是一些人否定耶稣的神性。这种立场的一个主要倡导者是公元1世纪后期以弗所的一位名叫克林萨斯(塞林图)的人物。对于这个人而言,耶稣是约瑟和马利亚的肉身儿子,在受洗的时候领受基督降身,但是在被钉死在十字架上之前基督已经离身。

基督徒的道德既不要求禁欲主义,也不要求肆意放荡,而是要求人们把肉体当作圣灵的殿堂来尊重。基督教神学一贯主张,基督既是完全的人,又是完全的神。他的神性和道成肉身两者都被认为是真实的。不过,围绕这些问题的斗争在基督教的历史上是漫长而坚苦卓绝的。

三、《歌 罗 西 书》

1. 歌罗西教会信仰上的危机

《歌罗西书》和《腓利门书》很可能是由推基古在同一次旅行中携带在身上的,在这次旅行中,奴隶阿尼西母重新返回到他的主人腓利门那里(《歌罗西书》4:7—9;《腓利门书》10—12)。而且,同时携带的还可能有一封现已遗失的保罗致老底嘉教会的书信(《歌罗西书》4:15—16)。所有这些书信都与罗马亚细亚省吕吉斯河谷地区相关,这个地区位于以弗所以东大约一百一十英里的地方,有歌罗西、希拉波立和老底嘉三个城市鼎足而立。尽管在这三座城市之中歌罗西一度因其毛纺业和染布业占据魁首,但是及至公元1世纪中叶,也就是这些书信写作的时代,已经敬陪末座。历史记录表明,歌罗西在大约公元60年的时候毁于地震,显然再未复原以往繁荣都市的地位①。

就目前所知,保罗尽管在相距不远的以弗所驻留三年,但是从未到访过歌罗西(2:1)。一个名叫以巴弗的外邦人在那个谷地做牧养的工作。这人是保罗的一个朋友,而且很可能也是经过保罗劝化归主的。以巴弗好像是请求保罗帮助应对某种他自感应付起来力不从心的某种意识形态,而这种意识形态已经侵入到那里的教会之中。因为保罗长居以弗所期间在亚细亚的所有传道工作中所确立的显赫地位,保罗的话或许会受到尊重。

到底是哪种"理学"(哲学)对那里的教会形成威胁,我们并不知晓。不过,诸如"不拘在饮食上,或节期、月朔、安息日"(2:16)等特征,听上去好像是来自爱色尼派或撒都该人派的一种训规。保罗不断重复使用"奥秘"一词,提及"拘泥在所见过的"——这好像是小亚细亚"神秘宗教"中的一种专门用法,都提示着某种"神秘膜拜"的影响。不过那种"理学"的提倡者们对"知识"或某种只属于那些具有优越洞识的人的秘传智慧,又提示着灵知主义的某种早期形式。最有可能的是,造成问题的意识形态不是某种纯粹的思想体现,而是某种折中主义的东西,或者某种既源于犹太传统又源于异教传统的观念混合。无论牵扯到的灵知主义如何,它都只是具有初期性质。

这种意识形态所代表的威胁聚焦于基督这个人及其工作的充足性问题。提倡者们声言,需要某种远不止于基督的东西才能完成人的拯救。他们主张,真神正是通过所谓的"世上的小学"统治世界,而且正是借助它们启示才到达人类。既然耶稣曾经是人,所以他的工作就不是完善的,就不是完全充足的。因此需要某种更丰足的东西,而他们这些倡导者所指导和推荐的规条正是这种所需的东西。

2. 梗概和主题

保罗的《歌罗西书》的作者地位,历史上受到一些人基于该卷用词、风格、教义等方面特征的质疑,那些否定《以弗所书》出于保罗之手的人甚至基于《歌罗西书》与《以弗所书》的相似性加以质疑。不过,那些针对保罗的作者地位的论证所形成的障碍,不足以否定保罗的作者地位②。本卷作为"监狱书信",其写作地点难以确认,以弗所、罗马或者该撒利亚皆有可能。

《歌罗西书》梗概如下:(1)问候、感谢、祷告(1:1—14);(2)教义部分(1:15—3:4),包括救世主基督在万有之上(1:15—23),保罗所宣示的基督的奥秘(1:24—2:

---

① Paul J. Achtemeier, Joel B. Green, Mariannne Meye Thompson, *Introducing the New Testament: Its Literature and Theology*, Grand Rapids, Michigan: William B. Eerdmans Publishing Company, 2001, p. 407.

② Henry Jackson Flanders, Jr. and Buce C. Cresson, *Introduction to the Bible*, New York: John Wiley & Sons, 1973, p. 462.

7),坚守基督和神的丰盛(2：8—3：4)；(3) 实践部分(3：5—4：6),包括伦理指导(3：5—4：1)和要求对外人要心怀祷告和感恩(4：2—6)；(4) 个人信息、签字和祝福(4：7—18)。

在该卷的引言部分(1：1—14),保罗为"福音真理"在歌罗西的增长而欢喜,并且让歌罗西人确信神"救了我们脱离黑暗的权势,把我们迁到他爱子的国里,我们在爱子里得蒙救赎,罪过得以赦免"(1：13—14)。换言之,他们已经身处光明的世界,基督足以满足他们的所有需要。

当进入教义部分(1：15—3：4)的时候,保罗继续讨论他们的救世主——"爱子"——在万有之上(1：15—23)。在基督中居住着神的一切丰盛。如此这般,基督就是神的唯一中保。他创造了万有,万有都系于他。所谓的"世上的小学"或"执政掌权者"在权能和重要方面都逊于基督。基督已经通过他的死亡使他的追随者与神和好。表达这个概念的那段经文(1：15—20)可能是早期基督教的赞美诗或信纲。在这段经文中,基督与神和好的权能所及的不仅是教会,而且囊括了所有的造物。歌罗西人所需要的不是有关神的额外智慧,而是只需坚守"福音的盼望"。

保罗主张,他拥有和宣示的福音是"奥秘"(1：24—2：7),但是如今神已经把这个"历世历代所隐藏的奥秘"向圣徒显明了。神让歌罗西人这样的外邦人知道,"这奥秘在外邦人中有何等丰盛的荣耀,就是基督在你们心里成了有荣耀的盼望。"(1：27)神已经使这个有时除非启示则不可知的奥秘让每一个人都知道,这个奥秘就是基督救世主。保罗的渴望是,歌罗西人和老底嘉人"丰丰足足在悟性中有充分的信心","真知神的奥秘,就是基督"(2：2)。既然基督独自就是充足的,他们就应当避开所有那些用花言巧语迷惑他们另图他信的人(2：4)。

保罗勉励歌罗西人坚守基督即神的丰盛(2：8—3：4)。基督的死亡和复活已经为他们提供了巨大的自由,得以摆脱律法主义的压力(2：11—15)、苦行仪式和天使敬拜(2：16—17)。因此,他们应当寻求"在上面的事"(3：1),不能任凭他人夺走自己的奖赏——基督中的自由(2：18—3：4)。

遵行其惯常的模式,保罗接着从教义部分转到实践部分(3：5—4：6),讨论了属于那些"与基督一同复活"的人们的伦理责任(3：5—4：1)。他先是论及作为个体的基督徒的生活(3：5—17),敦促他们"治死"他们的"旧人"做法(3：5—11),以便他们在基督中焕然一新成为"新人"(3：12—17)：

> 在这一切之外,要存着爱心,爱心就是联络全德的。又要叫基督的平安在你们心里作主,你们也为此蒙召,归为一体,且要存感谢的心。(3：14—15)

　　　无论作什么，或说话、或行事，都要奉主耶稣的名，藉着他感谢父神。(3：17)

　　然后保罗论及他们的社会纽带(3：18—41)：夫妻关系(3：18—19)，亲子关系(3：20—21)和主奴关系(3：22—4：1)。"在基督中"意味着所有的人际关系都要变化。

　　保罗在劝勉歌罗西人恒切祷告、要在祷告中记住他，并且敦促他们"用智慧与外人交往"(4：2—6)之后，保罗用一段向许多人问安的经文收尾(4：7—17)，最后"亲笔"签名并表达祝福(4：18)。

四、《腓利门书》

　　在前文提及《歌罗西书》、《腓利门书》和遗失的《老底嘉书》这三封书信很可能是由推基古同一次送往吕吉斯河谷地区的，但是其中的《腓利门书》不是写给某个教会的，而是写给腓利门、亚腓亚和亚基布这些个人的。这些人生活在歌罗西，在腓利门家中聚会。当然，逃奴阿尼西母的主人腓利门无疑是这封书信的主收信人。这封书信十分简短，只有二十五节经文。保罗作为这封书信的作者地位从来没有受到真正的质疑。

　　阿尼西母从腓利门那里逃走之后，与保罗建立了联系。他已经成为一个基督徒，并且成为保罗的得力助手。保罗有法律义务把阿尼西母送回到腓利门那里，而且他正在这么做。这封书信的目的就是替阿尼西母说情。腓利门对于保罗而言不是陌生人，在信中保罗称之为朋友。保罗"凭着爱心"请求腓利门像接待保罗本人那样把阿尼西母作为"亲爱的兄弟"来接待(16—17)。基督徒的纽带能够跨越主奴关系的障碍。保罗提出愿意偿还阿尼西母欠主人的一切，这提示这位奴隶可能在逃走的时候也带走了一些钱财。保罗暗示他希望重新拥有阿尼西母(13—14)，而且表达了对于腓利门将做比自己所求得更多的事的信心。他要求腓利门替他预备一间客房，因为他希望前来拜访。至于腓利门如何回应保罗的书信无从得知。一个有趣的但是完全出于推测的可能是，阿尼西母后来成为依纳爵所提及的、就要向公元2世纪转折之际的以弗所主教。

　　与这封书信相关经常提出的一个问题是，早期基督徒显然愿意容忍奴隶制度，而不是试图在罗马帝国消除奴隶制。这样的问题完全误解了罗马帝国的政治结构，也不了解早期基督教共同体完全没有促使罗马帝国走向废除奴隶制的政治或经济力量。奴隶制被复杂地交织到罗马社会的结构之中,而且缺乏引入废除这种制度的相关立法的民主方式。鼓励奴隶起义会导致这些起义者遭到血腥的消灭,就像斯巴达克斯早先一个世纪所领导的奴隶起义的遭遇一样,而且极有可能意味着那些支持起义的基督教共同体的终结。

在基督教共同体的内部有明显的证据表明,奴隶和自由人之间的区别,以及种族和性别的区分,在神的眼中都是无干的。保罗提到奴隶阿尼西母是自己的兄弟显示基督教共同体中对于这些社会惯例的无视。基督徒有时会买下有奴隶身份的基督徒的自由。而且早期教会文献《革利免一书》的证据表明,基督徒有时自愿卖身为奴,用卖得的金额周济食不果腹的人。鉴于罗马帝国的政治结构,这些显然已经是基督徒发泄对于奴隶制度不满的唯一方式。

尽管历史上一些误入歧途的人试图在《圣经》经文中寻找奴隶制的合理性证明,但是基督教把奴隶当作基督徒共同体内那些自由人的兄弟姐妹来对待的态度提供了最终消灭奴隶制的基础。保罗《加拉太书》3：28 中的平等宣言就预示了奴隶制在基督教背景中最终成为不可能的事[1]。

《腓利门书》梗概如下:(1) 问候(1—3);(2) 感谢腓利门(4—7);(3) 为阿尼西母求情(8—21);(4) 结束语和祝福(22—25)。

第二节　与犹太教冲突中教会秩序的确立

保罗与犹太派的长期冲突为教会与犹太教的漫长紧张关系提供了文献证据。犹太派虽然身为基督教徒,但是他们的立场接近传统上法利赛人的犹太教。《雅各书》所讨论的就是基督教与犹太教的关系。

一、与犹太教冲突的教会

尽管耶稣传道的中心是有许多外邦人居住的加利利地区,但是基督教作为运动

---

[1]　参见 Paul J. Achtemeier, Joel B. Green, Mariannne Meye Thompson, *Introducing the New Testament: Its Literature and Theology*, Grand Rapids, Michigan: William B. Eerdmans Publishing Company, 2001, pp. 423 - 424。

却是从耶路撒冷肇始。在耶稣升天和五旬节圣灵降临之后，早期基督徒仍然与耶路撒冷的其他犹太教徒在会堂和圣殿中保持团契关系。随着时间推移和事件的发展，官方犹太教与教会之间，以及教会内部被称为犹太派的较为保守的犹太人基督教徒与较为中庸的犹太人和希腊人弟兄之间的紧张、摩擦和敌视开始出现。

耶路撒冷教会在两个方向上勇敢地进行斗争。一方面，教会力图保持与传统犹太教之间的完美关系；另一方面，努力把坚定的犹太教化的基督徒与具有希腊化倾向的更为自由的基督教徒凝聚在一道。尽管保罗本人引导教会离开犹太律法主义，而且自视为蒙召向外邦人传教的使徒，但是他从爱琴海周围的那些教会为耶路撒冷教会募集钱款，以及支助一些犹太教徒在圣殿中还愿的行为，都凸显了保罗维持教会中犹太人要素与外邦人要素之统一的旨趣。他的那些有关教会统一的作品也展现了这种关切。不过，保罗最后一次访问耶路撒冷的遭遇显然例证了两个群体之间的鸿沟有多深。

保罗离开耶路撒冷前往罗马不几个月，根据犹太史学家约瑟福斯《犹太人古代纪事》的说法，犹太大祭司亚那趁犹太地的前任总督非斯都已死、新任总督阿尔比努（Albinus）还在赴任路上之际，召集犹太公会会议，以践踏律法和渎神的罪名判处耶稣的兄弟雅各遭受用石头打死之刑，结果雅各这位致力于教会中犹太人和外邦人两翼统一的领袖在公元 62 年殉道。很有可能，奋锐党人运动在犹太地的迅速发展形成了导致犹太教最高首脑采取这种极端行动的氛围。根据优西比乌《教会史》的说法，耶稣的一位叫西缅（Symeon）的堂兄弟接替雅各领导教会，最终在罗马皇帝图拉真统治期间殉道。

在耶稣的兄弟雅各于公元 62 年殉道与公元 66 年犹太人爆发起义的几年间，耶路撒冷的犹太人基督教徒被迫做出选择，要么站在一心向罗马开战的奋锐党取向的犹太人一边，要么承受民族危急时刻缺乏爱国主义所带来的后果。在另一些人加入到起义之中去的同时，许多犹太人基督教徒可能逃离了那块土地。各个群体身上发生了什么并不明确，但是很有可能的是，那些仍然留下作战的绝大多数人都在那场旷日持久的耶城围困于公元 70 年结束之前丧生。根据优西比乌的说法，那些逃离耶城的人们到了约旦河东作为底加波利的外邦人城市之一的 Pella①。

随着耶路撒冷的陷落，犹太人基督教和犹太教两者之中都发生了不少变化。耶路撒冷不再有一个作为在罗马帝国四境传播开来的基督教教会的中心教会。事实上

---

① 参见 Henry Jackson Flanders, Jr. and Buce C. Cresson, *Introduction to the Bible*, New York: John Wiley & Sons, 1973, p. 467。

犹太人对于教会的影响迅速减弱,而且基督教基本上变成一个外邦人的运动。随着犹太教影响的渐弱,教会变得对其他那些给它带来无数问题的意识形态和宗教观念更加敏感。无论犹太人起义之前犹太教与犹太人基督徒之间存在何种包容性,但一切皆成往事,基督徒犹太人不再被允许在会堂中崇拜。犹太教徒和基督教徒之间的敌视成为民族灾难带来的众多令人遗憾的副作用之一。法利赛人传统成为起义之前的犹太教幸存下来的主要部分。据信,犹太拉比约翰·便·撒该领导一批犹太人到了雅麦尼亚(雅比尼),在那里法利赛人宗教生根结果,并且确定了拉比犹太教的未来道路。

二、《雅各书》

《雅各书》是《新约》中最富争议的经卷,无论是在作者、日期、背景问题上,还是其他对于《新约》学者重要的问题上,鲜有达成一致者。在教会历史上,公元 2 世纪中叶的《穆拉托利正典》经目中没有《雅各书》;公元 4 世纪早期教会史家优西比乌承认《雅各书》的正典地位,但是也说到它是"有争议的"经卷之一。这封书信不仅像公元 4 世纪后期哲罗姆所说的那样极为缓慢地被教会接受为正典,而且其价值也受到像马丁·路德这样的一些宗教人物的质疑。在一些学者看来,路德对于《雅各书》是以"实践智慧"见长的"不折不扣的草芥书信"的评价影响至今,实际上意味着把"听道"置于"行道"之上;但富有讽刺意味的是,"听道"和"行道"之间的区分恰恰是《雅各书》所谴责的①。

这封书信的作者自称为"作神和主耶稣基督仆人的雅各"(1∶1)。尽管《新约》提到四个名为雅各的人,但是鉴于十二使徒之一的雅各在主后 44 年已经殉道,而其他两个雅各无论在地位和影响力方面都不足以达到单单报出"雅各"之名就让人刮目相看的程度,再加上《新约》中记载的其他证据,传统上把这封书信自然归于耶稣的兄弟雅各名下。"《雅各书》'一点一点'被接受为正典可能表现出早期教会认定雅各就是'主的兄弟'。"②

也有学者认为,尽管这封书信归于雅各,但实际上是出于教会中较晚的某个雅各

---

① 参见 Paul J. Achtemeier, Joel B. Green, Mariannne Meye Thompson, *Introducing the New Testament: Its Literature and Theology*, Grand Rapids, Michigan: William B. Eerdmans Publishing Company, 2001, pp. 491 – 492。

② 同上书,第 492 页。

门徒或者仰慕者之手,以便让雅各的教导或见证为后来世代的人们所了解。甚至有些学者根据对于该卷写作方面的下述观察得出作者很可能是散居巴勒斯坦之外的某个基督徒犹太人的看法:作者是一位基督教"师傅"(《雅各书》1:3—5,3:1),尽管他并没有谈及耶稣的生活或教导,但他是面向基督教徒说话;他对《希伯来圣经》、先知文学和其他犹太人的著作相当精通;他秉持一种犹太律法和伦理取向,但写作风格、形式和技法则是希腊化的,而且在希腊语言方面驾轻就熟。

该卷的成书日期和背景也有很多不确定性。一些学者持一种早期成书说,认为这封书信是某种基督教化的犹太教义,作者可能是名叫雅各的使徒或耶稣的兄弟雅各。另一些学者认为该卷成书日期迟至公元 2 世纪前三十年,那时所强调的对教会中基督徒操守的指导与该卷主题一致①。

无论历史真相如何,有一点是明确的,就是《雅各书》例证的是教会在一个异教徒世界维持一种独特的道德所面临的难题。这封书信的写作契机似乎是基督教徒之间所展现的基督徒之爱出现了某种恶化。大概当时理论和教义受到过度强调,以至于忽视了伦理操守。作者还感到对教会中的漠然和自满进行挞伐的必要。这封《新约》中最为实际的书信就是作者这些努力的结果。

《雅各书》在历史上受到学者和讲道者的粗率对待。尽管马丁·路德承认这封书信中有一些很好的说法,但是因为信中强调信仰的"行为",而被尊崇保罗的马丁·路德称为"一封不折不扣的草芥书信"。《雅各书》说:"人称义是因着行为,不是单因着信"(2:24);而《罗马书》说:"人称义是因着信,不在乎遵行律法"(3:28)。尽管如此,人们不能把保罗和雅各对立起来。毫无疑问,只是保罗和雅各所强调的重点不同,前者强调神已经做的,而后者强调人必须做的。大概极为不同的背景促发了重点方面的差异。保罗与流行的靠行律法得拯救的概念作战,而雅各很可能面对的是那些过度强调信仰,以至于他们的生活方式没有显示出经神改造的基督徒;对于雅各而言,"身体没有灵魂是死的,信心没有行为也是死的"(2:26)。不过,保罗和雅各都认为,夸大"行为"或夸大"信仰",以至于忽视另一方面,都是在福音的审判之下的。事实上,耶稣和《新约》的作者们都是既教导信仰又教导伦理②。

另外值得注意的是保罗和雅各在"信仰"和"行为"这些术语方面的不同用法。对于保罗而言,信仰是个人对于在耶稣基督中所启示的神的一种具有意志力的信赖,一种使服从上帝旨意成为必然的委身;对于雅各而言,信仰更是一种对于有关上帝、基

---

① 参见 Henry Jackson Flanders, Jr. and Buce C. Cresson, *Introduction to the Bible*, New York: John Wiley & Sons, 1973, pp. 468 - 469。

② 同上书,第 470 页。

督和其他宗教问题的一套教条的信念和认同。对于保罗而言,行为是指服从摩西律法和文士传统;对于雅各而言,行为是指体现出对同胞关爱的那些事迹。不过,两者之间的对比只是强调重点的不同。保罗强调因信获得上帝的救赎性恩赐这种原初信仰,雅各强调体现出洗心革面结果的生活行动①。

这封书信的组织形式类似某种格言、短论和劝勉选编。该封书信经常突然转题表明,作者只是化最小的努力来按照前后顺序或渐进次序来安排材料。结果,这封书信的梗概有点像一种索引。

《雅各书》梗概如下:(1) 问候(1:1);(2) 论成功面对试炼(1:2—18);(3) 论做行道者(1:19—4:12),包括真正的宗教在于行道而非单单听道(1:19—27)、不可以貌取人(2:1—13)、由行为表现的信心(2:14—26)、由话语表现的信心(3:1—13)等;(4) 警戒自夸和为富不仁(4:13—5:6);(5) 劝勉(5:7—10),包括试炼下的忍耐(5:7—11)和挽回失迷真道的人(5:19—20)等。

雅各在问安之后,讨论了基督徒所面临的试炼,并且勉励人们忠信而成功地应对试炼(1:2—18)。试炼对于灵性的增长是有益的。在试炼中,灵魂可以变得更加成熟、充足和完备。应对这种艰难锻炼所需的智慧可以现成地从神那里获得,神将会满足那些毫不动摇者的需要,而"心怀二意的人"将一无所获(1:2—8)。神按需分配:赐给富足的人卑微,赐给贫穷的人尊贵(1:9—11)。神自己并不用邪恶试探人,是人的私欲把人带往邪路——先是"生出罪来",然后"生出死来"。从神那里来的只有"各样美善的恩赐和各样全备的赏赐"(1:12—18)。

接下来的一段经文是该卷的中心,呼吁基督徒要做行道者,而不仅仅是听道者(2:19—4:13)。一个人的所听、所学应当转化到生活之中。听道而不行道,"就像人对着镜子看自己本来的面目",看到了面目中的不完满却一走了之,不求改变,这样从道的启示中就没有得到什么益处。而听道且行道的人,就如针对镜子中所反映的不完满之处加以改造的人,"不是听了就忘,乃是实在行出来,就在他行的事上必然得福"(1:19—27)。

在这一点上,雅各附带插入了一则对于人们以貌取人、嫌贫爱富的心态和做法的谴责(2:1—13),并于后面的经文中进一步展开对于为富不仁的挞伐(4:13—5:16)。这些都透露出一点,在那时的基督教团契中贫穷者可能受到富足者的歧视。雅各提醒信徒们不要忘记富足的人对他们的"欺压"劣迹,强调贫穷的人是神的巨大牵挂。雅各一针见血地指出,"按外貌待人",即分别穷富待人,是违背"要爱人如己"这条诫

① 参见 John Drane, *Introducing the New Testament*, Minneapolis: Fortress Press, 2001, p. 416。

命的。

之后雅各重回他的主题：信心是由行为来表现的(2：14—26)。我们记得，保罗在《罗马书》中曾用亚伯拉罕例证他有关"人称义是因着信，不在乎遵行律法"的论点，即人得救总是因着信而不是因着律法的言辞或割礼，信仰可以离开律法之行(《罗马书》4：1—25)。与之形成对照的是，雅各用亚伯拉罕例证"信心若没有行为就是死的"，即亚伯拉罕的信促发了他的行，而他的行又验证了他的信：

> 虚浮的人哪，你愿意知道没有行为的信心是死的吗？我们的祖宗亚伯拉罕把他儿子以撒献在坛上，岂不是因行为称义吗？可见信心是与他的行为并行，而且信心因着行为才得成全。这就应验经上所说："亚伯拉罕信神，这就算为他的义。"他又得称为神的朋友。这样看来，人称义是因着行为，不是单因着信。(2：20—24)

雅各接着讨论了由口舌所表现的信心(3：1—13)，进一步强化在信心上不能"空口无凭"。在雅各看来，鉴于"我们在许多事上都有过失"，所以不可能"人在话语上没有过失"。"舌头在百体里也是最小的，却能说大话。"雅各生动地描绘了舌头既能生出大恶又能生出大善的潜力。这个"没有人能制服"的小器官既能生出甜蜜和祝福，又能生出苦毒和诅咒："我们用舌头颂赞那为主、为父的，又用舌头诅咒那照着神形象所造的人"(3：9)。

然后雅各论述口舌上的信仰由属灵的心态所表明(3：14—4：12)，正如中国人所说的"言为心声"。在善言善行方面，人需要"从上头来的智慧"，这种智慧"多结善果"、"使人和平"，与带来"扰乱和各样坏事的"那种"属地的"智慧大为不同。人在俗世以自我为中心就是悖逆神，带来各种各样的罪恶，包括口是心非的信仰。然而，对神的顺服将产生全美。因此雅各劝勉人们，"务要在主面前自卑，主必叫你们升高。"(4：10)不可论断兄弟自然也是"在主面前自卑"的题中之义(4：11—12)。

接下来，雅各承接前文对"按外貌待人"的谴责，对欺压穷人的富人进行了挞伐(4：13—5：6)，在某种程度上可以看作对耶稣有关富人进入天国比骆驼穿过针眼更难这一论断的呼应(《马太福音》19：24)。在雅各眼中，富人贪婪地逐名夺利，其实愚不可及。由于世俗名利带来的虚幻安全感作祟，他们自以为不理上帝就可以计划未来。殊不知，有关生命的永恒智慧在于众人"原来是一片云雾"，"主若愿意，我们就可以活着，也可以作这事，或作那事"(4：13—17)。就像快乐一样(4：1—10)，财富是一种谬妄的目标；富人们以为重要的那些东西其实转瞬即逝。可能就在富人们锦衣玉食、窖藏金银、克扣工钱、为富不仁的时候，末日审判就临到他们身上了(5：1—6)。

最后雅各以一系列的劝勉结尾(5：7—20)。坚韧是每个时代的圣徒标记，信徒要在试炼中忍耐等待主的到来，"就像农夫忍耐等候地里宝贵的出产"，而且"不要彼此埋怨"(5：7—11)。与耶稣论起誓(《马太福音》5：33—37)一脉相承，雅各要求人们要始终诚实，以至于用起誓证明自己的话语完全不再必要(5：12)。在对待病人问题上，雅各不仅号召教会的长老为他们代祷，而且要为他们用最好的药物。而且人们要以此为例，"彼此认罪，互相代求"(5：13—18)。这也是使那些"失迷真道"的人得以"回转"——"救一个灵魂不死，并且遮盖许多的罪"——这一高尚努力的一个有机部分(3：19—20)。

尽管雅各通篇强调行为，但是他头脑中所想的并非为行为而行为。他的整个伦理所基于的是因着信仰耶稣基督所建立起来的与神的关系。从对神的信，流溢出一种与神的品格相一致的生活方式。对雅各而言，倘若没有最终带来有关生活、他人、对错方面的观点改变，就不能说一个人真正明白了在耶稣基督中的神。而且，一个人应该在神面前找到自己这样一个位置，就是当他自己的品格对照神的品格观之的时候，产生出的是一种谦卑精神。一个人对于神之爱的体验应该产生相应的对于邻舍的无私之爱(2：8)。所有这一切都敦促基督徒采取一种与周围的异教徒世界形成道德对照的行为。而且这些概念都陈述或回应了源于犹太教之根的耶稣教导①。

三、教会领导权

后使徒时代见证了早期教会权威结构的变化或巩固。在紧接耶稣世间生活的那些年间，使徒是耶稣所创传统无可置疑的持有者。尽管"使徒"这个术语最初限定在"十二使徒"，但是这个术语很快被人接受用在保罗和巴拿巴身上(《使徒行传》14：14)。这个术语在公元1世纪后期，例如《十二使徒遗训》中，还适用于其他一些人，但是此后这个术语便很快淡出。

在使徒时代和后使徒时代的教会中，教会领导的发展模式并非清晰可辨。这很可能归因于这样一个事实，就是没有什么轮廓鲜明和一以贯之的教会领导产生形式。教会领导的产生往往因地区而异，甚至因城市而异。在最终的领导结构确立以前必定存在张力和争论。反映教会不同种类传道人的一份最早的列表见于《哥林多前书》

---

① 参见 Henry Jackson Flanders, Jr. and Buce C. Cresson, *Introduction to the Bible*, New York: John Wiley & Sons, 1973, p. 473; John Drane, *Introducing the New Testament*, Minneapolis: Fortress Press, 2001, p. 412.

12：28—30，其中保罗按照重要性顺序枚举了使徒、先知和教师。在这第一批人之后，还提及行异能的、得恩典医病的、帮助人的、治理事的和说方言的。对于保罗而言，所有这些人都禀赋了圣灵的"恩赐"，但是他并没有具体展开不同角色的本质，也没有描述各自得到的权威有几何。在保罗眼中，他们都扮演灵恩性的或先知性的角色，因为他们各自特别地得到圣灵的恩赐。

与这些具有灵恩职分的人一道的，显然还有一些在教会中分配担任形式性的和永久性的责任的领导人物。《新约》中经常提到的这类领导人物有两类：长老和执事。在《使徒行传》中"使徒和长老"这个表达方式指代的是耶路撒冷教会的领导人物。"长老"与使徒连用暗示长老们在早期教会中的显著地位。"长老"是从犹太会堂遗留下来的一种职分，年长德绍者在犹太会堂中对于会堂的事务、工作和其他事情拥有可观的权威。

在《新约》涉及保罗所建立的小亚细亚教会的时候，经常提及"长老"，以弗所的长老甚至被描绘为教会的监督者(主教)①。显然在一些教会共同体中是用"主教"这个术语取代"长老"。在《新约》文献中，"主教"和"长老"这两个术语几乎是同义词。后来及至 2 世纪，主教(意为"监督者")用来指代某个地区教会的最高领袖，"长老"则位列其次。事实上，主教成为具有几近绝对教会权威的地区领袖。不过，这种"主教"和"长老"之间的区分也出现在《新约》文献之外的时期。

在《腓立比书》1：1 中，保罗向腓立比教会的"诸位监事、诸位执事"问安。此处中译本的"监事"和"执事"在很多版本中译为"主教"和"助手"。在教会中执事是"服务者"，是主教行使其责任的助手。

教会清晰而正式的领导结构是逐渐形成的。由于后使徒时代各个教会的独立性和缺乏统一性，《新约》经卷中自然存在对于各种各样的领导角色的讨论。主题本身的模糊性决定了某些术语用法的不精确性，以至于有关这些术语的意义和用法的辩论到整个 19 世纪仍然还在持续。

在教会实践中，有两个至关重要的仪式，就是洗礼和主餐(圣餐)。两者都有耶稣的表率支持，两者都由耶稣的命令永立。洗礼是对皈依者的一种要求，而且《新约》经卷中某些部分的成文目的就是洗礼仪式。教会活动中团契生活最为伟大的场合是相聚举行圣餐，具有共同基督信仰的人们通过分享饼和葡萄酒而同席颂赞主的死亡。洗礼和主餐这两种仪式被认为是圣礼，需要十分小心地恰当遵行。

《以弗所书》和"教牧书信"正是在一种过渡性的、需要对某些问题加以澄清的背

---

① 参见《使徒行传》14：23,20：17、28。

景上写成的。

四、《以弗所书》

《以弗所书》与保罗以往的书信有所不同。这封书信缺少保罗习惯性的个人的和直接的基调,也缺少通常的活力。"在保罗的绝大多数书信中,人们总是能够贴近使徒的脉搏,通常也不远离(信中)的相关争议。例如,几乎不需要什么想象力就可以想见导致《加拉太书》、《哥林多前书》和《哥林多后书》问世的那些火爆论辩,但是在《以弗所书》中情况则不同。这里的讨论更为淡定,看起来是独立于任何直接的对手或任何特定的读者展开的。"①

该信属于公普书信,而不是特别书信,其中没有点名向保罗在以弗所的朋友致意。在有的学者看来,保罗在《以弗所书》(1:15)中说出"我既听见你们信从主耶稣"这样的话实在令人惊讶,要知道保罗在以弗所的基督徒中度过的时间比其他任何一座城市都要长久。不过有学者认为,即便退一万步,"无论采取的观点如何,《以弗所书》都是对保罗其他书信中的关键主题的一种重要的、成熟的反映,即便出于后来的某位仰慕者之手,也精确扑捉到了保罗自己的感受"②。

鉴于《以弗所书》的一些最好的稿本中没有"在以弗所"这个短语,许多学者推定该信原初并非一封直接致以弗所教会的书信,而是一封致一般基督徒的通函;"在以弗所"这个短语是人们后加到某个复本之中的,这个复本恰好得到广泛复制和传播。致信者心中所装的显然不是某个特定教会的会众,而是一个广泛的受众群体。

围绕保罗作为《以弗所书》的作者地位问题历来有攻有守,但是双方论证并非无可争辩③。攻击保罗的作者地位的论证主要基于该信与保罗其他书信在词汇、短语、风格和教义等方面的差异。首先,在语言方面《以弗所书》中出现的一些词汇在保罗的其他书信中是没有的。例如,"天上"这个术语作为《以弗所书》中的关键词(1:3、20,2:6,3:10,6:12)却在其他书信中没有踪迹。其次,在风格方面《以弗所书》相当独特。保罗其他书信的行文显得有些随兴,几无羁绊,但是《以弗所书》从一个主题到另一个主题的转换则更为沉稳,行文一般使用更为复杂的句子结构,这不属于保罗的特点。第三,保罗早先的书信,特别是《歌罗西书》中提出的一些观念在《以弗所书》中

---

① John Drane, *Introducing the New Testament*, Minneapolis: Fortress Press, 2001, p. 356.

② 同上书,第 357 页。

③ 参见 John Drane, *Introducing the New Testament*, Minneapolis: Fortress Press, 2001, pp. 356 - 357.

有所重复,甚至《歌罗西书》中三分之一以上的实际用词在《以弗所书》中重现,这也不是保罗的典型作为。第四,在教义和神学方面《以弗所书》的关切点好像是后保罗时代才有的典型教会生活。例如,用"教会"这个术语指代所有的信徒,即普世教会,而不是保罗此前所用的指代个别教会的会众。此外,在《以弗所书》中不仅"使徒"变成了"圣使徒"(3:5),而且显然没有提及基督的复临和因信称义。一派学者因此得出结论,《以弗所书》实际上是后人对保罗教导所作的一个概要,很可能是保罗书信汇集起来之际写成的有关保罗神学主要论题的一个简明介绍。

守护保罗《以弗所书》作者地位的论证指出,否定保罗作者地位的那派学者得出的结论的问题症结在于,《以弗所书》并非真的是保罗整个教导的一种概括,而且恰恰是某些特征性的论题的缺失成为他们怀疑该信作为使徒保罗书信真迹的理由。况且,《以弗所书》与保罗书信之间的异同也可以用保罗使用书记或秘书来解释。另外,《以弗所书》与《歌罗西书》之间的密切关系也不能说明什么,因为作者基于以往的东西写作是常有的事情,保罗自己也有先例,《罗马书》与《加拉太书》之间的关系就是如此。从这样的角度来看,《以弗所书》与保罗先前书信之间的神学差异也呈现出不同于否定派所理解的样貌。《以弗所书》中"教会"和"圣使徒"等用法,完全可以理解为一种合乎保罗逻辑的发展。至于所谓的教义差异其实也不成立,《以弗所书》中固然没有出现基督复临观念,但是《罗马书》中也没有。没有"因信称义"也不是问题,因为《以弗所书》的主题"圣灵在基督徒中的工"比在特定争论中重要的"因信称义"更有资格作为保罗神学的真正中心。守护派因此得出结论,保罗在《以弗所书》中是要重申以往的一些重点,该信的总体教导与保罗在其他书信中所表达的精神和思想是协调一致的;《以弗所书》具有"保罗的心思",对基督教的理解做出了异乎寻常的贡献。

总之,传统的和主流的看法认为,《以弗所书》是保罗写于狱中并且与《歌罗西书》有着密切关系。它无论是写给谁的,都不影响其作为《新约》经卷中最有神学价值的经卷之一的地位。"我们所知的保罗致以弗所基督徒的那封书信矗立在这样一个时期的门槛上,在这个时期教会作为一种社会和智识力量开始浮现于希-罗世界。该信的中心围绕这样一个主题,这个主题既反映保罗早先的那些书信,又指向教会在未来年代和世纪日益遭遇到的那些难题,这个主题就是神在基督中行动的普世意义。"①

《以弗所书》梗概如下:(1) 问候(1:1—2);(2) 教义部分(1:3—3:21),包括颂赞父神、基督和圣灵(1:3—14)、祷告知识和权能(1:15—23)、复活的生命(2:1—10)、在

---

① Paul J. Achtemeier, Joel B. Green, Mariannne Meye Thompson, *Introducing the New Testament: Its Literature and Theology*, Grand Rapids, Michigan: William B. Eerdmans Publishing Company, 2001, p.377.

基督里合一(2：11—22)、神的旨意(3：1—13)、神的灵与爱的大能(3：14—21)；(3) 实践部分(4：1—6：20)，包括劝勉合一和成熟(4：1—16)、基督里的新生命(4：17—5：20)、基督徒的家庭(5：21—6：9)、属灵的战事(6：10—20)；(4) 结尾(6：21—24)。

教义部分(1：3—3：21)

在向忠信基督的圣徒简短问候(1：1—2)之后，书信立刻转入教义部分，这个部分构成书信的一半篇幅。

父神、基督和圣灵提供了开篇部分的结构轮廓(1：3—14)，其中对神在基督中的拯救进行了赞颂，而正是这种拯救创立了教会。在希腊原文中，这部分是一个长句子。三位一体的概念显然已经成形。在耶稣基督中神启示了自己的目的和旨意；甚至在创世之处万有就在基督中合一。神的爱注定了信徒在基督里成为神之子(1：5)。基督的合一工作没有限度；它囊括了天上和地上的一切事物(1：10)。圣灵的恩赐是基督徒作为神之民得基业的印记和凭据(1：14)。

接着是为阅信者代祷，祷告他们获得知识和能力的增长(1：15—25)。保罗求主照明人们心灵的眼睛，让人们知道三件事情："知道他的恩召有何等指望，他在圣徒中得的基业有何等丰盛的荣耀；并知道他向我们这信的人所显的能力是何等浩大。"(1：18—19)这种"知识"在本质上是关系知识，而不是信息知识；只有与神之间的一种人格关系才能提供所说的知识。这种知识，就像保罗为人们代求的那种使耶稣复活、使耶稣超越"一切有名的"、"使他为教会作万有之首"的"大能大力"一样，是"属灵的"(1：19—23)。

提及耶稣基督的复活引发对信徒复活了的生命的讨论(2：1—10)。主要力度体现于全备、合一和开放的第二章，以描述已经在信主的阅信者身上所发生的复活开始。他们被带出所知的"过犯罪恶之中"的死亡，让他们的主基督活过来的同一个神也让他们"活过来"。他们之"死"是因为他们迷失了生命目标，走上了以自我为中心的道路，从而造成世界失去合一。某种属于魔鬼而不是属于神的东西掌控了他们；但是神的大爱解救了他们，并且叫他们出死入生。他们现在作为个人和共同体所变成的样子是神在基督里的创造性活动的结果：

> 你们得救是本乎恩，也因着信。这并不是出于自己，乃是神所赐的；也不是出于行为，免得有人自夸。(2：8—9)

人们现在借助基督的工作而与神的合一或重新合一，提示一个没有任何种族藩篱的、神的巨大单一共同体(2：11—22)。在基督里，犹太人与外邦人合一。所有种族的信徒藉着基督既与神和好，又彼此和好，因为基督"将两下藉着自己造成一个新人,如此便成就了和睦"(2:15),"两下藉着他被一个圣灵所感,得以进到父面前"(2:18)。"两下"(两者)都是神的大家庭里的人,他们一同构成"主的圣殿",即"神藉着圣灵居住的所在"。

神的目的是显明基督的奥秘(3:1—13)。这个"奥秘"就是犹太人与外邦人在基督里合一,"同为一体,同蒙应许"。神在基督里的目的就是从形形色色的人类打造成出一个高尚的团契。这个团契即教会的存在目的是向世界显明只有上帝藉着耶稣所成就的合一。这个奥秘现在已经显明,而保罗就"作了这福音的执事"。"这个奥秘在以前的世代没有叫人知道",现在启示出来,叫所有的人分享。

《以弗所书》的教义部分以一则优美的祷文结束,祈祷信主的阅信者知道神的灵与爱的大能(3:14—19)。这则祷文可能是所有荣耀颂中最伟大的一个(3:20—21)。保罗祷告主叫人们"心里的力量刚强起来",知道基督的爱"是过于人所能测度的","叫神一切所充满的"充满了人们。那则荣耀颂如下:

> 神能照着运行在我们心里的大力,充充足足地成就一切,超过我们所求所想的。但愿他在教会中,并在基督耶稣里,得着荣耀,直到世世代代,永永远远。阿们!(3:20—21)

实践部分(4:1—6:25)

书信的第二部分关乎那些藉着基督"活过来"并且进入基督教会的无边团契之中的人们的品行。《圣经》宗教,无论是在《旧约》还是在《新约》之中,强调的是与神及其共同体建立了真正的、有意义关系的那些人的义不容辞的伦理责任。该信实践部分的主题是"行事为人就当与蒙召的恩相称"(4:1)。背景是一主所启示并提供一灵的一个团结的神所创立的教会的合一(4:1—16)。

书信作者首先讲到一个身体(教会)、一个指望、一灵、一主、一信、一洗,以及"就是众人的父,超乎众人之上,贯乎众人之中,也住在众人之内"的一神(4:4—6)。尽管个体表现出多种多样的恩赐(4:7—11),但教会并不是分开的,而且所有的人都要"用爱心互相宽容,用和平彼此联络"(4:2)。所有的人都要致力于更大的成熟,防范那些分裂团契的谬妄教导。最为重要的是,如果他们要完成向世界所承担的使命的话,必须在爱中长进。

接着作者讲到基督里的新生命(4:17—5:20)。他以旧人与新人的对比开始(4:17—24),勉励人们"脱去"从前行为上的旧人,"穿上新人,这新人是照着神的形象造的,有真理的仁义和圣洁"(4:24)。人们"该效法神",在爱中行进,"正如基督爱我们,为我们舍了自己"(4:25—5:2)。这种爱要表现在生活的各种关系之中(4:25—32)。

人们"行事为人就当像光明的子女",不要参与"那暗昧无益的事"(5∶3—14)。然后作者对自己有关新生命的讨论进行了总结(5∶15—20)。

作者之后转向基督徒的家庭(5∶21—6∶9)。他把夫妻关系(5∶21—33)视作基督与其教会关系的一种象征。就像基督爱教会一样,"丈夫也当照样爱妻子,如同爱自己的身子,爱妻子便是爱自己了"(5∶28)。作儿女的要听从父母,而父母应当值得尊重和以身作则(6∶1—4)。即便主人和奴隶(6∶5—9)也应当以一种配得上主耶稣基督的方式处理彼此的关系。

作者还讨论了属灵的战事(6∶10—20),并且把敌人定位为魔鬼和恶魔的力量,"并不是与属血气的争战"(6∶11—13)。他一一列举了"神所赐的全副军装",即属灵的武器和盔甲(6∶14—17),并呼吁人们在这种搏斗中坚持不懈(6∶18—20)。

最后书信提及推基古是持信的信使(6∶21—22),并以祝福结尾(6∶23—24)。

五、教 牧 书 信

归于保罗名下的三封《新约》书信《提摩太前书》、《提摩太后书》和《提多书》合称"教牧书信",因为它们都是使徒保罗致早期教会的当地领袖提摩太和提多的书信。尽管《新约》的其他地方提到提摩太和提多两人是保罗的伙伴,但是他们两人也独立于保罗工作,例如提多在克里特从事牧养工作,而提摩太则在以弗所。这些书信出自保罗这位掌管教会的祭司之手,所面向的是年轻的神职人员,而不是教会,所以它们在历史上获得的第一个统称是"祭司书信"。尽管这些书信在内容和风格方面不同于保罗的其他书信,但是它们彼此非常相似,应该成书于相同时期。

这些书信成书于后使徒时代,其时教会正在致力于确立那些可以接受的信念,以及恰当的权威和管理结构。那些收信人先前受到异端教师们的困扰,因为这些教师们所传授的是一些与保罗的正统教导相矛盾的一些苦行主义和唯信仰论的观念。纠正教会内部问题的希望被寄托在使徒传统和适当的教牧权威结构方面。这些书信在一定程度上是一些给教会领导人的指导和规定手册。可以安全无虞地说,这些书信来自这样一个教会时期,其间教会极为关注捍卫教义、解决管理问题和巩固既有成果。

在教会最早的正典经目《穆拉托利经目》中,"教牧书信"已经"被尊为圣"。教父德尔图良说,"这些信都是为关心教会的实况而写的"。尽管早在 1274 年托马斯·阿奎那在谈论这些书信的时候已经使用"牧养"和"牧者"这些语词,但是"教牧书信"这个专名却是迟至 1726 年著名《圣经》学者保罗·安顿(Paul Anton)以此作为系列演讲的讲题才固定下来的。

有关"教牧书信"的作者身份有三种立场:保罗完整地写下了所有这三封书信;保罗写下了后人加以扩充的一些片段;它们都是假托保罗之名的伪作。鉴于教牧书信中有关保罗的材料与《使徒行传》对于保罗的记述难以契合,所以捍卫保罗具有完全作者身份,即持第一种立场的人们通常认为,保罗最终从罗马监狱中获得释放,期间写下这些书信。那些否定保罗具有作者身份,即持第二和第三种立场的人们认为,首先教牧书信中的教会组织相对于保罗时代而言过于超前了,其次教牧书信的教义对于像保罗这样的活力使徒而言过于散漫和温吞,最后教牧书信的语言和风格与保罗已知的书信有着明显的不同①。

在否定保罗作者身份的三个论证中,尽管前两个论证不是决定性的,但第三个论证却难以轻易反驳。"教牧书信不是出于保罗之手这个看法的真正力量寓于这些书信的风格和语汇之中。其中有 175 个词汇并没有出现在保罗的其他书信之中,许多更富有第二世纪而不是第一世纪的特征。除了这些词汇之外,还有或可称作这些书信的'连接组织'——即连词、分词安排和类似语法特征——方面的风格差异。这些与保罗的其他书信大为不同,他喜欢使用的 112 个介词和分词不见了踪影。"②

保罗的其他书信中如此重要的一些术语和表达方式被忽略、省略或更改。例如,"信"已经变成所信的东西,而不是意志的委身;"称义"只出现一次;"灵"在三封书信中各出现一次;"爱"被降为与其他美德同等的地位;"十架"和"自由"这些词一次也没有出现,等等。所以,否定保罗作者身份的人们得出结论说,无论人们如何对待这些书信,无论作者是变得守成的保罗,还是另有其人,这位作者都没有《加拉太书》和《哥林多前书》中所见的那种活泼。

尽管这些语言事实令人印象深刻,不能置之不理,但是对此也可以有不止一种解释。一些语言专家认为,教牧书信太短,无法提供足够的材料进行可靠的文字分析。此外,风格和词汇经常受到所讨论的主题的影响,而且即便基于典型连接分词的论证,也不具有完全的说服力,因为《歌罗西书》和《帖撒罗尼迦后书》的连接分词就比保罗的其他书信少得多。因此,教牧书信与保罗其他书信之间的语言差别完全可以用某些因素来解释,诸如保罗讨论的主题不同,保罗已经到了暮年,保罗整合了语言风

---

① 参见 John Drane, *Introducing the New Testament*, Minneapolis: Fortress Press, 2001, pp. 362 – 365; Paul J. Achtemeier, Joel B. Green, Mariannne Meye Thompson, *Introducing the New Testament: Its Literature and Theology*, Grand Rapids, Michigan: William B. Eerdmans Publishing Company, 2001, pp. 461 – 464。

② John Drane, *Introducing the New Testament*, Minneapolis: Fortress Press, 2001, p. 365.

格不同的传统陈述或援引了其他资料,甚至保罗使用了不同的书记员等等。还有一种可能是,保罗自己写的书信后来经过了文字风格方面的润色。更何况,早期教父们所有的文本证据都支持保罗与这些书信的关联,而且这些书信所反映的肯定不是晚于保罗时期的教会生活。

"教牧书信"的一个困扰人的问题无疑是作者身份问题。"然而,无论我们对这个问题怎么决断,就像有学者所论证的,下述一点是不成立的:我们对它们的价值判断有赖于写作的那个人是保罗还是其弟子。这些书信已经被世界范围基督教共同体珍视了差不多2000年,无论作者是谁,它们都已经证明自身的价值。一个人并不藉着谁可能写了或谁不可能写下'四大福音'来判断它们的价值,也并不认为《希伯来书》的作者——无论可能是谁——对于《希伯来书》之于我们的价值具有决定性。这些书信也是如此。无论作者可能是谁,这些书信都已经证明自身对于基督教会的价值。"①

尽管"教牧书信"作为背景所针对的异教立场难以精确认定,但是这些书信有关制造麻烦者的论述可以形成下述观察:

首先,他们教授教会不能接受的东西。他们造成人们"掩耳不听真道,偏向荒渺的言语"(《提摩太后书》4:4);"他们因贪不义之财,将不该教导的教导人,败坏人的全家"(《提多书》1:11)。其次,至少某些异端师傅是在教会内部(《提摩太后书》4:3),发生了对于保罗和其他使徒所传"信仰"的逆用。一些"异教"(《提摩太前书》1:3)引人离开真道,陷入无谓的辩论(《提摩太前书》1:6),毁灭了一些人的信仰。第三,他们自恃精英,特点是自我本位,夸夸其谈。他们"自高自大"(《提摩太前书》6:4),"专顾自己……自夸、狂傲"(《提摩太后书》3:2)。第四,他们使用欺骗方法(《提多书》1:16)。第五,他们的道德水准极差。一些人"贪爱钱财……心不圣洁、无亲情、不解怨、好说谗言、不能自约……不爱良善、卖主卖友……爱宴乐,不爱神"(《提摩太后书》3:2—4),另一些人则是苦行主义者(《提摩太前书》4:3)。第六,他们蔑视权威(《提摩太后书》3:2—4、8)。

"教牧书信"提示,麻烦制造者被当作教会之外的人。"在真理道上如同船破坏了一般"的那些人中有两个已经"交给撒但"(《提摩太前书》1:20)。这些师傅"说虚空话欺哄人……这些人的口总要堵住"(《提多书》1:10—11)。提多得到的劝告是,"分门结党的人,警戒过一、二次,就要弃绝他。因为知道这等人已经背道,犯了罪,自己明

---

① Paul J. Achtemeier, Joel B. Green, Mariannne Meye Thompson, *Introducing the New Testament: Its Literature and Theology*, Grand Rapids, Michigan: William B. Eerdmans Publishing Company, 2001, p.461.

知不是,还是去作。"(《提多书》3：10—11)

　　"教牧书信"无疑写于教会强烈地捍卫使徒传统——来自保罗和其他使徒的传统——的时代。时过境迁,现在已经不再像《加拉太书》和《罗马书》中那样容有对问题进行对话式辩论的空间,甚至也没有像《雅各书》中所表现出来的那种借以赢回犯错兄弟的宽广的爱。泾渭分明,带有广阔表达自由的个人理解现在让位给使徒传统,这种传统就是信仰和真教,甚至敦促那些忠信的人避免接触那些具有恶魔立场的人们(《提摩太前书》6：20;《提摩太后书》2：16,3：5)。来自使徒的那些传统现在成为教会的注意中心。这些传统必须予以捍卫,必须保持纯洁,必须避免受到任何可能的沾染。

　　"教牧书信"中并非全无正面肯定。教会置身希-罗世界的影响之中,已经出现了变化。事实上,教会之外的世界是重要的。基督徒要为皇帝祈祷(《提摩太前书》2：2),要承认国家的权威(《提多书》3：1)。他要过一种榜样的生活,以便给公众留下正面的印象(《提摩太前书》3：7,6：1;《提多书》2：5、8)。他应当自律,"虔敬、端正平安无事地度日"(《提摩太前书》2：2)。

　　把使徒信仰或传统加以永恒化的重任落到了基督教教牧人员的肩上。"教牧书信"中对教牧的谈论多于《新约》的任何一部分。那个时代教会面临的危险使这种讨论成为必然。在漫长的过程中,正是教会结构、信经陈述和正典经卷的发展为长期饱受内部的离散倾向和外部的竞争主张或意识形态威胁的教会提供了稳定和秩序。适用耶稣即刻复临的早期教会组织形式演化成更适合长治久安的结构。这些结构并非单边发展起来的,而是从地方到地方,从地域到地域发展起来的。

　　"教牧书信"中理想的基督教教牧人员形象就是保罗自己,他既是传道人,又是使徒,又是外邦人的师傅(《提摩太前书》2：7;《提摩太后书》1：11)。提摩太和提多仰仗与保罗传教过程中的密切关系,而最接近保罗的传统。"教牧书信"中对他们(作为主教或长老)的建议包括:

　　首先,牧者在生活中应当像保罗那样作基督徒的楷模。"你当竭力在神面前蒙喜悦,作无愧的工人"(《提摩太后书》2：15)。他应当作基督徒表里如一品质的公共榜样(《提摩太前书》4：12;《提多书》1：7,2：7),并且受到外人的好评(《提摩太前书》3：7)。其次,就像"牧者"这个词所意味的那样,他"要殷勤去作"(《提摩太前书》4：14—15)。牧者要"同受苦难",辛勤劳作(《提摩太后书》2：3、6)。第三,牧者"务要传道,无论得时不得时,总要专心,并用百般的忍耐,各样的教训,责备人,警戒人,劝勉人"(《提摩太后书》4：2),作一个传播福音的人(《提摩太后书》4：5)。第四,他要"善于教导","将纯正的教训劝化人"(《提摩太前书》1：3;《提多书》1：8,2：1;《提摩太后书》2：

24,3：2)。第五,他应当是一个信仰成熟的信徒,而不是新近的皈依者(《提摩太前书》3：6)。他"要逃避少年的私欲,同那清心祷告主的人追求公义、信德、仁爱、和平"(《提摩太后书》2：22)。他"不可争竞;只要温温和和地待众人……用温柔劝戒那抵挡的人"(《提摩太后书》2：24—25)。他"必须无可指责,不任性、不暴躁、不因酒滋事、不打人、不贪无义之财;乐意接待远人,好善、庄重、公平、圣洁、自持"(《提多书》1：7—8)。他必须"好好管理自己的家,使儿女凡事端庄、顺服"(《提摩太前书》3：4)。第六,他要看顾教会的各种工作,照顾寡妇(《提摩太前书》5：3—16),敬奉和保护"长老"(《提摩太前书》5：17—20),仔细挑选予以"行按手的礼"之人(《提摩太前书》5：22),必要时行使责罚(《提多书》3：10;提前1：20)。

《提摩太前书》3：8—13还讨论了执事的职分。他们必须先受试验,没有可责之处。他们必须只有一个妻子,"好好管理儿女和自己的家"。他们"必须端庄,不一口两舌,不好喝酒,不贪不义之财"(3：8)。

令当代基督徒和广大读者感到有些困扰的是有关妇女和奴隶的建议。妇女要"以正派衣裳为妆饰","要有善行"(《提摩太前书》2：9—10),"必须端庄,不说谗言,有节制,凡事忠心"(《提摩太前书》3：11)。她们应当沉静学道,一味顺服,不许辖管男人(《提摩太前书》2：11)。奴仆"当以自己主人配受十分的恭敬"(《提摩太前书》6：1)。这些指导是在妇女普遍具有从属地位和奴隶制度大行其道的环境中做出的。这些并非是对社会状态做出的判断,只是指导如何利用这些低下的角色作基督徒的见证。

"教牧书信"之所以重要,主要是因为它们有关教会组织和后使徒时代牧者的角色所作的启示。这些价值主要集中在四个方面:对谬妄教师的批判,对真正信仰的确立,对基督徒行为的规定,以及对基督教领导权的阐发。

1. 对谬妄教师的批判

保罗的许多书信都是写来回应来自各种对手的威胁。例如,加拉太的犹太派,歌罗西的苦行主义者,以及哥林多的某种犹太灵知派。提摩太和提多正面临着类似的难题,面临着放弃保罗向他们所传的福音信息的压力。

这里的谬妄教导显然由一些要素构成,这些要素在保罗更早的那些书信中已经遭遇到。《旧约》律法显然牵涉其中,因为一些麻烦制造者被认定为"说虚空话欺哄人"的、"奉割礼的"、从犹太教皈依而来的人(《提多书》1：10)。这些人显然使用《旧约》支持他们自己的宗派雄心,因为保罗提醒提摩太"律法原是好的,只要用得合宜"(《提摩太前书》1：8)。具体的争论好似有关性和食物,一些人主张,真正属灵的觉悟只有通过尽可能否定肉体的苦行主义才能达到。与此针锋相对,保罗敦促提摩太谨记"凡神所造的物都是好的,若感谢着领受,就没有一样可弃的"(《提摩太前书》4：4）。

这些人很有可能具有某种犹太形式的灵知主义倾向。书信中的确具体要求提摩太"躲避世俗的虚谈和那敌真道、似是而非的学问"（《提摩太前书》6：20）。这些灵知主义者就像公元2世纪和更晚的灵知主义者一样，想要否定这个世界是真正的神的世界，所以人们越早逃离这个世界越好。迹象表明，提摩太的那些对手谈论"荒渺无凭的话语和无穷的家谱"，但是"这等事只生辩论"，结果"偏离"正道，"反去讲虚浮的话"（《提摩太前书》1：4、6）。这点也支持有关提摩太的对手是灵知主义者的认定。

当然，贬低肉体存在的途径不止一条。苦行主义只是其中的一种选择，极端的放纵则是另一种选择。至少提摩太所应对的那些人中的一部分好像选择了第二条道路："有虔敬的外貌，却背了虔敬的实意"（《提摩太后书》3：5）。对于保罗而言，基督徒的福音总是有关改变生活方式，而不是有关引发争论。

2. 对真正信仰的确立

作为对所有这一切的回应，保罗鼓励提摩太和提多重新坚立真正的基督徒信仰的那些基本要素，尤其是继续反对那种认为神不在乎我们所生活的世界的观念。耶稣本人既是真正的神又是真正的人这个事实明确否定了这种观念（《提摩太前书》3：14—16）。耶稣不仅来到这个世界分享神的爱，而且以人的形象与人们在人性上关联在一起。因此，拯救的本质不在于哲学思辨，而在于谦卑地接受生活中所展现出的神的大爱和慈悯，以及耶稣的死亡和复活（《提摩太前书》1：15—17）。那些具有神学优先权的人们应该在他们的生活方式中表现出来，他们不应该受赚钱或建立帝国这类动机的驱使，而是要"服从我们主耶稣基督纯正的话"（《提摩太前书》6：3—10）。

3. 对基督徒行为的规定

尽管这个主题贯穿在三封书信的始终，但是一些经文段落更加具体地规定了基督徒应该如何行为。基督徒的家庭关系（《提多书》2：1—5），在教会中的关系（《提摩太前书》5：1—6：2），以及对待世俗政权的态度（《提多书》3：1—7），都应当反映古代世界的最佳切望，"免得神的道理被毁谤"（《提多书》2：5）。

4. 对基督教领导权的阐发

鉴于这些书信的目的和本质，信中存在大量对于提多和提摩太自身操行的个人建议。他们固然应当成为他们所服侍的所有人的良好行为表率（《提摩太前书》6：11—21；多1：5—9），但是也必须有勇气坚守真理（《提摩太后书》2：1—26），认识到福音不是依赖于个人意见，而是依赖于神自己的目的（《提摩太后书》3：1—4：8）。他们还必须确保，那些他们指定在教会中担当领导角色的人物具有与他们相同的品质，成为他人能够赞服的一类人(《提摩太前书》3∶1—13,4∶6—16)。

第三节　面临外部问题的教会

　　教会经过后使徒时期的第一代和第二代期间继续面临来自外部的各种各样的敌对和威胁。随着公元 70 年耶路撒冷的陷落和圣殿的毁灭,来自犹太教的敌视(就像耶稣、司提反、保罗、使徒雅各、耶稣的兄弟雅各等人的生活中显而易见的那样)已经不足为患,而且自此以后犹太人基督徒已经从犹太会堂分离出来。尽管教会在兴起和持续的许多年间没有遭到罗马直接的强烈反对,但是随着教会的发展壮大,麻烦日增,而且引起了罗马官员的更多注意。基督教的严格一神信仰和分离主义与那个时代流行的多神教相冲突。及至罗马皇帝图拉真在位期间(公元 98—117 年),基督徒仅仅因为作为基督徒之故而遭受逼迫,甚至被处死。在这种迫害中,很有可能罗马官员只是处理在生活地区受到指控的那些基督徒。《使徒行传》中明确的一点是,罗马官员从未对犹太教中的基督宗派采取官方反对姿态,当保罗前往罗马向恺撒上诉的时候,犹太地的罗马政府代表并没有对他进行法律控告。

　　罗马对基督徒的迫害显然源于尼禄皇帝统治期间(公元 54—68 年),在焚毁罗马之后,尼禄借故把该城的基督徒作为替罪羊。证据表明,这场迫害是地区性的,只是局限在罗马城及其周围地区。在图密善(公元 81—96 年)统治期间,迫害变得更加严酷和广泛。这种迫害的本质并非针对基督徒,而是针对任何拒绝参见国家宗教仪式的人,这种仪式中包括基督徒所不能接受的把皇帝作为神来崇拜。尽管作为神的荣耀先前已经给予亡故的皇帝,但是图密善却开当朝皇帝被尊为帝国的"主和神"的先例。罗马采取措施镇压一切拒斥国家宗教的所谓异教。到图拉真时期,基督徒为官方所不悦,耶路撒冷的一位主教和安提阿主教依纳爵双双殉道。《新约》所余经卷就是处于教会面临罗马的敌对和其他难题的背景之中。

一、《彼 得 前 书》

　　彼得作为《彼得前书》作者的身份受到《新约》学术界的严重质疑。反对彼得是作者的论点通常围绕以下几点:难以想象该信中高品质的希腊文出自一位母语是亚兰语的加利利"没有学问的小民"(《使徒行传》4：12)；作者谙熟《七十子希腊文本圣经》；作者显然依赖保罗的观念；事实上收信人是(就《新约》的说法而言)彼得并不熟悉的小亚细亚内陆省份的外邦基督徒；信中的迫害背景更符合图密善时期而不是更早的时期。如果该信出自使徒彼得，成书日期在公元65年之前；如果出自另一个人，成书日期则在图密善(公元81—96年)或图拉真(公元98—117年)时代。

那些支持彼得是作者的人们对高品质的希腊文、使用《七十子希腊文本圣经》和那些所谓的保罗概念的解释是，彼得明言了西拉作为书记员(《彼得前书》5：12)，而且"《彼得前书》与《使徒行传》中彼得的那些演说有一些关联处"。在他们看来，其他针对彼得作者身份的论点只不过是推测。总之，"从相当早期开始，《彼得前书》就在教会中非常出名，并且得到广泛研读。《革利免一书》提到它(公元96年)，波利卡普(公元70—155年)也提到它，而伊里乌在迈向二世纪末期的时候说它是由使徒彼得本人所写。有许多充足的理由接受这种有关该信作者的观点。"①

该信是从罗马(巴比伦)发往小亚细亚五个行省中那些占教会主体人数的外邦督徒的一封通函，他们所面临的逼迫是异教徒邻居的虐待和罗马官员的惩罚威胁。该信的宗旨是鼓励和引导那些经受不信主的周围世界的困扰的阅信人。作者唤起他们对于信念、盼望和在基督里的新生活的关注。他们在试炼时期的行为对于他们自己和他们的见证而言都举足轻重。因此，这封书信既有启发性又有伦理性。

逼迫中的苦难是1：3—12和4：12—19的主题。这令某些人认为，1：13—4：11是一篇布道文，其前后都有对人们面临试炼的时候忠信不渝的劝勉。一些洗礼和礼拜材料好像也被整合进这封书信。

这封书信是写给"那分散在本都、加拉太、加帕多家、亚细亚、庇推尼寄居的"人的书信(1：1)，由罗马("巴比伦")发出(5：13)。收信的人们是外邦皈依者，他们的新道德和宗族式的团契引发了问题、敌视，大概还有某种程度的愚弄。

该信华美地描述了藉由耶稣的复活和藉由神拯救遭逼迫的子民这种祝福获得新生的人们的新生命(1：3—12)。他们的新生命是一种"活泼的盼望"，一种藉由对神在耶稣基督中行动的信仰而"不能朽坏"的"基业"(1：3—5)。他们因信而"大有喜乐"，他们应当努力于对神的忠信。先知们"早已"预言的祝福已经降临到他们身上(1：6—12)。

信中为那些想要过一种与活泼盼望相配的生活的人们提出了某些职责(1：13—4：11)。在1：13—23中，作者讨论了个人职责。他告诫说："你们蒙了重生，不是由

① John Drane, *Introducing the New Testament*, Minneapolis: Fortress Press, 2001, p. 430.

于能坏的种子,乃是由于不能坏的种子,是藉着神活泼长存的道"(1:23);并且劝勉人们谨慎自守,在一切所行的事上圣洁,在得到救赎面前存敬畏的心,要从心里切实爱弟兄,要有灵性的增长。作者把阅信者的注意力导向教会即"神的子民",并且劝勉人们"也就像活石,被建造成为灵宫",作为神之异乎寻常的子民在生活方式中有出类拔萃的表现(2:4—10)。"作为圣洁的国度",他们在行为上有一些职责,即在异教徒环境中从道德上和社会上荣耀神(2:11—3:12)。尽管他们是世界上的"客旅"或"寄居的",但是他们活着要在任何人类机制中忠顺神。为了作神的见证,作者劝告人们"要禁戒肉体的私欲",因为"这私欲是与灵魂争战的"(2:11)。他们在伦理上如何行为,对于在个人道德低下的罗马世界为神作有效的见证十分重要。他们应当顺服君王,尊重君王所派的臣宰,作守法的公民。他们应当在那些误解者面前过无懈可击的良善生活。奴仆应当顺服那些善良温和的主人,"就是那乖僻的也要顺服",就像耶稣在他们的那些逼迫者面前那样。妻子应该顺服丈夫,丈夫应该尊重妻子。因而,所有的人际关系都因为基督而具有崭新的意义维度。同情、爱心、宽容作恶者、谦卑和制怒应该成为他们生活方式的特点。耶稣已经为人们树立了"因行善受苦"的榜样(3:13—22)。基于基督的榜样,他们有职责戒除诸种罪恶,效法基督,保持忠信(4:1—11)。他们是向神述职,而不是向他们的同代人述职。

接着,作者重回世上得到救赎的人经受试验的问题(4:12—19)。他们不要因为受苦而奇怪,而应当欢喜,因为他们所受的苦难将荣耀神。他们将因而获得特别的福报。审判终有一日落到那些迫害者身上。他告诉人们,不要作为犯罪的人受苦,而要作为基督徒自豪地受苦。

最后,彼得忠告长老们要按照神的旨意照管他们的会众(5:1—11)。在向所有的人发出一系列的忠告之后,彼得说到他的书记员西拉,并且从巴比伦(罗马)教会和替马可向他们问安。

二、《希 伯 来 书》

《希伯来书》通常被称作《新约》之"谜",因为关于它有那么多的"未知"。靠译本阅读《圣经》的人们发现,这封书信有《希伯来书》这个名称,甚至在某些译本中这封书信的名称具体为《保罗致希伯来人的书信》。在《新约》的一个早期稿本(P[46])中,《希伯来书》还被置于《罗马书》之后,暗示被接受为保罗书信。就把《希伯来书》作为保罗书信来接受而言,基督教的东部早于基督教的西部;在那里奥古斯丁和哲罗姆的权威,以及《通俗拉丁文本圣经》(《武加大本》)对《希伯来书》为保罗书信的认定,最终在公元5世纪取得主导地位。

事实上,希腊文原文本中并没有出现作者的名字。对于把匿名的《希伯来书》指为保罗书信的正确性一直有人持存疑的态度,其中包括许多早期教父,诸如奥利金和亚历山大的革利免等。《希伯来书》作者名字缺失这一点,引发了有关可能的执笔者的一长串猜测。在人们提出的人物中有保罗、路加、巴拿巴、亚波罗、西拉、提摩太、罗马的革利免,甚至包括百基拉和亚居拉,等等①。奥利金认为,"只有上帝才知道谁写了它",这也成为对这封书信作者身份的最后判言。

这封书信也没有提及具体的收信者。学者们认定,这封书信不是写给任何大的教会或整个罗马教会的,否则收信地名或收信人名不可能轻易不出现。有人认为,"从意大利来的人也问你们安"(13:24)提示读者在意大利,甚至在罗马,最有可能的是一些说希腊语的犹太人基督徒②。即便如此,读者想必也不是一般的基督徒,他们必须具有丰富的《旧约》知识才能看得懂这封书信。所以,这封书信的读者应该是一些志同道合的信徒,他们经过长时间的学习真道之后很有学问,并且原本准备在教会中作师傅(5:12),但是他们现在遭到了逼迫。综合来看,《罗马书》是一位唯恐昔日学生离开真道的伟大教师对相隔异地的罗马书院中的一班遭受逼迫的弟子的劝勉。

这封书信的作文风格异乎寻常。它固然具有使徒书信的一些标志,但同时也缺乏使徒书信的某些其他标志。例如,它有书信的结尾,但是没有书信的开头。就像书信本身所言,《希伯来书》是"劝勉的话"(13:22)。它吁请基督徒不要重回犹太教的老路,不要在福音方面裹步不前,即不要脱离耶稣基督里的活神。尽管面临逼迫,但是作者劝勉读者坚守基督,在信仰上继续长进,在实践福音的内蕴方面继续前行。如此看来,《希伯来书》实际上是一篇宝训,写来希望读者决意和肯定地呼应作者的讯息。作者明示,基督教优于包括犹太教在内的所有其他宗教,而基督是开启完成他们救赎帷幕的伟大祭司。他强调基督之工的终极性。信徒所获得的恩赐是如此重大,以至于他们无力舍弃。为了基督,他们必须活着;倘若需要,则必须为基督而死。如此这般,《希伯来书》的一个目的就是提升、鼓励和鞭策读者不惜一切代价向世界传布福音。

另外,收信教会的特定状况完全不清楚。保罗长久以来一直与之争战的犹太律法已经不再是问题。作者运用了犹太-亚历山大派智慧神学中柏拉图主义和新柏拉

---

① Paul J. Achtemeier, Joel B. Green, Mariannne Meye Thompson, *Introducing the New Testament: Its Literature and Theology*, Grand Rapids, Michigan: William B. Eerdmans Publishing Company, 2001, p. 467.
② John Drane, *Introducing the New Testament*, Minneapolis: Fortress Press, 2001, p. 423.

图主义有关现象界和真实界之间的区分,但是没有力图提出一种哲学,而是利用这些讨论鞭策读者的一种宗教承诺或委身,即为了推进神在耶稣基督里的福音而放弃世界。作者驾驭希腊语言的能力和造诣优于《新约》经卷的绝大多数作者。他的修辞带有亚历山大派和斐罗的倾向。他还精通犹太教,以最佳的斐罗传统高超地诠释来自《七十子希腊文本》的《旧约》经段,以确立自己讲道宝训中的要点。他的许多观念好像来自保罗,但是他使用的许多术语又不同于保罗。他对圣殿和犹太教这些主题的处理与希腊派的司提反在耶路撒冷殉道之前对这些主题的处理极为相似(《使徒行传》6:5—8:2)①。

　　至于《希伯来书》的成书时间同样众说纷纭,从公元1世纪60年代早期到1世纪90年代后期,不一而足。有人推测收信人是尼禄迫害之前的罗马基督徒,所以把成书时间定在60年代早期。有些人鉴于《希伯来书》谈到大祭司的牺牲和工作的时候用的是现在时态,暗示该信写作的时候圣殿仍在,所以推论《希伯来书》应该成书于公元70年耶路撒冷和圣殿毁灭之前。有些人根据2:3推定作者属于第一代或第二代基督徒,所以成书日期应当在公元80—90年之间。"无论如何,它都不可能晚于大约公元90年,因为不晚于公元96年在罗马写成的《革利免一书》提到了它。"②综合来看,"大概公元80—95年这个大致日期对于这篇神学劝谕而言是合适的"③。

　　《希伯来书》通篇贯穿着对神在基督里的终极性的肯定。在基督里,神的所有应许得到成全。神在基督里所预备的是独一无二的,优于所有其他启示,因而优于所有其他宗教。犹太教成为细致展开这个主题的着力点。犹太教中一切重要的东西只是神在耶稣基督里行动的序曲;上帝之子耶稣基督成为人类的代表,所以他能够以大祭司的角色完成热切的拯救工作。这篇讲道的目的在于表明,放弃这样一种异乎寻常的启示乃是愚不可及之举。只有那些没有把握耶稣基督恩赐之无比伟大和独有重要性的人们才会犯下背教之罪。因而作者写信给他们,提高他们已经掌握的知识。所有这一切的背景是:"我们若忽略这么大的救恩,怎能逃罪呢?"(2:3)

　　这篇讲章的主题部分是教义性的,肯定基督教对于犹太教的优越性(1:1—12:3)。在"古时",先知是神的部分启示的代表者;而现今,在"末世",神的完全启示已经在"承受万有"的圣子本身之中到来。圣子是"托住万有"的先在的创造者,而现在藉

---

① 参见 Henry Jackson Flanders, Jr. and Buce C. Cresson, *Introduction to the Bible*, New York: John Wiley & Sons, 1973, p.492。

② John Drane, *Introducing the New Testament*, Minneapolis: Fortress Press, 2001, p.424.

③ Henry Jackson Flanders, Jr. and Buce C. Cresson, *Introduction to the Bible*, New York: John Wiley & Sons, 1973, p.493.

着一种重新创造或藉着对人的拯救成全了他的工作。在圣子通过尘世的生命"洗净了人的罪"之后，"就坐在高天至大者的右边"（1：1—3）。

圣子基督是比传统上认为传达妥拉的天使更为优越的中保（1：4—2：18）。作者一再运用《旧约》表明万有在基督里得到成全。他引述《旧约》经文，支持他有关天使在几个方面劣于圣子的论点。圣子这位更为优越的中保对于那些不遵行圣子启示的人们所施行的审判比对于不遵行妥拉的人们所施行的审判更加沉重。《诗篇》第45篇这首古代的加冕赞美诗被诠释为是指提升基督为战胜一切敌人的那位弥赛亚国王。作者还把耶稣定位为"人"的代表，认为《诗篇》第8篇就讲到"叫万物都服在他的脚下"。从而，耶稣一方面被描绘为神的代表，另一方面又被描绘为人的代表。在耶稣里，古代的那些应允得到成全，因为他是独一的真人，尽管作为人受到各种试探，但是仍然顺服、受苦和经历死亡，以便开辟人类的救赎工作。他与人的同一还为他提供了大祭司的角色，而这又是作者将要长篇讨论的一点。

基督优于以色列民的缔造者摩西和约书亚（3：1—4：13）。耶稣既被称作一位拥有派遣者所授权柄的"使徒"（使者），又被称作大祭司。大概是作者从神的角度把耶稣视作使徒，从人的角度把耶稣视作大祭司。摩西和以色列民只是预表了由基督及其教会构成的伟大之家。摩西只是这个家尽忠的仆人，而基督则是治理神的家的儿子。基督徒的生活是一种新的出埃及旅程，基督徒切勿像以色列民那样在"旷野"经受不住考验。读者应当对目的地抱有信心，以便他们能够分享"安息"，即进入神的伟大应许之地。天上的圣所就是基督徒旅程的目标。但是就像神在创世之后的安息中继续救赎之工一样，就像以色列民因此应当在迦南"安息"继续救赎之工一样，基督徒应当藉由基督里的初步经验而得的"安息"中继续他们的救赎工作。

这篇讲章的核心表述在4：14—12：3之中。作者列举了基督祭司职位对于亚伦祭司职位的优越性。这个主题的要点关乎一位优越的大祭司（4：14—7：28），"他作更美之约的中保"（8：7—13），服侍在"更大、更全备的帐幕"之中（9：1—12），奉上更优越的牺牲（9：13—10：18）。所有这一切都基于一种更优越的应允（10：19—12：3）。对这个主题的那些要点的概括穿插在8：1—6中。

基督因其独一无二的品质而成为比利未祭司和亚伦祭司更优越的大祭司（4：14—7：28）。他既来自神，又与人同一。耶稣"已经升入高天尊容"，是"神的儿子"。他是由神指定为大祭司的。他不同于利未祭司，因为他作为人尽管受到各方面的试探，但是并没有陷在罪里。因此，他并不需要像其他祭司那样替自己献祭。"他虽然为儿子，还是因所受的苦难学了顺从。他既得以完全，就为凡顺从他的人成了永远得救的根源"（5：8—9）。作者劝勉读者在信仰方面长进，不要重回孩提状态。他们应当充分伸张基督徒的使命(5：11—6：20)。阐述中,《旧约》(《创世记》14：17—20;《诗篇》110：4)中的神秘人物麦基洗德被用作基督特殊祭司职任的一种历史提示。麦基洗德是亚伯拉罕认为优越的一位国王和祭司,从而优于利未和亚伦。运用拉比诠释技巧,基督被展现为不仅优于亚伯拉罕,而且优于创制利未祭司和亚伦祭司的律法。基督能够完成希伯来人的祭司、崇拜和牺牲所不能完成的重任——人的永恒救赎。

在概括了基督的大祭司职任的五点优越(8：1—6)之后,作者讨论了基督所确立的"更美之约"(8：7—13)。并且引述《旧约》经文证明以色列民不履行与神所立的西奈圣约,而且耶利米(《耶利米书》31：31—34)预言过一种新约的创立。基督所提供的新约是一种内心的永恒之约,不是外在的律法,没有暂时性。它创造出崇拜者与神之间的一种优越关系。它提供了对罪的宽恕。更为重要的是,"既说新约,就以前约为旧了"(8：13)。

基督的圣所优于"前约"的"属世界的圣幕"(9：1—12)。带有可见、有形陈设的古代圣幕已经被超越。地上的圣所只是基督所提供的东西的一种暂时提示。基督天上的圣所超越了这个过渡性的世界。与一年一度进入至圣所的大祭司不同,基督已经一劳永逸地进入神的临在。他所提供的救赎是永恒的,而不是短暂的。鉴于每年的赎罪日显然是作者关注的焦点,所以基督作为大祭司的工作在他看来便使信徒生命的一切都成为永恒的赎罪日。

基督的祭品优于"前约"的祭品(9：13—10：18)。他成全了旧有的祭品从未做到的。他用来献祭的不是山羊和公牛的血,而是圣子的血,于是确保了一种永恒的救赎(9：12)。基督"将自己无暇无疵献给神"——没有罪的瑕疵。他的献祭永远不需要重复。于是他的祭品是完满的和永恒的。它拥有终极性,因为没有遗留下任何还需要做的东西。作者对读者说,基督的宝血将"能洗净你们的心,除去你们的死行,使你们侍奉永生神"(9：14)。

基督的所有工作基于一种优越的应允(10：19—12：3)。在这部分经文中,作者劝勉读者们坚守基督,不要滑入背信的深渊。他们已经在基督里收到古代先知只能盼望的那种应允。"要坚守我们所承认的指望,不至动摇,因为那应许我们的是信实的。"(10：23)鉴于没有什么别的赎罪祭品比得过在基督里的祭品,所以他们应当信实地坚守目标。基督已经为人做了人永远不会为自己所做的。从人的观点来看,它完全是一个信心问题,即人的生活方式。作者进而讨论了对于神的允诺抱有信心的生活(11：1—12：3)。作者没有尝试界定信心,而是描述了它的特点。对神的应许抱有信心的生活表达了以色列民列族宗教中最高贵的要素,而这种宗教的实践者们在终极性中实现了他们的祖先只能部分想象的东西。他肯定了未见世界的真实性。他赋予不可见的实在以实质,而不可见的实在恰好就是《圣经》宗教的本质。作者用一个接一个的《旧约》"因着信"的例子来证明这个要点,仿佛过去那些"因着信"的人物坐满运动场,观看现在靠着对基督的信的人们与世界的敌对力量竞争、角力。那些古代有信心的人既是观众、见证人,同时又与竞技场上"仰望为我们信心创始成终的耶稣"(12:2)的那些参与者"感同身受"。基督是整个"因着信"的血统中的男女们的鹄的。

这篇讲章以对于实践性问题的一系列强调收尾(12:4—13:7),其中继续劝勉读者坚守基督不放。他们应当甘心情愿领受神的管教,接受因基督之故的苦难,以作为更像基督和更有效的手段(12:4—13)。作者用以扫作为反面教材,指出忠信基督的人应当珍惜作为基督徒所承受的基业(12:14—17)。他们应当怀着敬畏靠近神(12:18—28),坚持基督徒的美德(13:1—7),"出到营外"的耶稣那里,继续带着福音前行(13:13),并且跟从引导他们的基督徒领袖(13:17)。整部经卷以个人性的问题和祝福结束(13:18—25)。

三、《犹 大 书》

只有二十五节经文的《犹大书》是《新约》中最短的经卷之一,写于后使徒时期。那时信仰已经变成意指"从前一次交付圣徒的真道"(3),而且要求基督徒"记念我们主耶稣基督之使徒从前说过的话"(17)。这封书信的日期大概在接近1世纪结尾的时候或2世纪早期。该信在基调与观点方面与"教牧书信"和《约翰一书》有一些相似之处。《犹大书》写给一些受到某些"不虔诚的"人的威胁的基督徒。这封短论性质的书信的目的是谴责某些放纵情欲和感官的实践,很可能针对的是某种早期灵知主义的作为。不过,"它的讯息不是关乎一般意义上的异端,而是指向特定的迫切需要和地方化的受众"①。

《犹大书》包括在所谓的公普书信之中,它确实是一封真正的通信。它有书信的文体特征——称呼寄信人为"耶稣基督的仆人、雅各的兄弟犹大",称呼收信人为"那被召、在父神里蒙爱、为耶稣基督保守的人",并且有信头的问安(1—2);后面紧跟着该信的焦点和契机(3—4),以及书信的正文(5—23);最后结尾则是丰富的荣耀颂(24—25)。

① Paul J. Achtemeier, Joel B. Green, Mariannne Meye Thompson, *Introducing the New Testament: Its Literature and Theology*, Grand Rapids, Michigan: William B. Eerdmans Publishing Company, 2001, p. 532.

　　尽管《犹大书》有构成书信的那些形式成分,但是就其结构模式而言,如其说是一封书信,不如说是一篇讲章。"经"和"解"的交替使用,提示作者有意识地采纳讲章的交流模式。在这种情况下,经卷本身类似书信的形式首先容许讲章性的讯息传递给地理上与作者隔开的受众,这封书信起着作者虚拟在场的功能;其次,类似书信的形式突显出这部经卷的机缘性质及其教牧焦点。

　　其焦点实际上是双重的。这封讲章式的书信包含与谬妄教师的论战的一个相对较长的部分,从而支撑起它的讯息的主要目标,即呼吁基督徒为真道"竭力地争辩"(3)。这群谬妄的教师是巡游的灵恩派,他们已经渗透进犹大感到有必要致信的那些教会。他们已经用自己灵恩经验的权柄——异象、启示和其他神癫现象——替代经上的权威和基督的伦理教导。这已经导致他们拒斥所有的道德权柄,以至于沉溺于悖逆传统犹太道德的行为。更有甚者,他们蛊惑别人做同样的事情,结果教会因为向更光大社会的异教实践增多开放,身处失去自身独特性的危险之中。

　　可能的是,这些谬妄的教师从强调自由的使徒保罗那里得到他们的一些最初暗示。当然保罗认识并且对付那些把自由当作放浪形骸机会的问题。保罗的书信表明,他不得不帮助他所建立的那些教会在负起行进在圣灵中的责任的背景中理解他的自由讯息;而这个事实足以证明,的确存在像这些谬妄的教师这样的一类人未能听取或保持这样的平衡之可能。所以,《犹大书》的第一个目标就是揭露这些谬妄教师及其说教的异端性质。

　　藉着对抗这些谬妄的教师,犹大展开"长篇大论"的解经诠释(5—23)。其模式非常著名,就是先提及一段《圣经》记述,紧跟着着眼受众的当代环境进行解说。借助这种手段,谬妄教师的本来面目大白于天下,他们无非是一长串不敬虔的人物谱中的最新代表而已,他们的命运和判决已定。他们被归入经上那些因放纵情欲的态度和说教受到谴责的历史罪人之列。他们应当被特别理解为在末日"自古被定受刑罚的"那些人,他们就像预言到的那样"随从自己不敬虔的私欲而行"。《犹大书》的论辩本质,及其《希伯来文圣经》的援用,提示这封书信起源于巴勒斯坦的基督教,带有启示论的诠释形式。

　　尽管书信的主体部分是论战性的,但作者犹大的主要关切却是教牧性的。他的受众要在使徒的信仰方面坚立,因为这种信仰是"交付圣徒的真道"(3)。他写到,那些谬妄的教师陷入不道德的方式和拒绝任何权威,实际上已经"不认独一的主宰,我们主耶稣基督"(4)。不过,《犹大书》的受众不可如此(20—23)。首先,他们应当把"至圣的真道"当作教会的根基;建基于使徒见证,他们发现自己不会沿着视自己的经验为忠信生活之无谬的或充分的指导这个斜坡滑落。其次,他们应当像圣灵所启发的那样祷告;这样犹大没有拒斥灵恩经验,而是坚持认为谬妄的教师声称的属灵经验并不真实。第三,《犹大书》的受众必须"保守自己在神的爱中"。在这个语境中,这种劝诫无疑与道德责任相连。第四,他们应当寄希望于神的复临;神的复临将带给那些仍然忠信的人永生。最后,犹大就他的受众如何与这些谬妄的教师及其追随者打交道提出建言。恢复完满信实的道路仍然敞开着,《犹大书》的受众应当向那些虚假的教师及其追随展现爱心。不过,同时切记谬妄教师及其说教如同传染病,需要避免受到沾染。

《犹大书》作为整体的参照系是神的"保守"大能:

> 给那被召、在父神里蒙爱、为耶稣基督保守的人(1)

> 那能保守你们不失脚,叫你们无瑕无疵、欢欢喜喜站在他荣耀之前的我们的救主独一的神(24)

犹大在其观念中显然清楚,他的受众必须通过抵制那些"偷着进来"的人的说教和藉着对主的忠信顺服而"竭力地争辩"。他大概在其信念中更加清楚的是,他的受众获得末世拯救所必需的那种大能,寓于并且将由万般赞颂归于一身的"我们的救主独一的神"来行使。

四、《彼 得 后 书》

这封书信要么是彼得的真迹,要么是一封伪托书信;它不是像《约翰一书》那样的匿名书信。它与《彼得前书》有明显的不同:《彼得前书》的希腊文优美,《彼得后书》的希腊文粗陋。《彼得后书》第 2 章是对《犹大书》内容的复述。这封书信在 2 世纪的时候没有人提到,而且其正典地位在第三和第四世纪早期存在争论。在 3 世纪中叶的时候,奥利金曾引用此书,但是也提到说该书不是正典的一种传统。

《彼得后书》要么是对《犹大书》所谴责的异端作为的一个挞伐,要么是对于与《犹大书》所谴责的异端足够相似的作为的一种挞伐,以至于可以把《犹大书》的内容吸纳于其文本之中。作者的脑际显然有某些灵知主义的观念和实践的影子作为对象。这部书信的价值在于,当主的复临信念在后使徒时期出现淡化的情况下,重新强调主的复临。它的主旨是"认识神和我们的主耶稣"(1:2)。

《彼得后书》的文体是书信体与遗训体的一种融合。它的确自指为书信(3:1),而且具有书信应该有的形式。它以书信题的开头开篇(1:1—2),言明作者("西门彼得")和受众("那因我们的神和救主耶稣基督之义,与我们同得一样宝贵信心的人")的身份,并有习惯性的致意("愿恩惠、平安")。进而申明它的主题(1:3—11)和写信的契机(1:12—15),并相继展开书信的正文。尽管没有书信的结尾,但是这点即便在基督徒书信的写作中也并非特立独行(例如《雅各书》)。尽管书信暗含的受众身份相当一般和含糊,但是这种印象即刻因书信的实际内容而改观,因为作者不仅言及一个特殊的契机,而且3:1提醒受众注意第一封书信(可能是《彼得一书》);这就强烈要求人们关注这样一种观点,即《彼得前书》和《彼得后书》的收信人有意义重大的重叠①。

然而,即便《彼得后书》是封书信,它也明显是在希腊化文献、《旧约》、第二圣殿的犹太人作品和早期基督教作品中已知的"遗训文学"的一个代表。例如,《旧约》中有归于雅各(《创世记》48—49)和摩西(《申命记》31—34)的遗训,《新约》中的《路加福音》第22章、《约翰福音》13—17章和《使徒行传》20—38章也显然具有这种形式。这种留下遗言的训诲方式给予某位伟人重申其教义、指导其后裔或人民的机会,而这往往与关乎未来的启示相关。因为这样的教导与某位德高望重人物的最后时日有关,所以遗训的话语显得特别凝重和凝练。《彼得后书》的一些相关地方如法炮制了这种模式:首先是在提及彼得教导精华的时候(1:3—11);其次是彼得意识到死之将至并希望死后人们仍然铭记其讯息的时候(1:12—15);其三是在预言他的教导所针对的那些谬妄教师兴起的时候(2:1—3,3:1—4)。

就《彼得后书》的情形而言,书信体和遗训体的结合产生了一个值得一提的效果。一方面,书信就其本质而言容许某个人或某群人跨越地理空间与另一个人或群体交流;另一方面,遗训文学的目的则是与时间上遥远的一些人交流。那么,"遗训书信"就具有了容许一个受尊崇的人物跨越时空——甚至从坟墓之中——向人说话的能力。《彼得后书》的情况的确就是如此,因为在此运用了彼得预言性的声音来表明,这位使徒很久之前就预想到了这封书信写作的那个时代的状况。如此这般,使徒信息便直接与一个后来的状态发生了关联。

《彼得后书》的文体本身就这样指向其作者是某个假借彼得名义的人,而不是使徒彼得本身。当然,《彼得后书》的作者显然力图给人留下书信出于使徒彼得的印象——既在书信的开头引入彼得之名,又在3:1中提及先前的书信《彼得前书》。作者之所以这样做,是想把《彼得后书》的讯息归于使徒权柄,并且把罗马教会的领导权

---

① 参见 Paul J. Achtemeier, Joel B. Green, Mariannne Meye Thompson, *Introducing the New Testament: Its Literature and Theology*, Grand Rapids, Michigan: William B. Eerdmans Publishing Company, 2001, p. 528.

的权重以及从而把其最伟大领袖的权重纳入针对谬妄教师的战斗之中。作为彼得在罗马的助手之一,作者继续努力维持彼得身后的影响。

《彼得后书》可供我们推定成书时间的文本内证也支持这种观点。首先,无疑指第一代基督徒的所谓"列祖"(3:4)之成为列祖不可能早于公元 80 年,辅之提到保罗"一切的信"为"经书"(3:15—16),再加上彼得公元 64 年或 65 年在罗马殉道,所有这些都要求把《彼得后书》归于彼得的助手圈子,而不是彼得本人。其次,在希腊化的犹太教中假托某个人的名义创作并不必然引发诚信问题。彼得的一个弟子感到自己足够贴近彼得的精神,能够以彼得的名义和权柄写下此信,就那个时代而言,并非罕见。第三,《彼得后书》给人的印象是,作者或作者们自认为所做的无非是在一个新的时代、以一种忠于彼得自己的影响和信仰贡献的方式重新阐发使徒彼得的讯息。第四,有关经文强烈提示教会中已经存在对于"经上所有预言"的官方解说者(1:20)。第五,信中讲到一些教会成员怀疑基督的复临,这证明此信应当成于教会早期之后的时代,因为人们在教会早期都渴盼主的即刻复临。

促发此信写作的即刻契机是一种人们觉察到的异端的浮现,结果就是《彼得后书》的论战基调特别明显。这封遗训性的书信所针对的那些谬妄的教师带着怀疑的眼光看待教会的末世教义,否定任何审判观念,也否定神有介入世界止恶扬善的其他方式。相反,世界将沿着当前轨道不受干扰地继续下去。这是一种希腊化时期的哲学圈子(例如伊壁鸠鲁派)所精通的观点。谬妄的教师蛊惑说,使徒们所倡导的与之相反的观念都是使徒们自己创造的——旨在使出人们害怕审判这个重手来控制信仰共同体的行为。即便那些发掘出末世内容的《旧约》文本也被谬妄的教师说成是错误的。但是这些教师们在舍弃末世期盼和相关的神的审判之后,道德操守也松懈下来:"他们离弃正路,就走差了"(2:15)。

针对谬妄教师们的这种异端观点,《彼得后书》发起了集团冲锋式的反驳:首先,通过回顾使徒亲眼见证耶稣被神指定扮演末世统治和审判的未来角色时之变容,捍卫使徒们的末世信息(1:16—18)。其次,在"经书"上找到使徒信息的根据,论证"经书"的神启性,并且坚称经书的意义不能根据每个人的一时兴致来重新商议(1:19—21)。第三,强调审判的明确性(2:3—10),并且警告反对者,指出因为他们的错误说法和影响神的审判也将他们包括在内(2:1—3)。第四,他们坚持认为世界过去一直掌控在神的手中,并将继续如此。第五,运用传统的犹太思想阐明,有关耶稣复临耽搁了的观感是由于对时间本质的错误理解所致,是由于未能体察到主容许人们有进行忏悔的进一步机会,本身不是使徒讯息有误的迹象(3:8—10)。

与展开论证相互交织的是,作者铺陈了更具遗训性质的材料。这容许作者凸显使徒彼得的信实，如此一来彼得就被视作早就预言到《彼得后书》与之战斗的那些谬妄教师的兴起。彼得的预言现在得到兑现，这就容许作者把这些谬妄教师的出现解释为启示历史的一部分，从而削弱他们的影响。

　　《彼得后书》是对神学和道德之间或末世论与道德之间存在不可分割的联系的一种见证。一方面，作者可以画出从否定末世审判到陷入世上污秽之间的一条明白无误的线索。另一方面，他可以肯定有神进行干预的末世异象，进而仿佛可以追问："你应当成为哪一类人？"对于作者而言，使徒有关终末时代的讯息具有作为其必然结果的圣洁、虔敬、安然和纯洁的生活(3：11—14)。

第十讲 同舟共济 新天新地

——约翰文学与《启示录》

第一节 约 翰 书 信

一、约 翰 文 学

后期教会传统把《新约》中的五部经卷《约翰一书》、《约翰二书》、《约翰三书》、《约翰福音》和《启示录》归于西庇太的儿子约翰;但是在整个教会范围内接受《约翰二书》和《约翰三书》来自使徒约翰则是公元 3 世纪后期甚至更晚一些的事。不过值得玩味的是,这些经卷中没有哪一部自称出自使徒约翰,《启示录》声称出自某个叫约翰的人之手恐怕是其中最接近这种自称的暗示。《约翰二书》和《约翰三书》声言出自"长老"。因为这些经卷本身没有宣示使徒作者身份,而且因为教会有关使徒起源的传统游移不定,所以学者一直基于经卷本身自由处理它们的作者问题。有关使徒约翰何时亡故,教会传统的说法也不一致。一种传统暗示,约翰与兄弟雅各同时罹难;根据《使徒行传》12:2 的有关记载,雅各死于希律·亚基帕一世时期(公元 41—44 年)。另一种传统则力主约翰在以弗所活到相当高寿。后一种观点的支持度略高。

这些经卷的确与罗马亚细亚省的那些教会,特别是以弗所的教会有关。它们不仅在神学方面,而且在风格和遣词方面都有许多相似性,这都提示它们属于一个共同的思想学派。"约翰"经卷对于基督教会的影响一直是巨大的,《约翰福音》、《约翰一书》和《启示录》尤其如此。

二、约 翰 书 信

　　归于约翰名下的三部书信《约翰一书》《约翰二书》和《约翰三书》,在《新约》经卷中针对的是在后使徒时代对教会形成威胁的谬妄说教。正如前文所述,流行的异端通常被认为是处于初期的灵知主义。灵知主义完全发展出来的时候,的确对于教会有关上帝创世的诠释(源于《旧约》),有关作为真神变成真人的基督本质的诠释,有关神在基督里是要在历史中救赎人类这个目的诠释,以及对于既不是苦行又不是纵欲的基督教道德,都造成问题。这种麻烦的折中主义哲学在教会外争夺人心,在教会内形成异端。

　　在约翰书信中,谬妄的教师好像原为基督徒团契中的成员,为了巩固和传播他们的教条而脱离教会。在《约翰一书》中,他们被称为“假先知”(4:1)和“敌基督”(2:18),后者在《新约》里还是首度出现。犹太教末世论,包括《死海古卷》中发现的一些教导,都有在世界末日之前出现“敌弥赛亚”的信念。尽管《约翰一书》使用复数的“敌基督”,使意象有些混淆,但是对于“终末”(eschaton)的一种早期期待还是显而易见的。这部经卷还说,许多敌基督者“现在已经在世上了”(4:3),“如今是末时了”(2:18)。鉴于按照通常的犹太教末世论,敌基督会偷偷摸摸地、不知不觉地到来,这位作者为了其受众的安全和福祉,打算指认敌基督(或敌基督者们)。

　　尽管《约翰一书》中的那些异端者没有被明指为“灵知主义者”,但是“认识”渗透在他们的那些劝诱性的论证当中(2:4、13—14、29)。在他们的“认识”中,他们不是真道的认信者,而是否认“耶稣是基督”(2:22),否认“耶稣基督是成了肉身来的”(4:2)。后者听起来像灵知主义幻影说的某种形式。这种幻影说断言,耶稣基督只是“看似”已经“成了肉身”,其实不然。这些麻烦制造者们还声言自己有“灵”(4:1),“说自己无罪”(1:8),“说自己没有犯过罪”(1:10)。《约翰一书》把所有这些断言都作为与真正的基督教传统相矛盾的异端进行了挞伐。

　　当代学术研究表明,至少有一部灵知主义文献《伟大塞特第二篇》一再出现《约翰一书》所拒斥的灵知主义信徒的主张:“我们乃是清白的,因为我们没有犯罪。”①在另一部灵知主义文献《马利亚福音》中,复活的耶稣告诉彼得“这世界本无罪”;罪不是道德上的失败,而是源于灵界和物界之混合的一个难题。仿佛是针对此点,《约翰一书》

---

① 　罗宾逊、史密斯编:《灵知派经典》,杨克勤译,华东师范大学出版社 2008 年版,第 430 页。

强调罪和义展现在道德中,在具体的操作中。很可能,那些离开约翰共同体的人们看重天界和灵界,鄙视物质世界,以至于他们把一切重点都放在属天的基督而不是属血气的耶稣身上,都放在他们自己作为上帝之子的"属灵"地位而不是他们的日常行为方面。在他们看来,在今生今世已经获得属天和属灵的地位,无需再等待获得这种地位。他们已经不受这个世界诸恶的侵袭;作为生于神的人,他们是神的儿女(3:1—3),像基督(2:1—2,3:2)和神一样是义者。他们借着"水和灵","从上面而生",不再属这个世界,而是属上面的世界。这样的观点走到极端,就清除了带有任何改造应许的未来,因为那种改造已经在今生决定性地发生了。应许给未来的完美属于现在的神的儿女,导致他们宣称"我们没有罪"①。

"我们在保罗的书信中已测知灵知的存在倾向,这些倾向很可能是透过一些犹太的洗礼派传入的。哥林多书信以及保罗第二批书信(deutero-Pauline writings)中所指的灵知化成分,显示灵知的思想已从叙利亚巴勒斯坦传至小亚细亚和希腊。约翰学派的书信也引证灵知思想在小亚细亚的存在。四福音促使那属天彰显者的形象变得基督化和历史化。约翰书信也显示,基督徒圈子内争论关于地上耶稣的形象问题。该书信将基督徒对救主的理解限制于历史性的耶稣,如此为第二世纪两大运动的冲突提供了重要的指引。随后,一些后期的新约书信:如《彼得后书》和《犹大书》等,以及伊格纳修(Ignatius)书信和坡旅甲(Polycarp)书信,都纷纷在第二世纪出现。由此可见,一种灵知式的基督教曾在小亚细亚的教会中出现。"②

《约翰一书》、《约翰二书》和《约翰三书》可能出自同一位作者。《约翰一书》的作者没有表明身份,《约翰二书》和《约翰三书》的作者自称为"长老"。伊里奈乌(爱任纽)在其《反异端论》中写到过"使徒们的门徒们",显示在罗马帝国的亚细亚省有一批被称作"长老"的人,他们与使徒有直接的联系。据优西比乌《教会史》的记载,希拉波立主教帕皮亚(Papias)甚至区分出使徒约翰和某个长老约翰。无论这些书信来自使徒、长老或以弗所约翰传统中的某个门徒,它们都同出一源,即都出自很可能就在亚细亚的一个思想学派。灵知主义在亚细亚变得特别强大,一位名叫塞林图(克林萨斯)的著名灵知主义者于公元1世纪后期就活跃在那里。塞林图提出的基督论认为,在洗礼的时候基督从天上像鸽子一样降到耶稣这个人身上,但是在耶稣受难和死于十字架上之前就离开了,这样就在灵知主义灵魂和物质的两极对立范围内保留了基

---

① 参见 Paul J. Achtemeier, Joel B. Green, Mariannne Meye Thompson, *Introducing the New Testament: Its Literature and Theology*, Grand Rapids, Michigan: William B. Eerdmans Publishing Company, 2001, p. 540。
② 佩金斯:《重构灵知派历史》,见刘小枫主编:《灵知主义与现代性》,华东师范大学出版社 2005 年版,第 26 页。

督的纯灵。

　　鉴于信中没有犹太化争议的证据,这些书信必定成于公元 70 年之后。鉴于作者心头没有基督徒遭受普遍逼迫这个话题,它们必定不属于公元 95 之后的时期。它们很可能是写于公元 80—90 年之间的某个时间。

三、《约 翰 一 书》

　　这部经卷与其说是一封致基督徒的个人书信,不如说是一个讲演或讲章。作者首先警告读者注意威胁到他们的信仰与团契的那种异端,然后阐明他所理解的基督教信仰的真正本质。他说:"我将这些话写给你们信奉神儿子之名的人,要叫你们知道自己有永生。"(5:13)他关切的是基督教团契的意义及其与永生的关系。对他而言,正确的信仰与确当的行为是一致的。他在神学和伦理学之间建立了直接的纽带。这种纽带对于他对早期灵知主义异端的挞伐而言十分重要。他主要强调点爱、真理和光明,而所有这一切都归于神,所以应当成为基督教信仰者的特征。他的关切点是正确理解基督的本质和基督徒的关系。

　　在针对灵知主义的异端邪说这个大背景上,《约翰一书》具体涉及了"假先知"们说教的一种新要素,就是"幻影说"。"因为此处提到的'假先知'对于耶稣本人的人格和意义持有与众不同的理解,而且从有关他们的表述中清楚地看到,约翰的对手们否认耶稣是弥赛亚和神子(2:22—23,4:2、15,5:1—5、10—12)。并非他们否认耶稣展现了神的大能,而是发现难以把握一个常人如何展现永恒之神的特性。所以他们断言,耶稣根本不是真正的人(4:1—3)……提出耶稣只是**看似**弥赛亚或神子。这个观点被称作'幻影论'(源于希腊词 *dokeo*,意为'看似'),《约翰一书》所反对的正是这类东西。"①

　　在《约翰一书》中,作者在教义和实践主题方面纵横捭阖。该卷的"序"(1:1—4)提出道与基督合一的思想,而这个道成肉身的观念在《约翰福音》中得到更加完全的阐发。在这个"序"中,"道"是"从起初原有的"创世之"父"那里来的赋予生命者,这个赋予生命者是信徒"所听见、所看见、亲眼看过、亲手摸过"的。他是信徒所知的团契的源泉。

　　基于"序"中的断言,作者进而讨论"团契的试炼"(1:5—2:27)。首先,作者用较

――――――――――

① 　John Drane, *Introducing the New Testament*, Minneapolis: Fortress Press, 2001, p. 450.

长的篇幅讨论了信徒献身基督里的上帝(1：5—2：17)。他比较了那些行在神的光明中的人与那些行在黑暗中的人。在光明的团契之中,信徒们坦白自己具体的罪愆,以便求得神的涤罪。基督是他们的中保和赎罪者(1：5—2：2)。一些灵知主义者自恃具有优越的灵性,傲慢地把另一些基督徒作为灵性低劣的一类人来轻视。真正的兄弟之爱的这样一种赤裸裸的缺乏,显示出他们并不爱神。相反,基督的追随者,即遵守主道的人们藉着爱的行为为人所知,他们在生活中表现出充满爱心的神的旨意(2：3—6)。住在神的光明中的人爱自己的弟兄,恨自己弟兄的人仍然在黑暗之中(2：7—11)。对于这个"要过去"的世界的情欲不是来自父神,"惟有遵行神旨意的,是永远长存"(2：12—17)。其次,作者强调信徒坚持真理的重要性(2：18—27)。有一些反对基督的"敌基督",曾经与信徒们为伍,但是后来分道扬镳,因为他们原本就不属于真正的信徒行列。敌基督属于谎言,他们否认"耶稣是基督"。作者劝勉信徒们仍然信守真理,认信子和父。

尽管有其他主题交织其中,但是《约翰一书》的另一个主要部分可以概括为"子的身份的试炼"(2：28—5：13)。同样,其中的第一小部分可以说是围绕着神之子的无罪和慈爱(2：28—4：6)。子的巨大抱负就是像基督(2：28—3：3)。因之,他不再在他的罪性的本质之中(3：4—10),后者是属于恶魔的。子由父而生,因而不再是恶魔的儿女。基督打破了恶魔的紧箍。继续不义和不爱兄弟的人,不是神的儿女。兄弟之爱也是子的身份的一种试炼(3：11—24);事实上,这是生活在基督里的真实证明。拒绝爱兄弟就是否认基督。不过,基督徒不要因为这个世界恨他们就感到惊讶,因为恨是这个世界的特征。与这个世界形成对照的是,基督徒应该有一种移情想象,藉此能够设身处地地为有需要的兄弟着想。这小部分以两节概括性的经文结束:

> 神的命令就是叫我们信他儿子耶稣基督的名,且照他所赐给我们的命令彼此相爱。遵守神命令的,就住在神里面,神也住在他里面。我们所以知道神住在我们里面,是因他所赐给我们的圣灵。(3：23—24)

在进入下一小部分之前,作者离题谴责谬妄的教师,鼓励受众测试谬妄教师所依靠的那些灵,以决定它们是否属于神(4：1—6)。灵知主义者也宣称拥有神的灵。真正的检验标准是:"凡灵认耶稣基督是成了肉身来的,就是出于神的。"(4：2)否认这个认信的那些灵,都是出于"敌基督"。"认识神的就听从我们;不属神的,就不听从我们。从此我们可以认出真理的灵和谬妄的灵来。"(4：6)

有关"子的身份试炼"的第二小部分可以冠以爱与信(4：7—5：13)。其中回到彼此相爱的主题(4：7—21)。神就是爱,是爱的源泉。"神差他独生子到世间来,使我们藉着他得生,神爱我们的心在此就显明了。"(4：9)如果神如此爱信徒,那么信徒就应当彼此相爱。圣灵在他们之中的临在为他们提供了巨大的保证。爱与惧是互相排斥的;事实上,完满的爱摒除了惧。爱神与不爱兄弟也是互相排斥的。

> 我们爱,因为神先爱我们。人若说,"我爱神",却恨他的兄弟,就是说谎话的;不爱他所看见的兄弟,就不能爱没有看见的神。爱神的,也当爱兄弟,这是我们从神所受的命令。(4：19—20)

神的儿女爱那位藉着自己的儿子赋予他们永生的神(5：1—13)。爱神,爱神的儿女,服从神的诫命,彼此相辅相成,相携而行。这样的生活方式"使我们胜了世界"。"人有了神的儿子就有生命,没有神的儿子就没有生命。"(5：12)

这个讲章的结尾是一个"跋"(5：14—21)。作者重申了他的一些主题,并且敦促人们为那些"犯了不至于死的罪"的弟兄代祷。然后突兀地结束:"小子们哪,你们要自守,远避偶像。"(5：21)

四、《约 翰 二 书》

《约翰二书》和《约翰三书》自称是"长老"所写的书信。《约翰二书》写给"蒙拣选的太太和她的儿女",这要么是指某个教会,要么是指某个基督徒妇女及其家庭。至于三封约翰书信之间的关系,有研究者认为:"《约翰一书》是一篇教牧论文,写给并流传于一些教会中间。《约翰二书》是一封随同前者寄往某个未名的具体教会的附信。《约翰三书》则是随同前两者具体寄给该犹的私人书信,该犹可能是收到另两封书信的那个教会的领袖。"①

作为《新约》最简短的经卷,《约翰二书》对于我们理解早期基督教和基督教信仰而言的价值,不在于其比《约翰一书》更加简练的神学断言,而在于其提供了我们解读《约翰一书》的框架。如果在《约翰一书》中我们是从那些谬妄的教师由之"出离"的那个教会的优越角度看待问题,那么在《约翰二书》中我们是以那些谬妄的教师在其中布道和说教的某个教会的眼睛来看待问题。《约翰二书》的目的是处理那些巡游教师问题,他们的异端邪说已经在《约翰一书》(7)中予以列举和谴责。问题是教会如何对待那些外出进行违背真理的说教的人们(7、10、11)。

---

① Paul J. Achtemeier, Joel B. Green, Mariannne Meye Thompson, *Introducing the New Testament: Its Literature and Theology*, Grand Rapids, Michigan: William B. Eerdmans Publishing Company, 2001, p.536.

　　与《约翰一书》不同,这部经卷以表明作者("长老")和收信者("蒙拣选的太太和她的儿女")身份的传统书信形式开篇。然而这封信亮明身份的方式异乎寻常,因为在此出现的不是典型的个人姓名,而是头衔和隐喻。这足以说明,原初的收信人完全知道"长老"是何许人,而且头衔提示着其在教会内的具体功能(《雅各书》5:14;《彼得前书》5:1;《提摩太前书》5:17;多1:5)和权威地位。"蒙拣选的太太和她的儿女"很可能是某个地方教会及其成员的人格化表述,就像保罗告诉哥林多教会的那样:"你们就是基督的身子,并且各自作肢体"(《哥林多前书》12:27)。《圣经》中,神的子民经常被比作妇人、耶和华的新娘、基督或神的儿女(《以赛亚书》54:1、13;《耶利米书》6:21,31:21;《耶利米哀歌》4:2—3;《哥林多后书》11:2;《加拉太书》4:25—26;《以弗所书》5:23;《启示录》18—19)。

　　《约翰二书》的开头充满家庭气氛。甚至就像《约翰福音》和《约翰一书》把信徒说成"神的儿女"(《约翰福音》1:13;《约翰一书》3:1—3)和彼此互为"兄弟姐妹"一样,《约翰二书》在此把教会想作一位母亲及其儿女。长老写信给远处的某个家庭教会,要他们警惕一个脱离共同体而去的敌对传教团的活动和说教。

　　在其向会众的问候中,长老用了两个贯穿整部书信的主题词"爱心"(1、3、5—6)与"真理"(1—4)。根据这位长老的说法,那些脱离教会的人因为脱离教会,所以未能表明对他们的兄弟姐妹的爱。因此,爱心和统一是紧密相关的;甚至就像《约翰福音》第14—17章中那样,就像耶稣有关彼此相爱和过一种彼此统一和与神统一的生活的重要性的训诲中所说的那样。真理包括那些应当成为信徒特征的那些宣信和实践问题。如此一来,作者不仅谈论"知道真理"(1),而且谈论"遵行真理"(4)。他们要知道的真理就其核心而言是,"耶稣基督是成了肉身来的"(7—9)。那些"迷惑人的"巡游先知都是"敌基督"(7),他们有关耶稣的谬妄教义、有关基督徒地位的错误理解,以及他们脱离约翰共同体本身,都表明他们在"知道"真理和"遵行"真理两方面都是失败的。

　　长老有关这些谬妄教师向教会发出的训诫是严厉的、毫不妥协的:"若有人到你们那里,不是传这教训,不要接他到家里,也不要问他的安"(10)。尽管在此表明的态度导致一些学者勾画出一幅处于多事之秋和日益内向的教会图景,但是长老的命令并非意在促进与这个世界的敌对和分离。换言之,长老命令教会不要藉着允许谬妄的教师有说教的机会而准许谬妄的教训。教会成员要检验那些所谓的先知们的灵(《约翰一书》4:1—7),而且在检验真假之后坚持真理①。

---

① 参见 Paul J. Achtemeier, Joel B. Green, Mariannne Meye Thompson, *Introducing the New Testament: Its Literature and Theology*, Grand Rapids, Michigan: William B. Eerdmans Publishing Company, 2001, pp. 547 – 550。

五、《约翰三书》

《约翰三书》也是一封真正的书信,不过与《约翰一书》和《约翰二书》有所不同,这是一封写给该犹的私信。这封书信本身有三个目的:褒奖该犹及其接待"作客旅"的先知的做法(5—8),批评不循该犹之例的丢特腓的行为(9—10),举荐这些先知中的一位低米丢(12)。《约翰三书》可能是低米丢本人携带的举荐信①。

《约翰三书》中想见的状况好像反映的是新型教会管理模式开始浮现的一个阶段。随着使徒及其代表的谢世,最早期的那些教会的集体领导制度开始消失,新领袖们在最终导致每个地方教会只正式任命一位权威领袖的过程中努力进行着卡位战。"长老"代表的可能是旧有的教会组织形式,这或许可以解释他为何对一人宣称是教会的领袖这种现象深表关切。倘若是在第二世纪的话,任何拥有"长老"头衔的人本身就会是组织化的教会等级制度中的一部分,但是约翰书信的作者明显并不属于这个背景。他显然受到受众的高度尊重,但是好像对他们并不拥有绝对权威,因为只是呼吁他们去做他认为正确的事情②。

要理解《约翰三书》中的那些褒贬,我们需要把它们置于通常认定的某个约翰教会的生活背景之中。因为构成大的约翰共同体的那些较小会众四散各地,其分布之广使"长老"不易与他们接触,于是通过书信和低米丢这样的信使进行交流对于保持接触和坚固团契变得至关重要。显然长老派以前遣过使者,就像现在他派遣低米丢一样。但是共同体因为信仰和实践方面的问题出现分裂,造成一些个人分离出去,这就使问题复杂起来。不仅长老的使者,而且那些脱离共同体的人也与各种各样的会众保持接触。这些脱离者可能既没有切断所有团契关系,也没有放弃他们传讲自己所理解的信仰的承诺。分别真理与错误、辨别忠信的教师与异端的教师并非易事,尤其是在双方都使用相同的传统宣信表述但解释不同的情况下更是如此。

长老褒奖该犹,因为他"按真理而行"(3—4)、欢迎作客旅的弟兄(5)、以"配得过神"的方式帮助他们前行(6)、支助他们(7—8)。这些"弟兄"很可能是长老派出的巡游教师和使者。他们所得到的接待不止一般接待所包括的食宿。长老之所对该犹的

---

① 比较:《罗马书》16:1—2;《哥林多后书》3:1—3。
② 参见 John Drane, *Introducing the New Testament*, Minneapolis: Fortress Press, 2001, p. 451。

好客大加褒奖,关键是因为它确保了真理的传播。

　　另一方面,长老谴责了丢特腓的行为,后者的冒犯之处包括拒绝承认长老的权威(9),散布有关长老的谬妄指控(10)。此外,长老暗示早先曾写给教会一封书信——大概是讨论《约翰一书》和《约翰二书》中的问题,但是遭到忽略,"在教会中好为首的丢特腓"好像应该为此负责(9)。尽管把丢特腓想象为那些离开共同体的异端教师之一颇有诱惑,但问题是长老并没有批评其信仰和教训。倘若长老明知丢特腓持有任何异端倾向,却只字不提,这不太可能。丢特腓与长老对立是显然的,至于为什么则不清楚。这人必定是教会中具有影响的人物,因为他可以阻止人们有恰当的机会听到长老的书信,不仅拒绝接待那些旅行教师,而且阻止别人这么做,甚至"将接待弟兄的人赶出教会"(10)。

　　为了解决问题,长老在《约翰三书》的末尾(13—15)一方面拟议访问该地教会,一方面鼓励该犹坚持以往做法,顶住丢特腓的压力。特别是,如果该犹能够接待长老的使者低米丢,并且坚守他所宣示的真理,那么该犹在低米丢的帮助下自然如虎添翼。

第二节 《约 翰 福 音》

一、《约翰福音》与"同观福音"

　　《约翰福音》与其他三部"同观福音"有很大不同。其写作风格较之同观福音的直接性更具有反思性,同时对耶稣的呈现方式也具有独特性。耶稣生命的绝大部分时间不再像同观福音中那样湮灭在加利利,《约翰福音》中的耶稣是耶路撒冷圣殿的常客,不断与那些宗教权威就犹太经书的诠释和灵性问题进行辩论和讨论(2：13;5：1;6：4;7：2;10：22;11：55)。他不再以迟疑的方式谈及自己可能的弥赛亚身份,而是一开始就公开宣称自己就是弥赛亚;而且在由"我就是"引入的七篇讲话中,耶稣显然为自己取得《旧约》单单为神所保留的传统权柄,在《出埃及记》中"耶和华"这个名字的意思被定义为"我是自有永有的"。他不再用比喻讲论"天国",而是长篇大论地谈论"永生"。《约翰福音》的用词有着本质的不同,不但用"迹象"取代"神迹",而且同观福音中对"神迹"的众多反应方式,也被简化为信与不信两个范畴。一些熟悉的同观福音中的场景,要么像从圣殿中赶出那些换钱的人那样被置于不同的背景之中,要么只有间接意会,没有直接提及①。

例如,最后的晚餐由耶稣为门徒洗脚所主宰(13:1—20),而饼和酒是耶稣的肉和血的观念则在让五千人吃饱之后的一篇讲论中得到详细阐发(6:25—58)。尽管耶稣被钉死在十字架上不可避免,但是同观福音都在不同程度上把这个事件表现为一种悲剧,然而《约翰福音》却把这描述为耶稣最后的荣耀,即展现耶稣与神的合一性及其在神的宇宙计划中之地位的一件事。耶稣这个宇宙层面的意义在第四福音的开篇中也曾经强调过,在那里耶稣被等同于希腊哲学思辨中的宇宙之"道"(逻各斯)。这就涉及第四福音与同观福音的关系问题。

人们一度广泛认为,《约翰福音》的作者熟悉同观福音,因为一些故事都是共有的。耶稣让五千人吃饱的故事(6:1—15;《马可福音》6:30—44及平行经文),以及马利亚在伯大尼为他涂抹香膏的故事(12:1—8;《马可福音》14:3—9及平行经文),都是很好的例证。因而,甚至在教会的最早时期就有人认为,《约翰福音》是对于同观福音的那些"事实性的"故事的一种"神学性的"诠释。例如,根据优西比乌《教会史》的记载,与同观福音"有形的"、"肉体的"叙述相对照,亚历山大的革利免(约公元150—220年)把《约翰福音》的特征定为"属灵福音"。这不可避免地曾经导致这样一个结论,就是第四福音必定在日期上晚于、在质量上劣于同观福音。

不过,这种假定已经受到两点质疑。从更近的研究看来,把同观福音的"历史"置于《约翰福音》的"神学"之上未免过于简单,因为同观福音的作者本身也是神学家,他们不是出于纯粹的传记原因才写作同观福音,而是因为他们有信息要传递给读者。现在广泛(尽管并非普遍)相信的是,第四福音并不依赖其他三部福音,或许是在不知道三部同观福音的情况下写成的②。

更加仔细地稽考四大福音中都有的那些故事表明,它们尽管在有关耶稣的一生和重大事件方面的叙述相似,但是也有无数差异,而且这些差异并不是藉着神学的或意识形态的根据轻易能够解释的。只有在假定作者接触到有关同观福音的作者也知道那些事件的不同报道的情况下,《约翰福音》的那些差异才更容易解释。具体检验这个假说可见,《约翰福音》的叙事不仅另有来源,而且其中的一些信息可以用来补充其他福音的信息,使耶稣生活和布道的整个故事更加可以理解。这也与教父奥利

---

① 参见 Paul J. Achtemeier, Joel B. Green, Mariannne Meye Thompson, *Introducing the New Testament: Its Literature and Theology*, Grand Rapids, Michigan: William B. Eerdmans Publishing Company, 2001, pp. 198 – 199。

② 参见 John Drane, *Introducing the New Testament*, Minneapolis: Fortress Press, 2001, p. 211。

金(约公元 250 年)所说的古已有之的看法一致。

例如,《约翰福音》1：35—42 提及,耶稣的一些门徒原先是施洗约翰的追随者。这个观察可以帮助解释同观福音中施洗约翰对耶稣所作见证的确切性质,尤其是施洗约翰对自己"预备主的道路"这个角色的强调。《约翰福音》的叙述也有助于回答耶稣从受洗到施洗约翰被捕这段时间在干什么的问题,这点在同观福音中并不清楚。同观福音报告说,约翰被捕之后耶稣开始在加利利传教(《马可福音》1：14;《马太福音》4：12;《路加福音》4：14—15)。这是同观福音记载的耶稣的唯一布道,但问题是《马太福音》和《路加福音》还记载耶稣在最后一次到访耶路撒冷期间对其居民说"我多次愿意聚集你的儿女"(《马太福音》23：37;《路加福音》13：34),这提示耶稣在先前一些场合曾经到过耶路撒冷。《约翰福音》2：13—4：3 就讲述了这样一个场合,就在耶稣布道之始,其时尚在施洗约翰被捕、耶稣返回加利利之前,耶稣曾与施洗约翰并肩工作。

《约翰福音》7：1—10：42 对于耶稣在棕叶主日进入耶路撒冷之前六个月的另一次耶城之行的记载,填补了同观福音的材料。其中记载了耶稣如何离开加利利,前往耶路撒冷过住棚节(9 月),在那里一直呆到修殿节(12 月),随后由于敌对的增加,耶稣回到施洗约翰曾经活动的地区(10：40),在听到拉撒路已死的时候只是短暂到访伯大尼(11：1—54)。稍后一点,逾越节(4 月)之前六天,耶稣最后一次返回耶路撒冷(12：1,12)。最后这一次是《马可福音》记载下来的耶稣唯一的耶路撒冷之行,或许其他的到访就暗含在《马可福音》的概括性表述之中了:"耶稣从那里起身,来到犹太境界并约旦河外。"(10：1)

《约翰福音》还提供了一些小细节,有助于解释和澄清同观福音叙事中的一些细节。在让五千人吃饱的故事结束的时候,《马可福音》6：45 记载耶稣迫使他的门徒乘船离开,而自己留下遣散众人。《约翰福音》6：14—15 对细节有所补充,说耶稣之所以采取这个行动是因为众人想要强留耶稣,想推举他为王。另外,最后的晚餐和耶稣受审的故事也只有在《约翰福音》所包括的信息的亮光下,才能完全得到理解。

"考虑到这类证据,现在人们最终意识到《约翰福音》凭其本身就是一个来源。尽管它所包含的信息独立于同观福音中的信息,但是在许多关键点上,《约翰福音》补充了其他三部福音。"①

---

① John Drane, *Introducing the New Testament* , Minneapolis：Fortress Press, 2001, p. 212.

二、《约翰福音》的背景与目的

　　《约翰福音》在接近结尾的地方的经文中概括了其目的："耶稣在门徒面前另外行了许多神迹，没有记在这书上。但记这些事，要叫你们信耶稣是基督，是神的儿子，并且叫你们信了他，就可以因他的名得生命。"(20：30—31)这里隐含的对比存在于那些见证耶稣行神迹的人与那些并非见证人的读者之间。读者尽管没有目睹耶稣的历史传道，但是他们的确拥有福音。读者就像当年的耶稣门徒那样受到邀请，邀请他们"来看"耶稣是谁，以便最终信他。换言之，这部福音写给那些因为生活在较晚的时候或其他地方而没有见证耶稣的传道和所行神迹的人们。尽管他们是"二手"门徒，但是他们的信仰和门徒身份却不是"二等"的。

　　在过去的数十年中，对于这部福音的那些内证所做的进一步研究显示，它们对《约翰福音》的历史起源有所提示。在第9章有关"治好生来瞎眼的"人的叙述中，某些人因为承认耶稣是弥赛亚而受到被逐出会堂的威胁(9：22)，耶稣在对门徒所说的临别寄语中也提到这种威胁(12：42；16：2)。招致威胁的认信和相应的逐出惩罚显然指向犹太教内的一个背景，暗示在那些认信耶稣是弥赛亚的人与不信的人之间存在不和。

　　这就让我们面临《约翰福音》中最为棘手的诠释问题之一，即"犹太人"的含义和意义问题。这个词在《约翰福音》中使用了大约七十次，而同观福音加在一道才用了不足二十次。频繁使用"犹太人"这个词语所引发的最为简单的问题就是它的含义和所指究竟为何。尽管"犹太人"显然指代与不是犹太人的那些人可区分开来的一个种族和宗教的群体，但使问题复杂起来的是，"犹太人"被用来区分一些犹太人与另一些明白无误地也是犹太人的人。例如，施洗约翰的门徒曾经与"一个犹太人"辩论洁净的礼，但约翰的门徒肯定也是犹太人。在第9章中说到那个生来瞎眼但是被耶稣治好的年轻人的父母害怕被"犹太人"逐出会堂(9：22；7：13)，倘若他们本身不是犹太人，何惧之有？而且"犹太人"彼此争论耶稣的教导(6：52)，为耶稣的话感到"希奇"(7：15)，"又拿起石头来要打他"(10：31)。从文本表面所获得的主导印象是，"犹太人"被用来区隔耶稣的敌手与耶稣及其追随者，并且带有一种几乎独有的贬义。

　　一些学者论证说，这些敌对者主要是犹太地的人，"犹太人"应当理解为与加利利人相对的犹太地的人。另一些学者论证说，约翰使用这个词语单指犹太教当局。两种提法都无法解释《约翰福音》中"犹太人"的每一个使用场合。显然《约翰福音》中的用语流露出那些信耶稣与不信耶稣的人之间的一种敌对,双方在源头上都属于犹太民族。换言之,这是一种家庭纷争,很像公元 1 世纪爱色尼人与其他犹太派别之间的纷争。在这种纷争中,各方努力在与他方的关系中界定自己,而且最终不是彼此并立而是彼此倾轧地界定自身。整部福音始终都有这些纷争的一种反映。

论战的强度可能是对于犹太人的措施,特别是对于逐出会堂措施的一种反应(9:22;12:42;16:2)。就那些承认耶稣是弥赛亚的一方而言,他们不能再被简单地称作"犹太人"。《约翰福音》特别针对犹太人的尖锐论战反映了这种状况。但是约翰式的论战也反映了那个时代的行文惯例,就是允许论战性的论证使用冷嘲热讽和夸张等策略,正所谓"喜笑怒骂皆成文章"。不幸的是,《约翰福音》的论战风格,辅之对于"犹太人"可谓坚持不懈的负面化,已经为几个世纪以来别有用心的人利用《约翰福音》作为迫害犹太民族的一个基础留下了余地。对《约翰福音》的这种读解是对这部福音目的的一种公然的和有意的曲解,而这种曲解的恶果在纳粹对犹太人的大屠杀中达到了无以复加的程度。《约翰福音》的目的不是贬损犹太人,而是号召相信耶稣就是弥赛亚和以色列人的王。为达到这个目的所使用的修辞在现代人听来未免刺耳和充满仇恨,但是就《约翰福音》而言其立意是明确的,而且在某种程度上该福音的写作是要重申在信耶稣方面的那些至关重要的东西①。

因为《约翰福音》明言其目的是让读者"信",所以一直有人把它当作福传文献,认为其旨在从散居时代的犹太教那里争取皈依者。不过,另一些人提出,这部福音是写来鼓励信徒固守信仰、在遇到苦难局势的时候不要离弃基督(6:60—71),更不要像犹大那样出卖基督。相反,他们要加入到彼得的认信行列:"主啊,你有永生之道,我们还归从谁呢?"(6:68)。尽管他们发现自己与先前的家庭纽带、与先前的宗教和社会网络格格不入,但是所受到的劝勉是继续信仰基督,因为用耶稣自己的话来说就是"他们若逼迫了我,也要逼迫你们"(15:20)。作为其劝告功能的一部分,《约翰福音》致力于通过表明耶稣胜过犹太信仰的列祖来澄清耶稣与犹太教的关系(4:12;6:32;8:53—58),致力于表明犹太人在宗教节期和制度中所庆祝的那些东西通过耶稣的工作得到成全(2:1—11,19—22;6:32—41;7:37—39),致力于表明律法和摩西为一方与耶稣基督为另一方之间的关系(1:17;5:39—40、45—47;7:19—23)。这一论证思路的一贯性和强度提示,这位福音使徒藉着使用犹太教的那些象征和现实——这些形成耶稣身居其中的世界,力图确立一个说服人的、信基督的立场。

---

① 参见 Paul J. Achtemeier, Joel B. Green, Mariannne Meye Thompson, *Introducing the New Testament: Its Literature and Theology*, Grand Rapids, Michigan: William B. Eerdmans Publishing Company, 2001, p. 202.

　　至于《约翰福音》的成书时间是一个困难问题。尽管一些学者提出,"弥赛亚的"和"非弥赛亚的"犹太人之间的强烈敌对只是在公元70年耶路撒冷和圣殿毁灭之后才出现的,但是《新约》中的其他部分和早期教会文献的确证明更早的时期就有基督徒和犹太人之间的紧张和敌对关系,这种关系之始就是司提反与耶路撒冷的某些犹太人之间的冲突(《使徒行传》6—8)。况且,反映在《约翰福音》中的那些冲突绝不是一世纪的某个特定地区或时期特有的,所以难以精确确定这部福音的发端。更何况,反映在《约翰福音》中的那些弥赛亚的和非弥赛亚的犹太人之间的纷争也出现在《新约》的其他经卷之中,例如,也出现在《马太福音》中。

　　一度蔚然成风的是,把《约翰福音》的成书日期推到第二世纪晚期。但是正如本书相关部分所指出的,一部福音稿本 P[52](雷兰梓莎草纸本457)的发现使之成为不可能。这个在埃及发现的莎草纸稿本残本——目前所发现的《新约》经卷的最早复本——年代是大约公元135年,其中有《约翰福音》18章中的4节经文。尽管这个发现提示,《约翰福音》的面世不可能晚于1世纪末期或2世纪早期,但是仍然不足以确定精确时间。人们所提出的各种假说把写作或面世时间确定在公元65—100年之间。最有可能的是接近那个时期末尾的一个日期,而且推测公元90—100年这个时期也与早期教会所接受的观点相一致。

　　传统上认为《约翰福音》的面世地点是以弗所,但是也有人提出埃及的亚历山大和叙利亚的安提阿。所有这些城市的共同之处就是有大量的犹太人口,而且坐落在巴勒斯坦以外。这样的一种多元主义的位置或许有助于说明《约翰福音》中时常觉察到的各种思潮的激荡,其中包括《旧约》思潮、犹太教和希腊宗教。的确,这部福音的概念背景一直是约翰研究中讨论最多的议题之一。因为,尽管这部福音无疑反映其犹太教遗产的象征、礼仪和信念,但是同时,这部福音借之重述耶稣故事的那些意象却是许多古代世界宗教运动中的基本要素,包括受到希腊化显著影响的犹太教——就像亚历山大的犹太学者斐罗的作品中发现的那样。

　　《约翰福音》的基本意象,诸如生命、死亡、光明、黑暗、面包、水、营养、医治、出生、洁净和长进,不仅出现在这部福音之中,也出现在犹太教和其他古代宗教和哲学之中。在先前几代人中,约翰被贬低为把福音"剧烈地希腊化",用一些根本与犹太教水土不服的希腊术语和意象来极端地、彻底地重塑福音。约翰的二元世界观,其中灵与肉、天上与地下、永恒与自然相对照,被判定为展现了一种这样一种世界观,这种世界观与希腊思想中像柏拉图主义这样的哲学运动比与犹太教之间更有共同之处。

　　1947年开始的《死海古卷》的一系列发现使人们重新思考这种判断。这些古卷展现出灵与肉、真理与谬妄、光明与黑暗之间的二元论,在范畴上与《约翰福音》的相似性足够为其提供一种可能的概念背景。这些发现又重新燃起把这部福音重新定位在巴勒斯坦犹太教轨道上的可能性的兴趣之火。对许多诠释者而言,把希腊化时期的宗教作为对《约翰福音》有构成性影响的宗教加以诉诸已经不再必须。但仍然存在的是,即便有人接受《约翰福音》中的传统源于巴勒斯坦犹太教的观点,也不可能消除这样一种可能性,就是这部福音写作或面世于另一个地方,而在这个地方其他影响因素影响到这部福音的最后成形。此外,如今几乎没有学者认为,能够以这样一种方式在"犹太教"和"希腊主义"之间画下明晰的界限,以至于必然可以把《约翰福音》放到这个或那个阵营。《约翰福音》的语言本身表明,这部福音是写给说希腊语的人的,不论他们是犹太人还是非犹太人。约翰采用引发读者共鸣的意象和范畴来讲述耶稣的故事恰恰证明其才华。

"尽管通过对《约翰福音》的文字和历史分析获得所有这些洞见,但是约翰如何最终像现在这样讲述耶稣的故事仍然是一个推测问题。就约翰依赖口传和文字传统问题,这部福音的历史和社会背景问题,及其诠释日程问题,学者们费了不少笔墨。在考古发现和仔细研究敞开了某些诠释通道的同时,也关闭了其他一些通道,人们所提出的各种解释《约翰福音》形成的假说仍然是假说。最终,《约翰福音》的起源,就像耶稣本人对于故事中的那些人难以把捉一样,仍然难以把捉。"①

三、《约翰福音》的"序"与"道成肉身"

无论我们如何评估《新约》福音书的目的、文体和源头,它们显然都是对耶稣生活、工作、死亡和复活的叙述。四大福音的作者即福音使徒各自以其适合自身所描绘的耶稣画像的方式引入其福音和耶稣。《马太福音》以一个家谱导入耶稣,把耶稣的血缘关系回溯到以色列人的历史中两个重要的人物大卫和亚伯拉罕(《马太福音》1:1)。在认定耶稣是"神的儿子"、是"基督"(《马可福音》1:1)之后,《马可福音》追述了施洗约翰的传道工作,后者宣布了"能力比我更大"的"一位"的到来,并且在犹太旷野的约旦河中给这位"以后来的"施洗。《路加福音》允诺叙述所有与耶稣有关的事,并且以叙述耶稣的先行者施洗约翰和耶稣本人的诞生开始。这三部同观福音把耶稣生平叙事牢固地框定在有关耶稣公开传教、耶稣的家庭和耶稣在以色列民族历史中的

---

① Paul J. Achtemeier, Joel B. Green, Mariannne Meye Thompson, *Introducing the New Testament: Its Literature and Theology*, Grand Rapids, Michigan: William B. Eerdmans Publishing Company, 2001, p. 205.

地位等方面的事件和环境之中。

《约翰福音》也是对于耶稣生活、工作、死亡和复活的一种叙述,但是它既不以耶稣的家谱也不以耶稣的诞生开始,而是以"太初"开始,这个开篇短语与《创世记》的开篇短语"起初"相同。众所周知,《创世记》中"起初"这节经文的结尾是断言"神创造天地"。与之相呼应,《约翰福音》"太初"这节经文的结尾是宣示"有道"。为了强调道在太初,《约翰福音》又加上"道与神同在"(1:1),并且在下节经文中对这个断言加以重新表述:"这道太初与神同在"(1:2)。当神"起初"创造天地的时候,已经"有道"。根据《约翰福音》,事实上神正是藉着这个道创造万物(1:3)。这可以看作是《约翰福音》对于《创世记》第1节创世经文的注疏。对于这个"道"之荣光和神秘,约翰的表述还不止于此。他进而断言,这个"道"不仅作为创世的动力"太初"就与神同在,而且"道就是神"。这个"道"分有神的生命和存在。

在几节经文之后,又出现了第二组有关"道"的断言:"道成了肉身,住在我们中间,充充满满地有恩典,有真理。"(1:14)太初与神同在的那个道,世界藉之被创造出来的那个道,本身就是神的那个道,"成了肉身"。那个道作为名叫耶稣的人而呈现出现实的存在。随着这个断言,读者走出创世的原始时间,进入到一个特定的人的生活和一种特定的历史环境之中。数节经文之后这个背景开始明确起来,届时耶稣被称作"弥赛亚"("基督")(1:17),此点由一个叫作约翰的先知宣布(1:6、15),而且耶稣被比作传律法的摩西(1:17)。"所有这些因素都把这部福音定位在公元一世纪的犹太教世界之中。的确,这样的一个背景已经藉着那些与《创世记》的开篇短语,即与以色列民族典籍的暗合而勾勒出来。"①

上述两个珠联璧合的断言——道在太初与神同在并且就是神这个断言与道成肉身这个断言——表达了成为这部福音主题的那"一位"的身份。这部福音固然叙述了属血气的耶稣的传道、死亡和复活,但是要把握耶稣及其布道的重要意义,必须立足这两个断言所提供的立体视野。一方面,耶稣作为一个真正的人生活和工作在一个具体的时空框架之中。这个时空框架就是公元1世纪的以色列民族。如此一来,人们必须把握耶稣作为弥赛亚的身份,必须明白耶稣与诸如施洗约翰和以色列民的伟大先知摩西等人物的关系,必须明白耶稣与他那个时代的犹太人努力遵行的摩西律法的关系。

另一方面,以犹太教的那些象征符号和范畴来理解耶稣固然必不可少,但是这种

---

① Paul J. Achtemeier, Joel B. Green, Mariannne Meye Thompson, *Introducing the New Testament: Its Literature and Theology*, Grand Rapids, Michigan: William B. Eerdmans Publishing Company, 2001, p.176.

理解对于全面把握耶稣而言是远远不够的。只有把耶稣作为"太初有道"之道成肉身的那一位，才能完全把握耶稣的身份。《约翰福音》比其他任何一部福音都更加清楚地表明，通过传记或编年史一类所提供的东西，不能完全理解拿撒勒的耶稣。相反，有关耶稣的故事必须放到神通过耶稣和在耶稣里所上演的宇宙大戏的背景中去研读。那些期待从这部福音中发现有关耶稣的生平、工作、死亡和复活的人自然可以发现，但是他们亦将发现其中充满对于这样一种信念的叙述，即在耶稣里道成了肉身。这句话，以其双重断言，可以作为觉察耶稣重要性的棱镜。

四、《约翰福音》的叙事

《约翰福音》的主体叙事夹在"序"(1：1—18)和"跋"(21：24—25)之间。正如上文所说，"序"围绕永恒之"道"(逻各斯)这个中心，阐明真正的神在耶稣里成为真正的人，肯定了耶稣的神性和人性。随之，叙事表明施洗约翰见证耶稣是"神的羔羊，除去世人罪孽的"(1：29)，并且证实在他施洗的时候圣灵降临在耶稣身上。施洗约翰的门徒成为耶稣的早期门徒(1：19—51)。

基督向以色列民的展现是《约翰福音》主体叙事前半部分的内容(2：1—12：50)。这部分内容以耶稣变水为酒的神迹开始(2：1—11)。耶稣的这个行为象征旧有命令的成全和耶稣引入的新命令所具有的赐予生命的性质。犹太教的终极目标已经达到，而且如今在基督的工作里得到现实化。仪式和律法之宗教被圣灵和生命之宗教所取代。这种葡萄酒比以色列人以往熟悉的更加优越、醇美。

值得注意的是，在第四福音中犹太教的节期充当着事件背景的作用，诸如逾越节、住棚节、五旬节和建殿节等主要节期都有一个事件与之对应。约翰讨论了弥赛亚在遭到他"自己的"民族拒绝之前向以色列人呈现的七种独特方式(2：12—11：46)。

首先，把耶稣呈现为能够为世人提供重生(2：12—3：36)。耶稣在逾越节期间洁净圣殿，从而宣布了对圣殿受到败坏的审判。耶稣有关三日内建起一个新圣殿的说法好像蕴含这样一点，就是预言了一个新的、更纯洁的共同体。对一个名叫尼哥底母法利赛人、"犹太人的官"，耶稣提供来自天上的重生。这种重生需要是"从灵生的"，只有如此重生的人才能进入神的国。这点就像"序"中如下主题的一种继续："凡接待他的，就是信他名的人，他就赐他们权柄，作神的儿女。这等人不是从血气生的，不是从情欲生的，也不是从人意生的，乃是从神生的。"(1：12—13)在与尼哥底母谈论重生中，耶稣以一种预示自己被钉上十字架的形式提到摩西使用铜蛇。神的爱开启整个道成肉身事件,藉此神的儿子为人提供救赎。再次,表明了某种新的东西取代旧的东西:"信子的人有永生;不信子的人得不着永生"(3:36)。道成肉身的圣子同时既提供了救赎又提供了审判。

其次,把耶稣呈现为比以色列民族由之得名的族长雅各(以色列)更伟大(4:1—54)。背景是撒玛利亚叙加城的雅各井旁,靠近雅各给儿子约瑟的那块地。这种呈现采取的是耶稣与一位撒玛利亚妇人对话的形式,这位妇人曾经有五任丈夫相继去世,现在与人未婚同居。人们饮后会再次感到干渴的雅各井水与耶稣所提供的"直涌到永生"、让人"永远不渴"的水形成对比(4:14);以色列人在耶路撒冷圣殿的礼拜、撒玛利亚人在基利心山的礼拜与"用心灵和诚实"的礼拜相对照。这种新的礼拜与重生同行。这位妇女和其他撒玛利亚人都认信耶稣"真是救世主"(4:42)。在那位尚属半个犹太人的撒玛利亚妇女认信之后,耶稣回到加利利的迦拿,在那里一个实足的外邦人、来自迦百农的一位罗马百夫长与其家庭一道归信。通过这两个事件,一个是撒玛利亚人事件,一个是外邦人事件,辅以使用对于外邦人而言比犹太术语基督(弥赛亚)更富有意义的"救世主"这个术语,约翰传递了耶稣本身对于救赎大能之普世表达的关切。一位比雅各更具有同情心的人已经出现,这位满足了那些不是以色列子孙的人的需要。

第三,把耶稣呈现为比安息日(犹太律法)更伟大(5:1—47)。耶稣在耶路撒冷过"犹太人的一个节期",很可能是纪念犹太人在旷野得赐律法的五旬节。安息日那一天,耶稣在毕士大池边为一个患病三十八年的人诊治。耶稣不仅治愈了这个人,而且叫这个人"拿起褥子来走了",犹太人因为耶稣在安息日行了不该行的事而感到愤怒。在随后的讨论中,犹太人把耶稣的一席话理解为耶稣宣布与神同等。耶稣断言,他是在做派遣他到世上赐人永生的圣父的工作(5:21、26)。他的所言所行就是遣他来的圣父的言行。这样,圣子在赐人生命方面与圣父是一样的。耶稣进而说,鉴于他们并不相信其中谈到耶稣的摩西经书,他们不会相信他。"你们若不信他的书,怎能信我的话呢?"(5:47)一位比赐人安息日律法的摩西更伟大的人物已经到来。

第四,把耶稣呈现为比摩西所提供的吗哪更伟大的吗哪(6:1—71)。这个事件与同观福音中让五千人吃饱的神迹相平行。逾越节节期在即。耶稣是比《出埃及记》故事中的吗哪更伟大的"生命的粮"这一迹象被人们误解。人们把耶稣当作神派遣的先知,"要来强迫他作王"(6:14—15)。耶稣遣散了众人。在此点出现了第一个"我是"谈话,其中耶稣是从天上降下来的"生命的粮"(6:51),这与耶稣对于那位撒玛利亚妇女而言是"活水"(4:10;7:38)大有一比。"真"粮优于摩西的吗哪,后者用作摩西律法的象征。

第五，把耶稣呈现为比圣殿更伟大(7：1—8：59)。契机是犹太人过三大节期中的住棚节。住棚节的历史意义是提醒犹太人在没有过上安定日子之前一度在旷野过着头上没有片瓦的流浪日子。住棚节的农业意义是收获感恩的节期，有时叫做收藏节。犹太人庆祝住棚节期间，有一个仪式是犹太人聚到耶路撒冷圣殿，祭司下到西罗亚池子取水，经过水门把水带到圣殿，作为向上帝的献祭。以水献祭的整个仪式的主旨是感谢上帝所赐的水。耶稣利用这个契机教导说："信我的人，就如经上所说'从他腹中要流出活水的江河来'。"(7：8)而且说："我是世界的光。跟从我的，就不在黑暗里走，必要得着生命的光。"(8：12)耶稣所奉献的要比圣殿祭司盲目提供的更为丰盛，不仅解身体的饥渴，更是解灵魂的饥渴。但是那些仍处黑暗之中、没有信他的犹太人，把宣称自己在亚伯拉罕之先的耶稣用石头打出了圣殿。

第六，把耶稣呈现为一个优于以色列人的那些官方宗教牧人的好牧人(9：1—10：42)。很可能仍然在住棚节期间，耶稣在安息日治愈了一个生来瞎眼的人。以色列人的官方牧人法利赛人更关心的是耶稣竟然在安息日行了这事，而不是被治好的人得以恢复了视力，甚至几经盘问之后最终把这位因耶稣让他"开眼"而作见证的犹太人赶出了会堂。耶稣作为好牧人接纳了犹太官方牧人所拒斥的。原来眼盲的人恢复视力与犹太官方牧人灵性的盲目形成对照。在一段美丽的话语中，耶稣说："我就是羊的门"(10：7)，"我是好牧人，好牧人为羊舍命"(10：11)。尽管在随后的修殿节上耶路撒冷的犹太人及其领袖们仍然表现出处于不信的黑暗中，但是约旦河外信耶稣的犹太人逐渐多了起来(10：42)。

第七，把耶稣呈现为拥有让人死而复活的大能(11：1—46)。这是第四福音的高潮，也是其最大的迹象，发生在耶路撒冷附近的伯大尼。耶稣让一位名叫拉撒路的朋友复活，表现出不仅对于活人而且对于死人拥有权柄。耶稣宣示说："复活在我，生命也在我；信的人，虽然死了，也必复活。凡活着信我的人必永远不死。"(11：25—26)

紧随第七、也是最高潮的一幕之后的是他"自己的人"、犹太人却普遍拒斥他(11：47—12：50)。他们想除之而后快。耶稣即将到来的死亡于是开始笼罩着一切事件。其中，《约翰福音》讲述了耶稣在伯大尼得到马利亚涂抹珍贵的香膏(12：1—8)，戏剧性地荣入耶路撒冷(12：12—19)，以及耶稣有关自己即将到来的死亡所说的一番话(12：23—26)。至此，他"自己的人"已经拒斥他；福音的前半部分就此结束。《约翰福音》现在转向那些真正的自己人，即信耶稣的那些人。《约翰福音》接下来在第二部分讲述了耶稣与门徒之间的关系，他们不仅信他而且信他的那些"迹象"，是"新以色列"(13：1—20：31)。

《约翰福音》的第二部分首先讲述了耶稣在逾越节前两天在耶路撒冷的一间上房

中洁净门徒(13：1—14：31)。在耶稣与门徒共进的最后晚餐上,为那些依靠在餐桌上的门徒们洗脚。就身为老师和主的耶稣而言,这是对于学生的一种异乎寻常的谦卑服侍。这是耶稣为那些将来奉他的名占据领导权的人树立一种榜样。耶稣劝勉门徒彼此相爱,就像他爱他们一样。据认为,耶稣为门徒洗脚还有藉此感化他明知要出卖他的犹大,令其幡然悔悟的意思。倘若如是观之,耶稣的举动是不成功的。因为犹大随后离开灯火通明的房间,消失在茫茫黑夜之中。

第14章是耶稣向门徒们所说的一番安慰话。其中耶稣谈及他去天上是为门徒预备天上的地方,必再来接他们;只有藉着他,门徒才能够到父那里去,认识父;门徒们要做"更大的事",凡他们奉耶稣之名所求的一切事情都将得到成全;耶稣将赐给他们另一位保惠师,"就是真理的圣灵"。另外,耶稣还谈及他自己和门徒们的复活。值得注意的是,该章包含另一个"我就是",即"我就是道路、真理、生命"(14：6)。

第四福音接着是耶稣论他的共同体即教会的一番话。其中耶稣说,"我是真葡萄树",而门徒们则是葡萄枝子(15：1—16：33),要结出他的累累硕果。他们要彼此相爱,一切言行都要"爱"字当先,甚至面对世人的憎恨的时候也要如此,因为主已经胜过世界。借助圣灵的工作,他们就会明白这一切的真理,忧愁就会变为喜乐。

通过祷告,耶稣就像大祭司一样把新以色列呈送给父(17：1—26),因为"时候到了"。这个祷告有三个部分:耶稣为自己祷告(17：1—5),让父知道他已经成全作为圣子奉派的使命;耶稣为门徒们代祷(17：6—19),因为尽管他很快要离开他们、离开世界,但是他将因为他们得荣耀;耶稣为教会祈祷(17：20—26),即为那些在他世间的生命结束以后进入他的团契的人们祈祷。

随后《约翰福音》展开的则是与同观福音传统相平行的耶稣受难叙事(18：1—19：42)。根据《约翰福音》的说法,耶稣在逾越节前夜那天受难,在那一天为了守逾越节要宰杀用作牺牲的羔羊。这与施洗约翰早先的说法相一致:"看哪,神的羔羊,除去世人罪孽的。"(1：29)用来庆祝以色列人摆脱埃及奴役的逾越节提示着这样的讯息,即耶稣基督在这个充满罪恶的世界上的牺牲是要把他的精神传给他的门徒,把上帝中的永生赐给世人。

耶稣的复活以及使徒们接受他的复活的第20章(20：1—31)构成《约翰福音》的结尾部分。耶稣的复活被描绘为出乎门徒们的预料。该章叙述耶稣复活的信息传给了使徒们(20：1—23),传给了抹大拉的马利亚,传给十个门徒,传给世界,传给多疑的多马,也传给他们之外信他的那些人们(20：24—31)。该章结尾如下:

> "那没有看见就信的有福了。"……记这些事,要叫你们信耶稣是基督,是神的儿子,并且叫你们信了他,就可以因他的名得生命。(20：29—31)

至于第 21 章，人们认为实际上是一个附录，起着跋的作用①。其中述及耶稣嘱托使徒们"牧养我的羊"，以及载有证明该卷权威性的一些言语。

第三节　《启示录》与期望中的教会

在《新约》经卷中，恐怕没有哪一卷会比最后一卷即《启示录》更能激发读者的想象力，同时又更加挫伤读者的理解力了。整部经卷充满了对于奇幻生物的生动描述，贯穿着色彩绚烂的场景与各种各样的象征和意象。结果，一些信徒因其晦涩难懂往往弃之不顾，一些宗教狂人则根据《启示录》编制属天的时间表以测度未来，或者利用《启示录》来佐证自己的怪诞思想。历史上人们对于其中那些谜团的解释可谓五花八门，有些不着边际的"奇思妙想"甚至远远超出了这部经卷本身。

该卷的奇幻特色固然要对造成人们的那些不着边际的解释负责，但是在这方面责任更大的则是人们对于《启示录》的错误预期。因为过去和现在的诠释者们以为他们自己的经验和他们同时代的事件将会破解这部经卷的秘密，所以《启示录》在历史上被人们借助各种亮光来加以诠释，从宗教改革到希特勒、原子弹和欧共体等等，不一而足。颇具讽刺意味的是，诠释者们越是急于把其中的预言应用到他们自己的时代、地点和境况，就越远离真正理解和鉴赏这部经卷的精妙之路。学者们指出，只有关注它的历史的、社会的和宗教的背景，以及它的文体与风格，才能带来理解其形式、内容和功能的亮光，为人们扫清聆听复活了的耶稣所发警告的道路，正所谓"圣灵向众教会所说的话，凡有耳的，就应当听"(2：7、11、17；3：6、13、22)②。

一、《启示录》的文体

《启示录》具有三种文体的特点，即书信、预言与启示。就像我们将要看到的那

---

① John Drane, *Introducing the New Testament*, Minneapolis: Fortress Press, 2001, p. 210; Henry Jackson Flanders, Jr. and Buce C. Cresson, *Introduction to the Bible*, New York: John Wiley & Sons, 1973, p. 516.

② Paul J. Achtemeier, Joel B. Green, Mariannne Meye Thompson, *Introducing the New Testament: Its Literature and Theology*, Grand Rapids, Michigan: William B. Eerdmans Publishing Company, 2001, pp. 555 - 556.

样,它与这三种文体不仅具有结构上的,而且具有实质性的相似性。尽管有这些相似性,但是它又不是其中任何一种文体的完美样本。它的独特性不仅寓于这些文体的一种组合,而且寓于作者化用这些文体来服务于自己的目的。

《启示录》作为传阅书信,不但具备其他新约书信所具有的写信人、收信人、开首问安和后记等相似结构,而且回应了当时的历史处境和人们的关切。"约翰可能有意以书信形式打造自己的作品,以便契合早期基督教的书信写作传统。可见,当人们阅读《启示录》的时候,应当带着引导人们阅读保罗书信、约翰书信和彼得书信时候的对于历史和背景的敏感关注和问题意识。《启示录》是首先写来回应公元一世纪读者们的关切和需要的。"①

就写信人的身份而言,作者自称约翰——"我约翰就是你们的弟兄,和你们在耶稣的患难、国度和忍耐里一同有份"(1∶9),表明作者本身与收信人有"同甘苦、共患难"的处境和经历,同时又表现出作者拥有具名写信的强烈先知意识。就收信人的身份而言,他们也很可能是兼做约翰意中小亚细亚那些教会之代表的"亚细亚的七个教会"(1∶4),对于这些教会的特别信息浓缩在第2和第3章中。

《启示录》作为基督徒的预言,不仅有书中自称预言为证(1∶3;22∶6—7、18—19),而且事实上跻身《旧约》和《新约》的预言传统之列。《启示录》明言:"念这书上预言的和那些听见又遵守其中所记载的,都是有福的,因为日期近了。"(1∶3)因此,我们发现作者吩咐聚会的基督徒如何对待本卷的诫命,即一个从公开"念"到"听见"又到"遵守"的三环节诫命。是故,有学者指出,"本卷既然是一部揭示和预言的经卷,那么它首先像所有的先知作品和话语那样,旨在劝诫、矫正和鼓励读者。它号召悔改、顺服、忠信和坚韧。这不是一部需要破解的密码,而是一则需要聆听和顺从的宣告。"②

《启示录》作为启示,也属于古代犹太人和犹太基督徒的一种文体,即现代学者所谓的"启示文学"。启示文学作品通常是作者有关自身通过异象和天堂之旅所获启示的一种第一人称散文叙事。《启示录》之名来自首句"耶稣基督的启示"。"启示"一词的希腊文 apokalypsis 的意思是揭示或启示,通常英文意译为 Revelation,音译为 Apocalypse,中国新教传统译为《启示录》,天主教传统译为《默示录》。"启示文学"没有单一的模式,《启示录》与《巴录二书》、《以斯拉四书》和《以诺一书》等启示文学作品既有某些相同的特征,又有所不同。

《启示录》与其他启示文学的一个"有过之而无不及"的共同之处就是使用大量的

---

① Paul J. Achtemeier, Joel B. Green, Mariannne Meye Thompson, *Introducing the New Testament: Its Literature and Theology*, Grand Rapids, Michigan: William B. Eerdmans Publishing Company, 2001, p. 557.
② 同上书,第558页。

象征符号,其中的颜色、数字、动物、植物和物品等都带有象征意义。《启示录》中象征手法的使用复杂多变:有些象征来自目标读者较为熟悉的《旧约》和启示文学传统中的人物与意象(5:8;8:3、7—12;9:2),借古讽今(17:1—9);有些象征是出于纯粹增强叙事效果和感官冲击,磨砺公元 1 世纪的基督徒对于所处世界和真正威胁的敏感度(4:3、6;6:12;10:1;16:16—21);有些象征或许因为目标读者较不熟悉,这种情况下作者往往径直点破象征的含义(1:13—20;6:1—17;12:7—9)。

就丰富的象征有可能导致对《启示录》的误读而言,其中最常见的错误有三:一是把《启示录》的所有象征转化为代码,这导致把书中的"象征"与历史上的事件、人物或实际进行逐一对应解读的过度解读错误①;二是把《启示录》中的那些象征混同为《启示录》的讯息,其实那些象征并非讯息,并不是历史上要应验的事件,它们只是承载和体现《启示录》的讯息而已;三是把象征解释为善恶之间"无时间性的"(timeless)斗争,这种"无时间性的象征"读解不仅会贬低约翰心中那些身处困境的基督徒的困难与挣扎,而且会让罗马强权所形成的实际威胁显得过于杳渺②。

换言之,《启示录》中所描述的那些异象和属天旅程的主要内涵并不是属天的世界或未来,而是从上帝国权的亮光理解万物这个视角所见、特别是以上帝的羔羊耶稣基督的工作所展现的那个视角中所见的罗马帝国和居于其中的基督徒的世界。《启示录》清楚表明,其目标读者要完全理解他们的处境和周围的威胁,需要属天的视角。同样,要提示目标读者有关上帝统摄世界万象的国权,需要读者对于未来有某种理解。《启示录》的作者先知约翰通过向读者展现从上帝的宝座和上帝的未来这种优越角度所见的他们的当前世界,希冀改变读者对于世界的理解:

> 但愿从那昔在、今在、以后永在的神和他宝座前的七灵,并那诚实作见证的,从死里首先复活,为世上君王元首的耶稣基督,有恩惠、平安归与你们!(1:4—5)

二、《启示录》的背景

众所周知,罗马帝国提供了基督教得以播种和生根发芽的环境,及其最初几个世纪在其中成长的社会历史背景。大约在耶稣基督诞生 60 年之前,随着罗马将军庞培

---

① Paul J. Achtemeier, Joel B. Green, Mariannne Meye Thompson, *Introducing the New Testament: Its Literature and Theology*, Grand Rapids, Michigan: William B. Eerdmans Publishing Company, 2001, p. 560.
② 同上书,第 562 页。

(Pompey)借调节犹太人之间的冲突之际率军占领巴勒斯坦,罗马确立起在巴勒斯坦地区的统治。及至公元4世纪基督教成为罗马帝国的官方宗教,又为基督教会提供了政治背景。

随着罗马和平(Pax Romana)到来的是地中海世界的一个崭新时代。希腊-罗马的司法和管理模式得到扩展和加强。那些不参加战斗的士兵在罗马全境修建起四通八达的道路。交通和交流变得方便起来。很快,对过去许多事物的不满的氛围开始在各族人民身上出现。旧有的神祇从基座上跌落下来,而且随着那些占主导地位的哲学思想的到来,人们开始觉醒,旧有的神祇开始失去魅力。罗马影响所及的范围内宗教活力的丧失,对一些皇帝而言成为一个值得关注的问题。帝国各地的国事尽可能地被交到当地的人民的手中去处理;但是即便不是直接的权威,也总是处于罗马权威的阴影笼罩之下。

罗马在军事上的优势和胜利无可匹敌,得以"管辖地上的众王",这形成《启示录》中有关罗马是丑陋、凶残、嗜杀成性的野兽的意象(第13章),而罗马的军事称霸所带来的财富、奢侈以及政治上和经济上的影响又形成《启示录》中大淫妇的意象,而这两个意象在"一个女人骑在朱红色的兽上"的意象中合二为一(第17章)。

基督教是在犹太教内部开始的,而且在其形成时期,甚至在巴勒斯坦以外的地区,当外邦人的信奉人数超过犹太人的时候,也一直是作为犹太教的一个派别存在。基督教运动开始的时候,实际上没有遭到犹太教或者罗马帝国重大的或有组织的反对。摩擦和敌视只是后来才产生的,最初是与犹太教,然后是与罗马。

从《启示录》作者警惕的眼光来看,罗马的残暴、腐败不只是表现在军事高压和穷奢极欲方面,更表现在君王崇拜方面。尽管早期的罗马皇帝,诸如奥古斯都、提庇留、革老丢等,通常都禁止为尊奉他们而修建庙宇和雕像,在有生之年也不接受任何神化他们的崇拜仪式,但在现实生活中,普通百姓仍然为他们修建庙宇和雕像,像敬拜神一样敬拜他们,正所谓"住在地上的人喝醉了她淫乱的酒"(17:2)。更有甚者,与这些皇帝在帝王崇拜方面"无心插柳"不同,还有一些皇帝"有心栽花",诸如卡里古拉和尼禄等人。

卡里古拉是首位无视君王死后才神格化这一传统的罗马皇帝,他不仅身着代表神的装束,而且兴建敬奉他的庙宇,甚至希望在耶路撒冷圣殿树立自己的巨幅肖像。这种神化皇帝的倾向与信奉一神教的犹太教和基督教的信念形成冲突是不可避免的。到臭名昭彰的尼禄统治时期(公元54—68年),果然出现了罗马帝国对基督徒的首次残酷迫害。尽管对罗马城的基督徒而言这是一个可怕的时刻,他们中有许多人被杀、被囚禁,或者受到其他惩罚,但是皇帝的行为显然是出自为自己焚烧三分之二的罗马城寻找替罪羊的需要,而不仅是对帝国境内所有基督徒的一种官方取缔。最有可能的是,这场迫害被局限于罗马城和附近地区。关于此点,大致成书于公元115—117 年的塔西佗的《编年史》有这样的记载:

> 但不苟是人为的措施,不苟是皇帝的慷慨赠赐,还是各种平息神怒的措施,都不能使传到外面去的丑闻平息下去,更不能使人们相信这次大火是故意放起来的。因此尼禄为了辟谣,便找到这样一类人作为替身的罪犯,用各种残酷之极的手段惩罚他们……群众则把这些人称为基督徒。他们的创始人基督,在提贝里乌斯当政时期被皇帝的代理官彭提乌斯·比拉图斯处死了……起初尼禄把那些自己承认为基督徒的人都逮捕起来。继而根据他们的揭发,又有大量的人被判了罪……他们被披上野兽的皮,然后被狗撕裂而死;或是他们被钉上十字架,而在天黑下来的时候就被点着当作黑夜照明的灯火……他们依旧引起人们的怜悯,因为人们觉得他们不是为着国家的利益,而是牺牲于一个人的残暴手段之下。①

及至公元 65 年,尼禄更是变本加厉地把自己打扮成太阳神阿波罗的样子,并把自己戴着神格化的冠冕、刻有"神圣"一字的肖像铸在钱币上。此举不仅导致犹太教徒和基督教徒的不满,而且尼禄在公元 68 年也被罗马元老院宣布为"公敌"。尼禄虽然畏罪自杀,但是身后却留下了有朝一日死而复活或者从逃亡地返回的流言,即著名的"尼禄回归"神话。

在约翰的笔下,罗马军事、政治和经济力量的邪恶本质暴露无遗,君王崇拜则是所有这一切邪恶力量的集中体现;在基督徒眼中,对于帝国力量和君王权威的崇拜无疑僭夺了上帝才配享的位置(13:1)。"由于罗马当局对于权力贪得无厌,并且因而要求属民完全效忠,所以基督徒无论是处于尼禄的统治之下,还是处于任何尼禄复活的阴影之中,都不可避免一再地与罗马政府发生冲突。"②

尽管有尼禄残酷迫害基督徒的先例,但在图密善(Domitian,公元 81—96 年)统治时期之前,历史上基督徒所受罗马民事当局的迫害和虐待基本上是局部性的事件,只是在某种程度上才是罗马敌视他们存在的官方态度的一种结果。在图密善统治时期,基督徒受到迫害,是因为他们拒绝他所要求的对皇帝的神圣敬意。惩罚也不是指向基督徒本身,而是针对在这方面无视皇帝旨意的任何人。

---

① 塔西佗:《编年史》下,商务印书馆 1981 年版,第 541—542 页。
② Paul J. Achtemeier, Joel B. Green, Mariannne Meye Thompson, *Introducing the New Testament: Its Literature and Theology*, Grand Rapids, Michigan: William B. Eerdmans Publishing Company, 2001, p. 572.

图密善像卡里古拉和尼禄一样,生前就接受甚至鼓励君王崇拜。他是一位自我炫耀的暴君,被称为"尼禄二世"。他要求人们称其为"我主上帝",这无疑会引发基督徒的不满,自然也就难免遭受迫害。根据《启示录》中所描述的情况,以及早期教父爱仁纽、德尔图良和尤西比乌等人的见证,主流观点认为《启示录》正是成书于图密善统治时期的末期,即大约公元 95 年①。

三、《启示录》的内容

《启示录》的第一章引入上帝及基督的异象。约翰在《启示录》伊始(1:1—3)就点明其著作的标题为"耶稣基督的启示",而这启示是神赐给他的,以让他做"神的道和耶稣基督的见证";并且指出,无论是大声诵念这启示的,还是听闻而遵循这启示的,"都是有福的"。随之约翰向他的收信人,即亚细亚的七个教会致意,并祝他们得恩惠与平安(1:4—6)。在预言基督复临之后,约翰诉说了在主日那天"在那名叫拔摩的海岛上"所见的异象,及其要把所见内容写下来的使命(1:7—20)。

《启示录》的第一章关注的是"日期近了",其中提到上帝的美名"阿拉法"和"俄梅戛",描述了上帝就是那位"昔在、今在、以后永在的神",这些对于上帝不同名字的记载和描述都是为了强调"日期近了"这个主题。正如上帝的名字"万军之耶和华"强调上帝的权能和统摄万物一样,这里启示的上帝名字"阿拉法"(希腊字母表中起始字母)和"俄梅戛"(希腊字母表中终末字母)强调的是上帝不仅创始成终,不仅始终是上帝,而且"始"与"终"之间的一切也属于他,因此上帝是"全能者";就像上帝差遣摩西去带领以色列人出埃及之前把自己的名字启示给摩西一样,这里上帝同样将名字启示给约翰,是要晓谕约翰,上帝就是施行拯救与审判的那一位,就是他在异象中所见的、"从死里首先复活"、"好像人子"的耶稣,所以约翰才奉命"把所看见的和现在的事,并将来必成的事写出来"。

第二和第三章由写给罗马帝国亚细亚省七个教会的书信构成,其中复活的耶稣以圣旨的形式向位于小亚细亚西部边缘的这个七个教会说话(2:1—3:22)。就希伯来式的思维而言,"七"代表完满,所以在本卷中不断出现。所有这些书信都有类似的结构:(1)以来自基督的特定的话向各个教会的使者致意;(2)皆有叠句"凡有耳的,就应当听";(3)称赞(除老底嘉之外)各个教会的美德;(4)谴责(士每拿和非拉铁非

---

① John Drane, *Introducing the New Testament*, Minneapolis: Fortress Press, 2001, p. 445.

之外)各个教会的罪愆;(5) 劝勉各个教会;(6) 警告(除士每拿和非拉铁非之外)各个教会;(7) 允诺各个教会(特别是非拉铁非教会)得到功德。此外,各个教会都在某个方面具有特征:以弗所教会"把起初的爱心离弃了";士每拿教会是贫穷而富足的;别迦摩教会靠近撒但的宝座(罗马帝国亚细亚行省首府所在地);推雅推喇教会"容让那自称是先知的妇人耶洗别";撒狄教会"是活的,其实是死的";非拉铁非教会面前敞开一扇无人能够关闭的机会之门;老底嘉教会因为"不冷也不热"要被从口中吐出去。所有这些信件共同呈现了一幅有关公元 1 世纪后期亚细亚教会的问题和荣耀的丰富画面①。《启示录》其余部分的异象则类似于一出双幕剧,每一幕各有几个场景。

第一幕(4:1—11:19)所要确立的是这样一个伟大主题,就是神在基督中永远做王(11:15)。这个异象以看见辉煌的天庭景象开始(4:1—5:14),天庭的中央有一个宝座,上面坐着的那位几乎无法描述。而所用的那些描述性短语则显露了约翰的神学思想。上帝的圣洁令人顿生敬畏,接着人们的注意力被引导到坐在宝座上的那位右手所拿的用七印封严了的书卷上。最初因为寻不到配打开书卷者,约翰就大哭。后来终于找到配展开书卷的人,那就是"犹大支派中的狮子"(他也是一只羔羊,大概是弥赛亚和受苦仆人身份的一种混合;《旧约》中的一些典故渗透在整个段落之中)。随着配展开书卷的那人从坐宝座的那人右手拿了书卷,天庭中的所有活物、长老和天使都齐声赞颂。

《启示录》视上帝对于天地享有一切国权,而且在人类的历史中神秘地作工,达到其永恒目的。与展开书卷的前六印相连的那些事件(6:1—17)既传递了人类状况的可怕,又传递了在这个环境中存在忠信的上帝民众这个事实。当打开前四印的时候,出现了末世四骑士,分别象征军事征服(白马)、世事混乱(红马)、饥馑(黑马)和瘟疫或死亡(灰马)。第五印揭示的是因虔信上帝而在逼迫中殉道的信仰见证者。第六印揭开时的情景描绘的是搅乱自然和影响整个世界的天界力量。

在揭开第七印之前,《启示录》中插入一个令人感到慰藉的插曲(7:1—17)。这个插曲首先谈到神的众位仆人得了永生神的印的印记,确保了他们的拯救(7:1—8),然后描绘了数目"没有人能数过来"的得救者在天堂的上帝面前享受平安与喜乐(7:9—17)。他们的苦难已成过去:

> 所以,他们在神宝座前,昼夜在他殿中侍奉他。坐宝座的用帐幕覆庇他们。
> 他们不再饥、不再渴,日头和炎热也必不伤害他们,因为宝座中的羔羊必牧养他

---

① Henry Jackson Flanders, Jr. and Buce C. Cresson, *Introduction to the Bible*, New York: John Wiley & Sons, 1973, pp. 521 - 523.

们,领他们到生命水的泉源,神必擦去他们一切的眼泪。(7：15—17)

在这个插曲之后,《启示录》讲到第七印被揭开,随之出现的是手拿号角的七位天使(8：1—9：21)。六位天使各自吹响自己的号角,某种自然灾殃落到三分之一的人类身上或宇宙某个部分的三分之一区域上。尽管毁坏程度是严重的,但是仍然保持在一定限度之内。显然那些天灾本应促使幸存者幡然悔悟,但是在该经段结尾处(9：20—21)两次提到他们"仍旧不悔改"。这并不意味着当剧情发展到这一点的时候所有的苦难已经结束,而是有更多的苦难在后头。

在第七位天使吹响号角之前,《启示录》又加入一个插曲(10：1—11：14)。这个插曲有两个阶段,首先(10：1—11)约翰本人成为剧情中的人物,见到一个"小书卷",并且听到"七雷发声"。他正要记下"七雷所说的",突然听到有声音吩咐他"不可写出来",而是要吃下那个小书卷。吃下小书卷的约翰"口中果然甜如蜜",而"肚子觉得发苦",正如拯救信徒的信息是甜的,毁灭不信者的信息是苦的。其次(11：1—14)约翰谈及度量上帝的殿,很可能是要象征性地决定犹太教充分与否。随之,谈及两个见证人(很可能以摩西和以利亚为原型)被杀死在大城的街上,三天后有灵气从神那里进入他们,他们便站起来,"就驾着云上了天"。

第一幕的高潮是在 11：15—19。迄今《启示录》的所有步骤都是要导向第七印揭开之后伴随第七支号角吹响所宣布的主题。随着第七支号角的吹响,便听到天上有大声音说:"世上的国成了我主和主基督的国;他要作王,直到永永远远。"(11：15)随着这个主题的揭示,上帝在天上的殿打开了,殿中的约柜显露出来。

第二幕(12：1—22：5)关涉上帝在与撒但的战斗中最终得胜这个主题。首先是关于享有终极国权的上帝与表面上统治世事的撒但之间的斗争的长篇描述(12：1—19：10)。约翰以对道成肉身的诠释打开第二幕的序幕(12：1—6)。他描绘了一个怀孕的妇人(以色列人)和守在一旁等待妇人分娩时吞下婴儿的大红龙(撒但)的画面。在那龙伤害婴孩之前,上帝拯救了那个婴孩(弥赛亚),而且妇人被送到上帝预备的地方保护起来。于是天上发生争战,龙及其使者在宇宙大战中失败。落败被摔在地上的龙继续作恶,伺机逼迫生孩子的妇人。妇人得到安全保护,撒但于是对妇人的苗裔(教会)开战。

撒但继续借助两个兽进行针对基督的战争(13：1—18)。第一个兽(13：1—10)象征罗马皇帝,得到撒但赐给的超常力量。基督徒用他们的精神资源对抗这头兽的物质武器。第二个兽(13：11—18)象征迫使人们像神一样忠于那兽(皇帝)的帝国膜拜,施行头一个兽的所有权柄,并且使用欺骗、经济制裁和处决等手段履行它的责任。第一个兽用神秘数字"666"来标示。在希伯来语中,字母具有等同于各自在字母表中相应位置的数值(希腊字母也是如此,例如,"耶稣"的希腊字母数值是"888")①。使用这一计算系统,构成"尼禄"、"恺撒"的那些字母累加的数值正好是"666"。当时曾经流传尼禄会死而复生的传说。可想而知,数目"666"让人联想到罗马皇帝图密善是那个率先迫害基督徒的尼禄皇帝的借尸还魂。

随之是另一个插曲,鉴于即将到来的在基督中的上帝与撒但之间的大战,其中七次向忠信者做出保证和提出警告(14:1—20)。然后约翰看到七个天使,各持一个"神大怒的碗"。在整整一章(第15章)的铺垫之后,七个天使各自把他们手中"神大怒的碗"倾倒在宇宙的某个部位:大地上、大海里、江河里、日头上、兽的座位上、幼发拉底大河上和空中(16:1—21)。这些灾殃比早先号角吹响时候出现的灾殃(8:1—9:21)更为广泛;但是即便如此,仍然不能令人悔改(16:9、11、21)。于是哈米吉多顿大战蓄势待发。

接下来,借助大淫妇(巴比伦)异象和羔羊的婚宴,宣布了巴比伦大城(罗马)的倾倒(17:1—19:10)。历史上曾经逼迫和毁灭耶路撒冷的巴比伦被用来象征现在肆虐各地和迫害上帝教会的罗马。罗马被描绘成地上所有的君王与之行淫的大淫妇(17:1—18),而且地上的人喝醉了她淫乱的酒。这个大淫妇富有、花骚,是所有罪恶和迷信之母。她酩酊大醉,不是因为酒,而是因为喝了圣徒的血。叙述中,尼禄复活的神话再次暗中出现(17:11),以此把帝国时期的罗马定位为这样一种势力,即她与羔羊争战但最终被羔羊战胜。约翰好像是说,罗马将因内部情况恶化而倾覆(17:14—18)。继之则是七次宣示对大淫妇的判决(18:1—19:5)。所有这些宣示都指向彰显罗马的彻底毁灭。最后宣布了羔羊与他的新娘——圣徒或上帝子民的婚宴(19:6—10),以示庆贺。

之后,《启示录》剩余的主要文本板块描绘了上帝对撒但的胜利(19:11—20:15)。上帝的道在一匹随时投入战斗的白马上显示为万王之王和万主之主(19:11—16)。一位天使邀请飞在空中的鸟"聚集来赴神的大宴席"(19:17—18),在这宴席上它们可以吃那些战败的王侯将相和勇武之人的肉。那兽与地上的君王结盟与基督争战。第一个兽(帝国时期的罗马)和第二个兽(官方宗教膜拜)被击败,"被扔在烧着硫磺的火湖里"(19:19—21)。这两个兽遭受毁灭,但是撒但未然。随着罗马的倾覆,那龙(撒但)将在无底坑中被捆绑一千年(20:1—3),其间他的威力得到控制,但是"等那一千年完了,以后必须暂时释放它"(20:3)。与之形成对照,那些殉道者和圣徒将在

---

① Paul J. Achtemeier, Joel B. Green, Mariannne Meye Thompson, *Introducing the New Testament: Its Literature and Theology*, Grand Rapids, Michigan: William B. Eerdmans Publishing Company, 2001, p.571.

罗马倾覆之后和剧目终了了之前"与基督一同作王一千年"(20：4—6)。千年后获释的撒但再次"迷惑地上四方的列国"。上帝的所有敌人,即歌革和玛各,多如海边的沙,他们聚拢来围攻上帝在地上的圣徒。上帝本人介入,撒但被永远击败,被扔到先前那两个兽被扔的那同一个火湖之中(20：7—10)。接着是末日大审判到来。死亡本身连同那些名字没有记在生命册上的人被扔到火湖里(20：11—15)。

约翰在《启示录》中用以收尾的是有关新天新地和新耶路撒冷的异象(21：2—22：5),其中一切都是崭新的。恢宏的意象提示着上帝的一种新创造。作者极尽每一种美好的东西来呈现这种新的创造。人类最高远的盼望和梦想得到实现,信徒在神的临在面前再次得以接触到《创世记》中的"生命树":

> 我又看见一个新天新地,因为先前的天地已经过去了,海也不再有了。我又看见圣城新耶路撒冷由神那里从天而降,预备好了,就如新妇妆饰整齐,等候丈夫。我听见有大声音从宝座出来说:"看哪,神的帐幕在人间。他要与人同住,他们要作他的子民;神要亲自与他们同在,作他们的神。神要擦去他们一切的眼泪,不再有死亡,也不再有悲哀、号哭、疼痛,因为以前的事都过去了。"

> 坐宝座的说:"看哪,我将一切都更新了……我是阿拉法,我是俄梅戛,我是初,我是终。我要将生命泉的水白白赐给那口渴的人喝。得胜的,必承受这些为业。我要作他的神,他要作我的儿子。"(21：1—7)

> 天使又指示我在城内街道当中一道生命水的河,明亮如晶,从神和羔羊的宝座流出来。在河这边与那边有生命树,结十二样果子,每月都结果子,树上的叶子乃为医治万民。以后再没有咒诅。在城里有神和羔羊的宝座,他的仆人都要侍奉他,也要见他的面。他的名字必写在他们的额上。不再有黑夜。他们也不用灯光、日光,因为主神要光照他们,他们要作王,直到永永远远。(22：1—5)

最后,整部《启示录》和整部《圣经》以确认新天新地异象"真实可信"(22：6—9)、警示世人听从这书的信息(22：10—20)和祝福"主耶稣的恩惠常与众圣徒同在"结束。

本书主要参考资料

主要资料来源

1. 中文《圣经》和合本。
2. 中文《圣经》启导本。
3. Henry Jackson Flanders, Jr. and Buce C. Cresson, *Introduction to the Bible*, New York: John Wiley & Sons, 1973.
4. Henry Jackson Flanders, Jr., Robert Wilson Crapps, David Anthony Smith, *People of the Covenant: An Introduction to the Old Testament*, New York: John Wiley & Sons, 1973.
5. H. H. Ben-Sasson (ed.), *A History of the Jewish People*, Harvard University Press, 1976.
6. Alfred J. Hoerth, *Archaeology and the Old Testament*, Grand Rapids, Michigan: Baker Books, 1998.
7. Rolf Rendtorff, *The Old Tesatment: An Introduction*, Fortress Press, 1991.
8. James L. Mays (ed.), *Harper's Bible Commentary*, Harper & Row, 1988.
9. Alfred J. Hoerth, *Archaeology and the Old Testament*, Grand Rapids, Michigan: Baker Books, 1998.
10. Brevard S. Childs, *Biblical Theology of the Old and New Testaments*, Minneapolis: Fortress Press, 1992.
11. Cyrus H. Gordon and Gary A. Rendsburg, *The Bible and the Ancient Near East*, New York/ London: W. W. Norton & Company, 1997.
12. Rolland Wolfe, *The Twelve Religions of the Bible*, The Edwin Mellen

Press, 1982.

13. Philip S. Johnson （ed.）, *The IVP Introduction to the Bible*, Inter-Varsity Press, 2006.

14. John F. A. Sawyer （ed.）, *The Blackwell Companion to the Bible*, Blackwell Publishing Ltd., 2006.

15. John H. Walton, *Ancient Near Eastern Thought and the Old Testament: Introducing the Conceptual World of the Hebrew Bible*, Grand Rapids, Michigan: Baker Academic, 2006.

16. David S. Noss, *A History of the World's Religions*, 11th ed., Upper Saddle River, NJ: Prentice Hall, 2003.

17. George E. Mendenhall, *Ancient Israel's Faith and History: An Intrudction to the Bible in Context*, Louisville, Kentucky: Westminster John Knox Press, 2001.

18. Glenn R. Bugh （ed.）: *Cambridge Companion to the Hellenistic World*, Cambridge University Press, 2006.

19. John Drane, *Introducing the New Testament*, Minneapolis: Fortress Press, 2001.

20. John McRay, *Archeology and the New Testament*, Grand Rapids, Michigan: Baker Book House, 2003.

21. Paul J. Achtemeier, Joel B. Green, Mariannne Meye Thompson, *Introducing the New Testament: Its Literature and Theology*, Grand Rapids, Michigan: William B. Eerdmans Publishing Company, 2001.

22. Clyde E. Fant, Donald W. Musser, Mitchell G. Reddish, *An Introduction to the Bible*, Revised Edition, Nashville: Abingdon Press, 2001.

中文参考书目

1. 罗宾逊、史密斯编:《灵知派经典》,华东师范大学出版社 2008 年版。

2. 刘小枫主编:《灵知主义与现代性》,华东师范大学出版社 2005 年版。

3. 梁工:《圣经百科辞典》,辽宁人民出版社 1990 年版。

4. 丘恩处:《旧约概论》,香港基督教文艺出版社 1990 年版。

5. 狄拉德、朗文:《21 世纪旧约导论》,台北校园书房出版社 2001 年版。

6. 约翰·鲍克:《圣经的世界》,台北猫头鹰出版社 2000 年版。

7. 纪博逊主编：《旧约圣经注释》,中国基督教两会。

8. 巴克莱主编：《新约圣经注释》,中国基督教两会。

9. 弗雷泽：《金枝》(上、下),中国民间文艺出版社 1987 年版。

10. 菲利浦·希提：《阿拉伯通史》第十版(上),新世界出版社 2008 年版。

11. 陈恒：《希腊化研究》,商务印书馆 2006 年版。

12. 布鲁斯：《圣经正典》,上海人民出版社 2008 年版。

13. 罗庆才、黄锡木：《圣经通识手册》,学林出版社 2007 年版。

14. 郝澎：《基督教与圣经(新版)》,南海出版公司 2007 年版。

15. 斯蒂芬·米勒、罗伯特·休伯：《圣经的历史》,中央编译出版社 2008 年版。

16. 菲·斯图尔特：《圣经导读》(上、下),北京大学出版社 2005 年版。

17. 阿兰·米拉德：《〈圣经〉考古大发现》,江西人民出版社 2009 年版。

18. 邱永旭：《〈圣经〉文学研究》,巴蜀书社 2008 年版。

19. 朱维之：《圣经文学十二讲：圣经、次经、伪经、死海古卷》,人民文学出版社 1989 年版。

20. 刘意青：《圣经的文学阐释：理论与实践》,北京大学出版社 2004 年版。

21. 西蒙·巴埃弗拉特：《圣经的叙事艺术》,华东师范大学出版社 2006 年版。

22. 利兰·莱肯：《圣经文学导论》,北京大学出版社 2007 年版。

23. 罗伯特·阿尔特：《圣经叙事的艺术》,商务印书馆 2010 年版。

24. 张朝柯：《圣经与希伯来民间文学》,东方出版社 2004 年版。

25. 里兰德·来肯：《认识〈圣经〉文学》,江西人民出版社 2007 年版。

26. 王新球：《〈圣经〉的历史性与文学性》,上海交通大学出版社 2005 年版。

27. 南希·M·蒂施勒：《圣经文学主题指引》,中国人民大学出版社 2009 年版。

28. 刘光耀、孙善玲：《四福音书解读》,宗教文化出版社 2004 年版。

29. 叶舒宪：《圣经比喻》,广西师范大学出版社 2003 年版。

30. 马自毅：《圣经地理》,学林出版社 2005 年版。

31. 刘锋：《〈圣经〉的文学性诠释与希伯来精神的探求》,北京大学出版社 2007 年版。

32. 陈会亮：《圣经与中外文学名著》,宗教文化出版社 2009 年版。

33. 梁工：《圣经叙事艺术研究》,商务印书馆 2006 年版。

34. 傅敬民：《〈圣经〉汉译的文化资本解读》,复旦大学出版社 2009 年版。

35. 梁工：《西方圣经批评引论》,商务印书馆 2006 年版。

36. 杨彩霞：《20 世纪美国文学与圣经传统》,中国人民大学出版社 2007 年版。

37. 程小娟：《圣经叙事艺术探索》,宗教文化出版社 2009 年版。

38. 梁工：《圣经文学研究(第3辑)》,人民文学出版社2009年版。

39. 罗伯茨：《圣经中的文明古城》,中国建筑工业出版社2003年版。

40. 施正康、朱贵平：《圣经事典》,学林出版社2005年版。

41. 梁工等：《圣经视阈中的东西方文学》,中华书局2007年版。

42. 陆家齐、魏伟、程鹿峰：《书中之书：艺术中的圣经故事》,中国时代经济出版社2009年版。

43. 梁工：《圣经文学研究(第2辑)》,人民文学出版社2008年版。

44. 麦慈格：《新约正典的起源发展和意义》,上海人民出版社2008年版。

45. 邱业祥：《圣经关键词研究》,宗教文化出版社2009年版。

46. J·格雷山姆·梅琴：《新约文献与历史导论》,上海人民出版社2008年版。

47. 孙毅：《圣经导读》,中国人民大学出版社2005年版。

48. 游斌：《希伯来圣经的文本历史与思想世界》,宗教文化出版社2007年版。

49. 卓新平：《圣经鉴赏》,宗教文化出版社2000年版。

50. 卓新平：《宗教理解》,社会科学文献出版社1999年版。

英文参考书目

1. E. P. Barrows, *Companion to the Bible*, General Books LLC, 2010.

2. John Barton (ed.), *The Cambridge Companion to Biblical Interpretation*, Cambridge University Press, 2003.

3. Metzger, Bruce M. and Coogan Michael D., *The Oxford Companion to the Bible*, Oxford University Press, 1993.

4. Judson Knight, *Ancient Civilizations Almanac*, 2000, U·X·L.

5. Andre LaCocque, *Ruth: A Continental Commentary*, Minneapolis: Fortess Press, 2004.

6. Timothy K. Beal, *Esther, in Ruth and Esther*, Collegeville, Minnesota: The Liturgical Press, 1999.

7. Henk Dijkstra, *History of the Ancient & Medieval World*, volume 2: *Egypt and Mesopotamia*, New York: Marshall Cavendish, 1996.

8. John Malam, *Mesopotamia and the Fertile Crescent, 10,000 to 539 B. C.*, Austin, TX: Raintree Steck-Vaughn, 1999.

9. Elaine Landau, *The Assyrians*, Brookfield, CT: Millbrook Press, 1997.

10. Elaine Landau, *The Babylonians*, Brookfield, CT: Millbrook Press, 1997.

11. Elaine Landau, *The Sumerians*, Brookfield, CT: Millbrook Press, 1997.

12. Clarice Swisher, *The Ancient Near East*, San Diego, CA: Lucent Books, 1995.

13. Henk Dijkstra, *History of the Ancient & Medieval World*, volume 3: *Ancient Cultures*, New York: Marshall Cavendish, 1996.

14. Andrea Due (ed.), *The Atlas of Human History: Cradles of Civilization: Ancient Egypt and Early Middle Eastern Civilizations*, New York: Macmillan Library Reference USA, 1996.

15. Martin Mulloy, *Syria*, New York: Chelsea House, 1988.

16. Jonathan N. Tubb, *Bible Lands*, New York: Knopf, 1991.

17. Hans Baumann, *In the Land of Ur: The Discovery of Ancient Mesopotamia*, Translated by Stella Humphreys, New York: Pantheon, 1969.

18. Pamela Odijk, *The Israelites*, Silver Burdett, 1990.

19. M. M. Austin (ed.), *The Hellenistic World*, Cambridge University Press, 1981.

20. Mary Boyce, *Zoroastrians*, Routledge & Kegan Paul, 1979.

21. Mario Liverani, *Israel's History and the History of Israel*, Equinox, 2005.

22. John H. Marks, *Visions of One World: Legacy of Alexander*, Four Quarters, 1985.

23. Wolfram von Soden, *The Ancient Orient: An Introduction to the Study of the Ancient Near East*, Eerdmans/Gracewing, 1994.

24. F. W. Walbank, *The Hellenistic World* (rev. edn.), Harvard University Press, 1993.

25. Fernand Braudel, *The Mediterranean in the Ancient World*, Allen Lane, 2001.

26. J. Burckhardt, *The Greeks and Greek Civilization*, St Martin's Press, 1998.

27. Peter Connolly, *The Jews in the Time of Jesus: A History*, Oxford University Press, 1983.

28. David Jasper (ed.), *The Sacred Desert: Religion, Art, Literature, and Culture*, Blackwell, 2004.

29. M. Saebo (ed.), *Hebrew Bible/Old Testament: The History of its Interpretation*, Vandenhoeck & Ruprecht, 1996.

30. J. L. Kugel, *Traditions of the Bible: A Guide to the Bible as It Was at the Start*

of the Common Era, Harvard University press, 1998.

31. Christopher de Hamel, *The Book: A History of the Bible*, Phaidon, 2001.

32. W. G. Kummel, *The New Testament: The History of the Investigation of its Problems*, SCM Press, 1973.

33. R. Stark, *The Rise of Christianity: A Sociologist Reconsiders History*, Princeton University Press, 1996.

34. Tomie de Paola, *The Miracles of Jesus: Retold from the Bible and Illustrated by Tomie de Paola*, Holiday House, 1987.

35. H. Y. Gamble, *The New Testament Canon: Its Making and Meaning*, Fortress Press, 1985.

36. H. Y. Gamble, *Books and Readers in the Early Church: A History of Early Christian Texts*, Yale University Press, 1995.

37. K. Haines-Eitzen, *Guardians of Letters: Literacy, Power, and the Transmitters of Early Christian Literature*, Oxford University Press, 2000.

38. P. R. Ackroyd, and C. F. Evans (ed.), *The Cambridge History of the Bible*, volume 1: *From the Beginnings to Jerome*, Cambridge University Press, 1993.

39. G. W. H. Lampe (ed.), *The Cambridge History of the Bible*, volume 2: *The West from the Fathers to the Reformation*, Cambridge University Press, 1993.

40. S. L. Greenslade (ed.), *The Cambridge History of the Bible*, Volume 3: *The West from the Reformation to the Present Day*, Cambridge University Press, 1993.

跋

　　作者自 1990 年以来一直致力于文化历史角度的《圣经》研究与教学。2000 年以来所开设的"《圣经》与基督教"在复旦大学教学改革中被遴选为"综合平台课程",特别是复旦学院成立之后的核心课程"《圣经》与西方宗教文化"的选修情况更是可喜,在扭转大学生对《圣经》的漠然态度、引导大学生正视这部文化典籍方面做了初步的工作。为了进一步让更多的中国大学生了解《圣经》的真谛,一本能够体现《圣经》文化精髓所在而非囿于信仰之维的"精读"就成了当务之急。非常荣幸的是,复旦各职能部门的领导运筹帷幄,哲学学院的领导和同事积极支持,责任编辑陈军先生富有反馈、兢兢业业地斧正,最终得以促成这本"精读"之书面世,特为鸣谢。

　　本"精读"的初稿 2008 年 11 月完成于复旦大学。2008 年 12 月作者辞别爱妻、犬子,只身来到美国加州大学伯克利分校访问研究。借助伯克利主图书馆和 GTU 图书馆之便,对初稿进行了必要的补充和修订。在这个意义上,本"精读"充算作者"借花献佛"向提供访学资助的加利福尼亚省和促成访问的美国"耶稣会神学学院"Thomas E. Buckley 教授的谢礼。在多年来与复旦学子和近年来与"西学班"、"人文课程班"的学员教学相长的意义上,本"精读"实为作者向他们表示谢意的献礼。在为离妻别子心中不安的意义上,本"精读"权当作者向国内"艰难度日"的爱妻和犬子深表歉意的一种"精诚所至"的赔礼。

　　最后是本"精读"需要专门说明的几点:

　　1. 本"精读"采用《和合本圣经》,以及基督教新教语汇系统,在有关年代、人物、地点、考据等方面学界诸说不一的时候择其一说。除所引经文之外,本"精读"舍却历史上"上帝"和"神"译名之争中的复杂考量,大多选用"上帝"。因为在一般理解和普遍印象中,"上帝"是基督教所称之"神"的独特用词。

　　2. 在行文中,涉及上帝名字的四个字母 YHWH 的时候,作者未用有些文章中尝试性出现的"亚卫"、"亚威"等选择,特别译为"耶巍";至于另一个神名 Elohim,作者纵观整部《圣经》及其神学,试译为"伊逻音",取"伊勒、逻各斯、话音"之意。鉴于目前学术研究中经常涉及的 YHWH 和 Elohim 的中译仍然没有理想结果,作者提出这种音译、意译尽可能兼顾的译名,以博学界一粲。

3.《圣经》不是一本书,而是 66 部经卷的一套文库,任何单卷本的"精读"都无法逐句加以引述、讲解。是故,本"精读"舍却处理某些篇幅较小的经典可行的"句解"体例,而选取就《圣经》和本书设限篇幅而言唯一可行的旨在帮助读者读出字里行间的"精义"、读出文本背后的"时代精神"的模式。"螺蛳壳里做道场"实属无奈之举,详略或有失当,因此,希望本"精读"处理《圣经》篇目的某些方式和顺序不要引发肢解《圣经》的误解。

4. 鉴于上点,本"精读""精心"挖掘《圣经》作为一部人类文化典籍的内在价值和外在影响的模式下,对《圣经》的某些细节处理和角度选择在一定程度上可能不同于以往的某些"定见"和"传统",但是本"精读"的这种切入角度和阐释模式恰是从学理上超越世人先入为主的《圣经》单一信仰维度,搭建《圣经》与中国读者多维度精神交流之桥梁、挖掘《圣经》对于当代社会生活之启迪、拓宽《圣经》这座千年文化宝库之"窄门"的有效进路。

5.《圣经》是真正意义上的博大精深。古今中外、教内教外的注疏和论著汗牛充栋,专家学者人才辈出。作者以一己之绵薄、萤尾之智光,所呈拙作充其量只是国内外研究成果的一种综合折射;虽也诚惶诚恐、谨小慎微、思之再三,毕竟"人类一思考,上帝就发笑"。本"精读"难免有许多贻笑大方之处,望教内外先贤大德、同侪巨擘、青年才俊和广大读者不吝指教。

王新生

2009 年 1 月识于加州大学伯克利

拙作自 2010 年 8 月出版以来,承蒙广大读者的抬爱和谬赞,很快售罄。值此重印之际,谨向广大读者深致谢忱,并期待更多的建议和意见反馈。

本次重印订正了个别文字错讹。

王新生

2011 年 3 月于复旦大学光华楼

　　承蒙广大读者的抬爱和复旦大学出版社的厚爱,拙著《〈圣经〉精读》得以多次重印,再次一并致谢。《圣经》是以两河流域文明和尼罗河流域埃及文明为背景、以犹太文明及其与希腊文明融合所孕育的原始基督教文明为主线的文化典籍。在此重印之际,希望《〈圣经〉精读》能够继续充当解读《圣经》和西方文明的"密码本";倘使能够促发读者对于"不忘本来、吸收外来、面向未来"有所感悟,则乐莫大焉。

王新生

2021 年 8 月于上海淞南

图书在版编目(CIP)数据

《圣经》精读/王新生著. —上海:复旦大学出版社,2010.8(2022.11 重印)
(哲学原典精读系列)
ISBN 978-7-309-07513-7

Ⅰ. 圣… Ⅱ. 王… Ⅲ. 圣经-研究 Ⅳ. B971

中国版本图书馆 CIP 数据核字(2010)第 150701 号

《圣经》精读
王新生 著
责任编辑/陈 军

复旦大学出版社有限公司出版发行
上海市国权路 579 号 邮编:200433
网址: fupnet@ fudanpress.com http://www.fudanpress.com
门市零售: 86-21-65102580 团体订购: 86-21-65104505
出版部电话: 86-21-65642845
常熟市华顺印刷有限公司

开本 787×960 1/16 印张 25.25 字数 442 千
2010 年 8 月第 1 版
2022 年 11 月第 1 版第 12 次印刷

ISBN 978-7-309-07513-7/B · 365
定价:68.00 元